Met haar monumentale [...] Maryse Condé een geheel onbekende wereld.

Gesitueerd in het 19de-eeuwse Mali worden de lotgevallen gevolgd van Dousika Traoré, vertrouweling van de koning van Ségou, en zijn vrouwen. Hun nazaten symboliseren de dilemma's en gevaren waarvoor zich de Afrikanen geplaatst zien: de aantrekkingskracht van een universele godsdienst, de verleidingen van de Europese beschaving, de alom loerende slavenhalers, het lokkende vooruitzicht om het onveilige vaderland te verlaten en het geluk in vreemde dienst te zoeken.

De historische achtergrond van dit famlie-epos vormt de neergang van een der laatste authentieke Afrikaanse rijken, dat van de Bambara met de hoofdstad Ségou. Een andere permanente bedreiging gaat uit van de Europese nederzettingen langs de Golf van Guinee. Zij moeten met een gestage stroom slaven voor de Nieuwe Wereld worden voorzien, en de blanken hebben plannen om hun gebieden uit te breiden en grote plantages in Afrika op te zetten.

Maryse Condé (1937, Guadeloupe) studeerde letteren aan de Sorbonne, doceerde in Guinee, Ghana, Senegal, Frankrijk en de Verenigde Staten. Zij wordt internationaal gezien als een autoriteit op het gebied van de Afrikaanse en Caribische literatuur. Zij publiceerde tal van romans, verhalen, toneelstukken en essays. In Nederland verschenen onder meer haar romans *Heremakhonon / Wacht op het geluk* (1980) en *Tituba, de zwarte heks van Salem* (1989).

Met Ségou heeft Maryse Condé de eerste grote historische roman over Afrika geschreven, die wereldwijd successen oogst.

# Maryse Condé

# Ségou 1

## De aarden wallen

vertaald door Stefaan van den Bremt

*Rainbow Pocketboeken*

Rainbow Pocketboeken® worden uitgegeven door
Uitgeverij Maarten Muntinga bv, Amsterdam


Uitgave in samenwerking met:
Uitgeverij In de Knipscheer bv, Amsterdam


Oorspronkelijke titel: *Ségou. Les murailles de terre.*
Copyright©1984, Editions Robert Laffont, Parijs
Copyright Nederlandse vertaling © 1987,
Uitgeverij In de Knipscheer
Grafische vormgeving: Marjo Starink / Studio Cursief
Foto voorzijde omslag: ABC Press
Foto achterzijde omslag: H. Elwing
Druk: Ebner Ulm
Uitgave in Rainbow Pocketboeken juni 1990
Vierde druk oktober 1990
Alle rechten voorbehouden

ISBN 90 6766 085 X  CIP  NUGI 301

Onder de velen die mij met bibliografische aanwijzingen hebben bijgestaan of toegang verleend tot hun documentatie, gaat mijn dank vooral naar mijn vrienden de historici of onderzoekers in de menswetenschappen Amouzouvi Akakpo, Adame Ba Konare, Ibrahima Baba Kake, Lilyan Kesteloot, Elikia M'Bokolo, Madina Ly Tall, Olabiyi Yai, Robert Pageard en Oliveira dos Santos.
Dank zij hun adviezen verwijdert dit verzonnen verhaal zich niet te veel van de werkelijkheid. - M.C.

*Aan mijn Bambara stammoeder*

# Inhoud

# Deel 1

# Het woord
# dat 's nachts opklinkt

# I

*Ségou is de tuin der listen. Ségou is gebouwd op het verraad.*
*Praat over Ségou buiten Ségou, maar praat niet over Ségou*
*in Ségou.*

Waarom bleef dat lied van de lofdichters, dat hij zo
dikwijls had gehoord zonder er veel aandacht aan te
besteden, in Dousika's hoofd rondspoken? Vanwaar die
vrees, even halsstarrig als de braakneigingen van een
zwangere vrouw? Vanwaar die schrik bij het aanbreken
van de dag? Dousika haalde zich zijn dromen weer voor
de geest om een teken te ontdekken, een vingerwijzing.
Maar hij vond niets. Hij had diep geslapen, en niet één
voorouder had zich tot hem gericht. Op een mat in het
voorkamertje van zijn hut nam Dousika een hap dègè,
de giertebrij vermengd met gestremde melk en honing,
die hij bij het ontbijt niet kon missen. Dit keer was het
mengsel een beetje te dun voor zijn smaak: ontstemd
wenkte hij Nya, zijn eerste vrouw, om haar een standje
te geven. In afwachting pakte hij zijn n'tomi tandestoker
en stak hem tussen zijn fraaie, gevijlde tanden, om door
de inwerking van het plantaardig sap op zijn speeksel
zijn lichaamskracht en zijn seksuele potentie te verho-
gen.

Hij stond op, want Nya reageerde niet, verliet zijn
hut en betrad de eerste binnenplaats van het vrouwen-
verblijf. Die was verlaten. Verlaten? Slechts een paar
wannen, bestemd voor de gierst, lagen her en der op
het smetteloze zand naast enkele houten schemels.

Dousika was een edelman, een yèrèwolo, raadslid en
persoonlijke vriend van de mansa, vader van een tiental
wettige zonen, in zijn hoedanigheid van fa een patriarch

die heerste over vijf gezinnen: naast het zijne ook over die van zijn jongere broers. De familiehuizing was een afspiegeling van de sociale rang die Dousika in Ségou innam. Aan de straatkant was de hoge aarden gevel versierd met beeldhouwwerk en driehoekige, in de muur gegrifte tekeningen; daar bovenuit verrezen torentjes van verschillende lengte in een luchtig samenspel. Achter de gevel bevond zich een aantal lemen hutten, met dakterrassen bedekt en via allerlei binnenplaatsen met elkaar verbonden. Op de eerste binnenplaats groeide een prachtige vijgeboom waarvan de kruin – een echte koepel van groen – werd onderstut door wel vijftig tot echte zuilen uitgegroeide luchtwortels die van de hoofdstam naar de aarde grepen.

In zekere zin was de vijgeboom de kroongetuige en behoeder van de Traorés. Onder zijn machtige wortels was na elke gelukkige bevalling de nageboorte van talloze voorouders begraven. In zijn schaduw hurkten de vrouwen en de kinderen om elkaar verhalen te vertellen, en de mannen om over familiekwesties te beraadslagen. In het droge seizoen bood hij beschutting tegen de zon; in het regenseizoen schonk hij brandhout. 's Nachts scholen de geesten van de voorouders in zijn gebladerte, waar ze waakten over de slaap der levenden. Waren ze boos, dan lieten ze dat weten door een licht gedruis, mysterieus en toch glashelder als een codetaal. Zij die door hun ervaring gemachtigd waren om die signalen te ontraadselen, schudden dan het hoofd en mompelden: 'Vanavond hebben onze voorvaderen gesproken.'

Wie de drempel van de familiehuizing der Traorés overschreed, wist meteen met wie hij te maken had. Het was niet moeilijk te raden dat hier bezitters woonden van goede grond, beplant met gierst, katoen, fonio, bewerkt door honderden slaven en krijgsgevangenen. In berghokken hoopten zich de zakken kaurischelpen en stofgoud – gulle geschenken van de mansa – op en uit de omheinde ruimte achter de hutten klonk een driftig gesnuif van Arabische paarden. Aan duizend tekenen

12

kon men hier de rijkdom aflezen.

Verlaten, die eerste binnenplaats–terwijl het er meestal krioelde van het volk? Meisjes en jongens, bijna moedernaakt: de meisjes met een parel- of kaurisnoer om de lenden, de jongens met om hun middel niets dan een katoenen draad. Vrouwen die gierstkorrels aan het fijnstampen of aan het wannen waren, of katoen aan het spinnen terwijl ze luisterden naar de grapjes van een of andere potsenmaker of naar de epische liederen van een lofdichter die trek had in een lekkere schotel to. Keuvelende mannen die intussen pijlen voor de jacht vervaardigden of een ploegschaar aan het wetten waren. Steeds ontstemder betrad Dousika de tweede binnenplaats waar de hutten van zijn drie vrouwen en zijn bijzit Sira op uitzagen. Hij vond er alleen deze laatste. Ze lag languit op een slaapmat; haar aantrekkelijk gelaat glom van het zweet en was vertrokken van de pijn.

'Waar zitten ze toch allemaal?' vroeg hij haar.

Ze probeerde zich op te richten en koeterde daarbij in haar gebrekkig Bambara: 'Naar de rivier, kokè.'

'Naar de rivier?' schreeuwde hij haast. 'Waarom rennen ze allemaal naar de rivier?'

'Een blanke!' kon ze nog uitbrengen. 'Er is een blanke aan de overkant van de Joliba!'

Een blanke? Lag die vrouw te ijlen? Dousika liet zijn blik over haar zwaar opgezwollen buik onder de losjes toegeknoopte paan dwalen en keek daarna verschrikt naar de met kaolien bestreken lemen muren. Hier stond hij, alleen, met een vrouw in barensnood!

'Wat heb je toch?' zei hij botweg om zijn hulpeloosheid te verbergen.

'Ik geloof dat mijn uur gekomen is,' stamelde ze alsof ze excuus vroeg.

Sinds enkele maanden had Dousika, uit eerbied voor het leven dat ze droeg, geen omgang meer met Sira die voor de tweede keer zwanger was. Bovendien moest hij zich tijdens de bevalling ver van haar ophouden om pas na de geboorte, wanneer zij het kind in haar armen zou houden, weer te verschijnen in het gezelschap van een fetisjpriester. Zou hij zich door zijn aanwezigheid tijdens de weeën niet de toorn van de voorouders op de hals halen? Hij aarzelde nog of hij haar niet beter alleen zou laten, toen Nya opdook met een kind op haar rug terwijl er zich twee andere aan haar indigokleurige katoenen paan vastklemden.

'Waar zat jij de hele tijd?' voer hij uit. 'Ik kan nog begrijpen dat de anderen het hoofd verliezen – maar jij!'

Zonder zich nader te verklaren, laat staan te verontschuldigen, liep Nya hem voorbij. Ze boog zich over Sira.

'Zijn je weeën al lang begonnen?'

'Nee,' was het hijgend antwoord, 'nog maar net.'

Van iemand anders dan Nya zou Dousika zich een dergelijke vrijpostigheid, op het onbeschaamde af, niet hebben laten welgevallen. Maar zij was zijn eerste echtgenote, zijn bara muso, aan wie hij een deel van zijn gezag had overgedragen, waardoor zij tot hem kon spreken op voet van gelijkheid. Bovendien was ze van geboorte een Coulibali, verwant aan de dynastie die vroeger over Ségou had geheerst, en al was ook hij van edele afkomst, op zo'n schitterende stamboom kon hij niet bogen. Het waren Nya's voorouders die aan de oever van de Joliba deze stad – weldra de hoofdstad van een uitgestrekt koninkrijk – hadden gesticht. Een andere tak van haar familie regeerde nog steeds over Kaärta. Zodat de liefde die Dousika deze vrouw toedroeg voor een deel berustte op ontzag, en zelfs op vrees. Hij trok zich terug, maar op de eerste binnenplaats stuitte hij op een boodschapper van het hof. De man wierp zich ten teken van eerbied in het stof en riep: 'Gegroet, gij en de dag!'

Vervolgens reciteerde hij het devies van de Traorés: 'Traoré, Traoré, Traoré, de man met de lange naam hoeft de veerman niet te betalen.' En pas daarna berichtte hij: 'Traoré, de mansa ontbiedt u dringend op het paleis.'

'Op het paleis?' vroeg Dousika verbaasd. 'Vandaag is er toch geen raadszitting?'

De boodschapper hief het hoofd op. 'Het is ook niet voor een raadszitting. Aan de overkant van de rivier is er een blanke die door de mansa ontvangen wil worden.'

'Een blanke?'

Sira ijlde dus niet? Weliswaar had Dousika al over die blanke horen spreken. Ruiters, afkomstig uit Kaärta, zouden hem op een paard dat al even uitgeput was als hijzelf hebben ontmoet. Dousika had dat als een bakerverhaaltje afgedaan en er verder geen aandacht aan besteed.

Hij zette zijn kegelvormige hoed op, want de zon klom al aan de hemel, en verliet de familiehuizing.

In het jaar 1797 was Ségou, de stad met de duizend vierhonderd vierenveertig acacia's–heilige bomen, incarnaties op aarde van Pemba, de scheppende godheid–en hoofdstad van het gelijknamige Bambara rijk, een uitgestrekte agglomeratie, bestaande uit vier stadsdelen, alle vier gelegen langs de Joliba die op deze plek wel driehonderd meter breed was. In Ségou-Koro bevond zich het graf van de stichter, Biton Coulibali, terwijl in Ségou-Sikoro het paleis van mansa Monzon verrees. Op ettelijke dagmarsen in het rond had men geen levendiger nederzetting kunnen aantreffen. De belangrijkste markt werd gehouden op een groot vierkant plein; eromheen stonden loodsen met houten of biezen wanden en aarden daken, waaronder vrouwen alles te koop aanboden wat maar denkbaar was: gierst, uien, rijst, zoete aardappelen, gerookte en verse vis, Spaanse pepers, galamboter, kippen; wat verder hingen handwerkslui hun koopwaar aan een uitgespannen touw: rollen katoenen weefsels, sandalen, paardezadels, fraai versierde kalebassen. Links van het marktplein bevond zich de bazaar waar de krijgsgevangenen, met twijgen van jonge bomen aan elkaar vastgebonden, opeengepakt stonden. Dousika schonk niet de minste aandacht aan dit vertrouwde schouwspel. Bijna ten koste van zijn waardigheid spoedde hij zich voort, en weerde met een beslist handgebaar de dichters af die altijd klaarstonden om de lof van een hooggeboren man te zingen.

Ségou was op het hoogtepunt van zijn roem. Zijn macht strekte zich uit tot aan de grenzen van Djenné, de grote handelsstad aan de oever van de Bani. Tot in Tombouctou, aan de rand van de woestijn, werd die macht gevreesd. De Peul uit Macina waren Ségou's vazallen; jaarlijks betaalden ze een zware schatting in vee en goud.

Het was er niet altijd zo aan toegegaan. Honderd tot honderd vijftig jaar geleden telde Ségou nog niet mee onder de steden in de Sahel. Toen was het een dorp waar Niangolo Coulibali heen was gevlucht, terwijl zijn broer Barangolo in het noorden zijn heil had gezocht. Daarna had Biton, Niangolo's zoon, zich in de gunst van de god Faro, Heer van het water en Meester van de kennis, mogen verheugen, en met Zijn zegen was het hem gelukt dat hoopje lemen hutten uit te bouwen tot een trots bolwerk, waarvan de naam alleen al de Somono, Bozo, Dogon, Toeareg, Peul en Sarakolé deed beven. Tegen al deze volkeren voerde Ségou oorlog. Zo verwierf het de slaven die het op zijn markten verkocht en op zijn akkers tewerkstelde. De oorlog was de slag-ader van Ségou's macht en roem.

Als Dousika zich zo haastte, was het omdat het beroep dat de mansa op hem deed hem geruststelde, hem de zekerheid gaf dat hij niet, zoals hij soms vreesde, in ongenade was gevallen. Aan het hof ontbrak het niet aan lieden die jaloers waren op zijn vertrouwelijke om-gang met de mansa, op zijn bijzondere banden met de vorst: dat pact van vriendschap, scherts en saam-horigheid dat tussen hen bestond. In zijn lauwe houding tegenover de oorlog vonden ze een voorwendsel. Ze bliezen Monson in: 'Dousika Traoré is de enige die uw roem in de weg staat. Hij beweert dat de Bambara al dat geoorlog moe zijn. Omdat hij u stilletjes, diep in zijn binnenste, benijdt – u en uw fortuin. Vergeet niet dat zijn vrouw een Coulibali is!'

En stukje bij beetje zag Dousika in Monzons blik, telkens als die op hem kwam te rusten, de argwaan groeien, de vraag: Is hij mijn vriend, of mijn vijand?

Daar was het binnenhof van het paleis–een prachtig gebouw, het werk van metselaars uit Djenné. Een bakstenen muur die even dik was als de stadswallen, omringde het. In die muur was er één poort, permanent bewaakt door wachtposten met geweren die door de slavenhandelaars aan de kust waren geleverd. Dousika liep door de zeven hallen vol tondyons naar de raadszaal; op de drempel waren fetisjpriesters druk doende de toekomst te ontraadselen met behulp van kolanoten en kaurischelpen, terwijl hovelingen stonden te wachten tot het de lofdichters zou zinnen om hen naar de mansa te geleiden.

Over een verhoging was een runderhuid gespreid waarop Monzon Diarra lag, zijn linkerelleboog gesteund op een geiteleren, met arabesken gedecoreerd kussen. Hij zag er bezorgd uit. Met één hand streelde hij een van de twee dikke vlechten die aan weerszijden van zijn kruin tot onder zijn kin reikten en elkaar daar kruisten. Met de andere frunnikte hij aan de ring die aan zijn linkeroor hing. Drie slaven waaiden hem koelte toe. Twee andere hurkten naast kleine vaten waarin ze de tabak sausden die ze hem vervolgens in zware gouden potten aanreikten.

De raad was voltallig. Dousika voelde woede in zich opwellen toen hij merkte dat hij als laatste het vertrek betrad. Zoals gebruikelijk boog hij diep voorover terwijl hij zich op de borst sloeg, waarna hij op zijn knieën naar zijn plaats, vlak bij zijn aartsvijand Samaké, voortschuifelde.

Monzon Diarra had de schoonheid van zijn moeder, wier nagedachtenis nog steeds door de lofdichters werd bezongen. Hij had iets ontzagwekkends, iets vreesaanjagends, alsof de troon–waarvan zijn vader zich ten koste van Biton Coulibali's nazaten meester had gemaakt–in hém pas zijn natuurlijke rechtvaardiging vond. Hij droeg een wit katoenen overhemd, op de beste getouwen van het rijk geweven, en een pantalon van dezelfde kleur, die met een brede riem om zijn middel sloot. Om zijn voorhoofd zat een katoenen lint, en om zijn gespierde armen spanden aan elkaar geregen tanden en hoorns van wilde dieren of door maraboets vervaardigde amuletten – fijn bewerkte leren zakjes waarin verzen uit de koran waren genaaid.

'Nou, Dousika?' zei hij terwijl hij hem spottend opnam. 'Welke van je vrouwen heeft je zo lang opgehouden?'

De raad van slaafse hovelingen schaterde het uit. Dousika kon zich met moeite bedwingen.

'Meester der levenskrachten,' sprak hij verontschuldigend, 'zoëven nog werd ik door uw boodschapper ontboden. Kijkt u zelf: ik heb me helemaal in het zweet gelopen.'

Tiétiguiba Danté, eerste lofdichter en tevens spreekbuis van de mansa, nam daarop het woord:

'De Heer van goden en mensen, hij die zit op de koninklijke runderhuid, de grote mansa Monzon heeft jullie bijeengeroepen – niet zonder reden. Een blanke met twee vuurrode oren bevindt zich aan de overkant van de rivier en vraagt om een audiëntie. Wat komt die hier zoeken?'

Na deze vraag ging Tiétiguiba weer zitten en, zoals het ceremonieel dat voorschreef, stond er een andere lofdichter op. Tiétiguiba was gevreesd vanwege zijn grote invloed op de vorst. Met zijn katoenen indigoblauwen-wit overhemd en zijn met haren van wilde dieren en kaurischelpen getooide hanekam wekte hij ontzag. Daar hij ook diensten bewees als spion, liet hij zijn blik achtereenvolgens op ieder raadslid rusten, alsof hij, vooraleer hij verslag zou uitbrengen, harten en nieren wilde doorvorsen. Nadat de tweede dichter was uitgesproken, veerde hij weer overeind.

'Die blanke houdt vol dat hij niet als de Moren is. Hij wil niets kopen of verkopen. Hij komt alleen maar eens naar de Joliba kijken.'

Een lachsalvo barstte los. Was er in het land van de blanke dan geen rivier? En lijkt de ene rivier niet op de andere? Nee, daar zat iets achter. Die blanke wilde het ware doel van zijn komst niet onthullen.

Dousika vroeg het woord. Of de boegoeridala en de mori reeds waren geraadpleegd?

'Daarvoor hebben we niet op jou gewacht,' merkte Samaké meesmuilend op.

Eens te meer wist Dousika zich te beheersen. Hij herhaalde zijn vraag.

Tiétiguiba antwoordde: 'Ze spreken zich niet uit.'

Spraken ze zich niet uit? Wees dat niet op de uiterste ernst van de situatie?

'Ze zeggen,' vervolgde Tiétiguiba, 'dat, wat wij met deze blanke ook aanvangen, na hem andere blanken zullen komen die zich onder ons zullen vermenigvuldigen.'

De raadsleden bekeken elkaar, stomverbaasd. Blanken in Ségou, die onder de Bambara zouden komen wonen? Als vrienden of als vijanden – het leek even onwaarschijnlijk.

Dousika neeg voorover en bromde, ditmaal in de richting van zijn vriend Koné die niet ver van hem zat: 'Heb jij hem gezien, die blanke?'

Maar in de volstrekte stilte kon iedereen zijn vraag, die bovendien nogal kinderlijk klonk, verstaan.

De mansa rechtte zijn rug en riep ironisch: 'Als jij hem wilt zien: hij wacht aan de overkant van Joliba. Je zult er vrouwen, kinderen en nyamakala aantreffen.'

Een nieuw, nog onderdaniger lachsalvo was het gevolg. Weer was Dousika het voorwerp van ieders spot. Wat werd hem eigenlijk verweten? Dat hij, om het zo te zeggen, met twee monden sprak. Hij beleed zijn afschuw voor de oorlog, maar nam toch telkens zijn deel van de buit; eigenlijk verrijkte hij zich zonder enig risico, want zelden trok hij mee ten strijde. En hij ging zo prat op zijn nauwe relaties met de mansa en de vorstelijke

19

stamboom van zijn vrouw, dat hij op iedereen neerkeek. Kortom, hij was verwaand en aanstellerig. Sommigen vonden dat de appel niet ver van de boom was gevallen: Falé, zijn vader, was wellicht de hovaardigste aller yèrè-wolow geweest die deze stad ooit had gekend. Tot de goden hem hadden gestraft: hij was op een smadelijke wijze aan zijn eind gekomen. Wie herinnerde zich niet zijn urenlange doodsstrijd nadat zijn paard hem midden in een moeras had afgeworpen?

Niemand wilde Dousika een dergelijk einde toewensen. Maar aan het hof was iedereen het erover eens dat hij een lesje nodig had.

Ondertussen boog Nya zich over Sira.

De twee vrouwen waren nu niet meer alleen. Na de stormloop van kijklustigen die de blanke wilden zien, waren er al gauw geen prauwen meer beschikbaar, zodat na uren wachten heel wat slaven, met de dood in het hart, naar de familiehuizingen waren teruggekeerd om er hun plichten waar te nemen.

Nya had in allerijl Souka laten roepen, de vroedvrouw die alle echtgenotes van Dousika had verlost en met haar rappe vingers meer dan één pasgeborene die de wereld met lede ogen leek aan te zien, tot leven had gewekt. In afwachting verbrandde ze allerlei kruiden die de boze geesten moesten weren en de melkafscheiding konden bevorderen. Pas daarna keek ze naar de gehurkte Sira om haar bij de bevalling te helpen.

Sira nam in de familie een bijzondere plaats in. Zij was geen Bambara, maar een Peul. Tijdens een straf-expeditie tegen zijn Peul vazallen uit Macina, wier ardo's nooit goedschiks hun belastingplichten nakwamen, had mansa Monzon, om een voorbeeld te stellen, een twaalf-tal jongens en meisjes uit de meest vooraanstaande fa-milies in de hoofdstad Tenenkou laten roven. Het lag in zijn bedoeling hen na betaling van de verschuldigde bedragen weer vrij te laten. Maar toen Dousika eens een binnenplaats van het paleis overstak om zich naar een raadszitting te begeven, had hij Sira opgemerkt en haar als bijzit gevraagd. Vanwege de bijzondere banden tussen hen beiden had Monzon, tot zijn eigen ongenoegen, deze gunst niet kunnen weigeren. Later, toen de belasting was vereffend, had Sira's familie een gezantschap gestuurd om het meisje terug te halen. Dousika had zich daartegen verzet. Het was trouwens te laat: Sira was zwanger. Was ze geen geroofde vreemdelinge, hij had haar graag gehuwd. Het was nogal duidelijk dat hij aan haar de voorkeur gaf boven zijn wettige echtgenotes die dezelfde taal spraken en dezelfde goden aanbaden als hij.

Nya had eerst haat gevoeld voor Sira. Weliswaar was het niet de eerste keer dat haar man een bijzit nam. De slavinnetjes die elkaar 's nachts op zijn slaapmat aflosten, waren niet meer te tellen. Maar op geen van hen was hij ooit zo verkikkerd geweest. Nya liet zich niet misleiden: uit duizend nietigheden die anderen niet eens opmerkten, las ze zijn verliefdheid af. Maar mettertijd, zonder dat ze het besefte, hadden haar haat en jaloezie plaatsgemaakt voor gevoelens van mededogen, lotsverbondenheid en genegenheid. Wat met Sira was gebeurd, had ook haar kunnen overkomen. Het geweld van de mannen, een van hun dwaze kuren had ook haar aan haar vaders huis, haar moeders armen kunnen ontrukken om van haar een ruilobject te maken. En tot ieders verbazing was ze haar voormalige rivale gaan beschermen.

Ondanks al haar zelfbeheersing kermde Sira het uit. Nya, die later niet wilde horen zeggen dat het haar lotgenote op het ogenblik van de beslissende beproeving aan moed had ontbroken, drukte snel een hand tegen haar mond. Tegelijkertijd nam ze zich voor om, zodra Souka terug was, nog een offergave naar de hut met de huisaltaren op de achterste plaats te brengen. Dat had ze die ochtend ook al gedaan, nog vóór ze aan iets anders was begonnen; maar als je wist dat Sira tijdens het vorige regenseizoen een kind dood ter wereld had gebracht, kon je niet genoeg voorzorgsmaatregelen treffen. Ze had nog een witte haan – en wit was de lievelingskleur van de god Faro die dag en nacht over de gang van zaken hier op aarde waakte.

Daar kwam Souka net binnen. Deze al wat ouder wordende vrouw, wier man fetisjpriester was, stond zelf ook met de beschermgeesten in verbinding; ze straalde een sterk gezag uit. Om haar hals droeg ze een snoer van dierenhoorns, gevuld met poeders en heilzame zalfjes. Eén blik in de richting van de kraamvrouw was genoeg: de geboorte zou nog uren op zich laten wachten. Onder het prevelen van gebeden die zij alleen kende, begon ze in een vijzel bladeren en wortels fijn te stampen. Door haar komst gerustgesteld ging Nya nog wat geitemelk halen die ze de pasgeborene straks te drinken zouden geven.

Nu iedereen terug was heerste op de binnenplaatsen opnieuw de gewone drukte. Niéli, Dousika's tweede echtgenote, zat voor haar hut met grote gulzigheid n'gomi te verslinden – gierstbeignets die een van haar slavinnen voor haar had bereid. Nya verweet zichzelf haar minachting voor Niéli, die ze toch als een jongere zuster had moeten behandelen. Maar hoe zich te schikken in haar luiheid, haar nukken, haar niet aflatend gekrijs? Dat alles omdat Niéli maar niet kon vergeten hoe ze bij de Traorés was ingelijfd. Vele jaren geleden had Falé, Dousika's vader, mansa Ngolo Diarra eens vergezeld naar Niamina. Toen hij daar de avond doorbracht bij een kennis, een Bambara edelman, merkte hij dat de echtgenote van zijn gastheer zwanger was. Traditiegetrouw had hij het kind, mocht het een meisje worden, als bruid voor zijn zoon gevraagd.

Dousika had de wil van zijn vader geëerbiedigd. Hij had deze bruid die hij niet zelf had gekozen altijd rechtvaardig behandeld, maar nooit had hij van haar gehouden. Sinds Sira in het gezin was opgenomen voelde Niéli zich nog meer te kort gedaan. In al wat Dousika zei of deed zag ze hoezeer hij de andere voortrok.

Niéli hield even op met kauwen op haar n'gomi en vroeg: 'Is de vreemdelinge al bevallen?'

Ze had Sira nooit anders genoemd.

Nya deed of ze die woordkeus niet had opgemerkt, en antwoordde: 'Nog niet. Het nieuwkomertje is nog niet onder ons. Mogen de goden het een voorspoedige reis gunnen!'

Toen kon Niéli niet anders dan het gebruikelijke schietgebed prevelen. Nya begaf zich naar de hut met de huisaltaren. Het heiligdom was alleen toegankelijk voor de fetisjpriesters van de familie, de hoofden van de verschillende gezinscellen en enkele vrouwen die, zoals zij, een gezaghebbende positie innamen. Op de tweede binnenplaats botste ze op Dousika; hij was net terug van het paleis en zichtbaar naar haar op zoek.

'Monzon heeft me nogmaals vernederd,' barstte hij uit. 'En...'

'Maak je gordel los,' viel zij hem in de rede. 'Sira's weeën zijn begonnen.'

Kon ze haar wrok niet meer bedwingen? Wat zij Dousika kwalijk nam was niet langer de aanwezigheid van Sira. Het was de slijtage waaraan zijn gevoelens voor haar waren gaan lijden. De dood der zinnen. De sleur in hun relatie. Als zij nog eens de nacht met hem doorbracht sliepen ze zonder elkaar aan te raken. Hun gesprekken gingen alleen nog over de kinderen, hun bezittingen, hun maatschappelijke verplichtingen. Ah, wat is het hard oud te worden!

'Luister toch,' zei hij bijna smekend. 'Ik zeg je dat Monzon me tot tweemaal toe voor gek heeft gezet in volle raadszitting! Laat Koumaré komen.'

Nya staarde naar de grond die met wit zand en grind bestrooid was. 'Wanneer wil je hem zien?' vroeg ze.

'Zo vlug mogelijk.'

Koumaré was de fetisjpriester en hogepriester van de Komo, die al vele jaren ten behoeve van Dousika de zichtbare en onzichtbare verschijnselen duidde, teneinde alle rampspoed vóór te zijn. Hij moest hoe dan

23

ook worden ontboden zodra Sira's kind geboren was, om het te beschermen. Nya liep door. Maar vlak voor de derde binnenplaats kreeg ze medelijden met Dousika die roerloos, weifelend – zou hij haar volgen? of zich naar zijn hut begeven? – was blijven staan. Ze draaide zich om.

'Wacht op mij,' sprak ze vriendelijk. 'Ik ben zo terug.'

Hij zag haar weggaan, verscheurd tussen het verdriet dat haar onverschilligheid hem berokkende, en een aandrang om als een klein kind aan haar rokken te gaan hangen. Hoe oud was ze eigenlijk? Hij wist het evenmin als zijn eigen leeftijd. Zestien droge seizoenen waren sinds hun huwelijk voorbijgegaan. Dus was zij tweeendertig. Ze was zwaarder van postuur geworden. Haar borsten waren iets verslapt en reeds tastten de rimpels der verantwoordelijkheid die fijne, trotse trekken van de Coulibali's, de mooiste aller Bambara, aan. Stond haar gelaat ernstig, dan leek ze streng. Maar ze hoefde slechts te glimlachen en haar lange, schuine ogen gingen tintelen. O Nya! Háár kracht had hij nodig! Waarom werd ze hem ontzegd?

De hut met de huisaltaren, die Nya binnentrad, bevatte een houtblok dat pembelee werd genoemd: een afbeelding van de god Pemba die in een wilde wervelbeweging de aarde had geschapen, terwijl de god Faro zich de hemel en de wateren had voorbehouden. Om de pembelee stond een kring van roodstenen beelden die de voorouders van de familie voorstelden, en een aantal boli – fetisjvoorwerpen, samengesteld uit hyena- en schorpioenstaarten, stukken boomschors en -wortels die geregeld met dierebloed werden besprenkeld. Deze symbolische bundeling van natuurkrachten moest de hele familie voorspoed, geluk en vruchtbaarheid verzekeren.

Nya pakte een rijsbezempje en begon zorgvuldig de vloer aan te vegen. Alles was in orde. Maar het bloed op de boli was al gestold. Ze moesten wel dorstig zijn; zij zou hen spoedig komen verfrissen.

# 2

Sira was alleen met haar angst en haar verdriet.

Angst, want een jaar voordien was ze bevallen van een doodgeboren kind. Negen maanden zorg en kommer voor een klompje vlees dat de goden geen leven hadden willen inblazen. Waarom? Waren ze vertoornd over deze tegennatuurlijke relatie tussen een Peul en een Bambara?

> *Jij, Peul, pas op je kudde!*
> *Zwarte, blijf bij je spade, de moemakende!*

Zo luidde het herdersdicht. Een nauwe band tussen deze twee mensenrassen was ondenkbaar. Maar de goden wisten toch dat zij dit niet had gewild, dat ze een slachtoffer was? Waarom hadden ze háár dan gestraft? En zouden ze haar weer straffen? Was ze veroordeeld tot vruchteloze zwangerschap? Tot een nieuwe begrafenis, terwijl zij bij de luister van een doopsel wilde stralen van geluk? Ze staarde naar het grafheuveltje in haar hut, waaronder het wichtje lag dat meteen aan haar genegenheid was ontrukt, en haar ogen schoten vol tranen. O, mochten de goden ditmaal haar kind laten leven, al was de vader dan een Bambara, een man die zij eigenlijk had moeten haten!

Ze kon een dof gesteun niet onderdrukken. Souka kwam bij haar, corrigeerde haar hurkzit, hielp haar de handen in haar nek te vouwen, en masseerde daarna zachtjes neuriënd haar buik. De geur van verbrande wolo, het lievelingskruid van de god Faro, dat het baren begunstigt, prikkelde haar neusgaten. Ze kreeg een niesbui die gepaard ging met zulke hevige pijn dat ze het bijna bestierf. Ze herinnerde zich de raadgevingen van haar moeder, van Nya, van alle andere vrouwen die dit hadden meegemaakt. Geen kik geven, de pijn verbijten. Maar dat was onmogelijk. Onmogelijk! Ze klemde haar tanden op elkaar, beet in haar lippen, proefde een weeë smaak van bloed, en toen ze haar ogen opensperde zag ze de amuletten tussen de fijne vlechtjes van Souka die zich naar haar schoot bukte.

Als kind had ze eens rondgezworven over het drasland in Dia, met een van haar broers die er in het droge seizoen de koeien liet grazen. Toen was het winter en alles was overstroomd. Omdat ze geen vaste grond meer voelden, lieten ze zich weerloos meedrijven tussen de waterplanten. Ze dachten al dat ze hun ouderlijke hut nooit meer zouden weerzien, toen ze een rijstveld ontwaarden dat hun met zijn broze stengels hulp bood. Nu ervoer ze datzelfde angstgevoel, diezelfde ontreddering, en opeens diezelfde vredige rust – onverwachts.

Ongelovig hoorde Sira een snik – of klonk het meer als een schrei?

'Is... het kind...?' stamelde ze.

Souka liep al naar een kalebas vol lauw water, met een bloederig hoopje vlees dat ze met oneindig zachte, omzichtige gebaren begon te wassen.

'Een bilakoro meer,' zei ze.

Daarna was het één grote drukte. Nya kwam binnen, omstuwd door slavinnen: één met een schotel gedroogde vis in bouillon en paprika, andere met een uit fijnge-stampte lianen bereide zalf om er Sira's onderbuik mee in te wrijven.

'Levend en gezond?' wilde Sira van Nya nog weten. Maar die deed of ze het misplaatste vraagje dat de woede van de goden kon wekken niet had gehoord.

Souka onderwierp de baby aan een eerste onderzoek. Ze had er heel wat in haar sterke, brede handen ge-houden! Talloze navelstrengen had ze doorgeknipt. Tal-loze nageboorten onder de grond gestopt. Een blik op de lijn van een mond, de vorm van een ooglid, leerde haar: dit wordt de trots van zijn ouders, en dat met zijn spichtige beentjes een achterblijvertje dat pas laat zal leren lopen. Van het jongetje dat nu op haar knieën zat voorvoelde ze dat het een zwerver zou worden met een uitzonderlijk levenslot. Ze achtte het raadzaam dat Nya de familieboli als offergaven een ei van een zwarte kip zonder één wit veertje en wat antilopeharten zou aanbieden. Bovendien mocht Dousika niet zuinig zijn met roodgevederde hanen waarvan hij het bloed op het geslacht van de zuigeling moest laten druppelen. Dat alles om over hem heil en zegen af te smeken. Souka smeerde het lauwe, nog ongevormde lichaampje met galamboter in, wikkelde het in fijn wit linnen en reikte het de moeder aan terwijl ze stilzwijgend Nya's vragende blik beantwoordde: Het is een mooie, flinke jongen! De goden zullen hem laten leven!

Eindelijk kon Sira haar zoon in haar armen sluiten. Traditiegetrouw zou hij pas over acht dagen een naam krijgen. Maar omdat hem een doodgeboren broertje was voorafgegaan, wist ze dat hij Malobali zou heten. Ze drukte zijn weke mondje tegen de hare, verwonderd dat dit lichte lichaampje al zoveel gewicht kon hebben in haar leven. Dit was haar zoon, en hij was springlevend. Al was hij in treurige omstandigheden geboren, hij was haar triomf over haar vernedering, haar lijdensweg, haar teloorgang, nu zij, de dochter van een Peul ardo, tot bijzit van een landbouwer was geworden.

Wanneer Sira aan haar vroegere bestaan terugdacht was het of ze droomde. In Macina volgde het levensritme van de mensen de gang der seizoenen, de trek van het vee tussen het weiland in Dia en dat in Mourdia. De vrouwen molken de koeien en karnden boter die door slaven op nabijgelegen markten tegen gierst werd geruild. De mannen waren verliefder op hun vee dan op hun vrouwen; 's avonds, bij het houtvuur, bezongen ze de schoonheid van hun runderen. Andere volksstammen spotten:

*Je vader stierf: je liet geen traan.*
*Je moeder stierf: je liet geen traan.*
*Een kalfje kwam om, en je huilt: Yoo!*
*Alsof het huis is ingestort!*

Maar de andere volksstammen telden niet. Alleen in het droge seizoen hadden ze met hen contact om het vee op hun grond te laten weiden of te drenken.

Tot op een keer Bambara tondyons opdoken, met hun tweepuntige mutsen, met hun gele tunieken waarop die-retanden en -hoorns, maar ook van de moslims gekochte amuletten zaten vastgenaaid. De kruitgeur hing nog in haar neus toen Sira te Ségou in het paleis van de mansa was beland. Hoe verdrietig ze ook was om haar gevangenschap, haar nieuwe omgeving moest ze wel bewonderen. Binnen muren die de hemel leken uit te dagen zaten onder luifeldaken slaven achter weefgetouwen die uit vier in de grond geslagen, met dwarslatten verbonden palen bestonden; eindeloos kon Sira naar de lange witte slang tussen klos en weefsel blijven staren. Metselaars voerden herstellingswerk uit aan de gevels. Waar je ook keek prezen marktkramers berbers, reukwerk en zijden stoffen aan, terwijl potsenmakers wier ledematen onder de ruitvormige dierehuiden vol glinsterende kaurischelpen leken te zijn opgelost, tot groot jolijt van de prinsen en prinsesjes halsbrekende kunsten uitvoerden. De Peul waren geen volk van bouwers en wie, zoals Sira, nooit iets anders dan hun ronde, van takken en gevlochten stro gemaakte hutten had gezien, raakte op Ségou niet uitgekeken.

Hadden de goden haar aan Dousika overgeleverd om haar te straffen voor haar onwillekeurige, haast onbewuste bewondering voor haar ontvoerders?

Nee, aan Dousika dacht ze beter niet als ze de vreugde van dit ogenblik niet wilde vergallen. Maar kun je een kind los van zijn vader zien?

Daar kwam Dousika juist binnen, met aan zijn zijde Koumaré die inderhaast ontboden was voor de eerste offerplechtigheden. Ze wendde het hoofd af om niet zijn blik te hoeven ontmoeten en zijn geluk te delen. Maar tegelijk verweet ze zich haar eigen huichelarij. Wat weerhield haar om hem en Ségou te verlaten? Ze hield zichzelf steeds voor dat ze wachtte tot haar volk of de goden haar op een onvoorspelbare, maar verpletterende wijze zouden wreken. Was het maar waar!

Enkele weken geleden had een labo ambachtsman de familiehuizing bezocht en er vijzels, stampers en heften van gereedschap te koop aangeboden. Ze hadden elkaar aan hun spraak, de strelende Foelfoeldee tongval, herkend. De man had haar allerlei nieuwtjes verteld. De Peul waren de overheersing door Ségou, de strooptochten en afpersingen van de Bambara hartgrondig beu. Ze hadden zich van de ardo Ya Gallo uit de Dialloubé-clan afgewend en vestigden nu al hun hoop op een jongeman, Amadou Hammadi Boubou van de Barri-clan. Deze vurige moslim had gezworen hen in één soevereine staat die geen andere Heer zou erkennen dan Allah, te verenigen. Van de weeromstuit werd er druk gespeculeerd over een voorspelling die een paar eeuwen geleden aan askia Mohammed van het Songhai koninkrijk in Gao was gedaan. Hem was onthuld dat een Peul het Bambara koninkrijk de genadeslag toebrengen en een machtig rijk vestigen zou. Die Peul was Amadou Hammadi Boubou!

Droom of werkelijkheid?

Terwijl ze haar kind over het hoofd aaide stelde Sira zich voor hoe een slang van vuur met haar gespleten tong aan het paleis van de mansa begon te likken, aan de familiehuizingen, aan de bosjes mahoniebomen, en pas aan de oever van de Joliba, na er alle prauwen van de Somono te hebben verkoold, tot stilstand kwam. Met minder kon haar wraakzucht geen genoegen nemen. Ze sloot haar ogen.

Intussen somde Souka alle lichamelijke kenmerken op waaraan Koumaré kon herkennen van welke voorvader de pasgeborene de reïncarnatie was. Daarna hoorde Sira het geklapwiek en het kort gekraai van de haan die door de fetisjpriester werd geslacht. Toen werd het eindelijk stil en was ze echt met haar zoon alleen.

Naba trok aan de mouw van Tiékoro en zuchtte: 'Laten we teruggaan. Ik heb honger. Ik ben moe.'

Maar Tiékoro wilde er niet van horen. Hij wilde per se de blanke zien. Aan een man met naakte torso, die zwetend als een paard hun pad kruiste, vroeg hij: 'Heb je hem gezien? Hoe ziet-ie eruit?'

'Het is net een Moor,' zei de ander misprijzend. 'Op zijn rode oren en zijn hooikleurige haar na.'

Tiékoro had een inval. 'De bomen! Laten we erin klimmen!'

Maar toen hij omhoogkeek merkte hij dat het ondoenbaar was. Alle takken van een boter- of kapokboom waren reeds met mensen beladen.

'Goed, we gaan terug,' mompelde hij wrevelig.

Met zijn vijftien jaar zag Tiékoro, de oudste zoon van Dousika en diens eerste echtgenote Nya, er bijna als een volwassene uit. De dichters die de lof van de familie kwamen zingen, vergeleken hem met een rondier, de woestijnpalm, en voorspelden hem een weergaloze toekomst. Het was een zwijgzame, bezadigde jongen, die op de meesten een verwaande indruk maakte. Hij was enkele maanden geleden besneden, maar nog niet in de Komo ingewijd.

Eigenlijk had Tiékoro een geheim – een dat hem niet met rust liet.

Het was allemaal begonnen toen hij op een keer uit nieuwsgierigheid een moskee was binnengelopen. De avond voordien had het gebed van de moëddzin dat hij hoorde weergalmen, in hem iets onuitsprekelijks wakkergeroepen. Dit liet geen twijfel: tot hém richtte zich die bovenaardse stem. Zijn verlegenheid had hem echter weerhouden om de Somono die het gebouw binnenginging achterna te lopen. Pas de volgende dag vond hij daartoe de moed, nadat hij zich eerst een hele nacht met goede voornemens had gewapend.

Op een binnenplein zat op een mat een man die even oud leek als zijn vader. Onder een wijde donkerblauwe mantel droeg hij een pantalon van dezelfde kleur. Zijn voeten staken in een paar lichtgele Moorse sloffen. Zijn kaalgeschoren kruin was met een donkerrode muts bedekt. Dat was op zich nog niets bijzonders. Het was niet de eerste keer dat Tiékoro lieden zag die zo waren uitgedost – zelfs binnen in het paleis van de mansa, waarheen hij soms met zijn vader mee mocht. Wat hem vreemder toescheen was de bezigheid waaraan de man zich overgaf. In zijn rechterhand hield hij een houten schacht die op een ijzeren punt uitliep. Die doopte hij in een pot, waarna hij op een wit oppervlak ragfijne tekeningen aanbracht.

Tiékoro hurkte naast hem neer en vroeg: 'Wat voer jij daar uit?'

'Dat zie je toch: ik schrijf,' antwoordde de man glimlachend.

Dat woord, dat hij niet begreep, liet Tiékoro geen rust. In een flits rees in hem een gedachte. Hij herinnerde zich de amuletten die sommigen droegen, en riep: 'Ha! Jij bent dus een tovenaar!'

'Jij bent een Bambara, nietwaar?' lachte de man.

Gekwetst door het misprijzen dat in de stem doorklonk, repliceerde Tiékoro trots: 'Jawel. Ik ben de zoon van Dousika Traoré, raadslid aan het hof.'

'Dan verbaast het me niet dat je niet weet wat schrijven is.'

Tiékoro was diep gegriefd. Hij zocht naar een striemend antwoord, maar vond er geen. Bovendien, wat vermag een jongen tegen een volwassene? Maar het duurde geen dag of hij sloeg opnieuw de weg in naar de moskee. Van toen af kwam hij er alle dagen.

'Je loopt te snel,' klaagde Naba.

Tiékoro vertraagde zijn pas. 'Wat zou jij doen als ik vertrok?'

De knaap bekeek hem verbaasd. 'Op veldtocht? Met de mansa?'

Tiékoro schudde heftig het hoofd. 'Nee! Nooit trek ik ten oorlog!'

Moorden, verkrachten, plunderen! Bloed, altijd weer bloed vergieten! Was Ségou's hele geschiedenis er niet een van geweld en bloed? Vanaf de stichting, sinds Bitons veroveringen tot vandaag. Het was één lang verhaal van moordpartijen en bloedbaden. Jongelui die levend ingemetseld werden, meisjes die vóór de stadspoorten werden geofferd, keizers die door hun slaven met katoenen windsels werden gewurgd. Met als eeuwig leidmotief de bloedige offers. Offers voor de boli van de stad, van het koninkrijk, van de voorvaderen, van de familie. Telkens als Tiékoro langs de hut liep waarin zich de boli van de Traorés bevonden voelde hij een rilling. Op een keer had hij de moed opgebracht er binnen te gaan; doodsbang had hij zich afgevraagd waar al dat bloed op die afzichtelijke voorwerpen vandaan kwam.

Hoe snakte hij naar een andere godsdienst met een boodschap van liefde! Een godsdienst die deze lugubere offers zou verbieden. Een godsdienst die de mens zou bevrijden van de angst. Angst voor het onzichtbare – en zelfs voor het zichtbare!

Ze kwamen langs de moskee van de Somono, en Tiékoro liep sneller, want hij was bang dat iemand hem zou herkennen, dat Naba zijn geheim zou ontdekken. Maar reeds schaamde hij zich over zijn lafheid. Moest een gelovige niet bereid zijn om desnoods voor zijn geloof te sterven? En hij was toch een gelovige?

Er is geen andere god dan Allah, en Mohammed is zijn profeet! Die woorden maakten hem dronken. Hij had slechts één verlangen: Ségou verlaten. Naar Djenné gaan of, nog liever, naar Tombouctou om zich aan de universiteit van Sankoré te laten inschrijven.

De twee jongens begonnen opeens een wilde ren door de kronkelige steegjes; ze sprongen over schapen en geiten, en slechts op het nippertje konden ze de Peul vrouwen ontwijken die met hun kalebassen vol melk naar de markt togen, terwijl de tondyons die in de kroegen dolo zaten te drinken hun allerlei grove geintjes toeslingerden.

Drijfnat van het zweet bereikten ze de familiehuizing waar iedereen naar hen toe snelde met de kreet: 'Hebben jullie hem gezien?'

'De blanke?'

Ze moesten bekennen van niet. Flacoro, Dousika's derde echtgenote, die niet veel ouder was dan Tiékoro, trok een pruilmondje: 'En daarvoor de hele dag naar de rivier?'

'Sira is bevallen van een jongen,' zei ze nog.

Een jongen! Levend en gezond! Tiékoro was dolgelukkig.

Sira had hij beter leren kennen sinds hij in de islam belang stelde. Hij had horen zeggen dat heel wat Peul die godsdienst aanhingen. Maar zij had hem niet veel wijzer gemaakt toen hij daarover vragen had durven stellen. Een van haar ooms had zich bekeerd; meer wist ze niet. De islam was in haar streek een nieuwigheid, een soort exotische koopwaar, door de Arabieren met hun karavanen aangevoerd.

Tiékoro ging wat rondhangen in de buurt van Sira's hut die – dat wist hij – acht dagen lang door niemand mocht worden betreden. Hij zag er net zijn vader, vergezeld door de fetisjpriester Koumaré, buitenkomen. De vrees bedwingend welke deze laatste hem inboezemde, groette hij de beide mannen beleefd; hij wou zich al uit de voeten maken toen zijn vader hem wenkte. Bevend volgde hij hem.

Tot enkele jaren geleden had Tiékoro tegen zijn vader, meer nog dan tegen de mansa, opgekeken als naar een god. Wanneer was hij hem als een barbaar, als een onwetende alcoholdrinker gaan beschouwen? Sinds de moslims in zijn aanzien waren gestegen. Maar al zag hij niet langer tegen zijn vader op, hij hield nog van hem. Hij leed onder die tweespalt tussen hart en geest, tussen gevoelsimpulsen en verstandsoverwegingen.

Zwijgend ging hij in een hoek van het voorportaal zitten en, gevoelig voor de eer die hem hiermee bewezen werd, tastte hij in de tabakspot die hem werd aangereikt. Hij ontweek de blik van Koumaré die, zo vreesde hij, dwars door hem heen kon boren en zijn geheime gedachten raden. En inderdaad, de roodgevlekte pupillen van de fetisjpriester lieten hem geen ogenblik los. Zodra hij zonder oneerbiedig te lijken weg kon gaan, stond Tiékoro op. Buiten kreeg hij maagkrampen van de zenuwspanning die hij had doorstaan. Tegen de muur van een hut spuwde hij een bruinachtig sap, vermengd met fluimen. Roerloos bleef hij met een brandend hoofd staan. Hoe lang zou hij zijn geheim nog kunnen verbergen?

Koumaré, die bij Dousika gebleven was, staarde peinzend voor zich uit. Zijn blik bleef op de lage deur gericht waarlangs Tiékoro was weggegaan. Die jongen zat ergens mee. Waarmee?

Uit een zakje diepte hij twaalf waarzeggerskauri's op en deed een gooi. Het resultaat was zo verbijsterend dat hij ze weer wegstopte en de hele kwestie uitstelde. Dousika merkte zijn verwarring.

'Wat zie je, Koumaré? Wat zie je?' drong hij aan.

Hij dacht alleen aan wat hém was overkomen, hoe de raad hem voor schut had gezet. Koumaré liet hem in zijn waan.

'Ik kan je niets zeggen. De kwestie is niet erg duidelijk. Ik blijf er de hele nacht mee bezig. Morgen kan ik je meer vertellen.'

Duidelijk was deze zaak helemaal niet! Een zoon die kwam, en een die ging. Een vader die hoog was opgeklommen en dan ten val kwam. Een ware chaos die losbrak in een tot nog toe goed bereddderde familiehuizing. En waarom?

Koumaré behoorde tot een der drie families van oersmeden wier voorvaderen, afkomstig uit het onderaardse dorp Gwonna, het geheim van de metalen hadden ontdekt. Eens, terwijl ze zich bij een hoog opvlammend houtvuur zaten te warmen, hadden ze een van de haardtegels zien smelten. Toen ze hem oppakten merkten ze dat het een compacte, niet meer stuk te breken massa was geworden. Dat was de eerste klomp koper. Later ontdekten ze ook het geheim van het goud en dat van het ijzer. Ze begonnen wapens, messen, pijl- en speer- punten te smeden, waarna de oude vuurstenen werk- tuigen van de Bambara hadden afgedaan. En omdat ze de beschermelingen van de god Faro en van zijn helpers de lucht- en windgeesten waren, verwierven ze ook de gave van het waarzeggen.

Voor Koumaré had de wereld van het onzichtbare geen geheimen.

# 3

Duister is het gerucht van onbekende oorsprong dat
in de schoot van het toeval wordt geworpen. Het kwade
gerucht verspreidt een stank. Het tast de kracht van
de mens aan. Het reist van neus naar keel, vervolgens
naar lever en geslacht.

Dat dacht Monzon Diarra terwijl hij Samaké strak
in het gezicht keek.

'Wat bewijst me dat je woord rechtschapen is? Hoe
weet je dit alles?' viel hij hem in de rede.

Samaké trotseerde de blik die door de lofdichters met
die van de jakhals werd vergeleken.

'Meester,' antwoordde hij, 'ik vernam het van mijn
eerste echtgenote Sanaba die, zoals gij weet, van ongeveer dezelfde leeftijd is als Nya, Dousika's eerste
vrouw. En ze behoren allebei tot hetzelfde zusterschap.
Vrouwen zijn – gij kent hen ook – loslippig. Eergisteren
heeft Dousika een gezantschap ontvangen van Déssé-
koro die, sinds gij hem in Guémou verslagen hebt, zich
met zijn hele hofhouding in Dioka heeft teruggetrokken.
Hij kreeg de opdracht de beide Coulibali-clans, die uit
Kaärta en die in Ségou, weer te verzoenen. Met slechts
één doel: u van de troon te stoten en de twee koninkrijken onder één dynastie te verenigen.'

Monzon schudde het hoofd. 'Ik geloof je niet,' sprak
hij.

De Coulibali's uit Kaärta en die uit Ségou haatten
elkaar. Dat ze zich ooit zouden verzoenen was erg onwaarschijnlijk!

Tiétiguiba Danté, die met Samaké en degenen die
Dousika in het verderf wilden storten samenspande en
dit geheime onderhoud had geregeld, nam het woord.

'Meester der levenskrachten, vergis u niet! De Coulibali's hebben zich er nooit bij neergelegd dat uw vader hen hier in Ségou heeft onttroond. Ze zullen voor niets terugdeinzen om weer aan de macht te komen. Dousika is, zoals gij weet, op rijkdommen belust, zonder dat hij de kracht opbrengt om ervoor te strijden. Ze moeten hem goud hebben beloofd!'

Monzons gelaat kreeg een gekwelde uitdrukking. 'Dousika is mijn broeder,' mompelde hij. 'We zijn dezelfde dag besneden. Waarom zou hij zo iets wagen? Wat kan hij door verraad verkrijgen dat ik hem niet zou geven?'

Samaké en Tiétiguiba bekeken elkaar, verrast door de oprechtheid van dit verdriet. Monzon sprong op en begon te ijsberen. Geschrokken weken de slaven achteruit, uit vrees dat de woede van de vorst zich tegen hen zou keren. Maar Monzon herwon zijn zelfbeheersing en ging weer zitten op zijn runderhuid.

'Morgen,' sprak hij, 'tijdens de raadszitting zal ik hem uithoren. Met het mes op de keel móét hij wel bekennen!'

'Al even impulsief en opvliegend als uw vader!' zei Tiétiguiba Danté meewarig. 'Nee, Meester, ge moet het anders aanleggen. Vang hem met een list!'

Hij kwam wat dichterbij, maar lette erop dat hij de vorst niet met zijn adem zou beroeren.

'Ontneem hem al zijn waardigheden,' ried hij. 'Beschuldig hem van belastingontduiking. Ban hem uit uw hofhouding. Ontneem hem zijn zetel in de hofraad en zijn rechterstoel. Laat vervolgens al zijn gangen nagaan. Dan zult gij zien hoe hij reageert.'

Monzon zei niets en bleef in gedachten verzonken. Hij bezat niet de wreedheid van sommige van zijn voorgangers – Dékoro bij voorbeeld, Bitons zoon die, uit woede omdat zijn troepen voor Kirango en Doroni waren teruggeslagen, aan elke zijde van een vierkant dat zijn fetisjpriester op de grond had getekend zestig man had laten opstellen en levend in een muur inmetselen, waarbij hij uitriep: 'Zo zal ik omringd zijn door slaven die me willens of onwillens dienen!'

Monzon daarentegen streefde bij het uitoefenen van het koninklijk gezag naar rechtvaardigheid en gematigdheid. Dat Dousika verraad zou plegen deed hem pijn. Wat had hij te winnen bij een verandering van heer? Kon een andere mansa vrijgeviger zijn? Was het waar dat zijn eerste echtgenote Nya zo'n grote invloed op hem had? In dat geval was alles mogelijk. Waartoe kan een vrouw een man niet brengen als ze zich eenmaal van zijn geest of zijn lichaam meester heeft gemaakt?

Net op dat ogenblik werd hem door een slaaf gemeld dat mori Zoumana om audiëntie verzocht. Mori Zoumana was een van Ségou's machtigste waarzeggers. Hij werkte met de vier grote bolí, maar kende ook de toverkunst van de Arabieren, wier taal hij volkomen beheerste. Hij droeg mohammedaanse kleren: een saroeal, een witte kaftan en op zijn hoofd een haik. Ten teken van zijn onafhankelijkheid van geest wierp hij zich niet voor de mansa in het stof, maar hurkte op zijn hielen.

'Meester der levenskrachten,' sprak hij, 'de geest van uw vader is mij komen influisteren welke gedragslijn gij te volgen hebt. Stuur morgenvroeg een boodschapper naar die blanke. Laat hem weten dat gij, uit medelijden met een reiziger die zich zo ver van huis bevindt, hem een zak met vijfduizend kauri's schenkt waarmee hij zich mondvoorraad kan aanschaffen. Laat uw boodschapper hem naar Djenné gidsen, indien hij zich daarheen begeven wil. Maar ontzeg hem de toegang tot Ségou.'

Monzon knikte instemmend. 'Waar bevindt die blanke zich nu?' vroeg hij.

'Een vrouw heeft hem onderdak verleend.'

De vier mannen bekeken elkaar en schoten in de lach. Ondanks het slechte humeur dat de beschuldigingen aan het adres van Dousika hem hadden bezorgd, waagde Monzon zich aan een grapje:

'Dan zal hij terzelfder tijd het water van de vrouw

en dat van Ségou's rivier leren kennen.'

Samaké, Tiétiguiba Danté en mori Zoumana trokken zich terug. Monzon wilde zijn zinnen wat verzetten en liet Makalou, een van zijn favoriete lofdichters, halen. Met zijn tamani onder de arm trad de zanger binnen.

'Wat belieft u dat ik voor u zing?' vroeg hij zachtjes toen hij merkte hoe de mansa eraan toe was. 'De sage over de stichting van Ségou? Of het verhaal over uw vader?'

Monzon maakte een onduidelijk gebaar en Makalou, die zijn voorkeur kende, begon het verhaal over Ngolo Diarra te zingen.

'Toen de vader van de kleine Ngolo was gestorven, werd een van zijn ooms, Menkoro, bij koning Biton geroepen om zijn belasting te vereffenen. Menkoro nam het kind met zich mee naar Ségou en kreeg zoals ge-woonlijk onderdak bij Danté Balo, de vrouw van een der hofsmeden. Ook liep hij alle kroegen af. Hij sloeg zo veel dolo achterover dat hij de volgende dag, van de hele lading die bestemd was om zijn belasting te betalen, niet één schepel gierst meer over had. Toen deed hij bij zijn gastvrouw zijn beklag dat hij die nacht door tondyons was bestolen en wat een vreselijk lot hem van Bitons zijde nu te wachten stond. De brave vrouw liet zich door die praatjes inpalmen en wilde bij Biton een goed woordje doen opdat hij het kind zou aannemen als onderpand...'

Monzon luisterde naar het welbekende verhaal. Hoe Biton, door Ngolo's scherpe verstand bekoord, de jon-gen al zijn geheimen toevertrouwde. Hoe hij daar later spijt van kreeg en zich van hem probeerde te ontdoen. Maar tevergeefs. Na Bitons dood en een periode van bestuurloosheid greep Ngolo de macht. Daarna keerde hij naar zijn dorp terug en uit wraak omdat ze hem aan de slavernij hadden overgeleverd, liet hij al zijn familieleden ter dood brengen.

Maar terwijl hij die vertrouwde woorden en wellui-dende akkoorden over zich heen liet gaan, bleven Monzons gedachten bij Dousika en ook bij de blanke aan de overzijde van de rivier. Bestond er een verband tussen die twee feiten: het verraad van zijn vriend en de aanwezigheid van die onbekende die misschien door een angstaanjagende wereld was uitgebraakt? Waren dit twee tekenen, bedrieglijk verschillend, afkomstig van de goden? Waarvoor wilden zij hem waarschuwen?'

Hij waande zich onoverwinnelijk, zichzelf en zijn koninkrijk. En daar rezen uit de duisternis gevaren die hem en zijn rijk bedreigden. Hij huiverde.

Rondom hem werd de zaal steeds donkerder nu de lampepitten de galamboter hadden opgebrand. Aangezien het al erg laat was hadden de half ingedommelde slaven ze niet vervangen.

Makalou rondde zijn verhaal af. 'Ngolo Diarra regeerde zestien jaar. Vóór zijn dood vroeg hij aan zijn fetisjpriesters hoe hij zijn naam onvergetelijk kon maken. Ze rieden hem een van zijn dochters aan Allah te schenken – wat hij dadelijk deed: hij vertrouwde haar toe aan de maraboet Markaké Darbo uit het dorp Kalabougou. Ook rieden ze hem honderd twintig kaaimannen gouden oorbellen aan te hangen: zo zou zijn naam blijven voortbestaan zolang er in de rivier kaaimannen waren...'

Zolang er in de rivier kaaimannen waren. Hoe de goden middels raadselachtige uitspraken die voor vele interpretaties vatbaar zijn, met ons de draak steken! Wilden ze zeggen dat ook over duizend, over tienduizend jaar het nageslacht de herinnering aan Ngolo zou bewaren? En wat zou er van hemzelf, Monzon, overblijven? De herinnering aan een machtige en rechtvaardige mansa? Machtig? Terwijl de Peul die hij nooit helemaal had kunnen onderwerpen, zich opnieuw begonnen te roeren. Ditmaal hadden ze in de godsdienst – de islam – een voorwendsel gevonden. Hoewel Monzon een beroep deed op moslim maraboets wanneer het hem uitkwam, voelde hij de grootste weerzin tegen de islam die de mannen castreert, hun vrouwen in aantal beperkt, het gebruik van alcohol verbiedt. Kan een man leven zonder alcohol? Waaruit moet hij dan de kracht putten om de dagen aan te kunnen?

Als om hem in die overdenking te sterken, waren Tiétiguiba Danté en Samaké in een belendend vertrek van het paleis met Fatoma, het krijgshoofd dat mee samenspande tegen Dousika, en een schare tondyons grote kalebassen dolo aan het ledigen.

'Weldra trek ik mijn gele tuniek aan,' bralde het krijgshoofd, 'en gaan we weer oorlog voeren! Ségou is niet gemaakt voor vrede. Ségou houdt van de kruitgeur en de smaak van bloed!'

Daarover was iedereen het eens.

Maar Samaké had het te druk en liet de anderen zich maar bedrinken. Telkens als hij 's nachts het koninklijk paleis met zijn lange reeks schaars verlichte of geheel in duisternis gehulde binnenplaatsen door moest, ontwaakte in Samaké een vrees die hij nooit op het slagveld had gevoeld. Mensen konden hem geen vrees aanjagen. Geesten wel–en hij meende hen reeds te zien oprijzen uit de buikige aarden kruiken met offergaven die hen niet konden sussen.

Fané, zijn fetisjpriester die hem stond op te wachten, trad uit het donkere derde binnenhof naar voren.

'En?' vroeg Samaké.

'Ze heeft een zoon.'

'Levend en gezond?'

'Jawel.'

'Daarvoor betaal ik je niet!' snauwde Samaké driftig.

'Dousika Traoré is schatrijk en geen vrek,' betoogde Fané die zijn stappen probeerde bij te houden. 'Koumaré kreeg van hem het dubbele van wat jij mij gaf. Ik kon zijn werk niet ongedaan maken. Het kind leeft en is goed gezond. Maar geloof me, zijn levensloop wordt weinig benijdenswaardig. De ouders zullen nooit alle vruchten zien van hun zaad, en bij het grote afscheid zal hij hen niet ter zijde staan. Hij zal een vergiftigde pijl in het hart van zijn moeder zijn. Hij zal een gruwelijke dood sterven.'

41

Samaké was de aanstichter van het komplot tegen Dousika. Ook hij was een edelman, een yèrèwolo. Maar zijn ouders die uit de streek van Pogo afkomstig waren, hadden zich lang tegen Ségou verzet. Hij was de eerste van zijn familie die zo goed gezien was aan het hof, waar Monzon hem als een onderworpen vazal placht te behandelen. Na de veldtochten waarbij hij altijd uitblonk door zijn uitzinnige dapperheid, was zijn deel van de buit telkens geringer dan dat van Dousika die zo min mogelijk aan de gevechten deelnam. Daarenboven had Dousika hem tot tweemaal toe vernederd door hem, met giften die zíjn vermogen ver overtroffen, vrouwen afhandig te maken. Om al die redenen had hij besloten hem in het verderf te storten.

's Nachts, als de maan niet wou rijzen boven de Joliba, was het alsof een sluier van de ondoorzichtigste kleur –donkerder nog dan het donkerste indigo–om Ségou hing. Slechts enkele lichtjes waren nog aan: in de kroegen waar dolo werd geschonken. Dolo was geen onschuldig aftreksel om je van binnen wat op te warmen. Ten tijde van voorvader Biton Coulibali bezat het vorstenhuis het monopolie van deze sterke drank. Al was dat alleenrecht intussen opgeheven, Monzon Diarra liet de kroegen waar het goedje te krijgen was nauwkeurig in de gaten houden. Zijn spionnen maakten met de bazinnen gemene zaak en mengden zich onder de groepjes uitgezakte drinkebroers die uren naast de dampende ketels konden doorbrengen. In deze tenten werd er van alles versjacherd. Kooplui uit Kangaba of Bouré boden goud aan beneden de door de mansa op vijfhonderd kauri's voor een moetoekoe vastgestelde koers, maar ook zoete kola uit Goutougou of mohammedaanse amuletten, gekocht bij de Moren. En er werden druk komplotten gesmeed.

Fané en Samaké zetten er de pas in, want allebei waren ze bang dat ze door de nacht zouden worden opgeslokt. De eerstgenoemde ging naar zijn hut in de smedenbuurt langs de rivier. De tweede zocht in de kroeg van Batanemba zijn vrienden op die vol spanning op de afloop van zijn onderhoud met de mansa zaten te wachten.

'Ze is in de put gesprongen! Ze is in de waterput gesprongen!'

Twintig koppen verdrongen zich boven de gapende diepte; de koelte sloeg in de gezichten die beneden op de bodem het water zagen schitteren. Een ingewikkeld samenstel van touwen en lianen had het frêle lichaam met de puntige borstjes van een nog maar pas geslachtsrijp meisje, met de licht welvende buik als een lieflijke heuvel, naar boven gehesen. Daar lag ze nu op de aarde die zij door zich het leven te benemen zozeer te na gekomen was; met een gebaar van deernis had een vrouw een van haar eigen panen over die naaktheid uitgespreid.

Wie durfde dat lichaam aan te raken? Dat lichaam van een zelfmoordenares, van een doodgemartelde!

Op dat ogenblik schoot Siga wakker uit zijn droom. Het was nacht. Een benauwde nacht. Siga was bang. Van de nacht, of van zijn droom? Hij wist niet of het er zo aan toe was gegaan. Toentertijd was hij te jong –nog maar twee of drie–en nadien had hem niemand meer iets over zijn moeder verteld. Hij wist alleen dit: ze was in-de-put-gesprongen.

Siga was een zoon van Dousika, dezelfde dag geboren als Tiékoro, met nauwelijks een paar uren tussentijd. Met dit verschil: zíjn moeder was een buitgemaakt slavinnetje dat op een keer, toen haar paan misschien wat te veel spande om haar dijen, door een bloedgeile Dousika was besprongen. Zodat op zíjn achtste levensdag, toen ter ere van Tiékoro onder het geraas van boeroes, bala's en tamtams van allerlei formaat de witte rammen lagen leeg te bloeden, slechts twee hanen naar het rijk van de goden en de voorouders waren geholpen om te voorkomen dat ze aan Siga helemaal het land zouden hebben. Idem de dag van hun besnijdenis. Onder het mes van de fetisjpriester waren ze allebei even flink geweest. Eindelijk waren ze nu man en zouden ze een lange broek mogen dragen. Zij aan zij hadden ze gedanst onder de uitroepen van de vrouwen terwijl er geweer- schoten werden afgevuurd en de lofdichters luidkeels de nieuwe bloedige geboorte bekendmaakten. Dousika echter en de familie hadden alleen oog voor Tiékoro in zijn okerkleurig overhemd, met op zijn hoofd de hoge muts waarvan de oorkleppen in riempjes overgingen. Zodat de hele ceremonie, die hem met trots had moeten vervullen, voor Siga een nasmaak had van frustratie en van as.

Ach, dat kansspel van de moederschoot! Was hij in die schoot en niet in deze verwekt, Siga's leven had een andere wending genomen. Hij was niet minder mooi dan Tiékoro, en even groot. De een werd vaak voor de ander aangezien, met die gitzwarte huid die ze beiden van hun vader hadden, met diezelfde wakkere en open oogopslag, diezelfde vlezige en paarse mond, met op hun beider wangen dezelfde rituele insnijdingen van zonen uit de adelstand. En toch was hun feitelijke toe- stand zo verschillend!

Geen wonder dat Siga's hele bestaan één lange strijd was, niet om met zijn vaders lieveling te kunnen wed- ijveren – dat was ondenkbaar –, maar om zijn broer te dwingen hem recht in het gezicht te kijken, niet als een gelijke, maar dan toch als een menselijk wezen. Alleen zag Tiékoro Siga gewoonweg niet. Hij aanbad zijn jon- gere broer Naba die hem als een hondje overal volgde. Siga negeerde hij. Niet dat hij hem minachtte: hij zag hem niet staan.

Sinds kort had ook Siga een geheim dat hem geen rust liet. Het ging om Tiékoro. Siga wist wel dat er in Ségou moslims waren. Het waren Moren, Somono, Sa- rakolé – kortom, vreemdelingen, vreemde lieden die lange, loshangende kleren droegen en wier dochters nooit met blote boezem rondliepen. Als schapen spoed- den ze zich naar hun moskeeën met die rare maansikkel er bovenop, en in volle straat, op markten en pleinen,

44

wierpen ze zich in het stof. Zoals elke echte Bambara voelde Siga voor hen slechts misprijzen.

En nu had hij Tiékoro een moskee zien binnengaan! Met eigen ogen had hij het gezien! Dicht tegen de ringmuur aangedrukt, had hij hem zijn rundleren sandalen uit zien trekken en met de anderen neerknielen. Een andere keer had hij hem op een plankje, onder leiding van een bejaarde man, duistere tekens zien krassen! Was zijn broer gek geworden? Eerst had Siga nog naar Nya willen rennen om haar alles te verklappen. Vrees had hem weerhouden. De inbreuk was ernstig. Hijzelf dreigde het lot van de onheilsbode te zullen ondergaan: getrapt te worden, afgestraft, voorgoed in ongenade te vallen. Dus had hij maar gezwegen, en dit medeplichtig zwijgen beklemde hem. Hij kwijnde weg, had geen slaap meer en geen eetlust. Om hem heen werd al gefluisterd dat zijn moeder het eenzame fladderen van boomtak naar boomtak, als een boze geest, zonder enige kans op wedergeboorte, moe was geworden, dat ze smeekte om zijn gezelschap, dat ze hem het bloed uitzoog. In haar ongerustheid had Nya hem naar Koumaré gestuurd, die zich voor de zoon van een slavin niet erg uitsloofde en baden met rondierpoeder en dito wortels voorschreef.

Zoals Tiékoro of Naba, zoals alle kinderen van de familie, voelde Siga voor Nya een diepe verering. Zij had hem immers opgevoed. Na zijn moeders zelfmoord had zij hem ergens in de buurt van een leemgroeve waar hij rondhing opgepikt en meegenomen naar haar hut. Ze had hem met de melk die ze te veel had, met de melk die voor Tiékoro bestemd was, gevoed. Ze had hem de schotels dègè en to toegeschoven waar Tiékoro genoeg van had, en ook de n'gomi waarvan híj niet wou. Ze had rechtvaardig en goed gehandeld. Een kind moet zijn plaats kennen: de zoon van een slavinnetje is niet de zoon van een prinses.

Siga stond op en stapte over twee, drie naakte lichamen. Hij was nog niet oud genoeg om zelf een hut te hebben, en sliep tussen een tiental jongens van zijn leeftijd, allemaal zonen van Dousika of van diens jongere broers Diémogo, Bo, Da en Mama, die allen als 'vader' werden aangesproken en onder wier gemeenschappelijk gezag de jongens opgroeiden. Hij hurkte vlak bij het deurgat neer en tuurde naar de zwarte, ebben rechthoek.

De nacht over Ségou. Een sterreloze hemel. Boven de terrasvormige daken van de huizen die als bange dieren tegen elkaar drongen, verrezen bosjes mahonie- en apebroodbomen en, hoger nog, rondierpalmen. Het nachtwindje dat na de smoorhete dag koelte bracht, zeeg met een geur van oesters en rivierslijk neer. Deze mildheid van het nachtelijke duister voor de vermoeide lichamen was ongetwijfeld een van de charmes van de streek. Rondom Siga klonk gesnurk in alle toonaarden, wat zijn slapeloosheid nog meer aanwakkerde. Ergens kraaide een haan. Maar dat moest een vergissing van dat stuk pluimvee zijn. De nacht was nog jong en krachtig, bevolkt met geesten die zich eindelijk op de levenden konden wreken. Reeds te lang voelden ze zich buitengesloten door hen die ze nu via de droom probeerden te bereiken.

Zijn er landen waar het nooit nacht is? Misschien het land van de blanken? Zoals alle inwoners van Ségou was ook Siga naar de oever van de Joliba gerend om een glimp van de vreemde bezoeker op te vangen. Hij had niets gezien dan een groot gedrang. Prauwen die werden bestormd. Vechtersbazen die de kracht van de stroming vergaten. Waar was hij nu, die blanke? Had hij ergens onderdak gekregen? Een bijgelovige angst bekroop Siga. Misschien was die blanke geen mens, maar een boze geest. In dat geval had de mansa er goed aan gedaan hem in de stad niet binnen te laten. Vluchtig kwam er in Siga een gevoel van dankbaarheid jegens de regeerder op. Hij liep naar zijn slaapmat terug en ging in opgerolde houding liggen.

'Ze is in de put gesprongen! Ze is in de waterput gesprongen!'

De kring wordt steeds nauwer. Het frêle lichaam. De puntige borstjes. De lieflijke heuvel van de buik. Die vrouw en haar gebaar van deernis.

Siga realiseerde zich dat hij een poosje had geslapen: de nachtelijke dwangvoorstelling had hem opnieuw in haar greep. Dan nog liever de dwanggedachte die hem overdag niet losliet! Hij nam een besluit. Hij wist dat Nya altijd als eerste wakker werd; nadat ze haar hut had besprenkeld en met rook ontsmet ter verdrijving van de boze geesten die er 's ochtends bleven rond-hangen, begaf ze zich naar het vrouwenbad waar ze zich met senezeep eindeloos lang waste. Vervolgens, zonder dat ze daarvoor de hulp van een van haar slavinnen inriep – want ze deed graag alles zelf –, stak ze enkele takoela in de lemen bakoven en maakte de dègè klaar voor de jongste kinderen.

Op die ogenblikken van de dag was ze niet aan te spreken. Hij zou links naast haar deur neerhurken en wachten tot iedereen haar was komen groeten en zij eindelijk eens wou gaan zitten om wat kassiekruidenthee te drinken tegen haar migraine. Siga klemde zijn hoofd tussen zijn twee handen en bad de goden om vergeving voor het verdriet dat hij haar zou aandoen.

# 4

Op alle kruispunten maakten de koninklijke stadsomroepers bekend dat Dousika Traoré, hofraadslid en rechter des konings, uit al zijn ambten werd ontzet. Sinds
Ségoukaw-heugenis had men nog nooit zo iets meegemaakt! Een edelman die als een dief behandeld werd!
Het bericht zwermde de hoofdstad uit en bereikte de
krijgersdorpen waar Dousika heel wat vrienden telde.
Nagenoeg iedereen was het erover eens: je kon het bedrog al van ver ruiken. Wat was dat voor een belasting
op weelde-artikelen, gelijk aan het veertigste deel van
zijn fortuin in goud en kauri's, waaraan Dousika niet
zou hebben voldaan? Had hij dat fortuin niet aan de
mansa zelf te danken? Hoe kon het dan belastbaar zijn?
Anderen beweerden in tegendeel dat de mansa zich
ondanks Dousika's rangverlaging nog mild betoonde
tegenover iemand die zich schuldig had gemaakt aan
samenspannen met de erfvijand uit Kaärta-een hals-
misdaad.

Maar deze uitleg was weinig overtuigend.

De oorzaken van het geschil met de Bambara uit
Kaärta lagen in lang vervlogen tijden. Alles was begonnen met een onenigheid tussen de twee broers Niangolo en Barangolo. Mettertijd was de kwestie totaal
ondoorzichtig geworden, vooral sinds de Coulibali's in
Ségou door de Diarra's van de troon waren gestoten.
Wat had Dousika erbij te winnen zijn neus in dit wespennest te steken? Zij die eraan herinnerden dat zijn
vrouw een Coulibali was, schenen te vergeten hoezeer
de Coulibali's uit Ségou en die uit Kaärta elkaar haatten!
Bij zo veel verwarring kon men slechts hopen dat Dousika zich zou verdedigen als een man. Maar dat deed
hij niet.

Amper was het vonnis omgeroepen waardoor hij zich niet langer aan het hof vertonen mocht, of niemand zag hem nog in de straten van Ségou staan luisteren naar een djeli die hij ergens tegen het lijf was gelopen, of bij zijn schoenmaker een paar sandalen bestellen, in de kroeg met andere mannen van zijn leeftijd een kalebas dolo drinken, of onder een acacia praten, lachen of een partijtje wori spelen. Tegelijkertijd leek de hele familiehuizing in rouw gedompeld. Nieuwsgierigen die erlangs waren gelopen, beweerden dat er geen geluid te horen was. Niet eens een kind dat huilde, of een stel kibbelende vrouwen.

En inderdaad, voor Dousika was de nacht voorgoed over de wereld neergedaald. In het halfdonker van zijn hut lag hij de godganselijke dag met dichtgeknepen ogen op zijn slaapmat, terwijl in zijn hoofd steeds dezelfde vragen woelden. Wanneer had hij de goden en de voorouders verwaarloosd? Wanneer had hij verzuimd hun een deel van zijn oogsten aan te bieden? Wanneer was hij de boli vergeten te besprenkelen met bloed? Wanneer had hij voedsel naar zijn mond gebracht zonder eerst ons aller moeder de Aarde te verzadigen? Al dat getob maakte hem dolzinnig. Hij had zich geen enkel verwijt te maken. Het kwam allemaal door zijn zoon Tiékoro, die toch de trots van zijn vader had moeten zijn. Hij wist nog goed met welke rustige onbeschaamdheid de jongen tegenover hem staande had gehouden: 'Fa, het is nu eenmaal zo: er is geen andere god dan Allah, en Mohammed is zijn profeet!'

Een gevaarlijke uitlating, die hem de gramschap van de goden en de voorouders op de hals had gehaald, wat dan weer de mansa in woede had doen ontsteken. Een Traoré die moslim was geworden! Een Traoré die de beschermgoden van de clan de rug toekeerde!

Nee, niet Samaké en zijn trawanten hadden zijn ondergang bewerkstelligd! Zij waren slechts het instrument van een hogere gramschap die door zijn eigen zoon was ontketend! Koortsig lag Dousika te zuchten en te woelen. In het voorportaal klonken Nya's stappen. O, als zij maar wat medelijden met hem had en hem wou troosten als een kind! Maar hoe goed ze ook op hem paste en voor hem zorgde, in haar blik, haar stem was er iets kils, iets dat leek op misprijzen, alsof ze hem stilletjes verweet dat hij zich zozeer aan de ontmoediging overgaf. Nu bleef ze in een hoek van de kamer staan.

'Koumaré zou je willen spreken,' zei ze.

Koumaré was, samen met Nya, de enige die zijn hut nog mocht betreden sinds hij uit zijn ambten was ontzet. De waarzegger kwam binnen, en Dousika probeerde uit zijn sombere, onontraadselbare trekken de tekenen van zijn toekomst af te lezen. Koumaré strooide een vingergreep poeder in de vier hoeken van het vertrek. Vervolgens hurkte hij neer en bleef een tijdje roerloos zitten, alsof hij zijn oren spitste. Ten slotte kwam hij wat dichter bij de slaapmat waarop Dousika zijn geringste gebaar gespannen gadesloeg.

'Traoré,' zei hij, 'het had heel wat voeten in de aarde, maar eindelijk hebben je vader en je grootvader tot mij gesproken. Hoor wat ze gezegd hebben: "Dousika, laat Tiékoro gaan waarheen hij wil!"'

Stomverbaasd rees Dousika half overeind. 'Is dat alles,' vroeg hij, 'wat ze hebben gezegd?'

Koumaré knikte. 'Dat was alles. Laat hem dus naar Tombouctou gaan om er zijn voorhoofd in het stof te wentelen. Alleen zou ik nog willen weten waarom de voorouders zo gesproken hebben. Ik wil hun nog meer vragen stellen. Ik ga me zeven dagen afzonderen. Laat je jongen niet weggaan uit Ségou vóór mijn terugkeer!'

Koumaré stond op. De kolanoot en de geestverruimende kruiden waarop hij voortdurend kauwde, kleurden zijn verhemelte dat in een bloedrode hanglip overging, terwijl in zijn oogwit het vuur van zijn smidsoven leek voort te branden. De waarzegger mikte een zwartachtig spuugsel precies naar Dousika's voeteinde en verdween. Vlak bij de vijgeboom stuitte hij op Nya, die zich tijdens zijn gesprek met haar man discreet had teruggetrokken.

Nederig, zich bijna verontschuldigend voor zo veel stoutmoedigheid, vroeg ze hem: 'En hoe moet het nu verder met mijn zoon?'

'Maak je geen zorgen,' bromde Koumaré toeschietelijk, 'hij gaat op reis. Onze goden willen hem het leven niet ontnemen.'

Nya voelde zich door het geluk zo overrompeld dat ze geen woord kon uitbrengen.

Ook Dousika voelde zich opgelucht, of dan toch wat rustiger, nu zijn vader en zijn grootvader het rijk van het onzichtbare hadden willen verlaten om Koumaré hun wilsbeschikkingen mee te delen. Als ze dit niet weigerden, was vergiffenis nog mogelijk. Voor het eerst sinds twee weken had hij de kracht om op te staan en zijn hut te verlaten.

Het middaguur was niet ver meer af. De droge-seizoenhemel leek op een gloednieuwe indigo paan met in zijn middelpunt de gouden zonneranken. Het leven ging verder.

Dousika dacht aan Malobali, zijn laatstgeborene. Vanwege de ziekte van de vader had Diémogo, de oudste van diens jongere broers, de ceremonie van de naamgeving voorgezeten, samen met Koumaré de offergaven aangeboden, de verwanten en bezoekers ontvangen. Dousika voelde zich een beetje schuldig tegenover het kind, en begaf zich naar Sira's hut.

Nu de periode van haar rituele afzondering was verstreken, stond ze met de baby op haar arm voor haar deur. Bij het zien van haar opnieuw slank geworden lichaam, haar ronde schouders, haar lichte en glanzende Peul huid, werd de begeerte in hem wakker. Hij deed zijn best om het niet te laten merken, en staarde naar zijn zoon. Het donzen haar van het kind was afgeschoren, op een middenstrook van het voorhoofd naar de nek na. Zijn schuine kijkers onder de met antimoon gekleurde oogleden schoten vonken als die van zijn moeder, en zijn hoge jukbeenderen hadden iets dat onmiskenbaar zijn Peul oorsprong verried.

'Hij is té mooi!' dacht Dousika. 'Alleen een vrouw heeft recht op zo veel schoonheid.'

Hij drukte het lichaampje tegen zich aan, hield het weer voor zich uit, pakte het bij zijn voeten, met het hoofd naar beneden, om zijn reflexen te testen.

'Pas op, kokè, hij heeft net de borst gekregen!' protesteerde Sira zwakjes.

En toch moest Malobali niet braken; hij huilde niet eens. Alleen zijn fonkelende blik zigzagde heen en weer, alsof hij probeerde te begrijpen wat de orde van de hem omringende wereld had verstoord. Dit zou een flinke kerel worden, met een grote nieuwsgierigheid voor mensen en dingen. Dousika gaf hem aan zijn moeder terug.

Een zoon die komt, een andere die gaat. Het leven is de rol katoen op het getouw, het graf der verrijzenis, de echtelijke kamer, de vruchtdragende baarmoeder.

Sedert haar bevalling had Dousika Sira nog niet teruggezien. Wat had hij haar graag iets horen zeggen over de rampzalige gebeurtenissen die hem hadden overvallen. Maar ze zweeg, keek wat opzij om zijn blik niet te ontmoeten.

'Wat denk jij,' vroeg hij haar, 'van wat onze familie is overkomen?'

Ze keek hem frank in het gezicht. 'Dit is míjn familie niet.'

'Wel die van je zoon.'

'Maar niet de mijne,' hield ze koppig vol.

Ze sprak de waarheid. Dousika schaamde zich dat hij de liefde van een gekaapt slavinnetje stond af te bedelen. Wie in deze familiehuizing bekommerde zich om hem? Niemand. Nya noch Sira. Zijn andere gezellinnen waren niet in tel en stelden op hem ook geen prijs. Bedrukt liep hij naar zijn hut terug.

Nya van haar kant had zich meteen naar de binnenplaats van het jongensverblijf gespoed. Tiékoro die, verre van ervoor te zorgen dat hij niet meer opviel, nu openlijk zijn geloofsovertuiging beleed, zat op de drempel van een hut tekens te krassen op een schrijfplankje, te midden van een kring kijklustigen.

Een rilling liep over Nya's rug: haar zoon liet zich met vreemde toverpraktijken in! Hoe was hij zo totaal veranderd? En buiten haar medeweten! Een soort heilige vrees versterkte nog de blinde liefde die ze altijd voor hem, haar eerstgeborene, had gekoesterd.

Tiékoro liet haar de tekens op zijn schrijfplankje zien. 'Weet je wat ik heb geschreven?'

Nya gaf maar liever geen antwoord.

'De goddelijke naam van Allah!' voegde hij er zelf aan toe.

Nya boog het hoofd, beschaamd over haar onwetendheid en onwaardigheid. En toch had Tiékoro dit niet gezegd om zijn moeder te vernederen. Hij wilde slechts lucht geven aan zijn overmaat van geluk nu hij zijn geloof niet langer hoefde te verbergen. Deze vier gewijde letters – alif, lam, lam, hâ – te zien stralen als een sterrenbeeld!

Tiékoro moest aan zijn onvaste hand van vroeger denken, en aan de spottende opmerkingen van zijn leraar. Hem sloeg El-Hadj Ibrahima niet zoals de kleine Moren of Somono uit zijn klas, die hij ook tuchtigde met gloeiende houtskool wanneer hun fouten tijdens het reciteren van de verzen uit de koran hem al te gortig leken. Nee, met hem spotte hij. 'Bambara, jij zult nooit wat anders worden dan een vulgaire fetisjaanbidder en dolodrinker!' Of: 'Ga liever kippenoffers brengen!' Dan beet Tiékoro op zijn tanden en vervloekte zijn stijve, onwillige vingers, zijn armzalig geheugen. Woord Gods, gij zult in mij binnenstromen! Gij zult van mijn lichaam uw tempel maken! Als hij de verzen zonder haperen opzei, schonk El-Hadj Ibrahima hem een goedkeurend lachje. De herinnering aan dat glimlachje droeg hij dan mee naar huis. Het doorstraalde zijn avonden, zijn nachten; het gaf hem de kracht om het onderricht te blijven volgen.

Nya legde haar hand op die van haar zoon.

'Tiékoro,' fluisterde ze, 'je mag naar Tombouctou!

Ik weet het van Koumaré. Onze voorouders laten je gaan.'

Moeder en zoon bekeken elkaar. Tiékoro hield zielsveel van zijn moeder. Eigenlijk had hij haar altijd als een stuk van zichzelf beschouwd. Zij was het gebinte van zijn persoonlijkheid en zijn bestaan. Hij wist dat zijn bekering tot de islam hen van elkaar dreigde te scheiden, en leed daaronder. Hij wilde er niet van weten. Maar de werkelijkheid was onontkoombaar: het uur van de scheiding was in aantocht. De gedachte dat hij ver van haar zou moeten leven, jarenlang! Nu zij hem dit bericht bracht dat hem dolgelukkig had moeten maken, schoten zijn ogen vol tranen. Het scheelde weinig of hij smeekte om vergiffenis. Tegelijkertijd steeg er een diepe jubel in hem op.

Hij rende weg om zijn leraar alles te gaan vertellen.

In zijn rieten bootje roeide Koumaré naar een eilandje in het midden van de rivier. Toen ze hem zagen afvaren wendden de laatste Somono vissers die met hun vangst terugkwamen voorzichtig het hoofd af, want ze kenden die geduchte oppersmid-en-fetisjpriester goed genoeg om te weten dat zich iets voltrekken zou waar de gewone sterveling niet bij kon.

Naarmate Koumaré verder roeide, zakten de stadswallen weg in de duisternis. Troepjes gieren gluurden onder hun gekromde vleugels en leken in hun roerloosheid te zijn vergroeid met de lange stutsels die hen in de lucht verhieven. Op het rotsachtige strand doemden schimmige gedaanten op. Het werd frisser; Koumaré dook dieper weg in het bokkevel dat hij tegen de avondkoelte om zijn schouders had geslagen. Uit een antilopehoorn haalde hij wat snuiftabak die hij in zijn neusgaten stopte. Daarna roeide hij voort.

Spoedig bereikte hij zijn bestemming. Hij verstopte zijn bootje tussen het riet en liep naar het heuveltje waarop een met stro bedekte schuilhut stond. Hier woonde geen Peul herder; dit was de heilige plaats voor

54

de gevreesde tweespraak met de onzichtbaren.

Al drie dagen lang onthield Koumaré zich van seksuele omgang met zijn vrouwen; hij wilde vermijden dat hij door het uitstorten van zijn zaad zijn krachten zou verspillen. Ook kauwde hij op daga die helderziend maakt. Zonder dralen begon hij in de buurt van de hut de kruiden uit te zoeken die hij nodig had.

Zijn opdracht was zwaar. Een onoverzienbare reeks tegenslagen en rouw leek voor Dousika's familie te zijn weggelegd. Waarom? Om de bekering van de oudste zoon tot de islam? Waarom lieten de goden en de voorouders hem dan naar Tombouctou vertrekken? Was dat een valstrik? Een nog geduchter middel om Dousika in het verderf te storten? Welke stormen wilden ze boven zijn hoofd nog doen losbarsten?

In een kleine kalebas mengde Koumaré verse mahonieboomschors en wratzwijnharen met een paar druppels menstruatiebloed van een vrouw die door zeven miskramen was bezocht. Hij deed er nog wat gedroogd leeuwehart bij, onder het mompelen van de rituele aanroeping:

> *Ke korte, vader, voorvader,*
> *Die in de onderwereld zijt,*
> *Bezie mij, stekeblinde!*
> *Ke korte, leen mij uw ogen!*

De brij die zich had gevormd, legde hij omzichtig op een apebroodboomblad dat hij in vieren vouwde. Hij begon erop te kauwen terwijl hij languit op de grond ging liggen en scheen in te dommelen.

In werkelijkheid was hij in trance geraakt. Zijn geest had het menselijk lichaam verlaten en reisde door de onderwereld.

Die reis duurde zeven dagen en zeven nachten. Maar de tijd van de mensen en die van de onderwereld laten zich niet met dezelfde maatstaf meten. In de tijd van de mensen duurde de reis van Koumaré slechts drie etmalen.

Tijdens die drie etmalen ging in Ségou het leven zijn hoofdstedelijke gang. De konvooien civiele en militaire prauwen die de Joliba op- en afvoeren met passagiers, koopwaar en paarden, leken met de scholen trekvissen een snelheidswedstrijd aan te gaan. De ezels waarop de koopwaar werd overgeladen, stapten gedwee naar de diverse marktpleinen. Over de blanke werd met geen woord meer gerept; er waren andere zorgen en andere gespreksthema's. De islam bij voorbeeld.

Een van de aanzienlijkste families van het koninkrijk werd erdoor verscheurd! De oudste zoon van Dousika Traoré zou door de imam van de Somono moskee op de Nes bekeerd zijn. Tot nog toe hadden die lui, volgens een stilzwijgende overeenkomst, onder de Bambara geen bekeringswerk verricht. Nu ze die regel overtraden, moest de mansa ingrijpen en zijn slag slaan. Alle moskeeën sluiten, al diegenen vervolgen die de obscene geloofsbelijdenis durfden uit te roepen: 'Er is geen andere god dan Allah, en Mohammed is zijn profeet!'

Maar Monzon weifelde.

Hij weifelde, want hij was zich ervan bewust dat het koninkrijk Ségou elke dag meer ging lijken op een eilandje, omsingeld door gebieden die waren gewonnen voor de islam. Overigens bood het nieuwe geloof niet alleen nadelen. Om te beginnen bleken zijn geheimzinnige tekens even doeltreffend als een hele reeks bloedoffers. Uit de Somono families Kane, Dyire, Tyéro, waren voor de mansa's uit Ségou al vele generaties mori voortgekomen die hun problemen even uitmuntend wisten op te lossen als de fetisjpriesters. Anderzijds konden die tekens bondgenootschappen met verafgelegen volkeren instandhouden of versterken, en creëerden ze een geestelijke gemeenschap waarin men zich veilig voelde. Terzelfder tijd was de islam gevaarlijk omdat hij de macht van de koningen ondermijnde, hun heerschappij overdroeg aan één oppergod die de Bambara wereld volkomen vreemd was. Hoe zou men die Allah, wiens stad ergens in het oosten lag, niet wantrouwen?

Op het eindpunt van zijn reis door de onderwereld ontwaakte Koumaré met oren die nog tuitten van het geraas. Geweeklaag van geesten wier nakomelingen de voorgeschreven pleng- en bloedoffers verwaarloosden. Gejammer van andere die vruchteloos snakten naar wedergeboorte in het lichaam van een jongetje. Gebulder van nog andere die zich ergerden aan de niet-aflatende stroom hatelijke wandaden van de stervelingen. Hij haalde de boomwortels die hij in een kalebas had gestopt te voorschijn. Als hij ze fijnstampte en kauwde, zouden ze hem in de wereld van de mensen laten terugkeren.

Eindelijk doorzag hij de toekomst van de Traorés. De toegeeflijkheid van de goden en voorouders ten aanzien van Tiékoro was slechts schijn. Onder de gebundelde inspanningen van Dousika's talrijke vijanden waren ze voor alle smeekbeden doof geworden, ongevoelig voor alle offers. Voor Dousika zag het er beroerd uit. Met al zijn inspanningen had Koumaré alleen de schade wat kunnen beperken.

Vier zoons – Tiékoro, Siga, Naba en Malobali, de laatstgeborene – moesten als gijzelaars worden beschouwd, als zondebokken met wie het noodlot vrij spel zou hebben, opdat niet de hele familie aan de ondergang zou worden overgeleverd. Vier zoons: Tiékoro, Siga, Naba en Malobali – van een twintigtal kinderen. Eigenlijk kwam Dousika er nog goedkoop af.

Iets bracht Koumaré toch in verwarring. De geesten van goden en voorouders hadden het hem niet verheeld: tegen de nieuwe god, die Allah van wie de jonge Tiékoro een aanhanger was geworden, bestond geen verweer. Hij was als een zwaard. In zijn naam zou het bloed de aarde rood kleuren. Het vuur zou menig erf verwoesten. Vredelievende volkeren zouden de wapens opnemen. De zoon zou zich van zijn vader afkeren, de broer van zijn broer. Er zou een andere aristocratie opstaan; nieuwe menselijke verhoudingen zouden tot stand komen.

De dag brak aan. Alom kringelde een grauwe sluier

naar de hemel waartegen het arrogante silhouet van de rondierpalm afstak. Mensen en dieren ontwaakten uit hun nachtelijke verschrikkingen. De mensen poogden hun dromen te doorgronden, de dieren zouden nog uren doorbrengen in verbijstering. Peinzend liep Koumaré naar de rivier. Hij stapte in het koude water, huiverde, dook erin onder. Het water van de Joliba, het element bij uitstek van de god Faro. Het oerwater. Het kind komt tot leven in het water van de moederschoot. Bij elke aanraking met het water wordt de mens opnieuw geboren. Koumaré liet zich een hele tijd stroomafwaarts drijven. De krokodillen en waterslangen voorvoelden zijn geheime krachten en meden hem. Ten slotte zwom de tovenaar naar de oever, waar hij in zijn bootje stapte om naar Ségou terug te keren.

Misschien zou Allah met de goden van de Bambara een vergelijk kunnen sluiten? De oude goden zouden de nieuweling aanmatigend op de voorgrond laten treden. Zijzelf zouden in het verborgene voortwerken, want helemaal konden ze niet worden verslagen. Makoungoba, Nangoloko, Kontara, Bagala – deze grote fetisjen van het koninkrijk, die jaarlijks met zo veel praal werden gevierd – konden niet geminacht en vergeten worden, of Ségou was niet langer Ségou. Het zou verworden tot een courtisane ten gerieve van de overwinnaar, een slavin.

Op de grauwe waterkant van de Joliba, met de schelpen van reuzeoesters bezaaid, waren vrouwen met kalebassen water aan het putten. Slavinnen liepen achter elkaar in de rij, onder leiding van een toezichter. Het gezelschap vermeed angstvallig de fetisjpriester aan te kijken, want het is altijd riskant het pad van een Komodienaar te kruisen. Wie weet of hij in een driftbui niet de krachten zal ontketenen die onvruchtbaarheid, een gewelddadige dood of epidemieën veroorzaken? Geen wonder dat de fetisjpriester niets dan neergeslagen blikken, geluifelde oogleden, bedekte en bange gebaren zag. Weldra ontwaarde hij nu de familiehuizing van Dousika.

Hij had haast om de bevelen uit het hiernamaals door te geven: 'Jawel, je zoon Tiékoro moet gaan. Maar zijn broer Siga moet hem vergezellen. Siga en Tiékoro zijn de in- en uitademing van één zelfde geest; ze zijn elkaars dubbelgangers. De een leidt geen eigen bestaan zonder de ander. Het levenslot van de een is met dat van de ander onafscheidelijk verbonden. Hun levensdraden zijn even nauw verweven als die van de rol katoen op het getouw.'

Toen Koumaré de eerste, op dit vroege ochtenduur nog verlaten binnenplaats betrad, dook Tiékoro tussen de hutten op. Hoogstwaarschijnlijk was hij op weg naar de eerste gebedsdienst, want boven de terrasdaken weerklonk de verre roep van de moëddzin. Zichtbaar geschrokken bleef hij staan. Koumaré had deze knaap, die zich in zijn ogen niet erg onderscheidde van de overige zoons in deze familiehuizing, nooit een bijzondere aandacht waard bevonden. Onder zíjn mes was zijn voorhuid weggesneden, en toen had de jongen zich niet dapperder gedragen dan de anderen: ook hij had op zijn tanden moeten bijten om het niet uit te schreeuwen. Nu pas ontdekte Koumaré in die nog kinderlijke trekken een grote stoutmoedigheid en schranderheid, en een ongelooflijke veeleisendheid. Welke verborgen drijfveer had deze adolescent de weg naar de islam gewezen? Waar haalde hij de moed vandaan om te breken met de godsdienstige zeden van zijn familie en zijn volk? Dit eenzame gevecht kon een buitenstaander zich niet voorstellen.

Tiékoro keek Koumaré strak in de ogen, tot hij de schrik van zich af had gezet. In plaats van de geduchte verschijning zag hij nog slechts een man van middelbare leeftijd, al bijna oud, met een woeste stoppelbaard, zijn hele lijf vol vogelkopjes, met rood laken overtrokken antilopehoorns, koeiestaarten en een grauw bokkevel. Een ware vogelverschrikker.

Rustig en uit de hoogte sprak de Tiékoro de groet: *'As salam aleykum.'*

## 5

Aan de voet van Ségou begint al bijna de woestijn. De aarde is er okerkleurig en brandend heet. Groeit er wat gras, dan is het vergeeld; maar meestal is er slechts een desolate, stenige aardkorst waarin niets dan apebrood-bomen, acacia's en – hét symbool van de hele streek – de boterboom wortel kunnen schieten.

Soms verrijst, als een wal die loodrecht boven de naakte bodem van de omringende vlakte de einder af-grendelt, een krijtrotsmuur – een natuurlijke vesting waarin de Dogon zich verschansen. Alles moet buigen voor de harmattan wanneer hij met volle kracht waait en de Peul met hun kudden steeds verder voor zich uit naar de drenkplaatsen drijft. Daarna verdwijnt al wat steen is, overwonnen door zand waar hier en daar nog grasgewassen met staalharde, naaldscherpe zaadkorrels uit opschieten. Zover het oog reikt strekken zich onder een flauw rode hemel onmetelijke gelig-witte vlakten uit. Niet één vogel zingt. Niet één roofdier brult. Niets schijnt nog te leven, buiten de rivier waarvan af en toe, als een fata morgana die ontstaat uit eenzaamheid en verschrikking, een glimp te zien is.

Niettemin raakten Tiékoro en Siga tot hun eigen ver-rassing gehecht aan die dorre landschappen die zich niet om de mens bekommeren. Telkens wanneer Tiékoro tussen de Moren van de karavaan voorover boog in de richting van Mekka, voelde hij zich van God vervuld, overrompeld door Zijn aanwezigheid die brandde als de wind. Siga van zijn kant overkwam een gevoel van vrede dat hem nooit eerder ten deel was gevallen, alsof zijn moeders schim er eindelijk in toestemde haar lijk-wade niet meer te ontvlieden. En de twee broers waren elkaar opeens zo na als reizigers op een vlot.

Het Tombouctou dat ze binnenreden was niet meer dan een slavinnetje met wat herinneringen aan een glorierijk verleden. Eeuwen geleden was het tezamen met Gao de parel geweest van het Songhai rijk, dat ook rijk van het goud en het zout werd genoemd. Dit Songhai imperium had het rijk van Mali vernietigd door het te beroven van zijn noordelijke provincies, om zo de controle over het goud van Bambuk en Galam te verwerven. Zijn welvaart had het te danken aan de handel: handel in slaven – zoals Ségou – waarmee de Maghreb werd bevoorraad, maar ook in kolanoten, goud, ivoor en zout. Met een gewapende escorte tegen de Moorse en Toeareg plunderaars vertrokken de karavanen naar de 'Sahara Zee'. Een zee vanwaar het eigenlijke gevaar en de uiteindelijke ondergang zouden komen. In de zestiende eeuw hadden de Marokkanen onder sultan Moulaye Ahmed, die de zout- en goudmijnen wilden bemachtigen, het Songhai rijk uit zijn voegen gerukt en overgeleverd aan hun nakomelingen, de Arma's – zonen die ze hadden gewonnen bij de vrouwen uit de plaatselijke aristocratie. Sinds die verovering was Tombouctou – ooit door zo veel geletterden en reizigers als een vrouw, of door de Peul als een kudde runderen bezongen – nog slechts een lichaam zonder ziel. Toch vonden Siga en Tiékoro de stad niet geheel zonder charme.

De twee jongens en hun begeleiders trokken door de buitenwijk Albaradiou die als karavansera diende voor reizigers uit de Maghreb. Daar namen ze afscheid van hun Moorse gidsen die snakten naar wat rust vooraleer ze hun koopwaar van de hand zouden doen, andere goederen inslaan en de terugreis beginnen. Weldra zagen ze de Madougou, het paleis dat mansa Moussa na zijn terugkeer uit Mekka had laten optrekken. Over de stad en haar geschiedenis wisten ze niets, en ze durfden geen vragen te stellen aan de voorbijgangers, voornamelijk Toeareg die er vervaarlijk uitzagen in hun zware indigokleurige tunica, met hun tulband en hun dolk die met een brede leren riem aan de pols was vastgemaakt. Ze belandden op de vleesmarkt met zijn onsmakelijke uitstalling van enorme lappen rund en schaap, die helemaal onder de vliegen zaten. Moslims, herkenbaar aan hun kleren en hun kaalgeschoren kruin, roosterden er schapebouten aan houten spitten.

Tiékoro was nog het meest ontgoocheld van de twee: na wat El-Hadj Ibrahima, zijn leraar in Ségou, hem had verteld over deze stad, 'pleisterplaats van heiligen en vrome mannen, stad waarvan de bodem nimmer door afgodendienst was bezoedeld,' had hij zich een paradijselijk oord voorgesteld. In werkelijkheid was Tombouctou niet mooier dan Ségou. Bovendien ging Tiékoro gebukt onder de anonimiteit waarin hij leefde sinds hij de wallen van zijn geboortestad achter zich had gelaten. Hier was hij niet meer dan een Bambara, telg van een volk dat misschien machtig was, maar verder geen al te goede faam genoot vanwege zijn afgodendienst en zijn bloeddorstigheid. Als hij zei dat hij aan de universiteit van Sankoré godgeleerdheid wilde gaan studeren, schaterde men het uit. Sinds wanneer bestudeerden de Bambara de islam? Of men dreef de spot met zijn gebrekkige kennis van het Arabisch, waarvan El-Hadj Ibrahima hem gedurende zijn lessen in Ségou alleen de grondbeginselen had kunnen bijbrengen.

Tiékoro keerde zich om naar Siga die in het zand scheen te zijn vastgenageld, doodsbang als hij was voor de twee Toeareg die hem niet eens een blik waardig achtten. Met hoeveel volkeren waren de broers tijdens hun reis niet in aanraking gekomen! Eerst de Bozo en de Somono die ze al kenden, vissers die vrijwel in de rivierbedding woonden en zichzelf 'meesters van het water' noemden. Vervolgens de Sarakolé, 'meesters van de aarde', ijverige boeren die kriskras tussen hun katoen-, tabaks- en indigoteelten vogelverschrikkertjes op hoge gegaffelde palen plantten; de Dogon, schuwe barbaren die groepsgewijs hun in de rotswanden uitgehouwen of in kloven verscholen woningen verlieten; de trotse Malinké, kooplieden die zich nog koesterden in de herinnering aan het grote Mali rijk dat hun voorouders hadden gesticht en bij de ondergang waarvan zij, vandaag nog slechts vazallen van Ségou, zich weigerden neer te leggen. En overal mohammedaanse of nog fetisjistische Peul met steeds dat soevereine misprijzen voor andere volkeren, en Arabieren aan het hoofd van hun langgerekte karavanen.

El-Hadj Ibrahima had Tiékoro een brief meegegeven voor zijn vriend El-Hadj Baba Abou, een vooraanstaand mohammedaans geleerde uit Tombouctou, waarin hij hem vroeg deze jongen die uit een fetisjistische familie stamde en helemaal alleen de weg had gevonden naar de ware God, te helpen.

Na heel wat zoeken kwamen Tiékoro en Siga in de Kisimo-Bankou-wijk aan de zuidkant van de stad terecht. El-Hadj Baba Abou woonde in een fraai lemen huis zoals men er ook in Ségou aantrof. Alleen was dit huis niet ingewreven met een roodachtig smeersel, vermengd met galamboter. Het was met kaolien bestreken. Ook had het geen blinde voorgevel waarin de deur de enige opening was. Dit huis was omringd met een laag muurtje, zodat je buiten reeds kon zien wat zich binnen afspeelde. De eerste verdieping had een terras waarop meisjes lagen, die het uitproestten toen ze de vreemdelingen zagen naderen. Die moesten er inderdaad niet erg verleidelijk uitzien na al dat kamperen in haastig opgetrokken nachtkwartieren, waar ze hooguit even hun mond konden wassen met water uit een geitevellen zak en van geluk mochten spreken als ze in een nabijgelegen rivier een bad konden nemen. Hoe konden die meisjes weten dat dit jongelui van goeden huize waren, wier stamboom door lofdichters werd bezongen?

Tiékoro liet de prachtige koperen deurklopper, die een gesloten vuist uitbeeldde, neervallen. Na een poosje werd er opengedaan door een slanke jongeman, gekleed in een smetteloos witte kaftan, die met een laatdunkend air, waarbij zijn blik de betekenis van de woorden tegensprak, groette: *'As salam aleykum.'*

Tiékoro voerde zo goed als hij kon het woord, en haalde daarna onder zijn kleren de kostbare brief vandaan die hij nu al maanden op zijn huid droeg. De jongeman nam hem aan met een gebaar dat enige weerzin verried.

'El-Hadj Baba slaapt,' zei hij bars. 'Wilt u even wachten?' En hij deed de deur dicht.

Tiékoro en Siga gingen voor het huis op de brede bank van gestampte aarde zitten. 'De gast is een godsgeschenk.' Dit zinnetje van El-Hadj Ibrahima uit Ségou kon Tiékoro zich niet uit het hoofd zetten terwijl hij daar met zijn broer in de zon zat te wachten en voorbijgangers hen nieuwsgierig opnamen. Ook herinnerde hij zich hoe zijn vader met vreemdelingen omging, hoe Nya hen voorging naar de bezoekershut waar ze warm water heen liet brengen voor een bad en hun vervolgens een overvloedige maaltijd liet voorzetten. En als ze bleven overnachten, kregen ze een vrouw om hun begeerten te bevredigen. Wat was die hoffelijkheid hier ver te zoeken!

Het duurde een eeuwigheid voor El-Hadj Baba Abou zijn middagslaapje had beëindigd en zich op straat vertoonde. Het was een man van rijzige gestalte, met een lichte huid die Arabisch bloed liet vermoeden, een ascetisch gelaat, een kaalgeschoren kruin en om zijn hals een haik van fijne witte zijde. Hij droeg een lang wit kleed van een soort dat Tiékoro noch Siga ooit hadden gezien.

'Jullie zijn met z'n tweeën,' merkte hij na een haastige wederzijdse begroeting op. 'In de brief is er slechts sprake van één student.'

'De student ben ik,' stotterde Tiékoro. 'Hij vergezelt me, hij is mijn broer.'

'Als hij geen student is, en vooral als hij geen moslim is,' zei El-Hadj met een categorisch gebaar, 'kan ik hem niet ontvangen. Kom jij maar mee.'

Wat te doen? Toen El-Hadj de voordeur openduwde

stond Tiékoro zo sprakeloos dat hij gehoorzaamde. Siga bleef alleen achter in het smalle straatje van deze onbekende stad. Ergens boven zijn hoofd hoorde hij opnieuw de meisjes giechelen. Waarmee staken ze de draak? Met zijn vlechten? Met de amuletten die hij om zijn armen en zijn hals droeg? Met de ring aan zijn oor?

De hele reis door hadden de Moorse begeleiders van de broers – al waren ze best vriendelijk – de spot gedreven met hun kleding, hun gevijlde tanden en vooral hun huidskleur. Hoewel Siga die grapjes beter verdroeg dan Tiékoro, begrijpen kon hij ze niet. Was zwart-zijn soms niet mooi? Met die fijne, glimmende, met galamboter ingesmeerde huid die zo strak om de gewrichten spande!

Het gegiechel van de meisjes vergrootte nog zijn gevoel van eenzaamheid en wanhoop, en maakte hem razend. Wat moest hij in deze stad waar hij niemand kende? Wat was hij hier komen doen? Waarom moest híj Tiékoro vergezellen? Waarom hadden ze van hem een knecht, bijna een slaaf van zijn broer gemaakt? Hoe weinig had die zich om hem bekommerd: zonder enig protest was hij zijn gastheer achterna gesneld. Had hij niet kunnen uitroepen: 'Geen denken aan! Hij is mijn broer!' Maar nee, hij liet hem hier staan.

Wat zou de familie zeggen als dit bekend raakte? Maar hoe kon hij zijn familie nog bereiken? Siga beeldde zich al in hoe hij zou verdwalen, misschien zelfs doodgaan, op ettelijke dagmarsen van de zijnen. Ten slotte vermande hij zich en besloot zijn Moorse gidsen weer op te zoeken en dus naar de karavansera terug te keren.

De Albaradiou-wijk was aan de noordkant van de stad gelegen – een heel eind weegs voor wie uit Kisimo-Bankou kwam. Toen Siga bij de karavansera aankwam begon de duisternis al in te vallen. De schroeiende hitte die zo zwaar op de dag had gewogen, alsof een reusachtige brand het zand en de stenen verhitte, was getemperd. Maar hoe hij ook rondliep en zocht, van de drie Moren was er geen spoor meer. Hij stelde vragen aan andere karavaangeleiders die voor hun tenten lagen, bezig met de eindeloze theeceremonie, maar ook zij konden hem niet helpen. Niemand had het drietal gezien. Niemand wist waarheen ze waren vertrokken, noch wat ze met hun kamelen hadden gedaan. Verdwenen waren ze! Ze leken in het niets opgelost! Misschien, dacht Siga, waren die drie Moren geesten, en hadden de voorouders hun gelast Dousika's zonen te brengen waar ze moesten wezen. Was de manier waarop zijn vader hen op de marktplaats van Ségou had aangetroffen, niet raadselachtig? Siga probeerde zich een detail te herinneren dat de bovennatuurlijke eigenschappen van de drie gidsen kracht bijzette, maar vond er geen. Ze hadden gedronken, gegeten, gelachen als gewone menselijke wezens. Maar is het niet een voorrecht van geesten dat ze de mensen kunnen misleiden?

Wat nu? Naar Ségou terugkeren? Maar hoe? Siga liet zich in het zand neerzakken. Terwijl hij daar met zijn hoofd tussen zijn handen zat te piekeren, kwam er een jongen van zijn leeftijd op hem af.

'Spreek je Arabisch?' vroeg hij.

Siga maakte een hulpeloos gebaar.

'Spreek je Dioela?' hernam de ander.

'Dat is bijna mijn taal.'

'Waar is de jongen die vanochtend bij je was?'

Siga haalde zijn schouders op. Hij had beslist geen zin om nog over zijn broer uit te weiden. De onbekende jongen kwam naast hem zitten en legde vertrouwelijk een hand op zijn schouder.

'Ik zie het al. Hij liet je in de steek, en nu sta jij er alleen voor. Zal ik je een paar tips geven?'

Siga schudde botweg de hand van zich af. 'Zeg me eerst 's hoe jij heet.'

De jongen glimlachte geheimzinnig. 'Noem me Ismaël,' zei hij. 'Hier kom je niet ver als je geen moslim bent. Je kunt je niet voorstellen hoe de lui hier zijn. Als je niet vijfmaal daags je gebed doet en vrijdags naar de moskee trekt, ben je in hun ogen minder dan een

66

hond. Al zou je verhongeren, ze zouden je het voedsel weigeren!'

'Ik verdom het moslim te worden,' gromde Siga.

Ismaël moest lachen. 'Wie spreekt er over moslim worden? Het is genoeg dat je doet alsof. Laat je vlechten afscheren. Gooi die prulletjes weg.'

Zijn talismans weggooien, waarvan hij sommige sinds zijn geboorte, andere sedert zijn besnijdenis altijd en overal meedroeg? Om nog te zwijgen van die welke Koumaré hem vlak voor zijn vertrek uit Ségou eigenhandig had geschonken opdat ze hem in den vreemde zouden beschermen!

'Stop ze dan weg,' zei Ismaël lachend. 'Doe zoals iedereen. Als je wist wat al die grote schriftgeleerden onder hun kaftan verborgen houden! Laat je Ahmed noemen, drink geen alcohol meer in het openbaar, en de zaak is rond.'

Siga bekeek hem wantrouwig. 'Wat schiet ik daarmee op?'

'Als je mijn raad volgt zorg ik ervoor dat je van morgenochtend af een baantje hebt! Ik ben ezeldrijver. Ik zal je aan de ara-koy voorstellen. Het is een goeie stiel. Over twee maanden heb je genoeg om naar huis terug te keren, of ergens anders heen te gaan als je daar zin in hebt.'

Vastberaden schudde Siga het hoofd. Hij had volstrekt geen zin om ezeldrijver te worden en zich met stompzinnige, vieze beesten te moeten bezighouden. Hij stond op en deed alsof hij weg wilde gaan, toen de spottende stem van Ismaël hem halt deed houden.

'Je weet niet eens waar je de nacht zult doorbrengen! Wist je dat de hakim alle daklozen oppakken, vooral wanneer ze erbij lopen zoals jij?'

El-Hadj Baba Abou was een nazaat van de beroemde rechtsgeleerde Ahmed Baba wiens faam zich over de hele Maghreb, tot in Bejaia en Algiers, had verbreid. Zelf had hij een traktaat over de astrologie en een boek over het kastenstelsel in de Sahel geschreven. Van verscheidene kanten was al geprobeerd hem bij politieke intriges te betrekken – wat hij geweigerd had. Van de inkomsten uit zijn koranschool van honderd twintig leerlingen, die hij op de toegang tot de drie grote universiteiten van de stad voorbereidde, kon hij ruimschoots leven. Tijdens zijn studie in Marrakech had hij als eerste echtgenote een Marokkaanse gehuwd en later, na zijn terugkeer in Tomboectou, nog een Songhai van slavenafkomst om duidelijk te maken dat hij, net als zijn voorvader Ahmed Baba, de slavernij – die 'plaag van deze tijd' – veroordeelde. Hij was een man vol misprijzen en ongeduld; zijn verheven principes en zijn voortdurende zorg om God hadden hem bepaald niet milder gestemd tegenover de menselijke zwakheden.

Tiékoro vertrouwde hij aan zijn secretaris Ahmed Ali toe met deze weinig liefdevolle woorden: 'Laat hem een bad nemen, want hij stinkt.'

In werkelijkheid rook Tiékoro alleen naar de galamboter waarmee hij, zoals alle inwoners uit Ségou, zijn hele lichaam overvloedig placht in te smeren.

El-Hadj Baba Abou was over de komst van deze onbeschaafde en onwetende jongen niet erg opgetogen. Anderzijds mocht hij niet onheus zijn tegenover zijn vriend El-Hadj Ibrahima die erop wees hoe belangrijk het was uit fetisjistische families leerlingen te werven, die dan op hun beurt hun familie konden bekeren. Over dit punt verschilde hij met hem van mening, want de islam van die bekeerlingen bleef zo onzuiver, zozeer vermengd met magische gebruiken, dat hij God slechts kon mishagen.

Terwijl hij in een hoek op de binnenplaats moest wachten, dacht Tiékoro aan Siga. Hoe moest het nu met hém? Moederziel alleen, zonder vrienden of verwanten, zonder kauri's of goud. Maar Tiékoro had het te druk met zijn eigen lot in deze woning waarin elk voorwerp, ieder gezicht hem eraan herinnerde dat hij geen medelijden hoefde te hebben met een ander dan zichzelf. Op een gegeven ogenblik verscheen een zestal jongelui, allen gekleed in precies dezelfde donkerbruine kaftan, op de binnenplaats, en een dozijn nieuwsgierige ogen kwam op hem te rusten.

'Jullie nieuwe medeleerling Tiékoro Traoré,' stelde Ahmed Ali hem niet zonder ironie aan de anderen voor.

Een van de jongelui fronste zijn wenkbrauwen. 'Tiékoro?'

'Jullie medeleerling komt uit Ségou,' verklaarde Ahmed Ali glimlachend.

Gelukkig bracht het personeel net water en een enorme schotel gierstkoeskoes met schapevlees. Ze gingen met z'n allen in een kring zitten en een tijd lang was er alleen nog een reiken van handen naar het voedsel. Ondanks zijn knagende honger durfde Tiékoro zich amper te bedienen. Wat werd hem verweten? Zijn herkomst? Was dit het ware gelaat van de islam, die toch verkondigde dat alle mensen, zoals de tanden van een kam, elkaars gelijken zijn?

Na de maaltijd begonnen zijn disgenoten een betweterig gesprek over een handschrift van Ahmed Baba uit 1589–één jaar voor de verovering van het Songhai rijk door de Marokkanen. Tiékoro was ervan overtuigd dat dit gepronk met kennis slechts diende om indruk op hem te maken; hij werd in dit gevoel bevestigd toen een van de jongelui zich tot hem wendde met de vraag: 'Wat denk jij van deze tekst? Vind je ook dat men hem los moet zien van de politieke verwikkelingen ten tijde van zijn ontstaan?'

Tiékoro had de moed om op te staan terwijl hij in alle eenvoud zei: 'Sta me toe te gaan slapen. Gisternacht sliep ik nog onder de blote hemel.'

De kamer die hij kreeg was klein, maar had een hoog plafond; op de vloer lag een dik wollen kleed. Het bed bestond uit vier in de grond geslagen paaltjes waartussen een runderhuid was gespannen; het was bedekt met een nogal raspige kameelwollen deken. Tiékoro vond dit allemaal heel comfortabel. Al voelde hij zich verdrietig en vernederd, hij viel als een steen in slaap.

Allicht zou hij niet zo rustig hebben geslapen als hij de grapjes had gehoord die losbarstten toen hij zijn hielen had gelicht. De kostschoolleerlingen van El-Hadj Baba Abou stamden uit de prinsenfamilies van Gao en de welgestelde kringen uit Tombouctou. Hun vaders – raadslieden en kamerjonkers van de Askia's – lieten al vele generaties lang tot meerdere glorie van Allah hun kruin kaalscheren. Hun bibliotheken bevatten honderden in het Arabisch gestelde manuscripten die door geletterden uit hun verwantschap waren geschreven over de meest uiteenlopende onderwerpen: rechtsgeleerdheid, tekstverklaring van de koran, oorsprong van de wet. In Tiékoro minachtten ze niet alleen het zogenaamde fetisjisme of veelgodendom, maar vooral een schriftloze en bijgevolg minder prestigieuze cultuur en een geur van aarde die hun vaders nooit hadden bewerkt. Slechts een onder hen nam het voor Tiékoro op: Moulaye Abdallah, wiens vader het ambt van kadi bekleedde. Het was een diepgelovige, mystiek aangelegde jongen, die over de arrogantie van zijn studiemakkers erg teleurgesteld was. Hij nam zich voor Tiékoro onder zijn hoede te nemen en hem bij zijn studies te helpen, om te vermijden dat hij aan ontmoediging ten prooi zou vallen. Was dit niet één van de wegen naar Allah's Goddelijke Woning? De hele nacht nam zijn geestdrift toe bij de gedachte aan die taak.

De volgende ochtend stond hij Tiékoro, die net klaar was met de rituele wassingen en het eerste gebed, op de binnenplaats op te wachten.

'Onze meester laat je roepen,' sprak hij met een beminnelijke glimlach. 'Nadien zal ik je de stad laten zien als je daar zin in hebt. Vanochtend heb ik toch geen les.'

Met graagte nam Tiékoro dit aanbod aan en ging het huis binnen. Hij was stomverbaasd toen hij zag hoe het was ingericht. In Ségou waren de hutten leeg, op enkele matten, krukjes en waterkruiken na. Hier lagen er overal vloerkleden. Maar wat hem nog het meest trof waren de wandtapijten. Een ervan was beurtelings met zijde- en gouddraad bestikt en beeldde binnen een ruitvorm een geraffineerd bloemmotief uit. Op een ander staken tegen een turkooisblauwe ondertoon met fleurons versierde sterren af. El-Hadj Baba Abou zat op een lage divan waarop een dikke deken van hetzelfde wit als zijn kaftan en zijn pantoffels lag. In zijn fijne ivoorkleurige handen, nog wat lichter van tint dan zijn gelaat met de zijige, onder zijn kin in tweeën gespleten baard, hield hij een boek. Hij gaf Tiékoro te kennen dat hij tegenover hem plaats kon nemen.

'Er zijn zaken,' sprak hij, 'waarover we het gisteren nog niet hebben gehad. Je begrijpt dat jij met je gebrekkige kennis van de Arabische taal en de theologie niet meteen tot de universiteit kunt worden toegelaten. Je zult dus in mijn koranschool de lessen moeten volgen. Een van je studiegenoten, Moulaye Abdallah, heeft zich bereid verklaard om je daarbij te helpen. Iets anders: hoe denk je het schoolgeld te kunnen opbrengen?'

'Ik heb vijftig gouden mithkal,' stotterde Tiékoro.

El-Hadj leek met verbijstering geslagen. 'Waar zit dat geld?' bracht hij ten slotte uit.

Tiékoro graaide nog maar eens onder zijn kleren en haalde een geitevellen buideltje te voorschijn.

'Ik kreeg dit,' legde hij uit, 'van mijn vader mee bij mijn vertrek. Hij vreesde – en dergelijke feiten schijnen ook werkelijk te gebeuren – dat wij, mijn broer en ik, door Moren als slaven naar Barbarije zouden worden meegesleept. In dat geval hadden we ons vrij kunnen kopen.'

Voor het eerst werd het strenge gelaat van de meester door een glimlach verhelderd. Snel greep hij het buideltje. Op dat ogenblik kwam een meisje dat er nog niet helemaal volwassen uitzag het vertrek binnen. Met haar huidkleur die nog lichter was dan die van El-Hadj Baba, haar lange zwarte haren die in twee, half onder een rode doek verborgen vlechten eindigden, om haar hals een

overvloed aan oudzilveren snoeren, aan haar oren vierkante hangers en in haar linkerneusvleugel een ringetje,
leek ze voor Tiékoro een bovennatuurlijke verschijning.
El-Hadj Baba was kennelijk misnoegd over haar on-
gevraagde komst, en nog meer over de vrijpostige blikken van bewondering, welke Tiékoro haar toewierp. Hij
wees haar bars de deur, maar vond zijn eigen handelwijze wat te bruusk en bromde, net vóór zij het vertrek
verliet: 'Mijn dochter Ayisha... Oumar, een nieuwe leerling...'

Oumar? Tiékoro protesteerde niet. Het onderhoud
was afgelopen, en hij stond op.

'Laat je naar mijn kleermaker en ook naar mijn
schoenmaker brengen,' gelastte El-Hadj Baba op een
heel wat zachtere toon. 'Je loopt erbij als een heiden.'

Vijftien en een half jaar oud, was Tiékoro de kin-
dertijd nog niet helemaal ontgroeid. Een goede nacht-
rust, een nieuwe vriend, het vooruitzicht op gloednieuwe kleren: meer was er niet nodig om hem blij te
stemmen. Op straat pakte Moulaye Abdallah hem bij
de arm.

'Ik moet je eens wat zeggen,' begon hij op de ietwat
geaffecteerde toon die dit oord eigen leek, 'over deze
stad waarin je jaren zult vertoeven. Ergere chauvinisten
dan de bewoners van Tombouctou bestaan er niet. Ze
kijken op heel de wereld neer. Op de Toeareg die zij
godverlaten zwervers noemen, maar ook op de Marokkanen, de Bambara en de Peul. Op de Peul nog het
meest. Wist je dat de stamvader van de Aq-it-clan,
Mohammed Aq-it, uit Macina is weggegaan uit vrees
dat zijn kinderen zich met de Peul zouden vermengen
en hem verbasterde nakomelingen zouden schenken?'

Tiékoro was in zijn nopjes. Eens zou ook hij even
zelfverzekerd, met dezelfde ongedwongen elegantie
kunnen spreken.

'Je kent toch de geschiedenis van deze stad? Een
Toeareg kampement, overgelaten aan de goede zorgen
van een Tomboutou vrouw – wat zoveel wil zeggen als

"de moeder met de grote navel"-dat na verloop van tijd een vaste pleisterplaats voor karavanen wordt en zich maar uitbreidt achter een omheining van samengevlochten woestijnpalmbladeren. Kankan Moussa neemt het bij zijn terugkeer van een bedevaart naar Mekka in. De Toeareg heroveren het. Sonni Ali Ber uit de Songhai kaapt het voor hun neus weg. En dan dagen de Marokkanen op. Je ziet: deze stad is als een vrouw om wier bezit de mannen vechten, maar die niemand echt toebehoort. Kijk maar hoe mooi ze is!'

Tiékoro keek. Maar hij kon slechts constateren dat Ségou het won in schoonheid en vooral in levendigheid. Weldra stonden ze voor de grote moskee van Djinguereber-het eerste gebouw dat indruk op hem maakte. Met zijn lemen bakstenen, vaal als woestijnzand, bestond het uit een eindeloze reeks galerijen-op het eerste gezicht een ware chaos, maar in feite heel planmatig in elkaar gezet. Al die galerijen werden door zuilen ondersteund en liepen uit op een vierkant binnenhof waar oude mannetjes gebedssnoeren door hun vingers lieten glijden. Tiékoro stond in bewondering voor de geknotte piramiden van de minarettorentjes met hun driehoekige siermotieven. Hoeveel werk had het niet gekost om dit gebouw ter ere van God op te trekken! Hij kon er niet genoeg van krijgen er van alle kanten naar te kijken, of binnen onder de hoge gewelven door te lopen tot aan de nis of het houten spreekgestoelte waarop de maraboet de verzen uit de koran voorlas. Slechts met de grootste moeite kreeg Moulaye Abdallah hem daar weer vandaan.

Tombouctou was niet ommuurd. Men kon zijn blik laten dwalen tot de buitenwijken vol strohutten waarin de slaven en vagebonden hokten. Wat staken die armzalige onderkomens schril af bij de fraaie huizen van de Arma's-die heren en meesters van de stad-en de gerieflijke woningen van de handelaars! Ze kwamen langs een marktplein waar van alles te koop werd aangeboden: rollen katoen, rode en gele gelooide huiden,

vijzels met stampers, kussens, tapijten, matten en een
grote keus aan fijn roodleren, met gele draad bestikte
laarzen. Zeker, de Bambara hoofdstad bruiste van leven
en vrolijkheid, als een kind dat zijn mooiste tijd nog
vóór zich heeft. Maar Tombouctou had de verleidelijk-
heid van een vrouw die intens–hoewel misschien niet
altijd eerbaar–heeft geleefd.

Bij de kleermaker van El-Hadj Baba Abou lieten negen leerjongens hun naald over de blauwe en witte
stoffen van de kaftans dansen, terwijl grijsaards verzen
uit de koran zaten op te dreunen. Tiékoro staarde gefascineerd naar het priegelig borduurwerk dat ze met
groot gemak uitvoerden. In Ségou had hij nooit iets
dergelijks gezien. De verfijnde levenskunst waarvan hij
hier een voorsmaakje kreeg, was grotendeels ontleend
aan verre volkeren uit Marokko, Egypte, Spanje, waarvan zijn vaderstad amper de naam kende.

Nadat ze een pantalon en twee kaftans hadden besteld, kuierden ze verder naar de havenbuurt. Opeens
versperde een stoet zwaar beladen ezels hun de weg.
De vier jonge drijvers gaven met hun knuppels krachtig
het tempo aan, waarbij ze zich goed schenen te ver-
maken. Toen Tiékoro een van hen toevallig aankeek
voelde hij zijn hart in zijn keel kloppen: het was niemand
minder dan Siga. Zijn broer had het hoofd kaalgeschoren. Met de ring die nog aan zijn linkeroor zat had hij
iets heel aparts, iets van een soldenier. Boven de diepe
uitsnijding van zijn blauwkatoenen overhemd rees zijn
gladde hals die even recht was als de stam van een jonge
boom. Misschien voor het eerst merkte Tiékoro op hoe
hij op hun vader leek; het was alsof een twintig jaar
jongere Dousika hem monsterde met de stilzwijgende
vraag: Wat heb jij met je broer laten gebeuren?

Siga stond als aan de grond genageld, als wachtte hij
op een wenk, een gebaar. Maar Moulaye Abdallah trok
Tiékoro aan zijn mouw. Kon hij zich losrukken, naar
iemand toe rennen die zo laag op de maatschappelijke
ladder leek te staan, en luidkeels verkondigen dat het

zijn broer was? Kon hij zich andermaal blootstellen aan – dit keer verdiende – spot?

'Ahmed, wat krijg je?' grapte toen net een van de drijvers. 'Heb je een djinn gezien?'

Siga draaide zich om en liep naar zijn maats nadat hij – ten teken van afscheid voor zijn broer? – met zijn knuppel in de lucht had gezwaaid.

Oumar? Ahmed? Tiékoro's ogen werden vochtig. Hij voelde een krop in zijn keel, maar Moulaye Abdallah trok hem mee.

'Heb je,' vroeg hij, 'vanmorgen bij onze leermeester de mooie Ayisha gezien? Wedden dat ze alleen maar binnenkwam om je eens goed in de ogen te kijken? Vertrouw haar niet! Ze heeft ons allemaal gek op haar gemaakt om ons nadien beter voor schut te kunnen zetten!'

# 6

Sinds ze haar oudste zoon had zien vertrekken, verging Nya van verdriet. Om hem met de geest overal te volgen en hem voor gevaren in dat onbekende, godvergeten land te behoeden, had ze in de familiehuizing een heleboel fetisjpriesters aan het werk gezet. Sommigen deden niets dan pluimvee slachten om de familieboli gunstig te stemmen – vooral Tiékoro's eigen boli die door zijn moeder in het voorportaal van het heiligdom waren opgesteld te midden van bergen maïskolven en kalebassen vol melk. Anderen gooiden van 's morgens vroeg tot 's avonds laat kaurischelpen en kolanoten in de hoogte en bestudeerden de stand waarin ze op de grond vielen.

In stilte keurde haar omgeving Nya's handelwijze af. Tenslotte was ze de moeder van negen kinderen, onder wie vijf zonen. Waarom verloor ze het hoofd wanneer een van hen niet meer bij haar was? Wat had ze dan gedaan indien hij haar door de dood was ontrukt – indien hij vóór haar was heengegaan als een groene vrucht die afvalt voordat hij rijp is? Ginds wachtte haar toch een hut vol vrolijke gezichtjes, vol aandoenlijk gekibbel?

Zij wist maar al te goed wat de anderen van haar dachten. Ze wist dat haar gedrag onredelijk kon lijken. Geen mens kende de plaats die Tiékoro in haar leven innam. Hij was meer dan haar eerstgeborene. Hij was het zichtbare teken, de bekrachtiging van de liefde die haar eens met Dousika had verbonden. Hij was verwekt tijdens hun huwelijksnacht.

Nya's familie woonde in Farako, aan de overzijde van de Joliba. Toen de Diarra's zich van de troon meester maakten was het voor de Coulibali's raadzamer niet

76

langer binnen Ségou's muren te verblijven. Haar grootvader en zijn broers hadden hun vrouwen, kinderen,
slaven en krijgsgevangenen bij elkaar getrommeld en
de wijk genomen naar andere gronden van de clan, die
al jaren braak lagen en waarop sinds korte tijd tjekala
begon te groeien. Het was daar dat Bouba Kalé, de djeli
van Dousika's vader, zich bij haar vader had gemeld.
Die had eerst geaarzeld, vanwege de bijzondere banden
tussen de Diarra's en de Traorés. Later, bij de gedachte
aan zoveel bunders goede akkergrond, zoveel goud en
zoveel slaven, had hij toegestemd. Zoals de traditie dat
bepaalde, had Nya vóór haar bruiloft Dousika nog nooit
gezien. Toen brak het moment aan waarop ze naar zijn
hut werd geleid. Het was nacht. Haar moeder had haar
gerustgesteld; de fetisjpriesters spraken duidelijke taal:
dit zou een gezegend, een vruchtbaar huwelijk worden.
En toch was ze bang. Bang voor die onbekende aan
wiens willekeur zij werd overgeleverd, die haar zou bezitten als zijn gierstvelden. Dan was Dousika binnengekomen. Ze had zijn stap in het voorportaal horen
aarzelen. Reeds stond hij naast haar, met in zijn hand
een brandende fakkel. Alleen zijn gelaat lichtte uit het
donker op. Hij was een beetje in de war en glimlachte,
wat zijn trekken nog verzachtte. In een eerste opwelling
had ze de goden dankgezegd: hij was mooi en deed niet
snoeverig. Hij kwam naast haar zitten; zij wendde haar
ogen af. Ze wisten geen van beiden wat te zeggen, tot
hij aan de fakkel die bijna was opgebrand, zijn vingers
schroeide en een kreetje slaakte. Daarna had zij zich
vruchteloos de raad van haar moeder proberen te herinneren: niet schreeuwen, niet zuchten, geen onbetamelijk gesteun. Bij het genot, zoals bij pijn, past zwijgen.
Had zij het aangekund?
    De volgende ochtend hadden de lofdichteressen die
moesten waken over de feitelijke voltrekking van het
huwelijk en over de maagdelijkheid van de bruid, de
met bloed besmeurde katoenen paan tentoongespreid.
Precies negen maanden later was Tiékoro geboren. En

elke keer als ze hem terugzag beleefde ze opnieuw die nacht. Die stroom van ontroeringen, van onbekende en onbeheersbare gewaarwordingen, die duizeling, die verzoening en die pijn. Negen keer had haar schoot vrucht gedragen, negen keer had ze gebaard. Toch telde alleen die eerste keer!

Dat Tiékoro er zelf om had gevraagd vergat ze liever; zij stelde Dousika voor zijn vertrek aansprakelijk – wat haar wrok nog verhevigde. Niet alleen hoonde hij haar door zijn openlijk betoonde liefde voor een bijzit; bovendien had híj haar van haar lievelingszoon gescheiden. Ze genoot ervan te zien hoe hij oud, somber en zwijgzaam was geworden, alsof 's konings ongenade hem dodelijk had getroffen. Soms flakkerde haar oude liefde voor hem weer op. Maar dan betrapte ze hem terwijl hij Sira bekeek zoals vroeger háár, en alles begon opnieuw.

Niettemin leed Nya minder onder Tiékoro's vertrek dan Naba. Die was in de schaduw van zijn oudste broer opgegroeid. Lopen had-ie geleerd door zich vast te klemmen aan zíjn benen, vechten door spelend tegen zíjn borstkas te boksen, dansen door 's avonds toe te kijken hoe híj zich omzwermd door bewonderaarsters uitleefde. Sinds zijn afreis was hij als een wees; voortdurend voelde hij zich te kort gedaan. Om die grote leegte op te vullen klampte hij zich vast aan Tiéfolo, de oudste zoon van Diémogo, zijn vaders broer.

Ondanks zijn jeugdige leeftijd was Tiéfolo een van de befaamdste karamoko van Ségou en omstreken. Tot in Banankoro in het noorden en Sidabougou in het zuiden was zijn naam bekend. Op tienjarige leeftijd was hij eens in de wildernis verdwenen. Zijn ouders waanden hem reeds dood, zijn moeder was hem al aan het bewenen, toen hij weer opdook met op zijn schouders een gedode leeuw. Op slag had de roemruchte Kéménani, de gow grootmeester van de jacht, hem onder zijn hoede genomen. Niet alleen vertrouwde hij hem het geheim toe van de giftige planten die het wild verlammen zodat het niet meer weg kan vluchten; hij stemde erin toe zijn eigen boli die hij met antilopeharten voedde, met hem te delen. Ook onthulde hij hem de gebeden, bezweringen en geheime offers die de mens steeds als overwinnaar uit de strijd met het dier laten komen. Aanvankelijk voelde Naba weerzin tegen de jacht, want van Tiékoro hield hij nog een zekere afschuw voor bloed over. Maar het duurde niet lang of hij ging helemaal op in het spel. Alleen huiverde hij nog telkens als het dier, net vóór het ineenzakte, zijn beul een blik van volstrekt onbegrip toewierp. Dan rende hij ernaar toe en blies het de rituele smeekbede om vergiffenis in het oor.

Tiéfolo trof hij aan bij het bereiden van een vergif. Op een zacht houtskoolvuurtje pruttelde een mengsel van wabaïne, slangekoppen, schorpioenstaarten, menstruatiebloed en een bestanddeel van het sap van de rondierpalm. Naba droeg er zorg voor de ander bij deze bezigheid niet te storen, want diens bezweringsformules verhoogden de dodelijke kracht van het gif. Zoals alle jagers was Tiéfolo spiernaakt, op de ontelbare amuletten die om zijn bovenlijf hingen en een lapje – aan elkaar genaaide stukjes huid van door hem gedode dieren – over zijn geslachtsdelen na. Met de manen van de leeuw die hij als tienjarige knaap had geveld, zat het lapje om zijn heupen geknoopt.

Toen hij met zijn voorbereidselen klaar was, wenkte hij Naba. 'Niet ver van Masala,' zei hij terwijl hij zorgvuldig zijn pijlpunten in het vergif doopte, 'hebben leeuwen vee van de Peul verslonden. Wij zullen ze een lesje moeten geven, want de Peul konden hen niet de baas.'

Naba dacht eerst dat hij het niet goed begrepen had. 'Bedoel je,' vroeg hij ongelovig, 'dat je mij mee zult nemen?'

Een glimlachje om Tiéfolo's lippen was het enige antwoord. Naba was reeds vaak mee op antilope-, wratzwijnen- en buffeljacht gegaan. Maar op leeuwejacht – de jacht op de prins van de savanne – gaan alleen de gow-meesters en hun leerlingen, de karamoko. Met weekhartige knapen gaat men de leeuw niet te lijf! Een groot uithoudingsvermogen is vereist om hem soms dagenlang te volgen, sluwheid om zijn listen te verijdelen, en beproefde dapperheid om niet op de vlucht te slaan als je ribben zinderen van zijn gebrul. Dan beeft de aarde. Stofwolken stijgen op. De verschrikte dorpsbewoners sluiten zich in hun hutten op en barricaderen de toegang. De leeuw heeft gebruld, de heer van de savanne heeft honger! Kijk uit!

Naba kon zijn ongeduld niet bedwingen. 'Wanneer vertrekken we?' stotterde hij.

'Nog wat geduld, broertje! We moeten ons goed voorbereiden. Kom mee, we gaan naar grootmeester Kéménani.'

Tiéfolo was mooi. Tiéfolo was dapper. Aan zijn zijde door de straten van Ségou te lopen was reeds het genoegen van de overwinnaar smaken. Zo werden ook de tondyons onthaald als ze, met buit beladen, na een succesrijke belegering terugkeerden. De vrouwen kwamen in het deurgat staan. De mannen zwaaiden naar hem; de djeli die op hun tamani roffelden zongen zijn lof en zinspeelden daarbij vooral op de roemruchte leeuwejacht uit zijn kinderjaren.

*De gele leeuw met de rosse weerschijn,*
*De leeuw die de mens en zijn bezittingen voorbijziet*
*En zich voedt met wat in vrijheid leeft –*
*Tiéfolo uit Ségou heeft hem*
*Heel alleen, tijdens de jacht, geveld –*
*Tiéfolo Traoré, een kind nog!*

De vleiende woorden stegen Naba naar het hoofd. Nu waren ze nog voor zijn metgezel bestemd, maar weldra voor hém! Ook hij zou triomfantelijk uit de wildernis terugkeren met over zijn schouders een leeuw. Hij zou hem neergooien op het grote binnenhof van het paleis – het paleis van de mansa door wie zijn vader zo diep beledigd was – om hem aan Dousika's nakomelingen te herinneren. Hij droomde van de dag waarop hij zich, vergezeld door Tiéfolo, bij de grootmeesters van de broederschap der jagers zou melden met tien rode kolanoten, twee hanen, een kip en een kalebas dolo als offergaven voor Sanéné en Kontoro, de beschermgeesten van de jacht. O, die dag zou heel Ségou over hem spreken!

Op de binnenplaatsen van de familiehuizing van Kéménani, die in rechte lijn afstamde van een gow voorvader, Kourouyoré geheten, waren alle jagers uit het gehele koninkrijk verzameld. Want de leeuwen bleven toeslaan en verscheurden zelfs herders. Slavinnen serveerden gierstebrij terwijl de mannen op de afloop van de offerceremonies stonden te wachten. Kéménani had de hele nacht met de oppersmeden-en-fetisjpriesters beraadslaagd, vooral met Koumaré die verklaarde dat de jacht weinig goeds beloofde. De geesten van de wildernis waren verstoord; op wie zouden ze hun woede koelen? Iedereen wachtte gespannen. Tiéfolo haalde zijn schouders op. Wát betekent: de jacht zou weinig goeds beloven?

Wrevelig ging hij ergens in een hoekje zitten met Naba en nog wat jonge jagers, onder wie enkele karamoko die reeds groot wild hadden neergelegd en nu erg ontevreden waren over het gedwongen wachten. Een van hen, Masakoulou, was de oudste zoon van Samaké.

'Koumaré! Steeds weer Koumaré!' mopperde hij. 'Wie slechts naar één stem luistert, hoort maar één geluid. Waarom gaan we niet bij een andere fetisjpriester te rade?'

'Dat vind ik ook,' zuchtte Tiéfolo. 'Helaas worden wij nooit om onze mening gevraagd.'

Daarmee vertolkte Tiéfolo een gevoel waaraan jongeren slechts zelden uiting gaven, gewend als ze waren aan blinde gehoorzaamheid. Maar tot hun eigen verbazing stak een vlaag van opstandigheid in hen op.

'Fané is net zo goed een Komo-meester,' vervolgde Masakoulou.

Even was er een diepe stilte. De jongelui keken elkaar aan alsof die laatste uitspraak in ieders geest dezelfde weg had afgelegd.

'Breng jij ons bij hem?' mompelde Tiéfolo.

De middag is een tijdstip van intens leven in de steppe. Alles lijkt ingedommeld onder de zonnegloed. In werkelijkheid geeft elk grassprietje, elk insekt dat eronder schuilt, elke struik, elk dier zijn levensteken. De lucht is slechts schijnbaar onbewogen, maar trilt, verzadigd van geluiden. Dit is voor de mens het uur van de hallucinatie, van de luchtspiegeling – het kwade uur.

Het groepje jongelui, met aan het hoofd Tiéfolo en Masakoulou, was sinds de vroege morgen op pad. Zonder één oponthoud waren ze door Dugukuna, een krijgersdorp, en enkele nederzettingen voor krijgsgevangenen getrokken, want Tiéfolo, stilzwijgend erkend als leider van de expeditie, was van oordeel dat ze vóór de nacht in Soromoto moesten zijn, zodat ze morgen binnen enkele uren de streek van Masala konden bereiken. Ze volgden de loop van de rivier, liepen bijna in de bedding, waarlangs manshoge grasgewassen naast kapok- en mahoniebomen, de onvermijdelijke acacia's en boterbomen, tenminste wat schaduw boden. Niet één levende ziel. Niet één vrouw die naast het water hurkte. Niet één Somono visser in zijn schuit. Niet één Bozo hut met haar takkenvlechtwerk. De hitte drukte als een heet kompres tegen de lippen.

Opeens hield Masakoulou halt. 'Ik heb honger,' verklaarde hij. 'Zullen we iets eten?'

Zonder een antwoord af te wachten ging hij zitten en haalde uit zijn geitevellen tas wat proviand. Iedereen volgde zijn voorbeeld, Naba het eerst.

Tiéfolo die dit met lede ogen aanzag, riep geërgerd: 'Laten we doorlopen tot Konodimini. Daar kunnen we voedsel kopen. Onze proviand sparen we beter voor morgen, want dat wordt een zware dag!'

'Tiéfolo,' zei Masakoulou terwijl hij in een gedroogde vis hapte, 'het is niet omdat jij destijds een zieke leeuw hebt gedood dat je ons nu moet commanderen. Geef het maar toe dat-ie ziek was, die leeuw! Was het een hinkepoot?'

Iedereen schaterde het uit, ook Naba. Het was niet meer dan een plagerijtje onder jongens van dezelfde leeftijd. Maar Tiéfolo meende in Masakoulou's ogen een boosaardig vuur te zien, als van iemand die zoekt te kwetsen. Wat hem nog meer tegenstond was dat de ander deed of hij Naba onder zijn hoede nam, dat hij hem behandelde met een gemeenzaamheid die zo'n jonge knaap wel naar het hoofd moet stijgen. Welk spel werd hier gespeeld? Tiéfolo nam het zichzelf kwalijk dat hij aan de haat van de Samakés voor de familie Traoré geen aandacht had geschonken. Hij had er niet bij stilgestaan dat daar ruzie van kon komen. Waartoe zouden zonen hun vaders veten voortzetten? Hij maande zichzelf tot kalmte en liep, terwijl hij zijn schaamlapje losknoopte, naar de rivier toen hij Masakoulou hoorde spotten:

'Ik heb wel eens een grotere gezien!'

De anderen gierden het uit. Dit was te veel! Tiéfolo kwam op zijn stappen terug, en met één sprong zat hij boven op Masakoulou. Met zijn ene hand greep hij hem naar de keel, met de andere gaf hij hem op zijn gezicht. Er vielen fikse klappen. Eerst stonden de anderen nog om de vechtenden heen terwijl ze hen, zoals dat gaat, tegen elkaar ophitsten. Maar toen de zaak uit de hand liep en er te veel slagen onder de gordel werden gewisseld, besloten ze in te grijpen. Het kostte heel wat moeite om de twee te scheiden.

'Mijn vader heeft me nog gewaarschuwd!' brulde Masakoulou terwijl het bloed over zijn gezicht stroomde. 'Waar een Traoré een voet zet is de vrede spoedig zoek. Altijd willen jullie over iedereen de baas spelen!'

In de grond waren de anderen het met hem eens.

Waarom reageerde Tiéfolo zo heftig op een onschuldig plagerijtje? Dacht hij misschien dat zijn penis even lang was als die van een olifant of een buffel aan de Bagoé-rivier? Maar nu was het zaak de twee vechthanen weer te verzoenen, of de hele expeditie zou eronder lijden.

'Dwing ze een dyo-pact af te sluiten!' werd er gefluisterd.

'Zover krijg je ze nooit.'

Zo goed en zo kwaad als dat ging werd de tocht voortgezet. Nu verwijderden ze zich van de rivier. Hier en daar was de bodem verdord tot een gebarsten korst waaruit een damp opsteeg die de enkels schroeide. Ze meenden strooien schuilhutten van Peul nomaden te ontwaren. Het bleek een misleidend gevolg van de lucht-verhitting. Laagvliegende grote zwarte vogels doken naar een onzichtbare prooi. Drie groene slangen schoten weg voor de voeten van de jongen die op kop liep. Schoorvoetend volgde Tiéfolo als allerlaatste, ten teken dat de zaak hem niet meer aanging. Ineens dook er een hele kudde runderen op, begeleid door herders met een leren schort voor en trechtervormige hoeden op hun hoofd. Ze leken doodsbenauwd. Jawel, ze hadden ge-hoord van leeuwen, maar ook van gewapend volk dat dorpen in brand stak, vrouwen verkrachtte en ver-moordde, en de mannen meesleepte.

Waar dat gebeurd was? Dat wisten de Peul herders niet. Onthutst bekeken de jeugdige jagers elkaar. Eén zelfde gedachte die niemand dorst te verwoorden, spookte door hun hoofd: moesten ze verder? Of naar Ségou terug?

In zulke ogenblikken van onzekerheid heeft elke ge-meenschap behoefte aan een leider. Tiéfolo knabbelde op een twijgje en staarde naar de vacht van de runderen. Angstig wendden alle blikken zich naar hem. Met een zekere laatdunkendheid nam hij hen op, liep zonder één woord om het groepje heen, en nam opnieuw de leiding. Zo bereikten ze ten slotte toch nog Soromoto.

Welke harmonie evenaart de samenklank van stampers tegen vijzels met de stemmen van meisjes die elkaar tijdens het werk aansporen, en het lachen van kinderen die net vóór ze in slaap vallen de maan zien rijzen? In de avondschemering wachtte hen het gastvrije Soromoto op; als een rustige kudde dromden de hutten om een acacia. De mannen waren net aan het beraadslagen. Het dorpshoofd begroette de jonge jagers hoffelijk, al kon hij zijn angst moeilijk verbergen. Van die leeuwen had ook hij gehoord. Maar dat was niet de reden waarom hij een gezantschap naar de mansa wilde sturen. Gewapende rovers overvielen dorpen, staken de hutten in brand, vermoordden vrouwen en kinderen, voerden de mannen mee. Rovers? Van welke stam? Waar kwamen ze vandaan? Wisten ze wel wie ze uitdaagden? Ségou had al zijn vijanden verslagen en had het gebied stevig onder controle. De geringste poging tot verzet van de Peul uit Macina werd in bloed gesmoord. De Bambara uit Kaärta waren bang. Wat voor rovers konden dat dan zijn? De dorpelingen wisten het ook niet; de doden konden het niet verklappen, de weggevoerden evenmin.

Kalebassen gevuld met to en een saus van apebroodboombladeren en sibala konden de honger en een ogenblik ook de onrust bedaren. In de ruime gastenhut die door het dorpshoofd ter beschikking was gesteld, sliep iedereen spoedig in. Iedereen, behalve Tiéfolo.

Wanneer hij zich de gebeurtenissen van de laatste dagen voor de geest haalde, was het hem alsof iemand anders in zíjn huid was gekropen en in zíjn plaats had gedacht, gehandeld en gesproken. Nog nooit had hij een oudere gehoorzaamheid geweigerd. En wat had hij nu gedaan? Het woord van de grote jager Kéménani en dat van de Komo-meester Koumaré in twijfel getrokken! Hij was ontsteld over zijn eigen roekeloosheid! Van welke boze geest was hij bezeten? Bovendien had hij een jongere broer in dit avontuur meegesleept! Hem stond slechts één ding te doen: naar Ségou terugkeren. Hij stond op en stapte behoedzaam over de lichamen – tot bij de slaapmat van Masakoulou, vlak bij de deuropening.

'Masakoulou,' siste hij, 'word wakker!'

Samen gingen ze naar buiten. Daar waren nu geen andere geluiden dan het hijgen van de geesten die eindelijk weer met volle teugen konden genieten van deze wereld die ze met zo veel tegenzin hadden verlaten, en het geklapwiek van de vleermuizen. Tiéfolo raapte al zijn moed bijeen.

'Hoor eens,' sprak hij, 'we moeten naar Ségou terug. We moeten de anderen zien te overtuigen.'

Masakoulou week een stap achteruit. In het donker leek hij een reus; zijn gezicht werd vervormd als droeg hij een masker waarachter zich een onbekende geest verschool. Ook zijn stem klonk anders dan gewoonlijk: dor, knetterend als rijshout in het vuur.

'Je kent toch mijn naam?' vroeg hij kil. 'Je weet toch wat Samaké wil zeggen? Olifant-mens, olifant-kind, olifant-zoon! En jij wilt míj van terugkrabbelen spreken? Ach, het is waar: jij bent de zoon van een aasgier.'

Het was een zware belediging – zo zwaar dat Tiéfolo uit de mond van Masakoulou de stem van een ander meende te horen. Een ander was in zijn huid gekropen en dacht, handelde, sprak in zijn plaats. Tiéfolo werd radeloos. Had een van hen beiden vóór het vertrek geslachtsgemeenschap gehad, of de voorouders die over de jagers waken door een nog stuitender daad verbolgen? Of hield een geest hen voor de gek? Maar waarom dan? Tiéfolo zocht naar een passende bezweringsformule. In zijn verwarring vond hij er geen.

Het ongeluk is als een kind in de schoot van zijn moeder. Niets kan zijn geboorte tegenhouden. In het verborgene wint het kracht. Zijn aderstelsel groeit. En op een keer komt het ter wereld in een vloedgolf van bloed, bedorven vruchtwater en vuil.

## 7

In Ségou bleef de verdwijning van de jonge jagers eerst onopgemerkt. Maar de ochtend na hun vertrek ontdekten de families, een voor een, de lege slaapmatten. Groot was de verbazing en nog groter de verslagenheid. Jongeren die de ouderen niet meer gehoorzaamden! Mensen die de waarschuwingen van de geesten in de wind sloegen! Nooit, zover het geheugen van de Ségoukaw reikte, had men zo iets meegemaakt. Die jongens waren al even overmoedig als Tiékoro Traoré die de goden van zijn voorouders de rug had toegekeerd.

Op pleinen en markten, in de familiehuizingen en zelfs in het paleis van de mansa werd er over niets anders gepraat. Was de jeugd zo opstandig geworden? Vaders keken hun zoons onderzoekend in de ogen, moeders hun dochters. Zou in die plooibare, onvolgroeide kinderen die hadden geleerd te buigen, de ogen neer te slaan, te knikken, te zwijgen, een geest van tegenspraak gevaren zijn? De fetisjpriesters waarschuwden dat die tijd nabij was.

Bij dageraad verliet Fané zijn woning in de wijk van de fetisjpriesters-en-smeden. Vóór zonsopgang is het in Ségou niet raadzaam zich op straat te begeven. De lemen muren zijn nog doordrongen van de nacht en zijn verschrikkingen. Ze zijn nog dof en hebben iets modderigs, een ongezonde klamheid. Nergens is er iemand te bekennen. De geesten trekken zich in de onderwereld terug. De mensen wachten nog tot de zon oprijst. Fané hield van dit vroege uur waarop de geesten kneedbaar zijn. Hij liep Samaké's familiehuizing binnen, hurkte neer achter diens hut en, terwijl hij een gierststengeltje in de grond stak, siste hij zijn naam.

Samaké verscheen ogenblikkelijk. Zijn gezicht was bleek en gezwollen; de hele nacht had hij zichzelf liggen kwellen om zijn zoon Masakoulou.

'Fané,' mopperde hij, 'betaal ik je zo veel goud en kauri's om mij dit te laten overkomen?'

Fané haalde zijn schouders op. Wat hebben de mensen toch weinig vertrouwen!

'Jouw zoon,' zei hij, 'zal niets gebeuren. Hij komt ongedeerd terug, samen met alle anderen – behalve dan de zoon van Dousika. Dit kwam ik je melden.'

'Ben je daar zeker van?' mompelde Samaké.

'Eergisteren,' vervolgde Fané, 'zijn die jongens mij komen raadplegen, maar dat weten ze niet meer. Ik heb in hun geest vergetelheid geblazen. Ze herinneren zich niets meer. Zet een zoektocht in om hen terug te vinden, en neem zelf de leiding. In de streek van Kangaba zul je hen aantreffen. Gazellesporen zullen je de weg wijzen.'

Haastig verdween Samaké, nog niet helemaal gerustgesteld. Hij liep de familiewoning van Dousika binnen. Ondanks het vroege uur was het er al één grote drukte. Verwanten, kennissen en buren wilden de zwaarbeproefde familie komen troosten. Dousika die in ongenade was gevallen, Tiékoro die zich tot de islam had bekeerd, en nu ook nog de verdwijning van Naba en Tiéfolo! Ondanks hun medeleven met zo veel ongeluk begonnen sommigen zich af te vragen of het geen verdiende straf was. Geen enkel slachtoffer is helemaal onschuldig. Er werd gefluisterd dat het allemaal door Sira kwam. Dousika had nooit een Peul vrouw in zijn huis mogen binnenlaten.

Het geroezemoes verstomde bij de komst van Samaké. Dousika echter, die zijn wereld kende, liep op zijn vijand toe om hem te groeten. Samaké legde zijn handen op Dousika's schouders.

'Broeder,' zei hij, 'je ziet het: het ongeluk brengt ons nader tot elkaar. Laten we op zoek gaan naar onze kinderen. Ik neem de leiding. Kom je mee?'

Diémogo, Dousika's jongere broer en vader van Tié-folo, kwam tussenbeide.

'Loop liever geen risico, broer,' sprak hij. 'Ik zal meegaan.'

Aangezien op Diémogo geen verantwoordelijkheid van fa rustte – de oudste die moest waken over het wel en wee van heel de familie – drongen alle bloedverwan-ten er bij Dousika op aan dat hij dit aanbod zou aan-vaarden.

Voor het paleis van de mansa had zich reeds een veertigtal ruiters verzameld. Onder hen was niemand minder dan prins Bin, zoon van de koning. Voor één keer hadden ook tondyons zich bij deze vreedzame ex-peditie aangesloten. Heel dit vertoon van paarden, rui-ters, jagers en fetisjpriesters was een kolfje naar de hand van de kinderen, die zich van de inzet nauwelijks bewust waren. Ze glipten tussen de benen van de rijdieren en trapten in verse paardevijgen om de zwarte of bruine dekkleden aan te raken. Samaké zette zich aan het hoofd van de stoet die in galop door de noordelijke stadspoort verdween.

Amper waren de stofwolken wat opgetrokken of Dou-sika werd door een gevoel van volstrekte machteloosheid overmand. Was hij ook maar op een paard geklommen om zijn zoons aan de wildernis te gaan ontrukken! Maar helaas, te veel verantwoordelijkheden weerhielden hem. Wat zou er van zijn drie echtgenotes, zijn bijzit en zijn twintig kinderen worden als hém iets overkwam?

Nu hij Nya, die sterke vrouw, het middelpunt van zijn leven, hartverscheurend had zien schreien, was het alsof het gebinte van zijn bestaan ineenstortte. Waartoe al die offergaven als de voorouders er ongevoelig voor bleven – als de goden zijn wettige kinderen, de een na de ander, wegrukten? Hij schrok zelf van zijn opstandige gevoelens en wilde naar zijn woning terugkeren. Toen hij de hoek van een straat omsloeg, stuitte hij onver-wachts op Sira die Malobali bij de hand hield; het baasje was zo flink dat het reeds zijn eerste stappen waagde. Dousika hield zijn pas in.

'Waar wil jij heen?' vroeg hij.

'Naar de markt. Ik heb horen zeggen dat Haussa handelaars amberen halssnoeren verkopen.'

Dousika wist niet wat hij hoorde. 'Uitgerekend nu denk jij aan amberen halssnoeren?'

Zonder hem te antwoorden trok ze het jongetje dat zich aan zijn vaders benen had vastgeklampt, mee en wendde zich af. Hij versperde haar de weg. Nog nooit in zijn leven was hij tegen een vrouw handtastelijk geworden; nog nooit had hij er één – zelfs niet in een woedeaanval – een oorvijg gegeven. Maar dit was te veel. De hele familie zat in zak en as en jammerde om Naba's verdwijning, en zij dacht alleen maar aan haar opschik. Toen ze hem ook nog brutaal aankeek, mepte hij erop los. Zonder een kik te geven bleef ze staan; het bloed sprong uit haar lippen waarin ze onder de regen van klappen had gebeten. Beschaamd droop Dousika af.

Waarom de Peul slavin de familiehuizing wilde ontvluchten? Om toch nog iets te vrijwaren van die ongetemde, onverschillige, haast vijandige trots die ze als een geschonden kleinood bleef koesteren. Het verdriet van de mensen om haar heen liet haar niet onberoerd – vooral niet het verdriet van Nya. Was een gedwongen verhuizing dan voldoende om zijn herkomst te vergeten? Schoten mensen gemakkelijker wortel dan planten? Met de punt van haar paan veegde Sira haar lippen schoon. Daarna tilde zij Malobali op, hing hem met één lendenzwaai op haar rug en liep verder. Ze koos het pad langs de rivier. Aan de overzijde van die schijnbaar zo vredige, blauwachtige wateren, achter de begroeide einder, lag Macina. Haar land! Maar het woord was van zijn zin beroofd. Haar land was nu Ségou.

Binnen de muren van de stad waren er, vooral onder de herders die 's konings kudden hoedden, heel wat Peul. Maar omdat ze zo gelaten het juk van de verknechting droegen, had Sira hen altijd geminacht. En toch, waarin verschilde zij eigenlijk van hen?

Soms beraamde Sira ontsnappingsplannen. Haar familie zou haar niet verstoten. Maar Malobali dan? Moest ze hem meenemen? Hoe zou hij, een bastaard verwekt door de erfvijand, worden onthaald? Zou hij niet worden uitgestoten? En mochten ze hem goed ontvangen en als een Peul opnemen, zou hijzelf dan niet terug willen naar zijn vader, naar Ségou, naar die fascinerende en barbaarse stedenbouwers? Kon ze hem hier achterlaten? Nya zou niet aarzelen om hem de borst te geven, maar zijzelf kon het niet over haar hart krijgen. Haar Malobali was zo mooi dat al wie hem tegenkwam meteen de bezweringsformule tegen jaloersheid en naijver uitsprak. Zoals hij daar nu voor haar uit liep, struikelend, vallend, vastbesloten en zonder misbaar weer opstaand, alsof hij reeds bezig was de wereld te veroveren! Terwijl ze zo haar moederliefde voelde opwellen, had Sira weer te doen met Nya. Dat ze twee kinderen moest verliezen, vlak na elkaar!

Maar kom, die twee waren nog niet verloren. Tiékoro zou met het gezag van de nieuwe godsdienst terugkeren. Naba zouden ze wel terugvinden. Als straf voor zijn ongehoorde inbreuk zou hij een tijd lang uit de broederschap van de jagers worden gestoten. Daarna zou alles weer in de oude plooi terugvallen.

In gestrekte galop rukten Samaké en zijn metgezellen op naar Masala. Verbouwereerde dorpelingen konden nog net uit hun hutten kruipen om hen te zien voorbijstuiven. Krijgers koesterden de stille hoop dat het weer oorlog was. De krijgsgevangenen daarentegen beefden. Zou men, om zich wapens te kunnen aanschaffen, hen weer verkopen? In wiens handen zouden ze dan terechtkomen? Ze hadden zich gewend aan de dorpen waarin ze waren ondergebracht.

In Masala resideerde Demba, een andere zoon van de mansa. Met prinselijke voorkomendheid ontving hij het gezelschap. Voor het gedrag van de jonge jagers had hij weinig lof. Ze hadden zich niet eens, zoals dat hoorde, bij hem gemeld, maar waren in een wijde bocht om het dorp heen getrokken, waarbij ze aan de Peul-in-openbare-dienst die zijn ontzagwekkende veestapel hoedden, enkele vragen hadden gesteld. Wellicht vreesden ze toen al dat Demba, die de maatschappelijke regels van Ségou goed kende, zich zou hebben verbaasd over de afwezigheid van gow – en bovenal van Kéménani – en na hen met vragen te hebben bestookt, hun wilde plannen zou hebben doorzien en verijdeld.

Demba gaf de ruiters verse paarden die trappelden van ongeduld, en de tocht ging verder in de richting van Kiranga. Boeren hadden de steppe in brand gestoken; hele stukken gebied lagen er zwartgeblakerd bij. Buffels wentelden zich wellustig in het slijk van een poel; onder hun zware, dubbel gehoornde helm wierpen ze agressieve blikken naar de reizigers. Herders probeerden hun door al die paarden verschrikte kudden bijeen te houden. Opeens stonden de ruiters voor een tweesprong. Welk pad moesten ze kiezen? Samaké die zich Fané's woorden herinnerde, steeg af en onderzocht de bodem. Onder aan een helling ontdekte hij kleine ronde gaatjes die vol water waren gelopen, alsof het de vorige dag had geregend – en dat midden in het droge seizoen. Gazellesporen!

De eerste uren waren de sporen goed zichtbaar en de mannen meenden al dat er geen einde zou komen aan hun wilde galop. Ze beseften dat ze reeds een lange reisweg hadden afgelegd, steeds dieper zuidwaarts, bijna tot over de grenzen van het rijk. Op een gegeven ogenblik kwamen ze uit bij een rivier. Was dit de Bani? Op haar stenige oever drentelden kroonreigers heen en weer, statig en behoedzaam. Bij het zien van deze goddelijke vogels waaraan de mens de spraak dankt, stegen ze allen van hun paard.

De lofdichters zongen:

> *Gegroet, kroonreiger!*
> *Machtige kroonreiger!*
> *Vogel van de spraak.*

*Majestueuze vogel.*
*Gij gaaft de schepping een stem!*

Plotseling dook er een troep gazellen uit het struikgewas en kwam recht op de paarden af alsof ze hen wilden uitdagen, waarna ze wegstoven. De mannen sprongen in het zadel en reden hen na. Ook deze rit duurde uren. De zon begon te dalen en de ruiters vroegen zich reeds af of de goden hen niet bij de neus namen. Zelfs Samaké twijfelde, ondanks de voorspelling van Fané. Toen bespeurden ze de strooien daken van dorpshutten.

In het dorp heerste een doodse stilte. De paardehoeven roffelden op het droge zand als oorlogstamtams. Dit moest een nederzetting van krijgsgevangenen zijn: ze was omringd door uitgestrekte en goed onderhouden gierst- en katoenvelden. Maar waar waren de bewoners gebleven? Knorrend en blazend kruiste een kudde everzwijnen het pad.

In de allerlaatste hut troffen ze de jeugdige jagers aan, kennelijk in een diepe slaap gedompeld. Daar lagen ze allemaal, vermagerd en uitgeteerd. Alleen Naba ontbrak. Zijn leven lang zou Diémogo zich zijn egoïstische blijdschap bij het weerzien van zijn zoon blijven verwijten. Net als de anderen was Tiéfolo bijna onherkenbaar, als was zijn gestel door een slepende ziekte ondermijnd; in zijn ooghoeken koekte een geelachtige korst. Maar hij leefde nog. De medicijnmannen gingen aan het werk en na een poosje openden de jongens hun ogen. Maar op alle vragen bleven ze het antwoord schuldig. Het was alsof ze aan geheugenverlies leden. Wat had er zich afgespeeld sinds hun vertrek, nu haast een week geleden, uit Ségou? Welke routes hadden ze gevolgd? Welke woorden hadden ze uitgesproken? Wat was er met Naba gebeurd?

In hun binnenste legden de ruiters zich bij deze lotsbeschikking neer. De jonge jagers hadden een schuld op zich geladen. De goden hadden een zoenoffer geëist. Voor de vorm werd er besloten de wildernis uit te kam-

93

men om de vermiste op te sporen. Omdat het intussen reeds nacht was staken ze takkenbossen in brand, waardoor de paarden wild hinnikend begonnen rond te rennen. Sommigen hadden liever het daglicht afgewacht, want de nacht behoort de geesten toe. Het is verkeerd hun geheime bijeenkomsten met geroep en geschreeuw, wilde zoektochten en paardegetrappel te verstoren. Maar Samaké en Diémogo hielden voet bij stuk.

Toen Tiéfolo weer was bijgekomen en Naba's verdwijning tot hem doordrong, was zijn verwarring onbeschrijfelijk. Eerst bleef hij sprakeloos. Daarna werd hij door schuldgevoelens verpletterd. Hij probeerde op een paard te springen, maar dat werd hem belet. Toen wilde hij zijn hoofd tegen een mahonieboom beuken. Maar zijn krachten begaven het en men moest hem ondersteunen. Een medicijnman diende hem een slaapverwekkend drankje toe. In het holst van de nacht kwamen Samaké, Diémogo en de andere ruiters met lege handen terug. Ze besloten wat te gaan rusten en bij het aanbreken van de dag de speurtocht voort te zetten.

Het was niet de eerste keer dat de jacht – dat 'bloederige handwerk' – haar tol aan mensenlevens eiste. Ook de roemruchtste karamoko lieten zich soms door de ziel van het dier overrompelen en moesten dan de krachtproef met hun leven bekopen. De traditie bepaalde de rest: het afleggen en opbaren, de plengoffers en rouwliederen gehoorzaamden aan aloude voorschriften. Maar Naba's verdwijning was een eenmalig, bovennatuurlijk voorval. De fetisjpriesters-en-smeden die aan de expeditie deelnamen, zagen in hun magische schalen een onwrikbaar orakel dat zijn geheim niet prijsgaf. Zou een Traoré door het doden van een zwarte aap, een baviaan of een kroonreiger het taboe van zijn totem hebben geschonden? Dat was ondenkbaar. Waarom waren de goden dan zo vertoornd?

Even vóór zonsopgang verschenen eindelijk de dorpsbewoners. Het waren inderdaad krijgsgevangen, zoals bleek uit hun kaalgeschoren schedels en de drie inkepingen op hun slapen. Ze waren de wildernis ingevlucht, want ze hadden gehoord dat groepjes Marka de hele streek afstroopten om de slavenhandel te bevoorraden. Was dit een aanwijzing over het lot dat Naba te beurt was gevallen? Zonder verwijl stuurden Samaké en Diémogo manschappen naar de handelssteden Nyamina, Sinsanin, Busen en Nyaro om er de slavenmarkt te inspecteren. Niets werd aan het toeval overgelaten.

Nu Samaké, die uit afgunst en bekrompenheid Dousika's ondergang had bewerkstelligd, zijn wraak in vervulling zag gaan, genoot hij er vreemd genoeg niet van. In tegendeel, zij wekte zijn afschuw. Zoals de meeste misdadigers wilde hij zijn verantwoordelijkheid verdoezelen. Dit had hij niet gewild!

Door zijn geest woelde een haast heiligschennende vraag: speelden de goden en de voorouders een wreed, pervers spel? Treffen zij, door de geheime verlangens te verwezenlijken welke een mens in een bui van blinde woede of jaloersheid voedt, niet evenzeer de beul als het slachtoffer? Keren ze de rollen om tot die verwisseld zijn? Willen ze zowel bij de een als bij de ander verdriet en onlust, angst en wanhoop wekken?

Samaké's hardnekkige wil om Naba terug te vinden sloeg iedereen met verwondering. Was hij niet de vijand van Dousika? Terwijl ze zich te goed deden aan de to die door de dorpsvrouwen was bereid, morden de ruiters: 'Waarom keren we niet terug naar Ségou? Dousika is rijk genoeg. Hij zal tondyons betalen om zijn zoon op te sporen, en fetisjpriesters die hun de weg zullen wijzen. Wij hebben alles gedaan wat we konden. Waarvoor maken we ons nog moe?'

Pas nadat prins Bin, die ondanks zijn jeugdige leeftijd als zoon van de mansa een groot gezag uitstraalde, hardop had gezegd wat zij allen dachten, konden ze naar huis terugkeren.

Naba was echter niet ver – op slechts enkele uren lopen. Een tiental 'dolle honden van de wildernis' hadden hem ontvoerd toen hij zich even van zijn metgezellen had verwijderd. Die 'dolle honden' waren geen Marka, maar Bambara tondyons uit Dakala, die in deze vreedzame streek niets om handen hadden en aan het roven waren geslagen. Meestal hadden ze het gemunt op kinderen, die ze makkelijk in een grote zak konden verstoppen, naar de slavenmarkten brengen en daar in klinkende munt omzetten.

Naba, die al zestien was, was hun eigenlijk te sterk. Maar toen ze hem verrasten had hij zijn boog en zijn pijlenkoker niet bij zich. Jongens van zijn leeftijd werden door de slavenhandelaars ten zeerste op prijs gesteld. Hij zag er goed gevoed en verzorgd uit. De verlokking was te groot. Nu spoedden de 'dolle honden' zich te paard naar het dorp van een Marka tussenhandelaar. Ze moesten zien te ontsnappen aan de gerechtsdienaren van de mansa, die dergelijke vergrijpen tegen zijn onderdanen met de dood strafte. Naba hadden ze een slaapverwekkend middeltje toegediend en, na hem stevig te hebben geboeid en in een deken gewikkeld, op een van hun rijdieren geworpen.

Toen Naba weer tot bewustzijn kwam bevond hij zich in een hut waarvan de ingang met boomstammen was versperd. De lichtstraaltjes door de kieren wezen uit dat het weldra dag zou zijn. Op de grond naast hem sliepen drie kinderen tussen zes en acht, die ook met koorden waren gekneveld.

Lange tijd was zijn vaders familiehuizing voor Naba en de andere kinderen een knus wereldje geweest, ondoordringbaar voor onheilspellende geruchten over oorlog, gevangenschap en slavenhandel. Soms hadden ze een volwassene daar een toespeling op horen maken, maar 's avonds rond het vuur hadden zij veel meer oor voor de avonturen van Souroukou, Badéni en Diarra. Tiékoro's bekering tot de islam en de afreis van de geliefde grote broer hadden in die veilige bescherming de eerste bressen geslagen. En nu ontdekte Naba onverhoeds de angst, de gruwel, het blinde kwaad. Op de binnenplaatsen van zijn vaders woning en ook bij de mansa had hij vaak gevangenen gezien, maar hun nooit enige aandacht geschonken. Medelijden had hij nooit met hen gehad, want zij behoorden tot een overwonnen volk dat niet het zijne was. Zou hem nu hetzelfde lot beschoren zijn? Zou hij naamloos worden overgeleverd aan een meester wiens land hij moest bewerken, door iedereen geminacht? Hij probeerde te gaan zitten. Zijn boeien beletten het hem. Toen barstte hij, als het kind dat hij nog was, in snikken los.

De deur ging open en een jongen kwam binnen met een grote kalebas vol pap. Zo goed en zo kwaad als dat ging keerde Naba zich naar hem toe.

'Luister,' smeekte hij, 'help me hieruit! Mijn vader is rijk. Als je me naar hem terugbrengt geeft hij je alles wat je maar kunt wensen!'

De jongen hurkte neer. Het was een mager, ziekelijk kereltje; zijn bovenlijf zat helemaal onder de littekens.

'Al bezat je vader al het goud van Bambuk, dan nog zou ik voor jou niets kunnen doen. Mij hebben ze geroofd toen ik niet groter was dan die kinderen naast je. Ze noemen mij Allahina.'

'Ben je een moslim?'

'Mijn meester is een moslim. Hij is schatrijk. Hij verkoopt slaven op een groot aantal markten en levert rechtstreeks aan de makelaars van de blanken. Ik hoorde hem zeggen dat hij jou, omdat je zo mooi bent, aan hen zou verkopen.'

Naba was een bezwijming nabij. Met iets van mededogen reikte Allahina hem een lepel pap aan en wrong de inhoud tussen zijn lippen.

'Eet! Je moet vooral eten. Als je jezelf wilt laten verhongeren zullen ze je slaan, tot bloedens toe!'

De kinderen om hen heen werden wakker en riepen, ieder in zijn taal, om hun moeder. Ze hadden in hun dorp horen spreken over ontvoerders die de kinderen ver, heel ver weg brachten, en jammerden van angst dat ze hun dorp nooit meer zouden terugzien. Allahina stopte hen met hetzelfde mededogen wat eten toe.

'Wat zijn ze met die kinderen van plan?' mompelde Naba.

Allahina bekeek hem even. 'Dit zijn de beste vangsten,' zei hij cynisch. 'Ze vergeten spoedig hun geboortedorp, raken gehecht aan de familie van hun meester en worden nooit opstandig.'

Bij het horen van deze woorden welden in Naba's ogen nog bitterder tranen op. Hij voelde zich overweldigd door het onrecht van een systeem waarbij hij nooit had stilgestaan. Waarom werden kinderen gescheiden van hun moeder, volwassenen van hun thuis, hun volk? En dat alles in ruil voor geld en bezit! Woog dat op tegen al dat leed?

Vier mannen duwden de deurversperring opzij en kwamen de hut binnen. Twee van hen waren Bambara, de anderen vreemdelingen die zich slechts met moeite verstaanbaar konden maken. Ze liepen recht op Naba af. Op hun hurken onderzochten ze hem zoals men dat doet met een dier, een paard of een vaars dat op de markt wordt verhandeld. Lachend woog een van hen op zijn vlakke hand Naba's geslacht, terwijl hij met zijn maat een paar schampere woorden wisselde.

'Dat hebben de blanken graag,' zei hij tegen Naba. 'Een flinke foro! Daar spelen ze graag mee!'

Het viertal schaterde. Daarna hielpen de twee vreemdelingen Naba op de been en trokken hem een soort kap over zijn hoofd. Ze liepen met hem naar buiten. De lucht was nog fris en rook naar een houtvuur. Naba hoorde stemmen van vrouwen die aan hun huistaak begonnen, gelach en gehuil van kinderen, het gebalk van een ezel. Gewone, huiselijke geluiden, alsof zijn leven niet was verstoord, alsof hij hier niet in hun midden was gestrand. Geen helpende hand werd naar hem uitgestoken. Niemand protesteerde. Bambara hadden hem verkocht, mensen die aan dezelfde goden geloofden, die misschien dezelfde diamoe droegen, dezelfde totemdieren hadden als hij: de zwarte aap, de baviaan, de kroonreiger, de panter. Niemand vroeg: Wie ben jij? Een Coulibali uit Ségou? Of een Massasi Coulibali? Ben je een Diarra, een Traoré, een Dembelé, een Samaké, een Koujaté, een Ouané, een Ouaraté? We vingen je bij de jacht; ben je soms een gow, een afstammeling van Kouroujoré, de hemelse voorvader die in de schoot van een vrouwelijke geest Moti heeft verwekt? Wie ben jij? Welke vrouw heeft je gedragen en welke man schonk haar zijn zaad?

Niets van dat alles. Ze hadden alleen zijn gewicht geschat, zijn tanden geteld, zijn penis gemeten, zijn bicepsen betast. Hij gold niet langer als mens.

De twee Marka besloten naar het zuiden af te zakken, naar Kankan in het land van de Malinké, om Naba te verkopen. Dat lag op een veilige afstand van Ségou, en bovendien was Kankan een van de voornaamste ruilmarkten. De Dioula handelaars trokken naar de kust met slaven en keerden terug met geweren, kruit, katoenwaren en ankers brandewijn die hun door de agenten van Franse of Engelse octrooihouders werden geleverd. Voor een flinke slaaf kon je al gauw vijfentwintig tot dertig geweren krijgen, met als premie een of twee lange Hollandse tabakspijpen toe. Naba was een van die vangsten waarover lang wordt onderhandeld, een echt 'prachtexemplaar'. De twee Marka berekenden al het aantal yards gebloemde sits uit Pondicherry, die ze vervolgens in de Songhai zouden kunnen doorverkopen. De dames uit Tombouctou en Gao waren daar dol op.

Toen Naba op een honderdtal kilometer van zijn geboortestad werd ontvoerd, had de handel in negerslaven zijn hoogtepunt bereikt. Reeds eeuwenlang hadden de Europese handelaars versterkingen gebouwd op de kusten – Graankust, Ivoorkust, Goudkust, Slavenkust –, vanaf het eiland Arguim tot in de nabijheid van de golf van Benin. Eerst hadden ze vooral belangstelling voor goud, ivoor en was. Maar sinds de ontdekking van de Nieuwe Wereld en de exploitatie van suikerrietplantages was de slavenhandel, de mensenjacht, als enige rendabele bedrijfstak overgebleven. In de concurrentieslag tussen Fransen en Engelsen waren alle middelen veroorloofd. Over één ding waren de blanken het eens: Afrikaanse handelaars diende men te wantrouwen, want die waren 'geniepig en geslepen, meesters in het hanteren van valse maten en gewichten en in schurkenstreken en bedrog'.

# 8

'Ahmed, daar is iemand voor jou.'

Siga, die aan die nieuwe naam maar niet kon wennen, leek het eerst niet te horen. Pas toen het tot hem doordrong dat hijzelf werd aangesproken, veerde hij op, waste zijn handen in de kom met water naast de deur en verliet de schamele eettent waarin hij zijn maaltijden gebruikte.

Een jongeman stond hem op te wachten: Tiékoro.

Sinds de dag na hun aankomst in Tombouctou hadden de twee broers elkaar niet meer teruggezien. Telkens wanneer hij zijn stoet ezels door de steegjes van de stad naar de haven van Kabara leidde, spiedde Siga om zich heen, in de hoop dat hij zijn broer zou zien staan tussen de groepjes studenten in witte kaftan, met op hun hoofd een kalotje van dezelfde kleur, die vroom en pronkerig, hardop over een hadith redetwistend, rondparadeerden. Zo vaak had hij tevergeefs naar hem uitgekeken dat zich in hem een diepe wrok, bijna een gevoel van haat, had vastgeënt. Hij probeerde zich voor te stellen wat hij zou doen als hij hem onverwachts tegen het lijf zou lopen. Misschien zou hij hem in het gezicht spuwen en hem voor bastaard uitschelden. Soms betrapte hij zich erop dat hij de weg naar het huis van El-Hadj Baba Abou insloeg om Tiékoro vanuit het voortuintje te kunnen beschimpen. Iedereen zou hem gelijk geven: bloedverwantschap laat zich niet verloochenen. Maar dan herinnerde hij zich de ijskoude blik van Tiékoro's leermeester en besefte dat zo'n moslim met een lichte huidkleur een zwarte fetisjistische Bambara niet eens zag staan. Hij zou hem door zijn huispersoneel laten wegjagen als een stinkende hyena. Ach, hij had zelf de onwetendheid van die Arabieren en hun mulatten, hun misprijzen voor zwarten, aan den lijve ondervonden!

Stilaan waren echter zijn wrok en haatgevoelens afgestompt, want eigenlijk was hij een brave kerel. Nu probeerde hij Tiékoro zelfs te verontschuldigen. Die móést wel aan zichzelf en zijn eigen toekomst denken. Kon je hem dat kwalijk nemen? Studeren aan de universiteit betekende voor hem alles. Wat voor zin had dit avontuur als hij, in Tombouctou aangekomen, zijn droom niet kon verwezenlijken?

Tiékoro's gedachten waren de tegengestelde richting uitgegaan. Eerst had hij voor zijn gedragswijze duizend excuses bedacht. Maar ze bleken ondoeltreffend, werden aangevreten door wroeging en een schuldgevoel waarvan hij 's nachts soms huilend wakker schoot. Alle voornemens die hij dan opvatte verdwenen bij zonsopgang: hij rende niet naar de haven van Kabara, waar hij Siga zeker zou aantreffen. Van dag tot dag ging hij zwaarder gebukt onder zijn eigen lafheid.

En nu, staande tegenover Siga, vond hij geen woorden om zich te verontschuldigen.

'Siga,' zei hij ten slotte met neergeslagen ogen, 'ik ontving een bericht van onze familie. Er is een groot ongeluk gebeurd. Naba... Naba is... vermist.'

'Vermist?' herhaalde Siga niet begrijpend. 'Wat wil dat zeggen?'

'Hij was op jacht gegaan. Marka moeten hem geroofd hebben.'

Zo verschrikkelijk was dit nieuws dat Siga geen woord kon uitbrengen. Tranen stroomden over zijn wangen. Naba!

In feite was hij met die jongere broer, die door Tiékoro helemaal in beslag werd genomen, nooit vertrouwelijk omgegaan. Maar hij dacht aan het leed van de familie, van Nya vooral. Daarna dacht hij aan het gruwelijke lot dat hun broer te wachten stond. Tijdens hun reis naar Tombouctou hadden ze lange rijen slaven ontmoet; hun hals zat vastgeschroefd tussen twee houten blokken die met een touw aan elkaar waren vastgemaakt. Met stokslagen werden ze naar de slavenmarkten van de streek gedreven. Naba zou zijn naam en zijn identiteit verliezen. Hij zou een lastdier op het veld worden.

'Wat moeten we doen?' stamelde hij.

'Wat zouden we kúnnen doen?' zei Tiékoro met een gebaar van wanhoop. 'Niets...'

Maar alsof deze woorden hem speten voegde hij eraan toe: 'Tot God bidden.'

Er viel een stilte.

'Heb jij niets te kort?' waagde Tiékoro onzeker.

Zonder een woord wendde Siga zich om. Tiékoro kon hem nog net bij een arm grijpen. 'Vergeef me,' mompelde hij.

Voor iemand met zíjn hooghartigheid was dit al veel; Siga kon zijn oren niet geloven. Snel draaide hij om zijn as en liet de ander daar met neergeslagen ogen, onhandig en beschaamd, in zijn fraaie zijden kaftan staan. Siga had met hem te doen.

'Maak je om mij maar geen zorgen,' zei hij om hem te troosten. 'Ik maak het opperbest. Je bof dat je me hier hebt aangetroffen, want het is de laatste dag dat ik hier werk. Een koopman neemt me in dienst als hulp.'

'Ga jij handel drijven?' riep Tiékoro vol afschuw.

'Wil je dan dat ik ezeldrijver blijf?' spotte Siga. 'En jij wilde toch maraboet worden?'

Tiékoro bleef het antwoord schuldig. 'Waar kan ik je vinden als ik je nodig heb?' vroeg hij.

Siga haalde zijn schouders op. 'Zoek dat zelf maar uit.'

Hij keerde zijn broer de rug toe en verdween in de eettent vanwaar zijn maats het hele tafereel nieuwsgierig hadden gadegeslagen.

Siga verschilde in niets meer van die armoezaaiers. Gespierd, vuil en verwaarloosd, droeg hij een korte kiel van blauwgeverfde repen katoen en een pofbroek tot net boven zijn enkels. Op zijn blote, brede en eeltige voeten liep hij door het stof. Het was alsof de twee broers niets meer gemeen hadden. Zelfs het familiedrama dat hen even nader tot elkaar had gebracht, kon de kloof die hen scheidde niet overbruggen.

Peinzend liep Tiékoro naar de rivier. Hij voelde zich voor Naba's verdwijning verantwoordelijk. Zou zijn jongere broer zich aan Tiéfolo hebben gehecht als híj er niet op uitgetrokken was om te gaan studeren? Zou Naba dan jager hebben willen worden? Zou hij zich in dat roekeloze avontuur hebben gestort? Wat nu? Moest hij, Tiékoro, naar Ségou terugkeren om zijn moeders tranen te drogen? Maar zou ze de vermiste daarmee terugkrijgen?

De haven van Kabara, die Tombouctou bevoorraadde sinds de Issa-Ber-rivier haar bedding had verlegd, bruiste van bedrijvigheid. De kaden stonden vol balen koopwaar voor de schepen. Gierst, rijst, maïs, watermeloenen, maar ook tabak en Arabische gom die in de streek van Goundam en het Faguibin-meer in overvloed werd gewonnen. Handelaars uit Fittouga brachten in hun prauwen aardewerk, gedroogde vis en ivoor. Een van hun scheepjes was volgestouwd met slaven–een tiental verwilderde en uitgeteerde mannen die met boomwortels aan elkaar waren vastgebonden. Nog maar enkele weken eerder zou Tiékoro dit zo vertrouwde schouwspel amper hebben opgemerkt. Hij liep recht naar een van de slavendrijvers die de ongelukkigen met stokslagen dwongen om uit te stappen.

'Wat zijn jullie met hen van zins?' vroeg hij.

Een van beiden bromde in slecht Arabisch dat deze Mossi gevangenen bestemd waren voor een Moor.

'Besef je dan niet dat ze mensen zijn als jij?' schreeuwde Tiékoro.

Meteen daarna begreep hij hoe dwaas zijn houding was. Wat vermocht hij tegen dit eeuwenoud gebruik? Sinds de zestiende eeuw werden zwarte slaven in de Marokkaanse suikerfabrieken tewerkgesteld; daarnaast waren er nog, verspreid over het hele rijk, de slaven van de kroon.

Onverrichterzake liep Tiékoro naar Tombouctou terug. Op het binnenhof van de universiteit naast de moskee stonden de studenten elkaar reeds onder de booggewelven te verdringen. De bibliotheek zou weldra haar deuren openen. Destijds had de Marokkaanse inval er grote ravages aangericht. Zo ontbrak het omvangrijke werk van Ahmed Baba bijna volledig. Dank zij schenkingen uit het familiebezit van particulieren waren de grootste leemten intussen weer aangevuld. Met zijn vlugge geest had Tiékoro de bewondering van zijn leermeesters afgedwongen. Eens het voorwerp van ieders spot, was hij nu een van de briljantste studenten in de Arabische taalkunde en theologie. Hij onderwees zelf al aan een van de honderd vierentwintig koranscholen die Tombouctou rijk was. Niemand interpreteerde beter dan hij de woorden en de levensloop van de Profeet. En toch was Tiékoro niet gelukkig. Smoorverliefd, zoals veel jongens van zijn leeftijd, wist hij niet of hij op wederliefde mocht hopen.

Het voorwerp van zijn hartstocht was Ayisha, de vijfde dochter van El-Hadj Baba Abou's eerste echtgenote. Soms verrieden Ayisha's mooie schuine ogen dat zijn gevoelens haar bekend waren. Maar even vaak drukten ze niets dan het kilste afwijzen uit. Ze deed alsof ze zich nooit rechtstreeks tot hem wendde, en gebruikte haar broertje Abi Zayd, een negenjarig woelwatertje, als tussenpersoon. 'Ayisha zou graag een amberen halssnoer hebben.' 'Ayisha droomt van een zilveren armband.' 'Ayisha heeft trek in takoela met honing.'

Nauwelijks had zij deze wensen in zíjn aanwezigheid aan haar broertje kenbaar gemaakt, of Tiékoro haastte zich om ze in vervulling te laten gaan, hoewel hij maar al te goed wist dat hij zich door een te vertrouwelijke omgang met de dochter van zijn gastheer diens woede op de hals kon halen.

De Bambara bekeerling werd innerlijk verscheurd. Hij die al vanaf zijn twaalfde zijn vaders slavinnetjes placht te naaien, werd nu gekweld door het gebod van volstrekte kuisheid en onthouding, dat hem door zijn nieuwe godsdienst werd opgelegd. Doodsbang om het verstijven van zijn geslacht onder zijn kaftan, gluurde hij heimelijk naar elke vrouw die zijn pad kruiste als naar een stukje paradijs waaruit hij zichzelf had verdreven. Soms schoof er een waas voor zijn ogen: zo hevig was zijn begeerte naar een warm, willig vrouwelichaam. Als hij 's nachts met zijn dijen vol sperma wakker schrok, waste hij zich en bad God om vergeving. Daar kwam nog bij dat zijn boezemvriend en mentor Moulaye Abdallah, na het beëindigen van zijn studie islamitisch recht, naar Gao was teruggekeerd om daar zijn vader als kadi op te volgen, zodat Tiékoro zich nog nooit zo eenzaam had gevoeld.

Om zich te ontspannen liep hij na de college-uren wel eens een Moorse kroeg binnen. Stamgasten dronken er groene thee en knabbelden op gemberkoekjes. Ze speelden er een spel uit het land van de blanken, waarbij ze ronde schijfjes op een houten bord voortschoven. De lome, gemoedelijke sfeer had iets dat Tiékoro aan de familiehuizing van zijn vader herinnerde.

Toen hij er een keer naar de plee – een hutje met strooien dak achter op de binnenplaats – moest, zag hij een meisje dat, op een schaamlapje van plantevezels na, helemaal naakt was. Haar gitzwarte huid glom van de ondergaande zon. In de straten van Ségou was een blote boezem, of zelfs een moedernaakt meisje, niets bijzonders. Maar in Tombouctou had de islam korte metten gemaakt met deze zeden die reeds in de tijd van Askia Mohammed aan de kaak waren gesteld. Hier bedekten de vrouwen en ook de meisjes hun lichaam met uit Europa ingevoerde stoffen. En nu voelde Tiékoro zich, bij het zien van deze borsten en billen, duizelen. Zonder haar te groeten liep hij het meisje voorbij – zij zat, bij gebrek aan brandhout, een vuur van kamelenkeutels aan te blazen – en in de gelagzaal sprak hij kroegbaas Al-Hassan aan.

'Wie is dat kind?'

'Een slavinnetje,' antwoordde de man onverschillig. 'Marka probeerden haar aan de Marokkanen te slijten, voor een harem. Maar ze was niet mooi genoeg. Ik kreeg haar voor een prikje.'

Tiékoro liep terug naar de binnenplaats. Buiten het meisje was er niemand. Zij stond rechtop naast het vuur dat eindelijk wou branden; haar lange, trillende benen waren wat gespreid zodat je de binnenkant van haar dijen zag. Tiékoro stormde op haar af en trok haar mee op de plee. Hij was zichzelf niet meer. Een wild dier dat in zijn onderbuik zat gekooid, klauwde zich eruit. Hij drong in haar binnen. Zij steunde zachtjes als een kind, maar stelde zich niet te weer. Hij deed het nog eens en weer, als wilde hij zich wreken over deze maandenlange eenzaamheid, de eindeloze onthouding, en zelfs de verdwijning van zijn jongere broer.

Eindelijk liet hij haar los. Toen hij de stank van drek en urine opsnoof had hij wel willen doodgaan. Hij snelde naar de binnenplaats; het meisje volgde hem. Had ze maar geschopt en geslagen, of geschreeuwd! Maar zonder een klacht bleef ze achter hem staan.

'Hoe heet je?' kon hij nog stamelen, in het Arabisch.
'Nadié.'

Er liep een rilling over zijn rug. 'Heet jij Nadié?' vroeg hij terwijl hij zich omkeerde en haar voor het eerst in de ogen keek. 'Ben je een Bambara?'

'Uit Bélédougou, fama,' knikte ze.

Een Bambara! Hoe had hij het niet meteen herkend aan de typische tatoeëring van haar onderlip, aan de huidinkervingen op haar slapen? Een meisje van zijn eigen volk, dat hij had moeten verdedigen, had hij verkracht. Haar vernedering had hij ten top gevoerd. Hij was niets beter dan de slavendrijvers die hij gisteren nog had terechtgewezen. Nadié legde haar hand op zijn schouder. Alsof hij door een onrein beest werd aangeraakt – en misschien ook omdat hij de begeerte in zich weer voelde opkomen –, holde hij weg, de straat op. Als een bezetene rende hij naar het huis van El-Hadj Baba

Abou. De oude mannen die op een mat voor hun deur lagen, de kinderen, de verkopers van kolanoten, allen vroegen ze zich af wie zo door de djinns werd achternagezeten.

In het voortuintje stuitte hij op zijn gastheer die een zwaarlijvige, rijk uitgedoste en getulbande heer met een Moorse huidskleur uitgeleide deed. Hij groette hen gejaagd en was al op weg naar zijn kamer toen Abi Zayd hem voor de voeten kwam lopen en, zonder dat hem iets werd gevraagd, afratelde: 'Abbas Ibrahim is een geleerde uit Marrakech, die aan de universiteit doceert en veel gepubliceerd heeft over metafysica. Het is een grote eer dat hij onze familie bezoekt en de hand van mijn zuster vraagt.'

Tiékoro voelde hoe het koude zweet hem uitbrak. De vier oudste dochters van El-Hadj Baba Abou waren immers al gehuwd.

'Van welke zuster?' vroeg hij.

'Mijn zuster Ayisha!' zei Abi Zayd met een soort vreugdesprongetje.

Gods straf bleef niet lang uit! Hij had zich bezondigd aan ontucht. Het meisje van wie hij hield was hij niet langer waardig, en op staande voet werd ze hem ontnomen. Toch kon hij zich niet zo grif bij dit vonnis neerleggen. In Ségou verliep een huwelijksaanzoek volgens regels die tegelijk eenvoudig en ingewikkeld waren. Het was een aangelegenheid tussen families van gelijke rang, een eindeloze uitwisseling van geschenken, kolanoten, kaurischelpen – waarmee de nyamakala waren belast –, tot de betaling van de bruidschat in goud en vee en de uiteindelijke huwelijksceremonie. Was hij in zijn eigen land gebleven, dan zou Dousika hem op een keer hebben ontboden om hem mee te delen dat voor hem de tijd was aangebroken om een vrouw te kiezen, waarna zijn vader hem een welbepaalde gezellin zou hebben aangeraden. Maar met de spelregels in Tombouctou was Tiékoro volstrekt onbekend. Als vreemdeling gaf hij zich er rekenschap van dat hij, in weerwil van zijn adellijke geboorte, in de ogen van El-Hadj Baba Abou geen acceptabele partij was. Niettemin zou hij zijn kans hebben gewaagd als hij enige zekerheid had over wat Ayisha voor hem voelde. Maar hoe kon hij dat te weten komen? Hoe haar te benaderen? Hoe kon hij haar ooit onder vier ogen spreken?

Er kwam een huisknecht binnen met warm water voor zijn bad. 'Je kaftan zit onder de modder, Oumar,' zei hij.

In een flits beleefde Tiékoro andermaal de afschuwelijke verkrachtingsscène. De plee met die houten bril boven op een aarden kruik. Daaromheen modderplassen van het spoelwater. En hij languit in het slijk! Toch bekroop hem een onbedwingbaar verlangen om dat meisje weer op te zoeken en zich opnieuw in de sappen van haar schoot te wentelen. Wilde God hem krankzinnig maken? Waarom deze tweespalt tussen de drang van zijn hart en de begeerte van het vlees?

> Het vuur van Allah, het wélgestookte,
> Dat opstijgt boven de mensenharten;
> Het omvat hen ondoordringbaar,
> In een uitgestrekte zuilenhal.

Opeens kreeg Tiékoro een ingeving. Moulaye Abdallah! Hij zou een beroep doen op zijn vriend en hem vragen naar Tombouctou te komen. Alleen hij, die zo goed van de plaatselijke zeden op de hoogte was, kon hem raad geven en voor hem het terrein verkennen. Onverwijld begon hij hem een brief te schrijven.

In Tombouctou waren er drie groepen notabelen: de Arma's die de militaire en de politieke macht uitoefenden, de juristen en de kooplui. Vooral deze laatsten waren de steunpilaren van de maatschappelijke orde, want hun karavanen, schepen en winkels waren steevast het mikpunt in geval van onlusten.

Abdallah behoorde tot de voorname Arma familie van

de Mubarak al-Dari. Zijn bezadigde geest maakte hem weinig geschikt voor het krijgsambt. Alle uiterlijke kentekenen van zijn klasse – de sabel, het witte gewaad met de bijhorende rode, gele, groene of zwarte halsdoek die de militaire graad van de drager aangaf – had hij afgelegd om zich helemaal op de handel toe te leggen. Dat was hem aardig gelukt, nu hij een van de aanzienlijkste fortuinen van deze stad beheerde. Zijn huis uit rode baksteen nabij de Kabara-poort verleende onderdak aan een menigte dienstboden en slaven. Met de kooplieden uit Fes, Marrakech, Algiers, Tripoli en Tunis dreef hij vooral handel in zout, dat hij leverde in briketten, maar ook in stoffen, senebladeren en sesamzaadjes. Een tiental jaren geleden had hij tijdens de grote pestepidemie zijn beide echtgenotes en zijn vijf kinderen verloren. Van hertrouwen wilde hij niet horen; op gepaste tijden nam hij, om zijn zinnelijke driften te bevredigen, zijn toevlucht tot een dienstmeisje.

Het leven had hem somber en eenzelvig gemaakt; soms sprak hij dagenlang geen woord. Maar hij had een zwak voor Siga. Hij waardeerde de nauwgezetheid en de ernst waarmee de jongen de koopwaar naar de haven bracht, en zijn bescheidenheid; hij begreep dat hij in deze Bambara meer vertrouwen kon hebben dan in alle andere jongelui die hij in dienst had. In ruil bood hij hem kost, inwoning en kleding, en leerde hem de knepen van het zakendoen. Siga, die zijn baantje als ezeldrijver meer dan beu was, had deze kans met beide handen aangegrepen. Al bijna twee jaar had hij in een piepkleine hut midden in de Albaradiou-wijk moeten slapen tussen een dozijn onwelriekende lichamen, en van 's morgens vroeg tot 's avonds laat zware vrachten moeten sjouwen op zijn schouders en zijn hoofd, terwijl hij door iedereen werd geminacht. Verbitterd had hij soms aan Ségou en zijn ouders teruggedacht. Waarom moest hij, omdat Tiékoro per se moslim en student wilde worden, met hem mee? Was hij soms de slaaf van zijn broer? In gedachten zag hij zich als een trotse veroveraar naar huis terugkeren met een karavaan van twaalf kamelen, beladen met in Ségou volstrekt onbekende gebruiksvoorwerpen. Dat zou nog eens een oploop veroorzaken! 'Hé, is dat niet de zoon-van-de-vrouw-die-in-de-put-is-gesprongen? De djeli, die goud roken, zouden hem op de hielen lopen. En wat zou het Dousika rouwen dat hij hem zo had miskend!

De stem van Abdallah schudde hem wakker uit zijn roemrijke droom. 'Ik heb in je kamer wat kleren gelegd. Ze zijn van mij, maar jij krijgt ze cadeau. Je bent groot en sterk: ze zullen je goed staan. En ga bij de pasja sits uit Pondicherry brengen voor zijn vrouwen. Ik had het voor hen besteld.'

En terwijl Siga het genoegen leerde smaken als een jongeman met een achtbaar beroep door de straten te lopen, op de voet gevolgd door twee slaven, zat Tiékoro nog steeds zijn hart op te vreten. Dat El-Hadj Baba Abou overwoog zijn dochter aan een heer uit Marrakech te schenken, bewees dat hij niets tegen vreemdelingen had. Wel was het een Marokkaan, en Tiékoro kende de nauwe banden tussen dat volk en Tombouctou. Hoe dan ook, zijn hartstocht voor Ayisha was zo onweerstaanbaar dat hij de confrontatie met haar vader aandurfde, maar eerst moest hij weten of zij aan zijn kant stond. Op de komst van Moulaye Abdallah kon hij niet wachten; het zou op z'n minst vier weken duren vóór zijn brief Gao langs de waterwegen bereikte.

De koranschool waar Tiékoro onderwees gaf slechts een rudimentaire opleiding: wat kalligrafie, het reciteren van *Al-Fatiha* en de eerste soera's uit de koran. Met het schoolgeld – ieder van zijn twintig leerlingen betaalde hem wekelijks zeven kauri's – voorzag hij in zijn levensonderhoud. Vandaag gaf hij zijn leerlingen vrij, en in plaats van college te lopen besloot hij naar het huis van zijn gastheer terug te keren.

Mettertijd waren Tiékoro's gevoelens ten opzichte van Tombouctou veranderd. Eerst had hij nog gehoopt deze vermaarde stad van binnenuit te leren kennen en er kennissen en vrienden te maken. Nu begreep hij dat dit ondoenbaar was. De laatdunkendheid van haar geletterden was te groot. Hier moest men een inheemse stamboom hebben en oelema's onder zijn voorvaderen tellen. Langzamerhand was hij Tombouctou gaan verafschuwen; voor zijn part mochten de Toeareg het plunderen, zoals ze dat in het verleden al zo vaak hadden gedaan, totdat er nog slechts een smeulende hoop puin en as van overbleef, bezaaid met verkalkende geraamten. Gretig keek hij uit naar mogelijke voortekenen: een gebarsten, afbrokkelende muur, dichtgestopt met matten of bossen stro. Wat snakte hij naar de dag waarop hij de hoge stadswallen van Ségou terug zou zien, en de oevers van de Joliba waar vrouwen met naakte boezem kalebassen water kwamen halen en de was doen!

Hij had haast; de Moorse vrouwen in indigoblauw, de Toeareg die woest hun sabel omklemden, de Arma's, de zwoegende waterdragers die terugkwamen van de noordwestelijke putten, de slaven die met touwen aan elkaar vastgeknoopte zoutbriketten voortsleepten, zag hij niet. Deze stadsbeelden waarop hij zich vroeger blind had gestaard, lieten hem nu onverschillig.

Hoe kon hij de gevoelens van Ayisha peilen? Zou hij Abi Zayd een brief voor haar meegeven? Maar wat als El-Hadj Baba Abou die brief in handen kreeg?

Hij duwde het hek van de voortuin open en stond oog in oog met Ayisha. Zij stond er te wachten op het slavinnetje dat haar moest vergezellen. Dit was een gedroomde gelegenheid om haar aan te spreken; voor één keer was ze niet in het gezelschap van een slavin, een jongere zus, een vriendin of een verwante.

De ruime woning van El-Hadj Baba Abou bestond uit twee delen: de school en de gastenkamers aan de ene kant, het eigenlijke woonhuis aan de andere. Dat laatste was dan weer onderverdeeld in ontvangkamers die op zijn Marokkaans waren ingericht, een werkkamer, een bibliotheek met goed gevulde rekken vol zeldzame handschriften, en de vertrekken voor zijn vrouwen en kinderen die men haast nooit te zien kreeg. In twee jaar tijd had Tiékoro misschien drie keer de vrouwen van zijn gastheer – de Marokkaanse en de vrijgelaten Songhai slavin – ontmoet.

En nu stond Ayisha zomaar in het voortuintje. Weldra zou ze zestien worden, en ze zag er alleraardigst uit. De Marokkaanse afkomst van haar moeder en de gemengde oorsprong van haar vader hadden van haar een volmaakte mwallidun gemaakt, met een lichte, glanzende teint; haar lange krullende haarvlechten, met gouddraad doorweven, hingen tot op haar heupen. Om haar lippen speelde een glimlachje dat zowel vriendelijk als spottend bedoeld kon zijn.

'In Allah's naam, Ayisha,' fluisterde Tiékoro, 'ik moet je spreken.'

Zij scheen te aarzelen, wendde haar hoofd naar de slavin die reeds toesnelde, en mompelde: 'Tijdens het middagslaapje zal Zoubeïda, mijn favoriete slavin, je in je kamer komen halen.'

Tiékoro kon zijn oren niet geloven. Alleen in zijn droom had Ayisha hem ooit een welwillende blik en – nog onverhoopter! – een glimlach toegeworpen. Overdag was ze een en al onverschilligheid. Roerloos bleef hij staan; over zijn hele lichaam voelde hij beurtelings gloeiendhete en ijskoude rillingen lopen terwijl zij met Zoubeïda in het huis verdween. Plotseling greep hem een panische angst. Was dit geen valstrik? Hij dacht aan de waarschuwingen van zijn vriend Moulaye Abdallah: 'Het is een mannenverslindster! Ze heeft ons allen smoorverliefd gemaakt om ons uiteindelijk voor gek te kunnen zetten.'

Maar waarom zou ze hém voor gek zetten? Nee, zij deelde zijn liefde, zijn hartstocht. Hij stelde zich voor hoe hij haar in zijn armen zou sluiten, en voelde zich bijna bezwijmen. Ayisha: deze drie onuitsprekelijke lettergrepen! Nooit had de tijd hem zo tergend langzaam toegeschenen.

Tot er zachtjes op zijn deur werd geklopt. Het was

Zoubeïda, die hem een kaftan aanreikte.

'Trek dit aan. Ze zullen je voor een Haussa koopman houden die parfums komt aanbieden.'

Tiékoro volgde haar door het huis. Beneden woonden El-Hadj Baba Abou's beide echtgenotes met de kleine kinderen. Langs een wenteltrap ging het naar de eerste verdieping waar de groteren – meisjes aan één kant, jongens aan de andere – ieder een eigen kamer hadden met hoge, witgekalkte doempalmhouten zolderbalken. Wild heen en weer rennende bengels speelden er hun luidruchtige spelletjes.

Ayisha was in haar kamer, alleen. Katoenen en zijden kleren lagen in de grootste wanorde over de gewitte lemen vloer. Pofbroeken, brede ceinturen, halsdoeken, korte bestikte blouses, die door een ongeduldige hand links en rechts waren uitgespreid. Uit aarden schalen puilden kornalijnen ringen, amberen halssnoeren, armbanden van gedreven zilver en kettinkjes van filigraanwerk, waaraan hangers in de vorm van vierpuntige sterren waren bevestigd. Een paar met gouddraad gedecoreerde muiltjes leken te vragen naar Ayisha's voetjes.

Tiékoro raakte er niet op uitgekeken. Nog nooit was hij in een vrouwenvertrek binnengelaten. In Ségou zou hij er alleen het hoognodige hebben aangetroffen: op de grond een mat, in een hoek wat kalebassen, misschien nog een taboeretje. Bovendien liepen zijn vaders slavinnetjes aan wie hij zich te buiten was gegaan, met naakte boezem, met om hun heupen een nauw aansluitende paan. Nu ontdekte hij dat die naaktheid zonder geheim minder opwindend was dan dit omhulde en toch zo nabije lichaam dat hem met zijn geur bedwelmde. Hij kon haar vormen raden: de puntige borstjes, de gladde buik...

Een nuchtere vraag bracht hem tot de werkelijkheid terug. 'Wat wil je van mij? De laatste maanden bekijk je me zo vreemd. Wat wil jij eigenlijk?'

Het gesprek begon niet zoals Tiékoro het zich had voorgesteld.

'Het is moeilijk wennen,' stotterde hij, 'in een ander land. Niemand kent er je familie of je rang. In míjn land ben ik een edelman. Mijn vader, die hoge ambten aan het hof heeft uitgeoefend, is een van de rijkste...'

'...fetisjisten?' viel Ayisha hem in de rede.

'Hij belijdt de godsdienst van zijn voorvaderen,' antwoordde Tiékoro, die deze opwerping had voorzien, bedaard. 'Het is hun geloof dat de wereld is geschapen door twee elkaar aanvullende beginselen: Pemba en Faro, allebei voortgekomen uit de geest...'

'Dwaasheid! Godslasteringen!'

Tiékoro kon zijn ergernis bedwingen. 'Ik,' repliceerde hij, 'heb met die afgoderij gebroken. Dat is toch het belangrijkste?'

Ayisha bekeek hem met haar mooie helderbruine ogen waarin hij haar gedachten niet kon lezen.

'Het schijnt,' hernam ze, 'dat jullie uit kalebassen en niet uit aardewerk eten, dat jullie op matten slapen in plaats van op fraaie, met runderhuiden bedekte bedden, dat de meisjes bij jullie naakt lopen.'

Tiékoro zocht naar een passend antwoord. Maar het ergste moest nog komen.

'En ik heb vernomen,' zei Ayisha terwijl ze een haarvlecht om haar vingers wond, 'dat jullie mensenoffers brengen.'

Nu werd het Tiékoro te bar. 'Vroeger,' riep hij uit, 'in lang vervlogen tijd! En alleen wanneer het staatsbelang op het spel stond!'

Ayisha lachte haar kleine witte tandjes bloot. Dan liet ze zich op de kussens van haar bed achterover vallen, waardoor haar blouse wat opschoof, zodat de satijnwitte huid van haar buik bloot kwam. Tiékoro was zichzelf de baas niet meer. Des te onweerstaanbaarder was de begeerte die hem in bezit nam, nu hij zich wilde wreken over haar treiterende vraagjes. Hij zou haar zijn Bambara viriliteit wel eens bewijzen! Hij zou haar laten kronkelen van wellust! Zou ze haar genot voor zich kunnen houden? In één sprong zat hij bovenop haar en greep naar haar borsten, terwijl hij haar met zijn knieën omklemde. Toen hij haar mond zocht spuwde ze hem onverhoeds in het gezicht. 'Handen thuis, vuile nikker!' beet ze hem toe.

Tiékoro krabbelde overeind. Ayisha keek hem aan met ogen die groen zagen van nijd en elke bevalligheid uit haar trekken verjoegen.

'Blijf af met je fikken! Je bent zwart, je stinkt! Dacht jij soms dat ík met jou zou trouwen? Zoubeïda!'

Siga was vroeg naar bed gegaan, want hij was doodop. Onder een brandende zon had hij de hele dag toezicht gehouden bij het lossen van een karavaan die vanuit het Ashanti koninkrijk over Bondoukou en Boan was gereisd. De noten lagen in grote manden die eerst moesten worden genummerd, waarna de inhoud zorgvuldig werd geïnventariseerd. Vervolgens moest de vrachtprijs worden betaald aan handelaars die je om een handvol kauri's wilden belazeren. Met Siga die nog jong was, een nieuweling in het vak, probeerden ze het allemaal. Nee, het was geen luizenbaantje dat hem door Abdallah was toevertrouwd!

Nauwelijks was hij verzonken in die gelukzalige eerste slaap waarbij de zintuigen lijken weg te doezelen, of hij waande zich terug in Ségou, bij Nya. Nya, de enige die om hem gaf! Hoe had hij haar zo lang kunnen missen? Drie van de jongens die zij had grootgebracht, drie van haar kinderen, waren nu van haar gescheiden. Maar hij ging terug. Hij kwam bij haar terug; aan haar voeten legde hij het goud dat hij had opgepot, met de woorden: 'Moedertje lief, moedertje, jij die al wat je bezit weggeeft, moedertje, jij die nooit je huis verlaat, ik groet je, moedertje! Het kind dat huilt roept om zijn moeder. Moedertje lief, hier ben ik!'

Op dat ogenblik werd er op de deur geklopt. Met tegenzin opende Siga zijn ogen. Wie kwam hem storen? Was het zijn vriend, de ezeldrijver Ismaël? Ze hadden elkaar gezien tijdens het middageten... Hij stond geeuwend op en trok de zware mahoniehouten deur open. In het halfdonker herkende hij Tiékoro.

'Jij, hier?' zei hij verbaasd. 'In ondankbaar zand groeien soms rare planten!'

'Laat me binnen,' bromde Tiékoro schor. 'Grapjes kun je later maken.'

Siga had een gevoelige natuur. Als kind had hij te veel geleden om niet meteen het verdriet van anderen te raden. Er was met zijn broer iets aan de hand, iets dat hem nog pijnlijker getroffen had dan Naba's verdwijning.

'Wat is er?' vroeg hij snel. 'Scheelt er iets?'

Het enige antwoord was dat Tiékoro in tranen uitbarstte. De hooghartige Tiékoro die huilde, die met beide handen voor zijn ogen op de grond zakte als een kind of een vrouw: dit was onvoorstelbaar!

'Spreek,' fluisterde Siga die naast hem neerknielde.

Na een poosje kon Tiékoro zich wat bedwingen. In korte, hortende zinnen deed hij zijn treurige verhaal. Het rendez-vous met Ayisha was een valstrik. Zoubeïda had er haar moeder, die beneden lag te rusten, bij gehaald. Die had met haar hysterisch gekrijs het hele huis te hoop doen lopen. El-Hadj Baba Abou die bij een van zijn vrienden in de wijk van de notabelen, vlak bij de ambtswoning van de pasja, voor het middagmaal was uitgenodigd, was nog maar pas terug of ze briefde hem alles over en Tiékoro kon gaan. En daar, wist Tiékoro, zou het niet bij blijven. El-Hadj Baba Abou zou hem van de universiteit laten verwijderen. Hoe moest het nu verder met hem?

Siga deed zijn best om hem gerust te stellen. 'Waarom zou hij dat doen? Hem is het genoeg dat je niet meer achter zijn dochter aan zit, als hij dan toch niet wil dat jij haar huwt.'

Tiékoro schudde heftig van nee. 'Jij kent de verwaandheid van die mwallidun niet! Ons haten en minachten zij. En waarom? Waarom? We zijn even rijk als zij, en even hooggeboren.'

Tiékoro zag zichzelf niet als een 'zwarte' of 'neger'. Voor hem hadden die woorden geen betekenis. Hij was een Bambara, een onderdaan van een machtig en door alle volkeren van de hele streek geducht rijk. Dat men hem zijn huidskleur ten kwade kon duiden, ging er bij hem niet in. De lichte huid van Ayisha had hij bewonderd omdat hij er nog nooit zo een had gezien, maar hij was trots op de zijne. In Ségou zouden heel wat mensen haar voor albino* uitschelden – wat hij hun uit het hoofd zou moeten praten. Waarom wilde zij hem dan in het verderf storten? Als ze zijn gevoelens niet kon beantwoorden, waarom zei ze het hem dan niet rechtuit?

Terwijl hij zo door de kamer liep te ijsberen, vielen hem duizend plannen in. Als hij zich nu eens aan El-Hadj Baba Abou's voeten zou gaan werpen? Maar die zou hem niet eens ontvangen. Zich rechtstreeks wenden tot de imam van de universiteitsmoskee? Dat was te riskant, want stel dat El-Hadj Baba Abou deze hele affaire voor zich zou houden... Wat moest hij doen?

Opeens bleef hij staan. 'Heb jij schrijfgerei?'

'Schrijfgerei?' vroeg Siga die geen letter op papier kon zetten.

'Ik moet dringend,' riep Tiékoro, 'mijn goede vriend Moulaye Abdallah schrijven. Hij woont in Gao, waar hij zijn vader is opgevolgd als kadi; hij heeft heel wat kennissen en verwanten onder de oelema's. Hij alleen kan me redden uit dit wespennest.'

Ondanks zijn goedhartigheid had Siga niet zonder enig leedvermaak gehoord hoe zijn broer, die hém zo uit de hoogte had behandeld, zichzelf in de nesten had gewerkt. Maar omdat het bloed zijn rechten opeist, was hij bereid hem onderdak te verlenen en hem zo lang te helpen als dat nodig was. Hij rolde een mat open die in een hoek lag voor de meisjes die met hem de nacht kwamen doorbrengen.

*Aan albino's werd een kwade invloed toegeschreven

'Hier ben je thuis,' zei hij. 'Dat hoef ik jou niet te zeggen.'

Tiékoro strekte zich op de slaapmat uit. Wat kon hij anders doen? Maar hij kon de slaap niet vatten. De woorden van een van zijn leermeesters aan de universiteit schoten hem te binnen: 'Er zijn drie graden in het geloof. Een eerste voor de massa: haar richtsnoer is de Wet. Een tweede voor hen die hun gebreken hebben leren beheersen en de weg naar de Waarheid zijn ingeslagen. En ten slotte een derde, die het voorrecht is van weinigen. Zij die deze graad van volmaaktheid hebben bereikt, aanschouwen God in Waarheid en in het Licht dat geen kleur meer kent. Gods Waarheid bloeit op de akkers van de Mystieke Liefde en de Naastenliefde.'

Tot deze trede wilde Tiékoro opklimmen. Maar zou zijn lichaam – dat stompe, gulzige, verachtelijke lichaam – hem dit niet beletten?

# 9

Op het balkon van haar huis in Gorée lag de *signara* Anne Pépin zich op een slaapmat te vervelen. Ze verveelde zich nu al tien jaar, sinds de terugkeer naar Frankrijk van haar minnaar, ridder de Boufflers, gewezen gouverneur van het eiland. Hij had genoeg geld vergaard om zijn vriendin gravin de Sabran te huwen – en zo veel ondankbaarheid beroofde Anne van haar slaap. Ze kon maar niet vergeten hoe zij enkele maanden lang groot aanzien had genoten en, zoals aan het hof van de Franse koning, feesten, gemaskerde bals en toneelvoorstellingen had gegeven. Dat alles was voorbij. Zij bleef alleen achter op dit blok basalt dat ter hoogte van het Kaapverdische schiereiland lag vastgeankerd. Tezamen met de factorij in Saint-Louis was dit het enige Franse steunpunt op het Afrikaanse continent aan de monding van de Senegal.

De laatste jaren ging het hier snel bergaf. Niemand raakte nog wijs uit wat zich in Frankrijk afspeelde. In 1789 was er de Revolutie geweest, en kort daarop was de republiek uitgeroepen. Sindsdien was het één stroom van tegenstrijdige verordeningen: afschaffing der slavernij, gevolgd door haar wederinvoering. Voeg daarbij de niet aflatende aanvallen van de Engelsen, de grote handelsrivalen van de Fransen.

Goddank leden de zaken daar niet onder. Nog steeds kwamen, onder voorwendsels als drinkwatertekort of averij, schepen van velerlei nationaliteit hier aanleggen om hun koopwaar tegen slaven te ruilen.

Anne Pépin was vijfendertig jaar, maar gaf zich uit voor vijfentwintig, alsof ze na het vertrek van ridder de Boufflers haar leven tot stilstand had laten komen.

Overigens was haar schoonheid nog even verblindend. Een officier en tevens gelegenheidsdichter die haar vruchteloos het hof had gemaakt, beweerde dat zij de verfijnde beschaving van Europa met de bruisende sensualiteit van Afrika in zich verenigde, want al was haar vader Jean Pépin een Fransman, destijds chirurg in het fort van Gorée, haar moeder was een Woloff negerin op wie hij verslingerd was geraakt. Haar huidkleur was tamelijk donker, maar haar bruine haren met rosse weerschijn waren sluik en zo lang dat ze, losgeknoopt, tot op haar heupen hingen. Het meest werd men getroffen door haar ogen, waarvan niet was uit te maken of ze blauw dan wel grijs of groen waren, want hun kleur wisselde met het uur en het weer. Anne's garderobe leek op die van de andere signara's – mulattinnen die waren voortgesproten uit avontuurtjes met Afrikaanse meisjes van Franse officieren of agenten van de diverse handelscompagnieën waarvan het personeel de winsten uit de handel in stoffen, alcohol, wapens, ijzerstaven en vooral slaven ten eigen bate afroomde. Zij droeg een wijd opbollende zijden rok met blauwe en mauve wit omlijnde ruiten, een blouse van opengewerkte kant, een solfergele schouderdoek van respectabele afmetingen en een hoofddoekje waarop dezelfde tint de toon aangaf, met een kokette knoop net boven haar vertederende nekhaartjes.

Anne Pépin was niet de enige die zich verveelde. Er gebeurde nooit iets op Gorée. Alleen het aan- en afvaren van de slavenschepen bepaalde er het levensritme. Eén of twee keer per maand verdreven de mannen de verveling met een jachtpartij op grof wild in het woud van Rufisque op het vasteland, ofwel speelden ze kaart en dronken brandewijn. Maar de vrouwen – wat moesten zij doen als ze geen kwezels waren die de godganse dag in de kerk zaten? Aan vrijers was er geen gebrek. Maar wie kan met vrijen zijn dagen vullen? Anne kwam zuchtend overeind en leunde over het balkon om een slaaf te roepen, want ze had trek in een verfrissing. Ze zag hoe Jean-Baptiste met tegenzin het hoofd oprichtte.

Het jaar voordien had Anne's broer, Nicolas Pépin, Jean-Baptiste meegebracht na een bezoek aan zijn vriend, de gouverneur van het fort Saint-Louis –eigenlijk een oorlogsschip aan de monding van de Senegal. De gouverneur had voor die slaaf veel geld neergeteld; het was een knappe kerel, van het hout waaruit men lakeien snijdt. Helaas leed Jean-Baptiste aan een vreemde neerslachtigheid waaruit hij alleen ontwaakte voor een nieuwe zelfmoordpoging. Nicolas, die van zijn vader een en ander had opgestoken, had zich het lot van die jongen aangetrokken. Hij had hem in het hospitaal van Gorée laten opnemen en hem weer op de been geholpen. Uit dit geval had hij zelfs de stof geput voor een vertoog, getiteld *Over zelfmoordneigingen bij negers uit het Kaapverdische kustgebied*, waarmee hij enige faam had verworven. Toen het Jean-Baptiste beter ging had zijn beschermheer de belangstelling voor hem verloren en hem aan zijn zuster geschonken, die op grotere voet leefde dan hij, want ze hield er niet minder dan achtenzestig slaven op na.

Als Jean-Baptiste met tegenzin opkeek, was het omdat hij de naam verfoeide die hem tijdens een doop in de kapel van het fort was opgedrongen, want zijn echte naam was Naba. Bovendien werd hij bij zijn geliefkoosde bezigheid, tuinieren, gestoord. Zonder zich te haasten ging hij twee slavinnen die op de met bougainvilleas begroeide patio stonden te kletsen, melden dat hun meesteres hen nodig had. Een van beiden schortte haar wijde plooirok op en snelde weg.

De Afrikaanse bevolking van Gorée bestond uit twee groepen. Aan de ene kant de huisslaven ten behoeve van de garnizoensofficieren, de signara's en het personeel dat op het eiland allerlei werkzaamheden verrichtte. Anderzijds het menselijk vee dat in de diverse slavendepots zat opeengestouwd. Die twee soorten slaven waren nauwelijks vergelijkbaar. De eersten waren gedoopt, droegen christelijke namen en liepen niet langer het risico te worden doorverkocht. De anderen, een massa naamloze stakkers, wachtten op hun verscheping naar Amerika. Voor de huisslaven was het mensonwaardige en wraakroepende lot van hun rasgenoten uit de depots een voortdurende bron van onrust. Ze gaven elkaar de afvaartdata en de grootte van de mensenlading door. Ze renden over de straatweg naar het strand voor de vesting om de schepen aan de horizon te zien verdwijnen. Tijdens het werk probeerden ze niets van hun emotie te laten blijken; schijnbaar onbewogen en gewillig volgden ze met neergeslagen ogen alle bevelen op: Ja, meester. Zeker, meesteres.

Naba nam de kalebas mee die hij op de patio was komen halen, en liep terug naar de tuin.

De tuin van Anne Pépin leek eindeloos. Zoals overal op het eiland was de grond er zanderig en schraal. Gelukkig was er tussen de tuin en de zee een put met niet al te brak water, en in z'n eentje had Naba vandaar uit een heus bevloeiingssysteem aangelegd. Door zijn goede zorgen konden sindsdien in de tuin alle door de zeevaarders meegebrachte sierplanten en eetbare vruchten gedijen. Hij kweekte er meloenen, aubergines, citroenen, sinaasappelen en kool. Naba praatte met zijn planten. Amper was de eerste kreukelige stengel met twee of drie onzekere, helgroene knoppen uitgesproten, of er schoten hem tijdens het besproeien woorden te binnen welke zijn moeder hem in zijn prilste kinderjaren had ingefluisterd, terwijl heel zijn jeugd in Ségou hem weer voor ogen kwam te staan. Hoe Nya hem tegen zich aan drukte en zong:

> *Sus, kindje, stil!*
> *Wie heeft je zo bang gemaakt?*
> *De hyena heeft je bang gemaakt.*
> *Ik breng mijn kind naar Koulikoro.*
> *In Koulikoro staan twee hutten;*
> *de derde is de keuken...*

Daarna stak ze hem drie keer in de hoogte naar waar de zon opkwam, en drie keer naar waar ze onderging. Nya! Telkens wanneer Naba aan zijn moeder dacht schoten zijn ogen vol tranen. Hoeveel verdriet moest zijn ongehoorzaamheid haar hebben berokkend! Had ze zijn verdwijning wel overleefd? Hij zag haar nog staan toen hij na de besnijdenisceremonie uit het gewijde bosje trad. Trots zong zij met de andere vrouwen mee:

> Er is iets nieuws geschied!
> Leg nu de oude gewoonten af
> En neem nieuwe aan!

Soms moest hij ook aan Tiékoro, zijn grote, geliefde broer, denken. Was zijn droom in vervulling gegaan? Was hij nu een geletterde? Verbleef hij nog in Tombouctou? Of was hij al naar Ségou teruggekeerd? Was hij gehuwd? Had hij reeds een zoon?

Voorzichtig legde Naba zijn tomaten in een brede kalebas. Wat was de tomaat toch een uitzonderlijke vrucht! Door haar bevrucht de god Faro de vrouwen. Zij draagt in zich de kiem van het embryo, want haar zaadjes zijn een veelvoud van het getal zeven – dat tweelingsbeginsel waaruit de mens voortkomt. In Ségou kweekte Nya tomaten vlak naast haar hut, op het veld van Faro, aan wie zij de geplette vruchten offerde in de hut met de huisaltaren. Als hij tomaten plukte zag Naba zich opnieuw naast zijn moeder staan en proefde hij haar geur en warmte.

Hij richtte zich op en bracht de kalebas naar de keuken waar de slavinnen weer aan het kletsen waren. Nu moest hij naar het park dat Dancourt, het hoofd van een handelscompagnie, enkele jaren geleden had laten aanleggen; hij mocht daar van Anne Pépin wat slecht betaald werk verrichten waarmee hij zich enkele bladeren tabak en wat brandewijn kon aanschaffen.

In de loop der jaren was Gorée sterk uitgebreid. Toen de Fransen het eiland veroverden op de Hollanders, die het op hun beurt de Portugezen afhandig hadden gemaakt, waren er alleen twee forten – eenvoudige stenen verdedigingsschansen van vierenveertig bij vierenveertig meter – met elk zeven of acht kanonnen en nog eens omwald met een gekanteelde vestingmuur van steen en verharde aarde. Ze waren bemand met een honderdtal soldaten, een twintigtal commiezen en arbeiders, en een catechist die 'de zieken vertroostte' en in het gebed voorging. Daarna vestigden de Fransen er de zetel van hun Compagnie du Sénégal, die de Westindische Compagnie opvolgde, en gaven absolute voorrang aan de slavenhandel die, hoewel hij de compagnies niet ten goede kwam, tal van particulieren verrijkte dank zij het vervalsen van maten en gewichten, kasboeken en aangiften van in- en uitvaart. Stukje bij beetje was Gorée met vastelandbewoners bevolkt. De reglementen van de Franse factorijen, die het gehuwde personeel verboden de echtgenote mee te brengen, hadden de betrekkingen met Afrikaanse vrouwen in de hand gewerkt en een gemengde bevolking doen ontstaan, die op haar beurt handel was gaan drijven en er een groot aantal huisslaven op nahield. Fraaie stenen woonhuizen rezen uit de grond, naast andere die nog houten terrassen en strooien daken hadden. Het eiland kreeg zelfs een ruim hospitaal en een kerk waarin de signara's elke zondag met hun toiletten konden pronken.

Om van het huis van zijn meesteres naar het park te gaan moest Naba het centrale slavendepot langs – een gebouw dat door de Hollanders was opgericht. Het was een ontzagwekkend stenen gevaarte dat binnen zijn muren, ettelijke duimen dik, elke hoop op ontsnapping moest verstikken. Een lage getraliede achterpoort, die op de zee uitzag, leidde rechtstreeks naar de schepen die hun mensenvracht kwamen inladen. Deze plek oefende op Naba een sinistere aantrekkingskracht uit. Zo veel wanhoop in zo'n kleine ruimte!

Bezoekers werden hier niet toegelaten. Maar op Gorée ging Naba door voor een halfgare. Daarom maakten de bewakers – met een geweer of een 'kat met zeven staarten' bewapende vrijgelatenen – voor hem een uitzondering. Met zijn zware schoudertas vol vruchten die hij uitdeelde aan vrouwen en kinderen en allen die aan hun wanhoop dreigden te bezwijken, was hij er een vertrouwde verschijning. Fluks besteeg hij de stenen trap die naar het depot leidde. Het had een paar dagen leeggestaan, maar vorige nacht had een schip er zijn lading gelost. Op de galerij patrouilleerde een van de bewakers, trots als een pauw op zijn geweer en de Hollandse pijp waaruit hij liep te roken.

'Alweer jij!' bromde hij Naba toe, waarna hij het zweet van zijn voorhoofd wiste met een fonkelnieuwe pondicherry zakdoek – een kostbaar statussymbool dat hij bij Europese handelaars had gekocht.

Naba keurde hem geen blik waardig en liep zonder meer het onheilspellende bouwwerk binnen.

'Lieve vriendin, dit is geen grapje. Het staat als een paal boven water dat de slavernij definitief zal worden afgeschaft!'

'Officieel, bij decreet. Maar metterdaad? Dat is wat anders. Slaven zullen er altijd nodig zijn.'

Anne en haar broer Nicolas hadden het fortuintje dat hun vader hen had nagelaten, op lijfrente gezet. Maar zoals alle burgerlui op Gorée leefden ze vooral van de handel in slaven en, in mindere mate, huiden en was die ze van het vasteland betrokken.

Isidore Duchâtel hield voet bij stuk. 'Geloof me, het is hoog tijd om naar een andere bron van inkomsten uit te kijken. Parijs heeft plannen om het Kaapverdische kustgebied in cultuur te brengen en er Egyptische katoen, indigo en zelfs aardappelen en olijfbomen aan te planten.'

'Dat zal aflopen zoals in Guyana,' lachte Anne honend, 'met een sisser!'

'In tegendeel.' Isidore schudde krachtig het hoofd. 'Guyana ligt aan de andere kant van de wereld. Kaapverdië is vlakbij!'

Hij liep naar het raam en wees naar de tuin met zijn fruitbomen en zijn veelkleurige bloembedden.

'Bedenk dat dit eiland waarop nu zo veel groeit en bloeit, onbewoond was en zo kaal als een luizeëi. Frankrijk overweegt landbouwkundigen naar Kaapverdië uit te sturen om er een proeftuin aan te leggen waarin ze met allerlei planten uit alle continenten zullen experimenteren. Een geweldig project!'

Anne Pépin bleef haar schouders ophalen. Gorée zonder slaven, kom nou! Gorée zonder handel – even onwaarschijnlijk als een hemel zonder sterren of zon. Ze bekeek Isidore ongeduldig. Hij was haar laatste minnaar in het rijtje, een van de weinige mannen die haar sinds het vertrek van de ridder enige afleiding hadden kunnen geven. Maar ze verdacht hem van ontrouw met enkele van haar huisslavinnen. De laatste dagen had ze hem nauwelijks gezien. Waarom? In plaats van dáár een verklaring voor te geven begon hij allerlei onzin uit te kramen.

'Is dit alles wat u mij te zeggen hebt?' vroeg ze geërgerd.

Isidore, wiens hoofd die dag kennelijk niet op vrijen stond, bleef maar doordrammen.

'Verkoop me Jean-Baptiste,' zei hij zonder overgang.

'Jean-Baptiste?' herhaalde zij, gepikeerd. 'Mijn tuinder?'

Isidore Duchâtel was een hoge officier, maar woonde in een huis dat een voormalige directeur van de Compagnie du Sénégal, François Le Juge, had toebehoord. In het fort verveelde hij zich. In tegenstelling tot de meeste andere officieren was hij een verstandig, erg ambitieus en bovendien nogal geestig man, die aan het garnizoensleven slecht kon wennen. Tegen de formele richtlijnen van de regering in bestreed hij het nietsdoen door zelf wat handel te drijven: goederen die op het eiland werden ingevoerd kocht hij op en verkocht ze met winst door. Ook wist hij aan slavenhalers met wie hij bekend was echte 'prachtexemplaren' te leveren. Nu

werd hij geobsedeerd door het plan om op het Kaapverdische schiereiland een plantage naar Antilliaans
model te beginnen. Op de Antillen kon je met suikerriet,
koffie en tabak fortuinen verdienen. Een ondernemende
tuinder als Naba kon hij dus best gebruiken. Met de
hulp van zo'n slaaf die, beter dan een blanke meester,
zijn rasgenoten tot landbouwexperimenten zou kunen
aanzetten, zou hij het ver kunnen schoppen. Isidore zag
zich reeds zijn landerijen inspecteren, toen Anne Pépin
hem brutaal ontnuchterde.

'Jean-Baptiste verkoop ik u nooit,' zei ze. 'Hij is gedoopt – of was u dat vergeten?'

'Trouw dan met mij,' stelde Isidore humeurig voor.
'Voeg uw bezit bij het mijne!'

Hij dacht natuurlijk aan een van die schijnhuwelijken
zonder juridische bindkracht, waartoe sommige Fransen signara's wisten te overreden – wat hen niet weerhield om alleen naar Frankrijk terug te keren zodra hun
ambtstermijn was verstreken. Meestal lieten ze de kinderen – vooral de jongens – overkomen om hen te laten
studeren. Soms kreeg de moeder wat onderhoudsgeld
en de beschikking over enkele goederen.

Anne ging niet op het voorstel in. Ze wrokte, en
Isidore besloot zich terug te trekken. Hij boog om de
hand te kussen die hem vluchtig werd toegestoken, en
nam uit de handen van een slavin zijn strooien hoed
in ontvangst.

Het mooiste woonhuis op Gorée was onbetwistbaar
dat van Caty Louet die het jaar voordien was overleden
nadat ze de gouverneur van Galam, Monsieur Aussenac,
drie kinderen had geschonken. Maar misschien was dat
van Anne origineler. De vlakke gevel met zijn driehoekig
tempelfronton torste een houten balkon onder een lage
veranda, die iets van een loggia had. Dank zij de zorgen
van Jean-Baptiste was dat alles onder een bloemenweel-
de bedolven waarvan je tot op straat de geuren opsnoof.
De woning telde ruim een dozijn vertrekken met plan-
kenvloeren van sierlijk inlegwerk, naar een mode die

uit Italië was overgewaaid en door inheemse handwerkslui perfect werd nagebootst. Beneden stonden er prachtige meubels: buikige commodes, tafels en stoelen met
kunstig uitgesneden poten. Sommige stukken waren ter
plaatse met zo veel vakkundigheid vervaardigd dat ook
zij niet van Franse originelen konden worden onderscheiden. Al dit fraais stond in de pronkvertrekken opgesteld; in de slaapkamers lagen er alleen matten, stapels
kleren – japons met hoepelrokken, gazen en tulen sjaals,
geruite hoofddoeken van Indiase katoen – en kalebassen
waar gouden en zilveren juwelen, parels en halssnoeren
van glaswerk uit puilden.

Anne Pépin zat nog wat te peinzen. Isidore's woorden
lieten haar niet onberoerd. Het Kaapverdische schiereiland behoorde aan de Leboe stam toe. Ridder de
Boufflers had er ook al van gedroomd daar weiden en
bloemperken aan te leggen, maar had het plan laten
varen. Enkele jaren geleden waren de Leboe in opstand
gekomen tegen de damel uit Cayor, aan wie ze tot dan
toe schatting moesten betalen; sindsdien hadden ze hun
nederzettingen militair versterkt. Hoe konden ze ertoe
gebracht worden hun gronden af te staan? Zonder hun
medewerking was elke poging tot kolonisatie gedoemd
te mislukken. En toch, ondanks al deze hinderpalen,
leek het project aantrekkelijk.

Anne Pépin rees moeizaam overeind. Het nietsdoen
en het lekkere eten maakten haar figuur wat zwaar. Had
Gorée geen toekomst meer? Zou de slavenhandel inderdaad verdwijnen? Wat moest er dan in de plaats
komen? Er was de Arabische gom, gewonnen uit het
hars van een kleine, doornachtige acaciasoort. Maar die
handel was sinds jaar en dag in handen van de Moren,
en bovendien lang niet zo winstgevend.

Ze liep langs de stenen trap naar de ruime patio die
overging in de tuin met uitzicht op de zee. Meisjes met
naakte borsten waren er gierst aan het fijnstampen. Andere deden de was; ze dompelden het linnengoed in
blauwselwater om het nog witter te maken. Een slavin

schoof een tarwebrood in een aarden oven, terwijl een zwerm kinderen om de restjes van een maaltijd vocht. Bij het zien van hun chagrijnige en prikkelbare meesteres verstomde het tumult. Tegen haar gewoonte in maakte Anne geen afkeurende opmerkingen. Ze liep door naar de tuin en staarde naar de planten die door Naba te voorschijn waren getoverd. Tot nog toe had zij daar nooit veel aandacht voor gehad. Ineens besefte ze dat dit het middel kon worden om haar fortuin te vergroten.

Ze zag meloenen en watermeloenen met hun rood, vlokkig vlees, peentjes en weelderige kolen, rijen sinaasappelbomen waarvan de zwaarbeladen takken doorbogen, en vooral tomaten, Naba's grote voorliefde.

Gorée had ongeveer dezelfde bodemgesteldheid als het Kaapverdische schiereiland. Wat hier tot bloei kwam zou ook op het vasteland gedijen. Wie weet had Isidore het bij het rechte eind en was dit de toekomst: plantages, zoals op de Antillen! Maar met welke arbeidskrachten? Zouden er niet altijd slaven nodig zijn?

Hoe dan ook, als er op het schiereiland grond was te krijgen, wou Anne er vlug bij zijn. Haar familie van moederskant, die ze uit het oog was verloren, woonde in de streek van Rufisque. Zo nodig zou ze de oude banden weer aanhalen.

Ze lijkt op een bloem! Deze gedachte flitste door Naba's geest, maar bij nader inzien hield ze geen steek. Al zijn handigheid en zijn stoutmoedige experimenten met kruisingen ten spijt, had hij nog nooit een zwarte bloem kunnen kweken. Alsof de natuur aan die kleur aanstoot nam.

En toch deed ze hem denken aan een bloem, broos vooroverneigend. Vrouwen werden niet vastgeketend, en op die smerige vloer behield zij haar mateloze bevalligheid. Binnen was het slavendepot weerzinwekkend. Vanaf de ingangspoort greep de stank je bij de keel – een stank van lijden, ziekten en doodsstrijd. Altijd

130

waren er mannen en vrouwen die obstinaat het walgelijke voedsel dat hun werd voorgezet weigerden, zodat er tussen de lichamen van de levenden soms lijken lagen, tot een bewaker dat opmerkte. Dan werd iedereen gegeseld, omdat de schuldigen niet bijtijds waren aangegeven. In de grote overwelfde en betegelde zaal waarvan de vloer met stro was bedekt, kon het daglicht slechts langs smalle betraliede ramen binnendringen. De mannen waren bij een enkel aan de muurschotten geketend, en van weerspannigen werden de handen achter hun rug geboeid. Ze werden alleen losgemaakt om te eten van de vloeibare, kleverige gierstebrij die hun tweemaal daags werd toebedeeld – zo slecht bereid dat ze er braakneigingen en buikloop van kregen. Dan raakten het braaksel en de uitwerpselen vermengd met het rottende stro waarin het reeds krioelde van de insekten. Als er een slavenschip aanmeerde moest iedereen haastje-repje opstaan. Emmers koud water werden dan, tegen het ongedierte, over hen uitgegoten. De mannen werden kaalgeschoren; hun lichaam werd met olie ingewreven om hun spieren goed uit te laten komen, en ze werden naar de volgende zaal gedreven, die als slavenmarkt diende. Daar maakten de slavenhalers hun keus.

Naba baande zich een weg door al deze in doffe wanhoop verwrongen lichamen en bleef staan naast een vrouw die net een kind ter wereld had gebracht, want bij het inschepen had niemand haar zwangerschap opgemerkt. Hij staarde naar het armzalige kluitje vlees dat zo'n gruwelijk lot was beschoren, schonk de moeder een vrucht en liep door naar de nieuwaangekomene. 'Spreek je Dioela?' vroeg hij terwijl hij naast haar knielde. Ten teken dat ze hem niet verstond haalde ze haar schouders op. Waar kwam ze vandaan? Uit Sine, Saloum, Cayor, zoals de meeste slaven die op Gorée belandden? Of uit zuidelijker gebieden: Alladah? Ouidah? Tegenover het meisje hurkte hij op zijn hielen neer. Tranen stroomden als glanzende linten over haar zwarte wangen. Te oordelen naar haar tengere lichaamsvormen en haar nauwelijks geprofileerde borstjes zoals knoppen van een zeldzame en kwetsbare plant, was ze niet ouder dan vijftien. Een plant! Een eindeloze vertedering maakte zich van Naba meester. Uit zijn rundleren schoudertas diepte hij een van de eerste sinaasappelen uit zijn tuin op. Hij schilde hem, bracht een partje naar zijn lippen en reikte het meisje een ander partje aan. Zij weigerde met een kleine hoofdschudding. Maar hij liet het daar niet bij.

'Naba,' herhaalde hij een paar keren terwijl hij naar zijn eigen borst wees.

Eén ogenblik bleef ze roerloos en afwezig; daarna rondden zich haar lippen, en ze fluisterde: 'Ayodélé.'

Tranen welden uit Naba's ogen. In weerwil van hun verschopping, over al wat hen scheidde heen, was het hun gelukt een brug te slaan. Ze hadden elkaar bij hun naam genoemd; ze hadden hun plaats in het menselijke geslacht weer ingenomen. Uit zijn schoudertas haalde hij nog een homp brood, blokjes suiker en de restjes van een gebraden kip te voorschijn en bood haar dat alles aan. Ook nu weigerde ze het aan te raken. Naba herinnerde zich de eerste dagen van zijn gevangenschap, toen ook hij alle voedsel afwees. Maar zij moest blijven leven! Zelfs al werd haar verdere leven er een van vernedering en slavernij. Hoe kon hij haar daarvan overtuigen? Ze spraken niet dezelfde taal. Toen kwam Nya's wiegeliedje in hem op, dat hij zijn planten toezong om hen met zijn genegenheid voor zich te winnen.

> Sus, kindje, stil!
> Wie heeft je zo bang gemaakt?
> De hyena heeft je bang gemaakt.
> Ik breng mijn kind naar Koulikoro.
> In Koulikoro...

Met grote ogen staarde ze hem aan alsof ze, stomverbaasd, de woorden van zijn lippen las. Hij wist dat er in de wereld waarin zij was geworpen geen plaats was voor medelijden, samen delen of menselijke gevoelens. Hij drukte haar tegen zich aan.

Naba had veel meisjes gekend. Toen hij nog met Tiéfolo optrok had hij ook op slavinnetjes jacht gemaakt. Daarna was er zijn ontvoering, zijn gevangenschap, zijn ziekte die hem volkomen lusteloos had gemaakt. Zijn planten hadden hem iets van zijn vroegere levenslust teruggegeven. Nu ontwaakten in hem gevoelens en gewaarwordingen die hij vergeten waande. Een voorouder moest hen beiden in dit slavendepot bijeen hebben gebracht. De dood was verslagen.

Een bewaker die een kat-met-negen-staarten bij zich had, kwam op hem af. 'Ga nu, Jean-Baptiste,' beval hij niet al te streng. 'Als dit de commandant ter ore komt krijgen wij allemaal straf. Je weet toch dat hier niemand binnen mag.'

'Is zij al verkocht?' vroeg Naba in plaats van te gehoorzamen.

De man haalde zijn schouders op. 'Voor zover ik weet, niet. Maar omdat ze nog zo jong is, zullen ze haar wel naar Brazilië of Cuba brengen.'

Naba rilde bij de gedachte aan die lijdensweg. Eenmaal gekocht en goed bevonden, zou ze op haar borst gebrandmerkt worden. En op een nacht, om rellen te voorkomen, zou het slavenschip zee kiezen. De mannen in het laadruim opeengepakt of met zweepslagen gedwongen om op het dek te dansen. De vrouwen verkracht door de matrozen. Zieken en stervenden overboord gegooid. Geweeklaag en gekerm, kreten van opstandigheid en angst. Tot zich aan de horizon het land van rouw en ballingschap zou aftekenen.

Hij greep het gekreukelde handje vast, met nagels die grijs zagen als oesterschelpen uit de Joliba-baai. Hadden ze elkaar in Ségou leren kennen, dan zou zijn vader de hare stofgoud, kauri's en vee hebben geschonken. Ze zouden samen de kolanoot hebben gedeeld. De lofdichters zouden met gulle spot hebben gezongen: 'Een man mag zijn vrouw zogezegd niet slaan. Maar

133

hij moet het ijzer smeden als het heet is – en erop slaan!'

Maar dat hadden de goden en de voorouders niet gewild. In plaats van een huis waarvan de muren ten teken van een nieuwe bloei met een verse laag kaolien waren bestreken, deze stinkende gevangenis. In plaats van het jubelend geroffel van de doenoemba, dit opstandige gegrom van slaven. In plaats van een hunkerend verlangen naar vereniging, dit wachten op de afvaart naar een onbekende bestemming. Goed dan maar, van deze hel zouden ze hun paradijs maken.

Tot voor kort zou de signara Anne Pépin zich over het verdwijnen van die onberekenbare Jean-Baptiste niet zo druk hebben gemaakt. Die halfgare jongen zou wel terugkomen. Maar nu had Isidore haar op zijn buitengewone kwaliteiten attent gemaakt. Waren die rijen sinaasappel-, citroen- en bananebomen achter haar huis de voorboden van een nieuwe, nog grotere rijkdom? Het leek haar nog waarschijnlijker sinds ze haar broer Nicolas daarover had uitgevraagd. Pas terug van een verblijf in Parijs, had ook hij haar de meest verbazingwekkende verhalen gedaan. Jazeker, Parijs had sinds de Revolutie van 1789 en de uitroeping van de Republiek met de zwarten te doen. Men ging er zowaar voor op de vuist. Aan de ene kant waren er de plantagebezitters van de Antillen en vooral van het eiland Hispaniola, die zich tegen de afschaffing van de slavernij verzetten. Die eis werd dan weer luid verkondigd door de Maatschappij van de Vrienden der Zwarten, en kreeg de steun van bepaalde politici die de Rechten van de Mens inriepen. Reken daarbij de druk van Engeland dat zich ineens als een natie van negrofielen had ontpopt! Jawel, men moest de feiten onder ogen zien en naar andere bronnen van inkomsten uitkijken dan die uit de handel in negers. In de koloniën zou de landbouw voortaan de voorrang krijgen.

Anne was niet de enige wie dit zorgen baarde. Het hele wereldje van de signara's was in rep en roer. Hoewel de handel officieel het monopolie was van de compagnies die elkaar op Gorée hadden afgelost, had dat tot nog toe niemand weerhouden om op eigen houtje zowat alles te versjacheren wat nooit de koninklijke opslagplaatsen had mogen verlaten. Maar wat als er geen negers meer mochten worden verkocht? De signara's maakten zich op voor de strijd. Dat waren ze gewend. Ze hadden moeten vechten om de bezittingen op te eisen die hun vaders hadden toebehoord. Ze herinnerden zich nog goed hoe een signara en de kinderen die ze had van een voormalig gouverneur, Monsieur Delacombe, op straat waren gezet en weggejaagd na diens vertrek naar Frankrijk. Moesten zij nu alles laten schieten en op het vasteland hun geluk beproeven? Daar onderhielden ze alleen contacten met de mulattenfamilies uit de streek van Joal.

Anne stuurde een slaaf naar het dorpje in het zuiden van het eiland, waar Jean-Baptiste, net als haar andere huisslaven, zijn hut had. Sinds acht dagen hadden ze hem daar niet meer teruggezien. Waar zat hij toch? Op de aanlegplaats lag een oorlogsschip dat de hele baai permanent bewaakte. Elke avond deed de wacht haar ronde, versterkt met hulptroepen die met geweren had-den leren omgaan. Vluchten was ondenkbaar. Trou-wens, waarom zou hij? Was hij niet zo goed als vrij? Werd hij soms niet goed behandeld?

Iemand suggereerde dat hij misschien weer een aan-val had gekregen en zich in de zee kon hebben geworpen, die vergeven was van de haaien. Dat leek Anne nog het aannemelijkst.

Een pikante bijzonderheid: de verdwijning van Jean-Baptiste leidde tot een breuk tussen Anne Pépin en Isidore Duchâtel. Deze laatste had een studie van Mi-chel Adanson gelezen – een natuurvorser die in het dorp Hann, op het Kaapverdische schiereiland, planten had vergaard en onderzoek verricht naar de landbouwkun-dige eigenschappen van de streek. Isidore had daarna het plan opgevat om er samen met zijn vriend Baudin

een plantage met fruitbomen van de Antillen en groen-
ten uit Europa op te zetten. Maar omdat Jean-Baptiste
hem voor de verwezenlijking van dit project onmisbaar
leek, was diens verdwijning zo'n streep door zijn rekening dat hij er Anne de schuld van gaf. Kort daarop
verliet hij Gorée en keerde terug naar zijn geboortestad
Bordeaux. Zijn vriend Baudin gaf de moed niet op en
knoopte onderhandelingen aan met een Leboe stamhoofd.

## 10

Misschien moet je je van kindsbeen af tegen het stranden van je ambities wapenen. Misschien moet je jezelf
voortdurend voorhouden dat het leven nooit wordt wat
het in je dromen was. Dat je nooit de geliefde vrouw,
de grote roem of de nagejaagde rijkdommen zult verwerven. Deze gedachten achtervolgden Tiékoro nu hij
zijn leven als een grote puinhoop zag. De wraak van
El-Hadj Baba Abou was niet uitgebleven: hij was van
de universiteit verwijderd. De imam had hem bij zich
geroepen om hem zijn uitstoting mee te delen. Wat
Tiékoro nog het hoogst zat was het misprijzen waarmee
dit gepaard ging. Hij begreep dat dit misprijzen niet
alleen hem gold, maar ook – wat tot nog toe enigszins
versluierd was gebleven – zijn volk en zijn cultuur. Men
wilde niet alleen een onberedeneerde daad afstraffen,
maar ook en vooral een Bambara die in deze gesloten
aristocratische wereld had willen binnendringen. Hij
wachtte nu al weken op het resultaat van de bemoeiingen
van Moulaye Abdallah's vader die hem aan een van
de universiteiten in Djenné wilde laten inschrijven opdat
hij daar zijn studies kon beëindigen.

In afwachting sleet hij zijn dagen in Siga's bescheiden
kamertje. Siga! Nu ontdekte Tiékoro de uitzonderlijke
goedhartigheid van deze broer die hij onbewust altijd
wat had geminacht en zo schaamteloos in de steek gelaten. Niet één verwijt, niet één spottende opmerking.
Alles werd eerlijk gedeeld: 's ochtends de gierstebrij,
's middags de schotel koeskoes, 's avonds de slaapmat.
Tiékoro spande zich in om alleen aan God te denken,
om zijn beproevingen te aanvaarden, om in zijn hart
de smeulende revolte te doven. Waar had hij deze wrede

straf mee verdiend? Waarom en voor wie moest hij boeten?

Na veel gepieker had hij voor deze kwade speling van het lot een verklaring gevonden: Nadié. Hij had een meisje van zijn eigen volk verkracht – want het ging wel degelijk om een verkrachting. In Ségou zou hij voor dat vergrijp door het familietribunaal streng zijn gestraft en had hij de ouders van het slachtoffer een zware boete moeten betalen. En hoe had hij gereageerd, hier? Hij was gevlucht.

De gedachte aan het slavinnetje liet hem niet meer los. Ten einde raad zocht hij opnieuw de Moorse kroeg op waar hij zich in geen maanden meer had vertoond. Alles was er bij het oude gebleven: een kraakzindelijke vloer, met matten bedekt; de geur van groene thee en gedroogde kamelenkeutels in het vuur. De stamgasten gingen nog steeds helemaal op in hun damspel. Al-Hassan nam hem sarcastisch op, alsof hij het doel van zijn bezoek al raadde. Maar Tiékoro liet zich niet uit het lood slaan.

'Al-Hassan,' zei hij, 'jij had toch een Bambara slavin?'

'Wie bedoel je?' vroeg de ander die zijn Hollandse pijp uit zijn mond nam. 'Nadié? Dat arme meisje is ziek...'

'Ziek?' Tiékoro was helemaal de kluts kwijt. 'Heb je haar weggestuurd?'

'Allah,' sprak Al-Hassan plechtig, 'wil niet dat wij onze dienstboden zo behandelen. Mijn vrouw bekommert zich om dat kind en verzorgt haar.'

Genoeg geveinsd! Niet zonder bewondering voor zijn eigen deemoedigheid begon Tiékoro alles op te biechten. 'Luister, ik heb een zware schuld tegenover dat meisje. Die wil ik goedmaken.'

Zoals vele Moren verborg Al-Hassan zijn materiële voorspoed achter een schijn van behoeftigheid. Zijn huis zag er bouwvallig uit: barsten in de muren, gapende bressen die met stro waren opgevuld, een binnenplaats vol oude troep en stapels wasgoed, vuilnis en hoofdzeerlijdertjes. Met enige moeite bereikte Tiékoro het ruime, verwaarloosde achterhuis met rafelige matten op de vloer, en weldra verscheen een dikke Moorse met een spierwitte huid onder haar blauwe sluiers. Zonder omwegen legde Tiékoro haar uit dat hij op zoek was naar een Bambara slavin die tot voor kort nog als dienstertje in de kroeg werkte. Hijzelf was ook een Bambara.

'Ben jij de vader van haar kind?' viel de vrouw hem in de rede, waarbij ze hem vorsend in de ogen keek.

'Wat zeg je?' vroeg Tiékoro geschokt.

De Moorse bleef hem even streng en enigszins misprijzend aanstaren. 'De stakker is nu drie maanden zwanger. Hoe ik ook aandring, over haar minnaar wil ze niets kwijt. Alleen smeekt ze dat ik haar kind zou adopteren om het de slavernij te besparen.'

Een ogenblik bleef Tiékoro stom, terwijl duizend gedachten door zijn hoofd dwarrelden. Eigenlijk wist hij zelf niet waarom hij Nadié kwam opzoeken, en evenmin wat hij moest doen als hij haar terugvond. Als hij de zaak nuchter bekeek, moest hij bekennen dat hij vooral op een nieuw slippertje uit was. Maar al gauw kreeg zijn farizeïsme weer de bovenhand, en hij maakte zich wijs dat hij het door hem aangerichte kwaad weer goed wilde maken. En kijk, opnieuw speelde het lot hem parten. In het drek van een plee, in een misselijk makende stank van uitwerpselen had hij een kind verwekt. Een kind dat hij nu hulp was verschuldigd, dat zich tot hem zou kunnen wenden, zoals hijzelf tot Dousika. Dat een oordeel over hem kon vellen. Dat hem zou misprijzen en haten.

Hij sloeg zijn ogen op naar de Moorse die op een kolanoot stond te kauwen. 'Mag ik haar even spreken?' stamelde hij.

De vrouw riep iets en een klein meisje kwam aanlopen en staarde nieuwsgierig naar de onbekende. Ze liep weer weg. Het duurde eindeloos vóór Nadié binnenkwam. De vorige keer had Tiékoro, in de roes van haar naaktheid en zijn zinnen, alleen haar lichaamsvormen gezien.

Nu droeg ze evenals haar meesteres een blauwe sluier, en merkte hij pas op hoe jong ze was – geen volmaakte schoonheid met haar lichtjes vooruitstekende tanden, die haar gelaat toch niet ontsierden, alsof er een vage verlegen glimlach om haar mond speelde. Zijn ogen werden vochtig.

'Vergeef me,' fluisterde hij.

'Je bent terug, fama,' antwoordde zij vol onderworpenheid. 'Dat is het enige wat telt.'

'En,' kwam de Moorse abrupt tussenbeide, 'wat ben je nu van zins?'

'Ik neem haar mee,' zei Tiékoro eenvoudig.

Terzelfder tijd realiseerde hij zich dat hij geen woning, geen inkomen, geen toekomst had. Was hij maar dood! Twee jaar geleden was hij uit Ségou weggegaan om lauweren te oogsten. Welke trofee zou hij meebrengen? Een vrouw van onaanzienlijke familie, van onbekende afkomst, door het leven getekend. Hij hoefde maar te denken aan de ingewikkelde geschenkenruil en het hele huwelijksceremonieel in zijn land om te beseffen dat Dousika hem een verbintenis met iemand als Nadié nooit zou vergeven. Zou hij haar niet meenemen als bijzit?

Nu zij de eerlijke bedoelingen van haar bezoeker kende, vergastte de Moorse hem op groene thee en praatte honderduit. Wat hij precies studeerde? Was hij niet afkomstig uit Ségou? Was hij dan een moslim? Zijzelf kwam uit Fes en vond de mentaliteit van de lui hier erg aanmatigend. Wat vond hij daarvan?

Tiékoro antwoordde niet eens. Hij zag zijn hele leven voor zijn geestesoog voorbijtrekken en begreep niet waarom alles en iedereen tegen hem samenspande. Hij was te diepgelovig om de gedachte aan een wraak van zijn voorouders, uit ergernis om zijn bekering, te laten opkomen. Toch lukte het hem niet die vrees helemaal van zich af te zetten. Kon hij maar een fetisjpriester raadplegen die hem daarover uitsluitsel zou geven! Maar in Tombouctou kende hij er geen.

Nadié had intussen haar hele hebben en houden in een bundeltje op haar hoofd geladen. Zonder een woord liep Tiékoro haar achterna.

Zwijgend stapten ze voort. Hij ging nu voorop; zij volgde, alsof haar weg vanouds zíjn voetspoor volgde.

Siga wist niet hoe hij het had toen hij zijn broer met Nadié zag terugkomen, maar liet daar niets van blijken. Hij pakte zijn inboedeltje en nam zijn intrek bij een vriend. Zo kreeg het stel een kamer voor zich alleen, in een huis vol huurders met hun verwanten, gasten op doorreis, huispersoneel en klaplopers. Niemand vond dat vreemd of stelde hun vragen. De eerste weken leefde Tiékoro in een oase van vrede en geluk. Het verbaasde hem niet dat men Nadié voor de harem van een Arabische prins had voorbestemd. Haar lichaam was verrukkelijk. Als hij het onder zich voelde moest Tiékoro aan die merrie van zijn vader denken – na de veldtocht tegen Guémou als krijgsbuit meegebracht – die hij zo vaak in de omheinde weide achter de familiehuizing had zien grazen. Een volbloed! Zwart, pittig en toch gedwee. Hij kon haar niet genoeg berijden.

'Nee, niet bij volle dag,* kokè,' protesteerde zij soms zwak. Maar hij haalde zijn schouders op en kreeg zijn zin.

Over zijn eigen drijfveren maakte hij zich geen illusies. Met deze zinnelijke uitspattingen nam hij weerwraak op de ontluistering van zijn dromen. Nooit zou hij het tot doctor in de theologie en de Arabische taalkunde brengen en als een gevierde autoriteit met collega's uit Marrakech, Tunis en Egypte corresponderen en geleerde exegesen over de hadiths schrijven. Maar kon het paradijs hem meer schenken dan Nadié's lichaam? De goden die met hem de spot meenden te drijven, hadden hem niets mooiers kunnen aanbieden!

*De traditie verbiedt overdag de liefde te bedrijven, op straffe van het verwekken van een albino.

Vreemd genoeg vroeg hij zich niet af wie Nadié was, uit welke familie ze stamde, wat haar leven was geweest vóór die noodlottige dag waarop hij haar, vlak bij de plee, voor het eerst had gezien. Was hij bang te moeten ontdekken dat haar afkomst voor de zijne niet onderdeed? Hij moest haar kunnen minachten om zijn zelfverachting ten top te voeren. Zij was het symbool van zijn falen. Dat ze met Siga zo goed kon opschieten was hem een doorn in het oog. Het was nochtans een doodgewone zaak dat een vrouw vertrouwelijk omging met haar zwager en met hem babbeltjes en grapjes maakte. Maar Nadié was zijn echtgenote niet. Als Siga haar als dusdanig behandelde was het om hém een bepaalde gedragslijn voor te schrijven. Om zich daar bij neer te leggen was Tiékoro te trots.

Op een keer na het avondeten, terwijl Nadié op de binnenplaats een thee van bittere kinkeliba-bladeren aan het zetten was, hield hij het niet meer uit.

'Spreek!' voer hij opeens uit tegen zijn broer. 'Wat loop jij de hele tijd te insinueren?'

'Ik?' zei Siga nadat hij eerst zorgvuldig zijn tanden had schoongemaakt. 'Souroukou ziet het verschil tussen een dorp dat bewoond en een dat vervallen is.'

Dit onbeschofte antwoord maakte Tiékoro razend. 'Is het soms,' schreeuwde hij, 'omdat ik voor het ogenblik van jou afhankelijk ben dat jij je met míjn leven wilt bemoeien?'

Siga keek hem recht in zijn ogen, en weer raakte Tiékoro van zijn stuk door de opvallende gelijkenis met Dousika – alsof hij tegenover zijn vader stond.

'Zij komt uit Gouméné,' zei Siga. 'Tondyons uit Ségou hebben haar dorp platgebrand, haar familie meegesleept en haar verkocht nadat ze de buit onder elkaar hadden verdeeld.'

Na deze woorden liep hij weg.

Tiékoro verroerde zich niet. Heel die bloedige geschiedenis van Ségou dat steeds opnieuw oorlog voerde tegen de Bambara uit Kaärta, tegen de Soninké, tegen de Peul, was hem welbekend. Was híj daarvoor aansprakelijk? Moest híj die misdaden weer goedmaken?

Nadié kwam binnen. Haar buik begon reeds te zwellen onder haar paan, en voor het eerst werd Tiékoro zich ten volle bewust van het kind dat op komst was. Een kind is altijd een grote vreugde, en toch voelde Tiékoro zich niet blij. Meer nog dan de moeder zou dit kind het zichtbaar teken van zijn falen zijn. In zijn land werd een eerstgeborene gevierd met runderbloed, liederen van lofdichters, reidansen van de vrouwen. Hier wachtte zijn kind een armzalig logement voor vreemdelingen in een vreemde stad. Geen zorgzame gezichten zouden zich over het nieuwe leven buigen om het een toekomst vol kracht en levenslust te voorspellen. Gods straf zou volgen op de zonde van liefdeloze verwekking.

'Wat heb je het liefst?' vroeg hij Nadié in een plotselinge opwelling van mededogen, bijna met tederheid. 'Wil je bij mij thuis bevallen? Bij mijn moeder?'

'Ik doe wat jij verlangt,' mompelde ze met neergeslagen ogen. 'Als...'

'Als wat?' vroeg hij ongeduldig.

'Als ik maar bij jou mag blijven...'

Het klonk bijna onhoorbaar. Toen verzamelde ze al haar moed en keek hem voor één keer in de ogen.

'Bij mij thuis,' sprak ze, 'in Gouméné, heb ik van mijn moeder veel geleerd. Ik kan de fijnste en de witste draad spinnen.'

'Spinnen!' riep Tiékoro vol afschuw. 'Maar dat is slavenwerk!'

'Ben ik soms geen slavin?' zei ze met een flauwe glimlach. 'In Tomboectou,' vervolgde ze zonder hem de tijd te gunnen voor een opwerping, 'komt bijna alle gesponnen draad uit Djenné; daarom is hij zo duur. Als ik met een paar wevers een overeenkomst sluit, kan ik met mijn werk heel wat kauri's verdienen. Dat zou een hulp zijn voor Siga, die het zelf niet zo breed heeft.'

Het voorstel leek Tiékoro beschamend. Hij had vaak

143

met de gedachte rondgelopen om zelf werk te zoeken. Maar wat voor werk? Op het koranonderricht of een administratieve baan na leek elke arbeid hem vernederend. Hij was een edelman! Als hij in Ségou was gebleven, zou de enige arbeid die met zijn status overeenkwam de landbouw zijn geweest–en aangezien hij daarvoor slaven had, zou hij zijn dagen in ledigheid hebben doorgebracht.

Op haar manier gaf Nadié hem een les in levensmoed. Hij antwoordde niet. Zij zag daarin een stilzwijgende instemming.

'Ik kan ook stoffen verven,' ging ze door. 'Als klein meisje zag ik hoe mijn moeders slavinnen indigo bereidden: ze stampten de bladeren fijn en mengden ze met houtskool van de wilde apebroodboom; daarna groeven ze kuilen in de grond, die ze met water vulden...'

Bij deze woorden hoorden ze een gestommel op de binnenplaats. Een man steeg van zijn paard en vroeg of men het dier naar de stal wilde brengen. Tiékoro herkende zijn stem. Moulaye Abdallah, eindelijk!

Hij stormde de kamer uit. Moulaye Abdallah hield zijn paard nog bij de teugels; zijn schoudermantel zag wit van het woestijnstof. Hij leek uitgeput, maar zag er blij uit.

'Allah is met ons, sellee!' riep hij uit. 'Mijn vader heeft een van zijn vrienden kunnen overreden: Baba Iaro, een maraboet uit Kobassa in Pondori, die veel relaties heeft in de streek van Djenné. Jij wordt er tot de universiteit toegelaten!'

Midden op de binnenplaats viel Tiékoro op zijn knieen. Zijn zondige hart had aan de grote goedheid van de Schepper getwijfeld, en toch werd hij verhoord!

Hij had geen oren naar Moulaye Abdallah's raadgevingen. 'Wees voorzichtig, want Djenné is nog gevaarlijker dan Tombouctou. Es Saadi heeft geschreven: "De bewoners van Djenné zijn van nature op iedereen jaloers. Wie er een gunst of voorrecht geniet, stuit op een muur van nijd."'

'Heer,' bad Tiékoro luid, 'genees mijn ontredderde ziel! Dwing me tot de trouw van het dier dat ik misprijzend hond noem. Geef me de kracht om me te beheersen en mijn leven te richten naar Uw wil!'

Als de podo onderloopt, verspreiden zich grote scholen vissen die zich vraatzuchtig op de jonge, malse gewassen storten en soms hele rijstvelden verwoesten. In de wirwar van burgu-stengeltjes verschuilen ze zich voor de kaaimannen en de grote roofvissen. De naam *podo* voor de centrale Joliba-delta waarvan Djenné het uiterste zuidpunt vormt, stamt van de Bozo vissers, de oorspronkelijke bewoners van de streek. Het landschap ziet er nu eens als een onmetelijke steppe vol burgu-stoppelvelden uit waarop de Peul hun kudden laten grazen, dan weer als één eindeloos verdronken land waar her en der nog wat zandbanken boven uitsteken.

Toen Tiékoro en Nadié in Djenné aankwamen stond de podo onder water. Het was in het winterseizoen; ze rilden van de vochtigheid en van een vage beklemming. Hoe Tiékoro zichzelf ook voorhield dat ze zich in dit gebied met zijn uitgebreide Bambara kolonie gauw thuis zouden voelen, toch was hij niet op zijn gemak. Vanuit Tombouctou hadden ze in Kabara een prauw genomen en waren stroomopwaarts gevaren. Ze hadden ook met een van de grotere boten kunnen reizen, die wel tweehonderd passagiers konden meenemen. Maar die waren minder veilig en kapseisden soms op een beruchte plek, de Mimsikayna-yendi. Het had Siga een klein fortuin – meer dan tweeduizend kauri's – gekost om een 'genaaide' prauw te laten maken die volkomen waterdicht was. De reis had weken geduurd.

De prauwbestuurder en zijn schriele scheepsmaatje hadden achterop een soort tent van runderhuiden gemaakt waaronder Tiékoro en Nadié aten, sliepen en de liefde bedreven. Om hen heen was niets dan de met licht overgoten rivier en haar gevolg van zilverreigers en melancholisch ogende waadvogels. Vóór hen een steeds smallere vaargeul tussen naar elkaar toe groei-ende oevers–ginds waar het Debo-meer, dat wemelde van de kaaimannen en de lange zwart-en-witgestreepte waterslangen, zich in de rivier stortte. Voor Tiékoro had deze reis eeuwig mogen duren. 's Ochtends raakte hij niet uitgekeken op de vogels die naar het kwelderland vlogen. 's Avonds staarde hij naar het rijzen van een scharlaken maan die zich van lieverlee in een blauwe sluier hulde. Tijdens heldere nachten gingen hij en de prauwbestuurder met de werpspies vissen op de voor-steven. Was het een donkere nacht, dan staken ze een vuur aan en lokten zo de karpers, de kapiteinsvissen en de bitter smakende hyenavissen, de vuilophalers van de rivier. Een enkele keer kliefde een paardekop met zijn nekmanen de stroom.

In elk dorpje legden ze even aan om er hun vangst tegen landvruchten te ruilen. Dit was voor Tiékoro een gedroomde levenswijze. Op slag vond hij al zijn ambities zinloos. De tijd stond stil. Wat ging hij in Djenné toch zoeken? Waarom bouwde hij zich niet, als een Bozo visser, op de oever een rieten hut? Nadié zou de vis opensnijden, schoonmaken en te drogen leggen. En ze zou hem kinderen schenken.

In Komoguel, een eilandje aan de samenvloeiing van de Bani en de Joliba, brachten ze twee nachten door. Ze lieten er de prauw, die wat lekte, breeuwen met werk dat met apebroodmeel en galamboter was ingesmeerd. Daarna reisden ze verder. Nu zagen ze langs de rivier Peul nomadenkampen, herkenbaar aan hun halve-bol-vormige strooien stulpen met in het midden de hut van de dyoro. Moulaye Abdallah had Tiékoro gesproken over de bedreiging die in het gebied om Djenné van de Peul uitging. Een obscure maraboet, Amadou Ha-madi Boubou uit Fittouga, hitste zijn stambroeders op en gaf de nieuwe ardo van Macina heel wat kopzorgen. Hoewel hij nog niet naar de wapens had gegrepen, had hij het voortdurend over de noodzaak van een nieuwe jihad om alle fetisjisten te verslaan. Tegenover de idee van een jihad stond Tiékoro niet helemaal afwijzend. Alleen vroeg hij zich af of er achter dat religieuze ideaal geen andere beweegredenen van lager allooi schuilgingen: honger naar aardse macht en stoffelijke rijkdommen, oude stamvetes. Al had hij nog niet al het goede dat de islam met zich meebracht ontdekt, de onbuigzaamheid en het aanmatigende optreden van de nieuwe godsdienst waren hem bekend.

Aan Ayisha probeerde hij niet meer te denken. Hij voelde dat zijn liefde voor haar – en, via haar, voor een beschaving die hem onweerstaanbaar aantrok – nog lang niet was uitgedoofd. Eén vonkje kon hem, zoals de savanne in het droge seizoen, opnieuw vlam laten vatten. Als hij terugdacht aan haar die hij niet had kunnen veroveren, dreigde een uitzichtloze wanhoop zich van hem meester te maken. En welke zonde is voor Allah onvergeeflijker dan de wanhoop? Zijn enige toevlucht bleef Nadié's lichaam.

Op de prauw, die zo weinig bewegingsruimte bood, leerde hij haar beter kennen. Gedwee was ze, maar niet lijdzaam – in tegendeel: op een onopvallende wijze nam ze allerlei initiatieven. Ze was erin geslaagd een soort kookhoek in te richten waar ze dègè bereidde en de riviervis in koeboter bakte. Werd er ergens aangemeerd, dan mengde ze zich onder de vrouwen en begon duchtig het vuil goed te wassen. Daarna nam ze een bad ergens aan een inham, beschut door het hoog opgeschoten soloriet. Tot grote ontsteltenis van de dorpsvrouwen dook Tiékoro haar dan achterna, goot handen vol water over haar schouderbladen en zeepte speels haar haar in, dat ze nu in zes vlechten droeg.* Op een keer kon hij zich niet meer bedwingen en toen zij uit het water kwam paarde hij met haar. Gealarmeerd kwam de grondbezitter genoegdoening eisen. Omdat ze hem niets konden bieden moesten ze in allerijl, onder een stroom van

*Haardracht van een getrouwde vrouw, in tegenstelling tot een maagd.

verwensingen, naar hun prauw terugrennen. Nadié zat er nog dagenlang over te tobben. Maar Tiékoro lachte haar uit.

In zijn binnenste bleef hij zich vragen stellen. Hoe moest dit nu verder met deze vrouw die hij, evenmin als het bloed in zijn aderen, kon missen? De van klassevooroordelen doordrongen Moulaye Abdallah was formeel: 'Sellee, je mag haar niet huwen! Maak haar tot je bijzit of je meid.'

Was dat billijk?

Bij hun aankomst zagen ze Djenné als een eiland boven de podo uitrijzen. Om haar muren stonden dichte bosjes mahoniebomen, zodat de stad met een dubbele singel van water en geboomte leek te zijn omgord. Terwijl Tombouctou's ster daalde, was Djenné op het hoogtepunt van zijn roem. Deze 'koningin van de woestijn' was vrolijker, levendiger, en in haar straten vond Tiékoro de drukte van Ségou terug. Ze waren op weg naar de beroemde moskee toen hij merkte hoe moe Nadié was; gezien haar toestand was het verstandiger zich naar het huis van Baba Iaro, de vriend van Moulaye Abdallah's vader, te begeven. Hij sprak een voorbijganger aan.

'Weet jij waar moqaddem Baba Iaro woont?' vroeg hij na de gebruikelijke groet.

'Ben jij geen Bambara?' riep de man uit.

Dat hij herkend en in zijn eigen taal werd aangesproken, beurde Tiékoro op. Maar de informatie die hij kreeg was niet erg geruststellend. Djenné haatte de Bambara, hoewel de mansa van Ségou in de zuidelijke podo een residentie bezat. Dat kwam door de islam die zich als een bosbrand uitbreidde. Langzamerhand waren de Peul in heel de streek de macht aan het overnemen. Die vagebonden die altijd achter hun kudden aanliepen en in schuilhutten onder een dak van bladeren kropen, meenden zowaar dat zij voor Allah ten strijde moesten trekken! Tiékoro spitste zijn oren. Hij zou nog heel wat vragen hebben gesteld, maar omdat Nadié sinds

148

de vorige avond wat koorts had moesten ze dringend een onderkomen zien te vinden.

Baba Iaro woonde in de buurt van de grote moskee waarvan Tiékoro de minaretten kon zien. De typische bouwstijl van zijn huis stamde van de Marokkanen die Djenné een paar eeuwen geleden, ongeveer tegelijk met Tombouctou, hadden veroverd. Het samenstel van parallellepipeda had een bovenverdieping en slechts één toegangsdeur met trapezevormige oplegsels eromheen; verder waren er in de vlakke voorgevel drie getraliede ramen. De imposante deur was met ijzerbeslag bedekt. Tiékoro greep al naar de klopper toen hij aan het onthaal dacht dat hem twee jaar geleden bij El-Hadj Baba Abou te beurt was gevallen, en bijna op zijn passen terugkeerde. Ach, alleen in Ségou wist men wat gastvrijheid was! Maar waar moest hij heen met een vrouw die doodop was en bijkans in barensnood? Zijn hand liet de deurklopper vallen.

In Tombouctou was Siga alleen achtergebleven.

Hij had met deze stad een andere relatie dan zijn broer. Onder haar vlottende bevolking van slaven, zwervers en armoezaaiers had hij meteen zijn plaats ingenomen en zich de solidariteit tussen haar marginalen tot nut gemaakt. Echt gelukkig voelde hij zich niet, maar eenzaam was hij nooit. Hij had een twaalftal vrienden onder de ezeldrijvers van Kabara, en evenveel kameraden die bij de kooplui een baantje hadden. Met vrouwen was hij niet kieskeurig; hij kwam aan zijn trekken met een straatmadeliefje, ofwel met een Moorse of een Toeareg die van de afwezigheid van haar jaloerse echtgenoot profiteerde om voor hem haar warme dijen open te spreiden. Maar door Nadié was hij gaan verlangen naar een levensgezellin. Hij werd het beu naar de pijpen van Abdallah's dienstmeisjes te moeten dansen, te moeten dokken voor hun magere diensten, in een bui van kwaad humeur of lusteloosheid te worden afgewezen.

Het werk bood afleiding. Sinds enige tijd had Abdallah hem met de verantwoordelijkheid voor zijn zout-handel belast. Tweemaal per maand ging hij in Teghaza of Taoudenni een karavaan laden met zoutbriketten die hij stevig aan elkaar liet sjorren om te voorkomen dat ze zouden breken of beschadigd raken. Dan stond hij aan het hoofd van een legertje slaven die op elke baal kruisen, strepen of ruiten aanbrachten om de koop te bezegelen. Terug in Tombouctou, verkocht hij de vracht aan handelaars uit Marokko, de Levant of zelfs de Mid-den-Maghreb. Het was hard werken, maar hij was er dol op. Het toezicht op de slaven en het marchanderen gaf hem een gevoel, zo niet van macht, dan toch van onmisbaarheid. Hij maakte deel uit van een groot ge-heel, van een immens ruil- en communicatienet dat zich over de hele wereld uitstrekte. Intussen weerde hij zorg-vuldig elke islamitische invloed. Zijn relaties met Koun-ta-makelaars beperkten zich tot zakendoen, samen een kopje groene thee drinken en een grapje. Hij was en bleef een fetisjist, hoezeer zij die hem Ahmed noemden dat ook mochten betreuren!

Op een avond, toen hij pas terug was uit Taoudenni, liet Abdallah hem door een dienstmeisje bij zich roepen.

'Ga zitten, Ahmed,' sprak zijn baas. 'Jij weet van aanpakken!'

Met een glimlachje dat van alles kon beduiden liet Siga zich door een slavin een aarden schaal boordevol thee aanreiken.

'Je weet,' vervolgde Abdallah na een poosje, 'dat ik ook met mijn familie uit Fes zaken doe. Welnu, ik heb goede redenen om aan hun eerlijkheid te twijfelen. Ze zijn me veel geld schuldig, en op mijn herhaalde som-maties krijg ik geen antwoord. Ik heb besloten jou daar-heen te sturen om dat zaakje op te helderen.'

'Mij?'

'Jawel, jou. Als ik je zo bezig zie,' zei Abdallah terwijl hij naar de vloer staarde, 'vestig ik mijn hoop op jou, Ahmed. Je weet dat Allah – Zijn wil geschiede – mij mijn kinderen heeft ontnomen. Zodoende liet Hij me vrij om zelf mijn kinderen te kiezen. Ga naar Fes, zorg dat mijn debiteuren me betalen en wacht op mijn instructies.'

Welke jongen van achttien zou niet jubelen bij het vooruitzicht van zo'n reis? Wie ziet zich niet als een veroveraar de onbekende stad binnengaan om al haar rijkdommen en haar vrouwen in de wacht te slepen? Siga was in de wolken. En tegelijk was hij ook wat bang. Nu was hij beter gewapend dan toen hij twee jaar geleden Ségou verliet. Hij had mensenkennis opgedaan. Hij sprak twee talen: de zijne en Arabisch. Maar had hij voldoende ervaring? Toch dacht hij er geen ogenblik aan het aanbod van zijn werkgever te weigeren. Dit was voor hem – zoon van een slavin, zoon van de vrouw-die-in-de-waterput-was-gesprongen – een nieuwe uitdaging.

'Hoe reis ik daarnaar toe?' vroeg hij op de man af.

Abdallah nam een slok thee.

'Alles is klaar. Na de debiha sta je onder de bescherming van mijn vriend Moulaye Ismaël. Onder zijn gewapend geleide reis je naar Taoudenni, vandaar naar Teghaza en vervolgens naar Touat, een vruchtbare streek vol gerstvelden en waterbronnen. Je zult er gazellen en struisvogels zien. Wat een avontuur voor een jongen van jouw leeftijd!'

## 11

Met driehonderd slaven aan boord zette de Lusitania
koers naar Pernambuco. Het schip had reeds van zijn
gewone vaarroute moeten afwijken toen het tot overmaat van ramp, nadat het in São João de Ajuda niet
had kunnen volladen, naar Gorée terug moest varen – wat de kosten nog hoger opdreef. Met al die Engelse, Deense, Franse en Hollandse kustvaarders die
met vaatjes brandewijn, kruit en geweren naar de gunst
van de Afrikaanse koningen dongen, was de concur-
rentie ondraaglijk geworden. De Engelsen en de Denen
boden prijzen waar een gewone koopvaarder niet te-
genop kon. De neger werd zo duur dat de klad erin
kwam. Nu reeds was het laadruim van de Lusitania,
dat wel zeshonderd mannen en vrouwen kon bevatten,
half leeg.

En toch was kapitein Fereira niet ontevreden over
zijn lading. Niet één slaaf van boven de twintig, en zelfs
een heleboel kinderen! Het was bijna tijd om dat hele
zootje voor de grote wasbeurt met zeewater aan dek
te laten komen. Als goede Portugees – en in tegenstelling
met die smerige Fransen en Engelsen – ketende Fereira
zijn slaven niet en zorgde hij voor zindelijke slaapmatten. Waarom tijdens de overtocht mannen en vrouwen
zien sterven die hij zo duur had betaald?

In de twintig jaar dat Fereira nu reeds op de vaart
was, had hij alle forten vanaf Arguim leren kennen:
Saint-Louis, James Island, Cacheu, Assinie, Dixcove,
Elmina, Anomabu. Na zo veel jaren was hij in dit trieste
vak gehard. Het klaaglijke gehuil van pijn en opstandigheid wanneer het schip de Afrikaanse kust voorgoed
achter zich liet, hoorde hij zelfs niet meer. Hij stopte

zijn pijp en keek achterom. Je zag nog goed de scherp afgetekende jungle, zo donkergroen dat die bijna zwart leek. De zon was nog maar net opgekomen, en toch was ze reeds bloeddronken als het oog van een geile, bezopen cycloop. Fereira, die erg godvruchtig was, sloeg zijn gebedenboek open. Als hij – wat niet vaak voorkwam – aan land was, ging hij 's zondags altijd te communie, en hij laadde nooit slaven zonder hen eerst door een missionaris te laten dopen.

Terwijl hij zijn gebeden beëindigde zag hij een negerpaar uit het luikgat kruipen. De jongen herkende hij onmiddellijk: het was die dolleman die stiekem aan boord was geraakt. Een dolleman was hij eigenlijk niet. Het was een opvallend goedgebouwde jongen van zestien of zeventien, met knappe, gevoelige gelaatstrekken. Naar het schijnt was het een Bambara. Fereira was alleen vertrouwd met de Kongolezen, Gabinda en Angolezen waarmee hij zijn schip in het fort van São Tomé bevoorraadde, en sinds kort ook met de Mina en Ardra die hij in São João de Ajuda inscheepte. Hoe was die kerel aan boord geklommen? De lage 'poort-van-dedood' die van het centrale slavendepot op Gorée naar de schepen leidde, werd dag en nacht door soldaten en gewapende matrozen bewaakt. Alleen vooraf gebrandmerkte en stevig geboeide slaven werden via deze poort naar de schepen gedreven. Die kerel had dus medeplichtigen. Maar dat was niet de kern van de zaak. Wat had die jongen ertoe bewogen om zich als vrachtgoed te laten inladen, om zich uit vrije wil te melden voor deze afschuwelijke overtocht? Was hij krankzinnig?

Nadat de matrozen hem hadden ontdekt en voor de kapitein gesleept, hadden ze eraan gedacht hem overboord te smijten. Dit moest een oproerkraaier zijn die een van die slavenmuiterijen – dé grote angst van elke vrachtvaarder – wilde uitlokken. Maar met een uitzonderlijke waardigheid had de verstekeling hun een kruis getoond. Hij was dus gedoopt? Een kind Gods kon men niet zomaar ter dood brengen, zodat Fereira had besloten zijn aanwezigheid te dulden. Eerst had hij hem nog de toegang tot het benedenruim waar de vrouwen zaten opgesloten willen verbieden, want hij wou er geen janboel van laten maken. Maar dat was onbegonnen werk. Met diezelfde rustige zelfverzekerdheid wilde die kerel een jong Nago meisje, dat Fereira op Gorée had aangeschaft, onder zijn hoede nemen. Ach wat! In Pernambuco zou hij wel met zijn neus op de feiten worden gedrukt. De plantagebezitters spaarden dit soort gevoeligheidjes niet. Een van hen zou die knaap kopen en hem in de hel van de koffie- en suikerrietteelt aan het werk zetten. En met haar leuke snoetje en haar jeugdige leeftijd zou het meisje spoedig ergens als maîtresse des huizes dienen en een hoop mulatjes ter wereld brengen. Zelf had Fereira er ook twee of drie van een Mina negerin

Intussen stonden die twee maar naar de zee te turen. Zolang de zee bestaat kan een mens zich niet helemaal ongelukkig of verlaten voelen. Zee, eindeloze blauwe vlek op het lichaam van de aarde! Wrang zijn je wateren, maar zoet de vruchten van je; schoot. Zo machtig ben jij dat de mens, begerig naar goud, kauri's, koffie, katoen of ivoor, je nooit heeft kunnen temmen. Hij jaagt op zijn houten paarden over je heen. Maar nauwelijks ontsteek jij in woede, met je torenhoge golven, of hij is opnieuw een bang klein kind.

# Deel II

# De wind verspreidt de gierstkorrels

# I

Toen Malobali tien was gooide hij eens een van zijn speelkameraadjes tegen de grond en trommelde erop los.

'Smerige Peul!' schold het jongetje.

Malobali rende naar Nya's hut.

'Ba, Diémogo scheldt me uit voor Peul. Waarom?'

Nya keek heel ernstig. 'Je bent vuil en je zweet,' zei ze. 'Ga een bad nemen, en kom dan terug.'

Malobali liep naar de badhut voor de kinderen en riep luidkeels om een slavin die hem kalebassen warm water moest komen brengen. Het was een onbehouwen en twistzieke knaap die om zijn schoonheid door iedereen werd verwend. Hij viel op onder de andere kinderen en kreeg voortdurend complimentjes. Zijn moeder verafgoodde hem. Zijn willetje was wet.

Hij nam een bad, smeerde zijn lichaam met galamboter in, trok de pofbroek aan die hij sinds zijn besnijdenis droeg, en liep terug naar de hut van Nya. Zij had haar boterlamp aangestoken en de schaduwen speelden tegen de wanden. Zij wenkte dat hij op de mat moest gaan zitten. Maar hij vlijde zich tegen haar aan.

'Jij niet, maar je moeder was een Peul,' fluisterde ze hem toe.

'Mijn moeder?' vroeg hij onthutst. 'Ben jíj mijn moeder niet?'

Nya drukte hem nog dichter tegen zich aan. Ze was al lang beducht voor deze dag, maar wist dat hij vroeg of laat zou aanbreken.

'Ik bén je moeder omdat ik de vrouw van je vader ben en van je houd. Maar toch heb ík je niet in mijn schoot gedragen...'

Omzichtig sprak ze hem over Sira. Hoe ze was geroofd en Dousika's bijzit werd.

'Op een avond kwam ze mijn hut binnen. Ze hield jou bij de hand en op haar rug droeg ze je kleine zusje. "Ik ga weg," zei ze, "maar mijn zoon vertrouw ik jou toe."'

Malobali sprong op. 'Waarom heeft ze mij dan niet meegenomen?'

'Omdat,' sprak Nya terwijl ze hem op zijn voorhoofd zoende, 'jongetjes van hun vader zijn. Jij hoort bij de clan der Traorés.'

'Waarom is ze dan weggegaan?' snikte Malobali. 'Waarom?'

Nya zuchtte. Zou het kind dit begrijpen? Ze zocht naar de eenvoudigste woorden.

'Kijk eens, lange tijd hebben de Peul aan onze zijde geleefd zonder dat we hun veel aandacht schonken. Soms misprezen we hen zelfs omdat zij geen steden bouwden en de grond niet bewerkten. Zij zwierven rond met hun kudden. Maar op een keer is dat veranderd. Ze sloten zich aaneen en verklaarden ons de oorlog. En dat alles omwille van de islam. De islam is het mes dat ons verdeelt. Hij heeft mij mijn eerstgeborene ontnomen.'

'En heb je van mijn moeder nog iets gehoord?' viel Malobali, wie de islam en zijn ravages gestolen konden worden, haar in de rede.

'Jawel,' sprak Nya met gebogen hoofd, 'enkele jaren geleden heeft ze me laten weten dat ze getrouwd was en in Tenenkou woonde.'

'Ik háát haar!' schreeuwde Malobali. 'O, wat haat ik haar!'

Snel legde Nya een hand op zijn mond. Laat de voorouders een kind niet horen uitroepen dat het zijn moeder haat! Meteen daarna bedolf ze hem onder kussen.

'Met bloedend hart heeft ze jou achtergelaten, daar was ik getuige van! Maar ze moest terug naar haar familie. Sinds zij is weggegaan, is je vader dezelfde niet meer: hij heeft geen zin meer in het leven. Het was te veel. Eerst viel hij in ongunst bij de mansa, daarna was er de bekering van Tiékoro, dan de verdwijning van Naba... Hij kon het niet meer aan!'

Schuldbewust verkropte Nya de tranen van dit medelijden met zichzelf, in een moeizame poging om alleen aan het verdriet van het kind te denken.

Maar inderdaad, het leven in Dousika's familiehuizing was niet meer wat het vroeger was. Het afgelopen jaar was mansa Monzon overleden, na een onstelpbare buikloop. Zijn dood was voor Dousika de genadeslag. Sindsdien was hij nog slechts een oude man die zich voortdurend het hoofd pijnigde over de hofintriges waarvan hij het slachtoffer was geworden. Had Monzon maar vóór zijn dood weer vrede met hem gesloten! Maar nee, zoals alle andere inwoners van het koninkrijk had Dousika pas door de rouwklank van de grote tabala vernomen dat hij een wees was geworden. Vervolgens had hij zich tussen de menigte naar het eerste voorportaal van het paleis gespoed, waar het lijk lag opgebaard, om het een laatste groet te brengen. En toen hij de met karkadee en galamboter ingewreven Monzon op de lijkwade zag liggen, met in de rechterhand de staart van een pas geslacht rund, was het of hij zijn eigen lichaam aanschouwde.

'Als je groot bent,' zei Nya die Malobali aan haar hart drukte, 'kun je haar gaan opzoeken, je moeder! Ze was zo dol op jou dat ik me soms afvraag hoe ze zonder jou kan leven.'

Malobali geloofde haar niet. Met zijn gebalde vuisten wreef hij zijn ogen droog, stond op en liep weg. Hoe jong hij ook nog was, hij voelde dat alles om hem heen nu anders was geworden. 's Nachts zou hij gekweld worden door angsten, vragen, raadsels. Zijn moeder, de vrouw die hem negen maanden lang in haar schoot had gedragen, had hem de rug toegekeerd! Van haar twee kinderen had ze er een uitgekozen dat ze meenam, en het andere achtergelaten. Wat een afschuwelijke beslissing! En daarna had ze zich nog het hof laten maken door een andere man en hem haar lichaam geschonken, hem zonen en dochters gebaard? Wrede, ontaarde moeder! Nooit kon hij haar genoeg beschimpen!

Hij passeerde de hut waar hij met een goed dozijn broers, halfbroers en neven sliep, toen hij Diémogo opmerkte, die zich vlug uit de voeten maakte. Eigenlijk wist Diémogo niets over Sira en had hij over Malobali slechts een woord nagezegd dat hij volwassenen in de mond had horen nemen. Ondanks zijn jeugdige leeftijd vastbesloten zijn vader om uitleg te vragen, liep Malobali recht naar de hut van Dousika.

Maar zijn vader zou hem die avond niet te woord staan, want de toestand van Dousika, die al enkele dagen klaagde over krampen, was plotseling verslechterd. Zijn vrouwen, Nya uitgezonderd, waren om hem heen druk in de weer: de ene liet hem de rook van 'nijlpaardbladeren' opsnuiven tegen zijn spierpijn, de andere bracht hem een netee-aftreksel tegen de koorts, de derde een afkooksel van nyamaschors tegen zijn buikloop. De hele hut rook naar aftakeling en nakende dood.

Diémogo, Dousika's jongere broer die in de familiehuizing nu al twee of drie jaar als fa fungeerde, stond naast het ziekbed.

'Ik sterf,' zei Dousika met iele stem. 'En geloof me: daar ben ik niet bang voor. Maar ik zou al mijn zoons nog eens willen zien – de overblijvende, want Naba zie ik in deze wereld niet meer weer. Siga vooral. Ik heb de voorouders gehoorzaamd toen ik hem met Tiékoro naar Tombouctou stuurde, maar was dat niet te hard voor hem? Was dat nog billijk?'

Diémogo vroeg zich af of zijn broer niet aan het ijlen was. Wie durfde de wijsheid van een wilsbesluit der voorouders in twijfel te trekken? Maar deze gedachte hield hij wijselijk voor zich.

'Koro,' fluisterde hij, 'waar moeten we hen gaan zoeken? Van Tiékoro weten we alleen dat hij in Djenné is. En van Siga hebben we niets meer gehoord sinds karavaangeleiders ons meldden dat ze in Touat zijn pad hadden gekruist.'

Dousika sloot zijn ogen. 'Ik móét hen zien. Of mijn geest zal nooit vrede vinden. Hij zal onder jullie blijven ronddwalen en klagen.'

'Goed dan,' zuchtte Diémogo. 'Ik zal doen wat ik kan.'

Malobali bekeek dit alles met zijn kinderogen. Hij voelde geen verdriet, veeleer weerzin–zoals voor alle ziekten en lichamelijk verval. De betraande gezichten van de vrouwen, de rituele gebaren van twee of drie fetisjpriesters die in de schaduw hurkten, het gesteun en het glimmende gezicht en de bedorven adem van zijn vader prentten zich in zijn geheugen. School de dood in de donkere hoeken van de kamer en beidde zij haar uur? In zijn verbeelding zag hij haar als de stokoude kaalhoofdige vrouw wier blik door grauwe staar vertroebeld werd, die hij soms in de familiehuizing van de buren zag–een aangrijpende en onbarmhartige verschijning. Op een keer had hij haar bespied toen ze haar paan liet vallen; aan haar rimpelige billen kleefde stront.

Opeens kreeg Niéli, Dousika's tweede vrouw die aan Malobali al even erg het land had als destijds aan zijn moeder, hem in het oog. Met hysterisch gekrijs joeg ze hem weg.

Het was een tijd van gewichtige beslissingen voor het koninkrijk Ségou.

Onder het geraas van de tabala en de doenoemba was Da Monzon zijn vader opgevolgd. Met zijn blik naar het oosten gewend had hij plaats genomen op de runderhuid om de attributen van het koningschap – de bogen, de pijlen, de speer, het beulsmes – in ontvangst te nemen, waarna de wijzen hem de met zware gouden ringen bestikte muts op het hoofd hadden gezet.

'Da Monzon,' had de eerste lofdichter uitgeschreeuwd, 'gij hebt geen familie meer! Alle kinderen van Ségou zijn de uwe! Strek altijd uw hand uit – om te geven, niet om te krijgen!'

Het was een dag van grote volksvreugde.

Maar amper was hij koning of Da Monzon begon een vreemde koers te varen. Voor alle Ségoukaw waren de Peul vreemdelingen met wie de mansa naar eigen goeddunken kon handelen, wier kudden hij naar willekeur in beslag kon laten nemen. En nu maakte Da Monzon een onderscheid tussen de mohammedaanse en de fetisjistische Peul; met de laatsten sloot hij een bondgenootschap tegen de eersten. Was dat wel verstandig? Het was alsof een vreemde zich mengde in een familieruzie. Waarna beide partijen zich verzoenen – tegen hem!

Toen Gourori Diallo, de ardo van Macina, berichtte dat hij zich door de maraboet Amadou Hammadi Boubou bedreigd voelde, had hij een colonne tondyons gestuurd om de rebel mores te leren. Maar de tondyons hadden in Noukouma het onderspit moeten delven. Tondyons! En tegen wie? Tegen wie anders dan die Amadou Hammadi Boubou! Wie was dat dan? In Ségou wist niemand het met zekerheid te zeggen. Het was een Peul, dat was alles.

Da Monzon voelde dat Ségou's macht begon af te brokkelen. Hij had Alfa Seydou Konaté, de beroemde maraboet uit Sansanding, bij zich ontboden. En wat had die gezegd?

'Een Peul is opgestaan, die de heerschappij van Ségou zal ontwrichten. En wat u betreft, niet uw zoon Tiékoura zal u opvolgen, maar een van uw broers. Wie kan ik u nog niet zeggen. Maar de kwaal waaraan gij lijdt, is ongeneeslijk.'

Na die verschrikkelijke woorden viel een diepe stilte. De slaven waren weggejaagd vóór dit geheime onderhoud tussen de vorst en de grote waarzegger, dat alleen door de eerste lofdichter Tiétigui Banintiéni werd bijgewoond. De verwarring van de mansa was zo groot dat Tiétigui Banintiéni de woorden van de onheilsprofeet met een spottend glimlachje probeerde te bagatelliseren. Waren er in Ségou soms geen fetisjpriesters die het noodlot wisten te bezweren? Maar Da Monzon was niet gerustgesteld. Hij ijsbeerde door de zaal op de hamerende cadans van zijn gedachten, hield ineens halt, liep verder, kwam op zijn stappen terug. Als de Peul die nu zulke fanatieke moslims bleken inderdaad zo gevaarlijk waren, moest er dan niet dringend een einde komen aan de broedertwist met Kaärta? Moesten alle Bambara zich dan niet verenigen? Onder welk voorwendsel?

Alfa Seydou Konaté was opgestaan. 'Meester, met uw welnemen wil ik me terugtrekken. Van Sansanding naar Ségou is een heel eind weegs.'

Na een knikje van Da Monzon trok de waarzegger zich terug met de arrogantie van de moslims die alleen voor God willen knielen.

Sinds zijn troonsbestijging had Da Monzon de inrichting van het paleis grondig gewijzigd. Hij had er een soort salon in ondergebracht met fauteuils uit Europa en lage, met Marokkaans leer overtrokken canapés. Bovendien had hij zich manshoge koperen kaarsdragers aangeschaft, waarmee hij de nacht kon verdrijven. Aan de titels die elke mansa van oudsher bezat – Meester van het slagveld, Lange Slang en Beschermer van Ségou, Bron der levenskrachten – had hij een nieuwe toegevoegd: Meester van de nachtzonnen.

In het kaarslicht liep Da Monzon heen en weer, terwijl het zweet van zijn gezicht gutste. Iets van zijn vorstelijke houding vond hij pas terug toen hij opeens ging zitten.

'Tiétigui, als wij nu eens aan Ntin Koro, de mansa van Kaärta, een vrouw vroegen?'

De lofdichter bekeek de mansa verbouwereerd. In welke bochten kronkelde zich zijn meesters geest?

'Een vrouw?'

'Verzamel inlichtingen!' beval de vorst kortweg, met een gebaar van ongeduld. 'Ga na of Ntin Koro een dochter van huwbare leeftijd heeft en breng me verslag uit.'

Da Monzon ging niet met evenveel beleid te werk als zijn vader. Hij was ijdel, in staat om iemand die mooier werd geacht dan hijzelf ter dood te laten brengen, en voor zijn liefjes gaf hij fortuinen uit. Maar in geval van nood kon hij doortastend optreden. Aangezien de Peul hun wereld bedreigden, moesten de fetisjisten al wat hen verdeelde vergeten en zich aaneensluiten. Dat men oorlog kon voeren uit naam van een godsdienst, was voor Da Monzon onbegrijpelijk. Staat het elk volk niet vrij te eren wie het wil? Ségou, dat zo veel vreemde steden overheerste, had hun nooit zíjn goden of voorouders willen opdringen. In tegendeel, om hen beter in de greep te houden had het steeds de hunne aan zijn eigen goden toegevoegd.

Er is niet één God, er zijn er vele. Hoe haalde die Allah het in zijn hoofd alleen te willen heersen en de anderen uit te sluiten?

De oude vete tussen de regerende Coulibali-dynastie uit Kaärta en de Diarra's uit Ségou moest dus worden bijgelegd. Hij zou de Massasi's een gezantschap sturen en met een huwelijk het nieuwe bondgenootschap bezegelen. Met hun verenigde strijdmacht zouden ze die veefokkers wel naar hun kudden terugsturen!

Da Monzon voelde zich tot rust komen. Opeens besefte hij dat hij alleen was in die grote zaal met de Marokkaanse wandbekleding, en hij klapte hard in zijn handen. De slaven en lofdichters die angstig wachtten in het belendende vertrek, stroomden binnen. Eén blik in de richting van de mansa was genoeg om zich van zijn sombere stemming te vergewissen.

'Wat wilt gij dat we voor u zingen, Meester van de

164

nachtzonnen?' riepen de lofdichters in koor.

Da Monzon weifelde. 'Wat weten jullie over die Peul die mij tergt als een daas op de staart van een koe?' vroeg hij ten slotte.

De jonge lofdichter Kéla roffelde op zijn tamani.

'Een tot de islam bekeerde koeienhoeder uit Fittouga ontmoette eens in het slijk van de podo niet ver van Djenné een koeienhoedster. Ze trouwden, en weldra begon de buik van de koeienhoedster te zwellen als een pompoen. Zes maanden later kroop er een zoontje uit, een bleekneusje zoals al zijn rasgenoten: Amadou Hammadi Boubou. De dag van zijn besnijdenis snotterde hij: "Ach, vader, stop dat mes weg! Waarom wil je me pijn doen? Ach, stop dat mes weg!" Zijn moeder schaamde zich. "Uit mijn ogen!" zei ze hem. "Ik wil je niet meer zien!" Toen trok Amadou Hammadi Boubou naar Rounde Sirou. Hij wentelde er zijn hoofd in het stof en riep: "Komt en ziet: ik ben de gezant van Allah! Bissimillahi, Allah, heb erbarmen!" De Marokkanen uit Djenné konden het niet meer aanhoren. "Wat is dat voor een koeienhoeder die zich voor de gezant van Allah uitgeeft?" zeiden ze. En ze stuurden hem terug naar zijn vee op het drasland van Dia...'

Da Monzon luisterde maar half en zonder een glimlach naar het spotlied dat hem moest opvrolijken. Koeienhoeder of niet, die Amadou Hammadi Boubou had reeds een van zijn strijdcolonnes verslagen. Het was maar een eerste schermutseling, maar volgens Alfa Seydou Konaté waren er nieuwe, rampzalige botsingen op komst. Zou hij die niet beter zelf uitlokken en, gebruik makend van het verrassingseffect, omzetten in overwinningen? Maar om te overwinnen moest hij sterk, heel sterk staan.

'...waar de kinderen om hem heen te hoop liepen. "Als jij de gezant van Allah bent, heb je geen deken nodig!" En ze rukten zijn deken van zijn schouders.'

Geërgerd bracht Da Monzon de lofdichter tot zwijgen. Meteen viel er een ander in, begeleid door een

165

gitaar die spoedig door een balafo werd ondersteund. In de grote zaal was nu niets anders meer te horen.

Da Monzon dacht dromerig aan de veroveringen van zijn vader, aan de manier waarop die de grenzen van het rijk had uitgebreid. Zou híj nu moeten toezien hoe dat rijk ineenstortte? Was dat de herinnering die de lofdichters van hem zouden bewaren? Nee, morgen al zou hij alle stads- en districtshoofden laten ontbieden en hun het voorstel tot verzoening met Kaärta voorleggen. Hij maakte al aanstalten om zich bij zijn laatste favoriete terug te trekken, toen Tiétigui Banintiéni weer opdook.

'Meester der wateren en levenskrachten, ik verneem zojuist dat Dousika Traoré in stervensgevaar verkeert. Zijn broers hebben aan karavaangeleiders boodschappen meegegeven voor zijn zoons die in den vreemde verblijven.'

Da Monzon haalde zijn schouders op. Elk leven eindigt toch met de dood? Maar Tiétigui kwam dichterbij.

'Weet gij dan niet meer waarom uw vader hem uit zijn hofhouding heeft gestoten? Was dat niet omdat hij met de Coulibali's uit Kaärta relaties onderhield? Als gij tot hen toenadering zoekt, zou het dan niet verstandig zijn hem nog vóór zijn dood in ere te herstellen? Hij zal een twintigtal kinderen achterlaten. Overlaad zijn vrouwen, en vooral zijn bara muso, met geschenken! Breng hem een bezoek voor het te laat is! Dergelijke gebaren zullen de Massasi's gunstig stemmen en voor uw verzoek ontvankelijk maken. Want ik geloof dat ik uw plan nu doorzie.'

De twee mannen bekeken elkaar. De aanvoerder der lofdichters is 's konings nauwste raadgever, vriend en kwade genius. Van al diens plannen is hij deelgenoot en hij is tot alles bereid. Da Monzon was nog prins toen Tiétigui reeds zíjn vuile karweitjes opknapte en zijn belangen diende met intriges en vleierij. Het was grotendeels aan hem te danken dat Da Monzon het op zijn twaalf broers die elkaar de troon betwistten, en vooral dan op de oudste, had gehaald. Eens te meer moest hij Tiétigui's geslepenheid bewonderen. Geboorten, huwelijken, sterfgevallen: dat zijn de gebeurtenissen waaruit zij die de wereld willen overheersen munt moeten slaan!

'Stuur mijn eigen medicijnman naar hem toe,' zei hij met een goedkeurend knikje. 'En laat hij groot misbaar maken! Ik zal de zieke morgen zelf bezoeken.'

Maar Dousika's ziel had reeds ongemerkt zijn lichaam verlaten. Vederlicht en onzichtbaar voor sterfelijke ogen, smaakt de ziel, voordat ze van de oppersmeden-en-fetisjpriesters als nieuwe verblijfplaats het lichaam van een pasgeborene krijgt toegewezen, een ogenblik van vrijheid. Dan zweeft ze boven de rivieren, verheft zich boven de heuvels, ademt zonder één rilling de uitwasemingen van het drasland in, en strijkt in de geheime hoeken van de familiehuizingen neer. Zij kent geen afstanden, de ziel. Voor haar is het weidse dambord van de bebouwde akkers slechts een punt in de onmetelijke ruimte. Zij richt zich op de sterren.

Zo overvloog Dousika's ziel de podo. Zij vloog hoog boven poelen, getooid met grote mauve waterlelies, want de eerste regens waren gevallen en de kudden van de Peul waadden kniediep door het zompige land. Ter hoogte van Djenné maakte ze rechtsomkeert, waarna ze over het drasland van Moura naar Tenenkou, hoofdstad van Macina, zwierf.

Lang niet alle Peul hingen de door Amadou Hammadi Boubou gepredikte religieuze omwenteling aan. Wel waren ze blij dat ze die oorlogszuchtige landbouwers die reeds veel te lang hun vee roofden, een lesje konden geven. Maar ook nog hun kruin kaalscheren, geheelonthouders worden en vijfmaal per dag op de grond neerknielen? Geen denken aan.

Ze hoorden raadselachtige woorden de ronde doen.

'Het geloof is als heet ijzer,' verkondigde Amadou

167

Hammadi Boubou. 'Het krimpt en wordt kneedbaar bij het afkoelen. Verhit het dus in de hoogoven van de mystieke liefde en de naastenliefde. We moeten onze ziel in de leven gevende liefde stalen en haar voor de naastenliefde openstellen. Zo zal onze geest rijp worden voor de meditatie.'

Wat had dat alles te betekenen?

De echtgenoot van Sira begreep de zin van deze woorden. Amadou Tassirou was een discipel van sjeik Ahmed Tidjani, de stichter van de islamitische sekte Tidjanija. Hoewel hij zichzelf de titel van sjeik ontzegde en zich heel bescheiden een *modibo* noemde, was hij een echte heilige. Tot zijn persoonlijke bibliotheek met werken over theologie, scholastiek en rechten behoorde onder meer het vermaarde *Djawahira el-Maani*. Sira had hij gehuwd omdat, na haar langdurig samenwonen met een Bambara, geen enkele man van zijn rang haar nog wilde. Na haar terugkeer in Tenenkou was ze bij haar moeder gaan wonen, en met de opbrengst van de gossi en de koddee die ze op de markt verkocht, voorzag ze in haar levensonderhoud en dat van haar dochtertje. Amadou Tassirou zag in haar een goede huishoudster die hem erkentelijk zou zijn. Maar na enkele maanden huwelijk bleek hij haar verkeerd te hebben ingeschat. Sira was volkomen gespeend van de bescheidenheid die haar sekse sierde, en met haar arrogante oordeel en haar spottende houding kon ze hem danig op stang jagen. Om haar te vernederen had hij als tweede echtgenote een nauwelijks geslachtsrijp meisje gekozen. Maar die was in het kraambed gestorven. Toen besefte hij dat Sira een bezoeking des Heren was. Waartoe?

Hij trok haar tegen zich aan. Haar lichaam verstijfde.

'Wat scheelt er?' vroeg hij geprikkeld.

'Het kind bewoog in mijn schoot,' mompelde ze.

Toen móést hij haar wel loslaten, of ze zou hem weer die spottende blik toewerpen. Hij, een godvruchtig man die geen lazim, wazifat, zohoer, asr, maghreb of isja vergat, wilde langer dan geoorloofd omgang hebben met zijn zwangere vrouw!

Maar Sira loog en wilde Amadou Tassirou vernederen. Geen dag ging voorbij zonder dat ze aan Ségou terugdacht. Haar dochtertje, haar twee zoontjes en het kind in haar schoot konden haar Malobali niet laten vergeten. Hoe zou hij er nu uitzien? Als een jonge woestijnpalm, met zijn haar in vlechtjes, ogen met een fel wit hoornvlies, hoge jukbeenderen, een heldere teint. Zou Nya met hem over haar hebben gesproken? Dan moest hij haar haten. Maar stel dat ze hem niets gezegd had; was die onwetendheid niet schrijnender dan haat? Hij kwam en ging, at en sliep zonder te weten dat op enkele dagreizen daarvandaan zijn moeder hem in gedachten nooit verliet. Sinds enige tijd had Sira nog een andere zorg. Een angst die zij zelf niet kon verklaren, bekroop haar telkens wanneer Dousika haar voor ogen kwam te staan. Hoe lang had het niet geduurd voor zij zich van hem had kunnen losrukken! Elke winter vatte ze opnieuw dat voornemen en stelde het weer tot het droge seizoen uit. Niet het wapengekletter tussen Bambara en Peul had uiteindelijk de doorslag gegeven. En evenmin de aantrekkingskracht van de islam die door de Bambara zo hardnekkig werd afgewezen. Nee, het was een verlangen tot zelfkastijding. Een slavin mag haar meester niet liefhebben, of ze verliest haar zelfrespect. Ze moest weggaan en de haren die van haar vervreemd waren, terugvinden.

Tenenkou was onherkenbaar veranderd. Het was niet langer een vormloos kampement met hutten van gevlochten stro om een haastig opgetrokken rijswerk van buigzame twijgen. Nu waren er lemen huizen waarvan er enkele door hun fraaie bouwstijl met Djenné konden wedijveren. In Pinga was de dode rivierarm van Dia omgebouwd tot een haven waar handelaars uit alle riviersteden toestroomden. Metselaars uit Djenné hadden de moskee zonder minaret of ornament opgetrokken, waaromheen wel honderd koranscholen uit de grond waren gerezen. En toch kon Sira Ségou niet uit haar hoofd zetten: de vrolijke drukte van haar straten, het gezang dat uit de familiehuizingen klonk, het heen-en-weer-lopen van vrouwen die water uit de rivier gingen putten, het gehinnik van de door halfnaakte stalknechten geleide paarden. Ze kreeg het gevoel dat de islam het leven strenger en kleurlozer maakte. Met hun suman-plankje onder de arm begaven de kinderen zich naar de school, een soort gevangenis. 's Morgens vroeg zwermden klappertandende talibees door de straten.

'Weet dat de sleutel van de Godskennis de kennis van je eigen ziel is, zoals God zelf heeft verkondigd. De Profeet zegt: "Wie zijn ziel kent, kent de Heer."'

En in hun hobbezakken schenen de vrouwen zich niet meer te bekommeren om hun schoonheid, die God uit de gedachten van de mannen bande.

Sira lag op haar slaapmat te woelen, alsof een toeziend oog haar geen rust gunde. Ze stak haar hoofd op en tuurde in het donker. Wie verborg zich daar? Amadou Tassirou was naast haar in slaap gevallen, en zij dacht aan die nachten met Dousika. Soms verbleekten reeds de omtrekken van de dakopening voor ze aan slapen toe waren. Daarna probeerde ze aan de stekende blikken van Nya en Niéli te ontkomen terwijl ze terugliep naar haar hut, waar ze zichzelf verwenste om het gegeven en ontvangen genot. Op een dergelijke ochtend had ze besloten weg te gaan.

Sira ging rechtop zitten. Geen twijfel aan: er knipperde of ritselde iets nabij de grote kalebassen met de kleren. Maar toen ze inderhaast de galamboterlamp had aangestoken, zag ze alleen een paar ratten wegvluchten.

Dousika? Hij was het, hij had haar nodig.

Kooplui die in Ségou waren geweest, hadden haar verklapt dat het met zijn gezondheid achteruitging, dat zijn haar zo wit was als de steppe in het droge seizoen, dat hij zwaar en log werd. Op dit moment, voelde ze, was hij in grote zielenood en smeekte zachtjes om haar hulp. Wilde zijn ziel in haar schoot binnensluipen en in het lichaam glippen van het kind dat ze droeg? Wilde hij op die manier altijd bij haar blijven? Sira werd bang en legde haar handen op haar buik, als om zich te beschermen. Het met takken bedekte latwerk van de zoldering knarste, en zij dacht het gekreun van een vertrouwde stem te horen.

Dousika! Jawel, hij was het!

De wanden van de hut zakten ineen. Het water vloeide uit de podo weg; de vochtige lucht veranderde in een droge, verschroeiende hitte. Ségou! Op de binnenplaatsen van het paleis van de mansa sponnen en weefden de slavinnen, of wasten en spoelden de stoffen die eerst in het slijk van een poel waren gedompeld. Een man was door die menigte gedrongen. Hun blikken hadden elkaar gevonden. Toen begonnen de beste jaren van haar leven.

Een slavin mag haar meester niet liefhebben, of ze verliest haar zelfrespect. Sira zette de galamboterlamp weer in de muurnis, blies haar uit en legde zich op haar slaapmat.

'Is er iets?' bromde Amadou Tassirou die zich naar haar toe draaide en een arm om haar heen sloeg.

Tenslotte was dat zijn goed recht: hij was haar man. Voor een vrouw van haar allooi had hij wel tien stuks vee met glanzende vacht en spitse hoorns geboden. M'Pènè, het dochtertje dat zij van Dousika had, behandelde hij als zijn eigen kind, want hij was een man Gods. Wat kon zij hem verwijten?

Intussen keek Dousika's ziel achter de potscherf in de dakopening toe. Toen ze Sira in Amadou Tassirou's armen zag liggen, dorstte ze naar wraak. Ah, Sira's schoot binnendringen, zich in haar kind nestelen en het doen sterven, dood en verderf zaaien in alle vruchten die zij nog zou dragen! De hele ruimte van haar buik vullen, elke opening verstoppen en haar steriel maken! Of zich tijdens haar slaap aan haar ontzielde lichaam vergrijpen en er monsters in verwekken!

Onder die wraakzuchtige blik dook Sira op haar slaapmat ineen, zuchtend en steunend, af en toe half wakker schrikkend om dan opnieuw in het onbewuste te verzinken.

## 2

De koninklijke lofdichters, gevolgd door de muzikanten, de zangers, de dansers, naderden reeds Dousika's familiehuizing toen Da Monzon, omringd door slaven die hem met struisvogelveren koelte toezwaaiden, amper een voet buiten het paleis had gezet. Daar hij zich doorgaans alleen bij krijgsexpedities in het openbaar vertoonde, was heel de stad op de been om hem toe te juichen. Jongens waren in de takken van de mahonie- en boterbomen geklommen, terwijl de vrouwen elkaar bijna vertrappelden om dichterbij te kunnen komen. Da Monzon ging gekleed in een eenvoudige witte pofbroek en een rode boeboe – een kledingstuk dat hij van de moslims had overgenomen. Als enige attributen van zijn koningschap droeg hij de lange, met leer beklede staf en de sabel met brede kling en hij had zijn roodbestikte geelleren laarzen aangetrokken die hij bij handelaars aan de kust had laten kopen.

Zij die hem sinds zijn troonsbestijging niet meer hadden gezien, riepen uit dat hij nog mooier was dan zijn vader, met op zijn slapen de drie koninklijke huidinkervingen, aan zijn neus de opengewerkte messingring die hij van Monzon had geërfd, en de twee dikke haarvlechten die elkaar onder zijn kin kruisten. Vooral zijn manier van lopen dwong bewondering af: die wiegelgang die zijn slanke taille beter liet uitkomen. Geen wonder dat hij zo veel vrouwen in vervoering bracht en dat zijn harem door wel achthonderd lieve schepsels werd bevolkt.

Maar toen de lofdichter Kéla de drempel van de familiehuizing wilde overschrijden, fluisterde een van Dousika's broers hem toe dat de stervende de komst van de mansa niet had afgewacht. Tegen de stroom van de stoet in rende Kéla langs de tamtam-, balafo- en buru-spelers die hij met gebaren probeerde in te tomen, en wierp zich aan de voeten van Da Monzon.

'Vergeef het hem, Meester der wateren en levens-krachten,' riep hij, 'hij is reeds van ons heengegaan!'

Toch keerde Da Monzon niet op zijn stappen terug.

De muziek werd nu overstemd door het geweeklaag van de vrouwen en naar een nieuw gebruik werden in de familiehuizing van de overledene uit zijn geweren rouwschoten gelost. Bij dat geluid snelden uit de aan-palende huizingen vrouwen onder luid gekrijs naar het sterfhuis. Sommige wentelden zich in het straatstof, terwijl hele zwermen lofdichters als sprinkhanen die zich op een akker stortten de stamboom en de gedenk-waardige daden van Dousika begonnen uit te bazuinen. Op een discrete wenk van Da Monzon hief Kéla op zijn beurt een rouwzang aan. Een groter eerbewijs was nauwelijks denkbaar: door de lofdichter van de mansa en in diens aanwezigheid te worden bezongen! In de hut van Dousika heerste ondertussen, in schrille tegen-stelling tot het tumult daarbuiten, de diepste stilte. Dié-mogo's vrouwen wasten er met warm, naar basilicum geurend water het lichaam van de dode, terwijl Dou-sika's laatste vrouw Flacoro de witte katoenen stoffen, geweven door de beste ambachtslui en voor deze ge-legenheid bewaard, openvouwde. Onderwijl hadden Nya en Niéli op de grond een grove strooien mat gelegd, en daar bovenop een fijne buigzame mat van rietbla-deren. Zodra de dode daarop lag opgebaard, zouden de vrouwen rondom de bara muso op taboeretjes plaats nemen om zwijgend het rouwbeklag in ontvangst te nemen.

Nya wist niet of ze wel verdriet voelde. Ze voelde zich veeleer opgelucht, want de man die men ter aarde zou bestellen was niet de Dousika die zij zo had lief-gehad. Hij was vóór zijn tijd oud geworden, verzuurd en kleingeestig, en hij had steeds weer alle tegenslagen

173

uit zijn leven opgesomd – terwijl toch ieders bestaan uiteindelijk één lange rouwtijd was. Als ze 's ochtends zijn hut binnenliep vroeg ze zich af wat zij met hem nog te maken had. De dood en de rituele reiniging van het afleggen gaven haar tenminste een levensgezel terug die haar liefde en eerbied waardig was.

Diémogo, de broer die Dousika als fa opvolgde, wachtte in het voorportaal van de hut. Hij hoorde de stoet van de mansa naderen, maar voelde zich niet blij om dit laattijdig eerherstel. Hij wist dat het eerbetoon van de koningen dubbelhartig is. Welk gekonkel speelde zich om dit nog maar nauwelijks verkilde lichaam af? Terwijl hij de buren, vrienden en verwanten dankte, die gevogelte en schapen brachten voor het rituele begrafenismaal, bedacht hij bitter dat zijn broers laatste wens niet was verhoord: hij had Siga en Tiékoro niet meer weergezien. Ach, er moest nog een rund geslacht worden! Dousika was een prominent man; alle hongerlijders uit Ségou zouden zich op zijn kosten een laatste keer te goed kunnen doen. Er moesten nog zoveel kalebassen dolo, zoveel kalebassen to, zoveel kalebassen saus worden bereid!

Da Monzons gestalte tekende zich af tegen de ene toegangsdeur van de familiehuizing en schreed over de grote binnenplaats tussen verbaasd en bewonderend toekijkende kinderen. Toen de vorst het voorportaal wilde betreden, wierp Diémogo zich voor hem in het stof.

'Vergeef hem, Meester der levenskrachten,' mompelde hij, 'dat hij op uw komst niet heeft gewacht.'

Met een handgebaar liet de mansa hem weer opstaan. Tiétigui Banintiéni begon om hem heen te cirkelen, schreeuwend:

*Koro, de enige stok waarop je steunde is gebroken!*
*Je zult alléén moeten leren lopen.*
*Als je steun nodig had*
*riep je je broer.*

*Als je voortaan steun nodig hebt,*
*naar wie zul je dan toe gaan?*

Da Monzon ging de hut niet binnen, want het afleggen van de dode was nog aan de gang. Op zijn wenk overhandigden zijn slaven de zakken kauri's die ze hadden meegebracht aan de familie, terwijl hij zijn rouwbeklag uitsprak ten overstaan van Diémogo en de jongere broers.

Wat verder hurkten Koumaré en de andere oppersmeden-en-fetisjpriesters in het zand en probeerden het wilsbesluit van de voorouders te doorgronden. Zou Diémogo een goede fa zijn? Zou hij de uitgestrekte familiedomeinen goed beheren, de talrijke kinderen en de vrouwen beschermen, twisten tussen de slaven kunnen vermijden? In Ségou gebeurde het geregeld dat de slaven en de kinderen samenspanden en aan de hele familie de wet voorschreven. Aan wie kwamen Dousika's echtgenotes toe? Zouden de broers hen volgens het eerstgeboorterecht onder elkaar verdelen? Of zouden ze allen naar Diémogo gaan, die zelf vier vrouwen had? Het bleven vraagtekens; de fetisjpriesters hielden hun adem in en staarden naar hun waarzeggersschalen. Vooral Koumaré keek gespannen, want hij moest de ziel van Dousika zien te volgen op haar reis naar het verblijf van de voorouders. Alle krachten, ontketend door hen die hem tijdens zijn leven hadden gehaat, lagen op de loer om hem te laten verdwalen in het somber en verzengend gebied der zielen die geen vrede vinden, en zijn wedergeboorte in het lichaam van een jongetje te verhinderen.

Koumaré kauwde krachtig op een kolanoot, spuugde een klodder bruin speeksel vol vezeltjes tegen de wanden van Dousika's hut en ging de dieren slachten die samen zouden worden gebraden en opgediend op het begrafenismaal. Ondertussen boetseerde een andere priester een kleien beeld van de overledene, dat naast de boli en de afbeeldingen van de voorouders in het familie-

heiligdom zou worden opgenomen. Al deze voorbereidselen herinnerden Da Monzon aan wat zich het jaar
voordien, bij de dood van zijn eigen vader, had afgespeeld. Weliswaar waren de geschenken niet vergelijkbaar. Toen Monzon stierf waren er niet minder dan
zeven zalen van het paleis nodig om de kauri's en het
goud op te stapelen die uit alle hoeken van het rijk waren
toegestroomd, terwijl de binnenplaatsen haast te klein
waren voor de paarden en het vee. Volgens de wens
van de overledene was dat alles onder de armen en de
vreemdelingen op doorreis uitgedeeld; vele honderden
behoeftigen waren er wel bij gevaren. Maar op het verschil in status van de overledenen na heerste hier dezelfde sfeer, diezelfde mengeling van dankbare vreugde
en diepe rouw, gedwongen vertoon en echte gastvrijheid, en bovenal diezelfde angst voor het onbekende,
die schuilging achter gezang, dans en grapjes. Onwillekeurig dacht Da Monzon aan zijn eigen dood, aan
het ogenblik waarop zijn lichaam in de grafkuil zou
verdwijnen en zijn zoons de aarde die hem bedekte
zouden besproeien, onder het uitspreken van de rituele
formule: 'Aanschouw dit water, word niet toornig, vergeef ons, geef ons regen in het winterseizoen en een
overvloedige oogst! Geef ons een lang leven, een talrijke
nakomelingschap, vrouwen, rijkdommen!'
   Hij rilde en wou al naar het paleis terugkeren toen
hij zijn lofdichter Tiétigui in druk gesprek zag met een
hem onbekende man van goed voorkomen. Te oordelen
naar zijn rijzige gestalte, zijn tatoeëringen en zijn kos-
tuum, was het iemand uit Kaärta. Da Monzon moest
bekennen dat Tiétigui de belangen van het koninkrijk
nooit uit het oog verloor.

Binnen in de hut was Dousika's lichaam snel aan het
opzetten, waarbij het een weeïge geur van ontbinding
verspreidde. Koumaré en de andere oppersmeden-en-
fetisjpriesters zagen daarin het werk van de schadelijke
lichaamssappen ten gevolge van de vele zorgen en te-

176

genslagen tijdens de laatste levensjaren van de overledene, en rieden de grafdelvers het lijk zo vlug mogelijk te begraven. Zij meldden dit aan de familie, maar Diémogo verzette zich daartegen: de in het buitenland verblijvende zoons moesten alsnog de kans krijgen de dode te komen groeten. Vele aanwezigen vonden dit onverstandig – het volstond dat de zoons terug waren vóór de ceremonie van de veertigste dag – en concludeerden wat te haastig dat Diémogo geen goede fa zou zijn. Hij had een te angstvallig respect voor de oude zede. Nu Da Monzon naar zijn paleis was teruggekeerd, was de sfeer minder plechtig; onder invloed van de dolo was de dode gauw vergeten en werd er gelachen en geroddeld en naar de vrouwen geloerd. Sommigen vroegen zich af hoe het nu verder moest met Diémogo en Nya. Toen de toestand van Dousika kritiek werd, had Nya uit naam van haar zoon Tiékoro de teugels willen overnemen. Waarop Diémogo prompt een familieraad had bijeengeroepen, die haar aanspraken had afgewezen. Stel dat Nya weigerde Diémogo te huwen – wat volgens de traditie haar goed recht was – en naar haar familie terugkeerde, wie zou de belangen van de kinderen dan verdedigen? Nu reeds trok Diémogo zijn oudste telg Tiéfolo voor. Door zijn schuld was Naba, de tweede zoon van Dousika, destijds mee op jacht gegaan en spoorloos verdwenen. Kwade opzet? Voor velen liet dit weinig twijfel.

Diémogo gaf uiteindelijk gehoor aan de dringende raad van de fetisjpriesters en liet het afdak optrekken waaronder het lichaam zou worden gelegd voor de laatste groet. Achter de hut van de overledene begon men tegelijk de grafkuil te delven. Het gezang zwol aan, er werd vuriger gedanst. Steelse blikken zochten Tiéfolo en zagen eens te meer hoe hij zich gedroeg als dé erfgenaam, de eerstgeboren zoon.

In werkelijkheid had Tiéfolo zichzelf die noodlottige jachtpartij nooit kunnen vergeven, en sindsdien was zijn bestaan één lange, vruchteloze poging om ze te vergeten.

Achter zijn zwijgzaamheid en zijn afstandelijke om-
gangsvormen verborg hij wroeging. Nu hoopte hij iets
van het door hem aangerichte onheil weer goed te kunnen maken. Een zoon van de clan werd door zijn schuld
vermist? Goed, hij zou een andere terugvinden! Toen
hij zijn vader een ogenblik alleen zag liep hij naar hem
toe.

'Fa,' zei hij, 'laat me een paard kiezen en naar Djenné
vertrekken. Ik maak me sterk dat ik Tiékoro vóór de
veertigste dag terugbreng.'

Diémogo wist niet wat te antwoorden. Het leek een
goed idee: een zoon van de familie zou zich meer moeite
geven dan de slaven die hij erop uit had gestuurd. Maar
was het niet te gewaagd, nu de streek door de hinder-
lagen van de Peul en de jacht op slaven zo onveilig was
geworden?

Hij nam de enig mogelijke beslissing: 'We zullen Koumaré raadplegen.'

Net op dat ogenblik bracht een windstoot hem de
ondraaglijke stank van Dousika's lijk, en hij begreep
dat ze met de begrafenis niet langer konden wachten.
Hij liet Koumaré halen, die naast de grafdelvers met
het gezicht naar het zuiden gewend de rituele gebeden
opzei, en nam hem mee naar een rustig hoekje. De
fetisjpriester was categorisch. Nauwelijks had hij zijn
vingers in het zand gestoken of hij stak zijn hoofd op.

'Diémogo, je zoon kan gaan.'

'Zal hij Tiékoro meebrengen?' wilde Diémogo weten.

'De fuik van de visser vangt niet alleen kapiteinsvis,'
zei Koumaré met een grijns die zijn gezicht nog angst-
wekkender maakte.

Reeds bracht een paardeknecht een felle klepper uit
Macina met glanzend zwarte vacht en slechts één vlek
op een voet. Zijn kopstuk hing vol amuletten en dierehoorns met allerlei poeders om paard en ruiter te
beschermen. Aan het zadel werden twee zakken met
proviand en kauri's vastgemaakt en een enorme koker
vol pijlen. Na een diepe buiging voor zijn vader nam

Tiéfolo het dier bij de teugels. Met veel geschreeuw en handgeklap renden alle kinderen van de familiehuizing hem achterna. Voor hen was dit de bekroning van een uitzonderlijke dag die met het bezoek van de mansa was begonnen en voortgezet met een grote schranspartij, begoten met tamarindecider. De braafsten keken toe hoe de ruiter schrijlings te paard sprong. Anderen liepen hem door de snikhete straten na tot aan het paleis van de mansa. De rapste bengels volgden hem nog buiten de muren van Ségou tot aan de oevers van de Joliba, waar ze hem met zijn paard in een brede prauw zagen stappen. Het verschrikte dier hinnikte en steigerde, en Tiéfolo sprak het toe om het te kalmeren. Spoedig bereikte het bootje het midden van de rivier met zijn hoge golven en zijn sterke stroming.

Bij de terugkeer van het groepje kinderen in de familiehuizing lag de dode tussen twee matten onder het afdak voor zijn hut, en ze moesten hun schrik bedwingen en in de schaduw van de volwassene om vergiffenis smeken. Zij die hun mond nog open kregen, probeerden na te zeggen: 'Vergeef ons! Wij voelden voor jou liefde en eerbied. Wees gelukkig en bescherm ons!'

De harde stemmen van de grafdelvers, het gezicht van de fetisjpriesters en hun imposante tooi van talismans maakten hen doodsbang. Deze dag van angst en plezier, spel en droefheid, feest en smart zouden ze niet licht vergeten.

Met de lijkbaar op hun schouders holden de grafdelvers door heel de familiehuizing en keerden daarna terug naar het rode, gapende graf waar de zoons van Dousika omheen stonden geschaard. Diémogo hield de sandalen van de dode in zijn ene hand, in de andere zijn waterkruik en een kleine witte kip die mee zou worden begraven. De tranen stroomden over zijn wangen, want hij was erg aan zijn broer gehecht. Maar de aanwezigen hadden voor dit teken van zwakheid weinig lof. Huilen en snikken is goed voor vrouwen. Dousika's echtgenotes zaten in hun katoenen gewaden waardig en beheerst op de schemeltjes in de hut. Voor hen was een lange periode van afzondering aangebroken; tot op de dag der rituele reiniging zouden ze alleen naar buiten mogen komen als het strikt noodzakelijk was.

# 3

Tiékoro klapte in zijn handen en zijn leerlingen stoven
met hun suman-plankje onder de arm uiteen. Hij had
er niet veel, een vijftiental, allen uit deze arme buurt;
hun ouders konden hem vaak niet eens vergoeden. Eigenlijk stond het Tiékoro tegen voor elementair religieus
onderricht geld te moeten vragen. Hij wilde niet op een
bedelmaraboet lijken, maar hij kon de zorg voor het
levensonderhoud van zijn gezin niet aan Nadié over-
laten. Wanneer zijn pupillen hem geen kauri's konden
meebrengen, nam hij genoegen met gierst, rijst of gevogelte.
   Had hij hiervoor zo lang gestudeerd? Om in een zanderig hoekje van deze enge binnenplaats onder een luifel
aan een handvol kwajongens les te geven? In dit huis
dat slechts het hoogstnoodzakelijke bood? Hij had aan
de universiteit willen doceren, maar dat was hem geweigerd. Evenmin was hij voor imam, kadi of moëddzin
geschikt bevonden. Hij had alleen een schooltje mogen
openen dat van de dina geen enkele toelage ontving,
en moest met het schoolgeld zien rond te komen. Was
hij soms geen doctor in de theologie en de Arabische
taalkunde? Waarom dan al dat wantrouwen? Waarom
werd hij uit de kring van de geletterden geweerd? Hij
was een Bambara, dat was de reden. In Djenné werden
de Bambara door de Marokkanen, Peul en Songhai geminacht en gehaat. Ze droegen de schandvlek van hun
fetisjistische afkomst met zich mee, zoals een gelovige
het stof op zijn voorhoofd. Niettemin had Tiékoro het
gevoel dat de religie slechts een voorwendsel was, dat
dit misprijzen en deze haat iets anders golden. Maar
wat?

Hij stopte zijn bidsnoer in zijn zak, stond op, streek zijn boeboe waar wat stropijltjes aan hingen glad, en ging naar huis. Het gilde van de bari of metselaars uit Djenné was wijdvermaard van Gao tot Ségou, door de hele Tekroer en zelfs tot in de Maghreb. De bari zouden hun bouwkunst hebben geleerd van een zekere Malam Idriss die vele jaren geleden uit Marokko was gekomen en bij de bouw van de paleizen der askia's en mansa's en de madoegvu voor de hoofden van de vooraanstaande families had meegewerkt. Uit de kleigrond van de podo, die ze soms met fijngestampte oesterschelpen vermengden, vervaardigden de bari lichte en toch duurzame bakstenen die tegen de slechtste weersomstandigheden bestand waren. Helaas woonde Tiékoro niet in een huis dat door een van deze meesters was gebouwd. In de Djoboro-wijk had hij een tweekamerwoning met als enige huisraad wat dekens, matten en taboeretjes, en een binnenplaats vol hoenderen, geiten en allerlei keukengerei. Het was een rijhuisje in een lange, smalle, slecht geplaveide straat. Telkens als Tiékoro het zag kreeg hij er hartzeer van. Waarom niet teruggaan naar Ségou?

Daarvoor was hij te veeleisend. Als hij dat deed zouden zijn bereidheid, zijn kennis van vreemde talen en zelfs zijn bekering tot de islam – die magische godsdienst – hem zo'n prestige verlenen dat hij zonder veel moeite voor een notabele zou kunnen doorgaan. Maar dan had hij in zijn grote levensambitie gefaald, en op dat punt wilde hij zichzelf noch de anderen begoochelen. In zekere zin schepte hij voldoening uit zijn armoedig en eenzaam bestaan. Hij liep zijn woning binnen. Meteen kwamen Ahmed Dousika en Ali Sunkalo, struikelend over hun kleine, nog onzekere beentjes, naar hem toerennen, terwijl Nadié alles uit handen liet vallen om haar meester te begroeten.

Wat zou er zonder Nadié van Tiékoro geworden zijn?

Een paar dagen na haar aankomst in de stad kon ze al djimita maken, die koekjes van rijstmeel vermengd met honing en kruiden, waar de inwoners van Djenné en de handelaars uit Tombouctou en Gao dol op waren, en kolo, broodjes van in de boter gebakken bonenmeel, naast nog andere lekkernijen. Ze was ze op de markt gaan verkopen en had er spoedig bekendheid verworven. Hoe angstiger, koortsachtiger en verbitterder Tiékoro werd, des te rustiger werd Nadié. Haar hagelwitte en lichtjes vooruitstekende tanden verleenden haar gelaat iets van een glimlach die door haar ernstige, diep in hun kassen verzonken ogen werd tegengesproken. Zij die nochtans niet behaagziek was, had van de Peul vrouwen de gewoonte overgenomen om haar haar met een overvloed van amberen en kauri-parels te tooien. Nadié was mooi. Haar schoonheid was verrassend als een bloem die niet in het oog valt, maar een onvergetelijke geur verspreidt.

Op een mat zette ze Tiékoro een kalebas met rijst en een kleinere met vissaus voor. Hij trok een vies gezicht.

'Heb je niets anders?' vroeg hij. 'Ik heb best trek in wat dègè.'

'Je móét eten, kokè,' drong ze aan. 'Je weet zelf hoe ziek je bent geweest vorige winter. Je bent nog zwak!'

Tiékoro haalde zijn schouders op, maar gehoorzaamde. Zij wilde zich terugtrekken om hem niet te storen.

'Blijf,' zei hij. 'Wat heb je vanmorgen op de markt zoal gehoord?'

Zij nam Ali Sunkalo die al naar het eten van zijn vader grabbelde in haar armen.

'Ze zeggen dat het tussen Ségou en de Peul uit Macina weldra oorlog wordt. Amadou Hammadi Boubou geniet nu de steun van een andere moslimleider: Ousman dan Fodio, van wie hij de opdracht heeft gekregen alle fetisjen stuk te slaan.'

'Ach wat?' zei Tiékoro met gespeelde onverschilligheid. 'Wij wonen niet in Ségou en evenmin in Macina. Wat kan ons dat schelen?'

'Amadou Hammadi Boubou wil ook Djenné onderwerpen,' sprak zij na een korte stilte. 'Volgens hem is de islam hier ontaard en zijn de moskeeën verworden tot oorden des verderfs.'

'Al ben ik nog zo beducht voor die fanaticus, ik vrees,' zuchtte Tiékoro, 'dat hij op dat punt gelijk heeft.'

Hij duwde de kalebassen weg en waste zijn handen in een schaal helder water.

'Hoe vreemd,' zei hij, 'dat Gods naam de mensen verdeelt! En dat terwijl God liefde en almacht is. De schepping is het werk van Zijn liefde en niet van een aardse macht...'

Tiékoro hoorde zichzelf een geleerd betoog beginnen zoals hij onder de booggewelven van een universiteit zou hebben gedaan, en zweeg. Hij stond op en Nadié begon af te ruimen. Als er iets was dat Tiékoro verdroot, dan wel de houding van zijn gezellin tegenover de islam. Ze bleef er potdoof voor. Hij kon haar niet eens beletten hun kinderen tegen onheil te beschermen met de middelen die hij kende uit zijn eigen jeugd: ze zaten van top tot teen onder de amuletten. Kwam hij onverwachts thuis, dan vond hij er soms een oude tandenloze Bambara fetisjpriester die hij, woedend om zijn eigen zwakheid, niet durfde weg te jagen. Verscheidene malen had hij de boli die zij in een hoek van de binnenplaats verstopte, kapotgeslagen. Maar omdat zij die keer op keer verving, liet hij haar nu in arren moede begaan.

Na al die jaren samenleven gunde hij haar nog steeds geen rechtspositie: ze bleef zijn bijzit. Ook had hij zich niet de minste moeite getroost om uit te vinden tot welke familie uit Bélédougou zij behoorde en hoe het hun was vergaan. Het gaf hem soms wroeging, maar dan stelde hij zichzelf gerust met de gedachte dat zij gelukkig leek. Gelukkig dat ze hem mocht dienen, dat ze hem kinderen kon schenken. In Djenné had ze zich een plaatsje verworven in een kring bedrijvige, onvermoeibare Bambara vrouwen die zich volkomen afsloten voor de plaatselijke zeden.

Tiékoro liep naar de tweede kamer die smal en donker was – het licht kon er nergens binnen –, waar zijn doch-

tertje Awa Nya onder een hoopje vodden lag te slapen.
Hij nam het kind in zijn armen. Ha, Nadié had nog
een talisman toegevoegd aan degene die ze reeds om
haar hals en polsjes had gehangen! Hij kreeg zin om
die verachtelijke voorwerpen af te rukken. Had de Profeet niet gezegd: 'Wie een amulet op zijn lichaam draagt,
is een heiden'?

Maar hij weerhield zich: als die dingen Awa Nya
konden beschermen, bleef hij er beter af. Hij aanbad
zijn dochtertje. In zijn zoons zag hij toekomstige rechters, maar in zijn dochtertje – zoals in Nadié – niets dan
liefde, toegeeflijkheid, bescherming. Hij legde het kind
bij zich op zijn eigen slaapmat terwijl hij regendruppels
op het dak hoorde kletteren. Er kwam maar geen eind
aan dit regenseizoen! Zachtjes dommelde hij in.

Nadié had de kinderen die het liefst in hun blootje
in de regen hadden gelopen, binnengeroepen en onder
de krakkemikkige keukenluifel bracht ze de was, de kalebassen en de voorraad koeiedrek in veiligheid. Ze wist
hoe stijfhoofdig Tiékoro was, en had hem de meest
alarmerende geruchten verzwegen.

Alle Bambara maakten zich op voor de vlucht naar
Ségou of hun geboortedorp. Het was niet de eerste keer
dat de Bambara Djenné moesten verlaten. Eeuwen geleden had askia Daoud hen reeds uit de stad laten verjagen. Maar alle officiële verordeningen ten spijt waren
er belangrijke nederzettingen gegroeid, vooral in de
zuidelijke podo, in de streek van Femay en Derari.

Vandaag zag de toestand er hachelijker uit. Volgelingen van Amadou Hammadi Boubou zwierven door
de stad; op de hoeken van de straten preekten ze: 'Als
je me zegt dat jij jezelf kent, antwoord ik dat je de
materie kent waaruit je lichaam – romp en hoofd en ledematen – is gemaakt; maar van je ziel ken je niets!'

Ze hadden het over de heidenen en de slechte moslims
die zij in het eeuwige vuur zouden storten zodra ze de
stad hadden ingenomen. En Nadié had horen zeggen
dat de moslim-broederschappen elkaar naar het leven

stonden. Wat was dit voor een god van verdeeldheid en oproer? Tiékoro waande zich beveiligd door zijn bekering tot de islam. Hoe naïef! Een Bambara–fetisjist of geen–bleef voor hen die de grootheid en de macht van Ségou met lede ogen aankeken, altijd een Bambara! Moesten ze dan de wijk nemen? Nadié was bang voor die onbekende familie die Tiékoro weer in haar netten zou vangen en hem voorhouden dat zij slechts een bijzit met een niet bijster roemrijk verleden was; ze zouden eisen dat hij een meisje van zijn stand trouwde. Ze drukte haar zoontjes tegen zich aan.

Tiékoro was een edelman, een yèrèwolo, wiens stamboom verloren ging in de nacht der tijden. Eenmaal weer thuis, zou hij mét zijn vaders familiehuizing zijn rang, aanzien en gezag terugvinden. En zij–wat zou er van haar terechtkomen onder het oog van de familie en weldra van de wettige echtgenotes? Als koeiedrek en kamelenkeutels zou ze zijn, goed voor het vuur, maar stinkend en geminacht. Dat nooit. Ze ging nog liever dood.

Tiéfolo naderde de poorten van Djenné. Voorbijgangers die hem zagen, schrijlings op zijn prachtig paard, herkenden de Bambara aan zijn huidinkervingen, zijn haarvlechtjes, zijn armen vol amuletten, en voelden zo niet haat, dan toch misprijzen.

Ongevoelig voor die blikken reed Tiéfolo de stad binnen. Ze stelde hem teleur. Was dit Djenné? Niet eens zo bevolkt of handeldrijvend als Ségou? In galop bereikte hij een groot plein waarop zich een reusachtig bouwwerk verhief. Was dit een moskee? Tiéfolo had er nog nooit een van zulke afmetingen gezien. Te paard reed hij eromheen.

Boven een soort voorplein verrees het gebouw, in baksteen van vette podo-klei, en tegen de regenhemel kreeg het een bruine tint met een blauwige weerschijn. De voorgevel was een opeenvolging van torens die uitliepen op geknotte piramiden waaronder driehoekige festoenen waren aangebracht, terwijl de zijgevels uit beurtelings halfverheven en -verzonken rechthoeken bestonden, als bomen in een bos.

Een groepje mannen besteeg de trappen die naar het voorplein leidden, waarna ze in een hoek hun sandalen rangschikten. Tiéfolo wilde er het zijne van weten en gaf zijn paard de zweep; in één sprong stond het op het voorplein. De mannen liepen naar een poort die hoog genoeg was om een ruiter doorgang te verlenen. Tiéfolo volgde hen en kwam in een met hoge zuilen omzoomd binnenhof. De gelovigen die hij volgde hadden zich omgedraaid en begonnen op hem te schelden. Een grote bejaarde man in een wijd kleed kwam schreeuwend achter een zuil vandaan. Als welopgevoede jongen wilde Tiéfolo reeds van zijn paard stijgen om hem tot bedaren te brengen. Maar andere mannen in wit kleed kwamen, dit keer uit het gebouw zelf, aansnellen. In minder dan geen tijd werd Tiéfolo van zijn rijdier gesleurd en onder een stortvloed van scheldwoorden afgeranseld. Omdat de mannen ouder waren dan hij, bood hij eerst geen weerstand. Maar toen het steeds meer slagen regende verloor hij zijn geduld. Er kwamen nog met stokken gewapende woestelingen bij, terwijl anderen hem als bezetenen in het gezicht spuwden. Toen besloot Tiéfolo van zich af te bijten. Niet voor niets was hij een jonge jager met een geoefend en gespierd lichaam. Met behulp van zijn voeten, vuisten en tanden dreef hij zijn aanvallers spoedig op de vlucht. Ze leken een ogenblik te aarzelen. Dan kwamen er twee terug, ieder met een zware steen in de hand. Tiéfolo slaakte een kreet van protest: wilden ze hem doden? Te laat. Een van de projectielen trof zijn voorhoofd.

Toen hij weer bijkwam bevond hij zich in een smal en laag hok waar het daglicht langs één kleine opening schaars naar binnen viel. Het strobed waarop hij lag verspreidde zo'n stank dat hij er misselijk van werd en zich probeerde te verplaatsen. Maar duizend puntige runderhoorns boorden door zijn schedel; het bloed stroomde over zijn gezicht. Hij verloor opnieuw het bewustzijn.

Hij opende zijn ogen en zag aan de kleur van de hemel in de muuropening dat er heel wat tijd was voorbijgegaan. De smalle rechthoek was indigoblauw; in het midden twinkelde spottend een ster. Tiéfolo wilde met zijn handen naar de wonde op zijn schedel tasten. Maar hij kon zijn armen niet bewegen: ze waren met een touw van da stevig op zijn rug gebonden. Ook zijn enkels waren aan elkaar gesnoerd. Hij huilde als een kind. Maar ondanks zijn zwakheid en de pijn over heel zijn lijf verloor hij de moed niet. Koumaré had het uitdrukkelijk gezegd: hij zou zijn opdracht tot een goed einde brengen. Sliep hij in? Of raakte hij opnieuw buiten kennis?

De indigo rechthoek werd donkerder, bijna zwart, daarna steeds helderder en via allerlei grijze tussentinten kleurde hij lichtblauw met witte stipjes. Nog nooit in zijn leven had Tiéfolo – hij, de meester van de wildernis en haar eindeloze ruimte – gevangen gezeten, beroofd van zijn bewegingsvrijheid. Toch liet hij zich niet ontmoedigen.

Ineens draaide de deur over haar houten hengsels en er verscheen een man met een kalebas dègè en een kleine uitgeholde pompoen. Hij knielde naast Tiéfolo neer en nam hem met een verrassende uitdrukking van bewondering op.

'Waar kom jij vandaan? Uit welk land?'

'Ik ben een Bambara,' kon Tiéfolo stamelen, 'ik kom uit Ségou.'

'Dacht ik al!' lachte de man. 'Kerel, wist je dat je de imam bijna hebt gewurgd en de moëddzin twee tanden hebt uitgeslagen? Ik ben een Bozo; daarom begrijp ik jouw taal.'

Hij knoopte Tiéfolo's boeien los, hielp hem te gaan zitten en duwde wat dègè tussen zijn lippen.

'Ze zullen je voor de kadi slepen,' bromde hij. 'Ik geef je één raad: als je niet onder het scherpgewette beulsmes wilt eindigen, laat je dan tot de islam bekeren!'

188

'Nooit!' spuugde Tiéfolo terwijl hij de hand van de man wegduwde.

'Laat je bekeren!' sprak de man sussend. 'Ze zullen je kruin kaalscheren en je Ahmed noemen. Wat kan jou dat schelen?'

Tiéfolo liet zich achterover zakken. 'Waarom hebben ze zich allen op mij geworpen? Wat had ik misdaan?'

'Je bent te paard hun moskee binnengedrongen, en naar het schijnt moest dat beest nodig: het zand was vol pies en paardevijgen!'

Hij schaterde het uit. Tiéfolo had dat misschien ook gedaan als hij niet zo veel pijn uitstond. Toen hij met veel moeite een tweede hap dègè doorslikte kwamen drie met geweren gewapende mannen binnen. Ze schopten hem waar ze maar konden, zodat hij het tegen wil en dank uitschreeuwde van de pijn, waarna ze hem dwongen op te staan. Ze droegen zwarte overhemden, brede leren koppelriemen die strak om hun middel spanden, en pofbroeken tot halverwege hun kuiten. Hun woeste gezichten beloofden weinig goeds. Hinkend liep Tiéfolo mee. Het bloed droop in zijn ogen en bij elke stap was het hem of hij flauw zou vallen. Ze volgden een doolhof van gangen, staken een binnenplaats over en belandden in een rechthoekige zaal waarvan het plafond met rondierstammen werd onderstut. Op matten zaten zeven in het wit geklede, getulbande mannen. In hun ogen las hij één zelfde onverzoenlijke haat. Een eveneens getulbande jongen die in kleermakerszit in een hoek hurkte, bracht op een grote, half opengeslagen rol allerlei tekens aan.

Tiéfolo begreep dat hij zich voor een rechtbank bevond. Die Bozo had gelijk. Dit gebouw was een moskee en deze fanatiekelingen wilden hem straffen omdat hij ze had betreden.

*'As salam aleykum. Bissimillahi.'*

Dat moest een mohammedaanse groet zijn. Om te tonen dat hij aan zijn eigen identiteit vasthield, groette hij terug in het Bambara. De mannen beraadslaagden

even en wezen toen een soldaat aan die zich uit het
groepje losmaakte en als tolk optrad.

'Naam en woonplaats.'

Tiéfolo somde ze op.

'Wat kom je in Djenné doen?'

'Ik kom mijn broer melden dat vader overleden is
en dat hij vóór de plechtigheid van de veertigste dag
thuis wordt verwacht.'

'Hoe heet je broer?'

'Tiékoro Traoré. Maar het schijnt dat jullie hem nu
Oumar noemen.'

Het antwoord klonk aanmatigend, en de rechters lieten hun ontstemdheid blijken. De ondervraging werd
voortgezet.

'Beken dat je door Da Monzon bent gestuurd om
onze heilige plaatsen te ontwijden! Beken het, en je redt
je hoofd!'

Tiéfolo moest een lachje onderdrukken. 'Heilige
plaatsen? Ik wist niet eens dat dit een moskee was. In
Ségou zijn ze begrijpelijkerwijs niet zo groot.'

'Waarom steeg je niet van je paard? En waarom liet
je het zijn gevoeg doen?'

'Op de eerste vraag is mijn antwoord dat ik niet wist
dat dit verboden was. Was dat mij meegedeeld, dan had
ik mijn verontschuldigingen aangeboden en genoegdoening gegeven. Wat de tweede vraag betreft: beheers ik
de ingewanden van mijn rijdier?'

Weer beraadslaagden de rechters onder elkaar. Tiéfolo vroeg zich af of hij niet droomde. Lag zijn lichaam
niet ergens op een mat terwijl zijn dolende geest de
zwaarste beproevingen doorstond? Die oude mannen
in wit kleed met hun bidsnoer in de hand, die soldaten,
die zinloze beschuldigingen! In Ségou was de enige
plaats waar je te paard niet binnen mocht het paleis
van de mansa, en zelfs daar werd er voor bepaalde
waardigheidsbekleders een uitzondering gemaakt.

'Weet je dat je de doodstraf verdient?'

Tiéfolo trok zijn schouders op. 'Is de dood niet de

poort waar wij allen doorheen moeten?' sprak hij rustig.

Opnieuw heerste er een stilte. Dan stond een van de rechters op. Al ging hij onder de ouderdom gebogen, zijn ogen hadden niets van hun schittering verloren.

'Ik ken een zekere Oumar Traoré; hij heeft een tijd onder mijn dak gewoond. We zullen hem laten opzoeken. Allah geve dat je niet gelogen hebt!'

De soldaten brachten Tiéfolo naar zijn cel terug. De zon scheen nu op volle kracht. Toen hij over de binnenplaatsen liep zag Tiéfolo bosjes rondierpalmen boven de hoge lemen muren uitsteken. De gevangenis besloeg het westelijke gedeelte van een complex waarvan de gebouwen in een vierhoek waren opgetrokken om een binnenplaats waar aardewerk en water voor de rituele wassingen werden bewaard. In een hoek zaten mannen stroken katoen aan elkaar te naaien, waarbij ze aan één uiteinde een soort kap vastmaakten.

'Wat doen die daar?' vroeg Tiéfolo nieuwsgierig.

'Ze maken lijkwaden,' lachte een van de soldaten. 'Als jij hier niet levend uitkomt, krijg je van hetzelfde laken een pak!'

Tiéfolo onderdrukte een rilling.

Was dit een bemoedigend teken? De soldaten brachten hem niet naar de smerige cel waar hij de nacht had doorgebracht, maar naar een schoner en luchtiger vertrek waarvan de vloer met een niet al te versleten mat was bedekt. Na een poosje verscheen de Bozo weer.

'Ik kom een pleister van tamarindebladeren op je wond leggen. En straks breng ik je een sukola-aftreksel tegen de koorts.'

Tiéfolo dacht dat die Bozo de vlees geworden goede geest moest zijn die hem door Koumaré was toegewezen, en liet zich verzorgen. Nu twijfelde hij niet meer aan de goede afloop van zijn avontuur. Hij zou Tiékoro terugzien en zijn opdracht ten uitvoer brengen.

Ondertussen babbelde de Bozo aan één stuk door, hoewel hele zinnen door zijn Djennése tongval onverstaanbaar klonken.

'Je had het niet slechter kunnen treffen. Het is hier een echt pythonkluwen. Fetisjistische Peul tegen mohammedaanse Peul. Qadriya tegen Tidjaniya tegen Kounti. Songhai tegen Peul. Marokkanen tegen Peul. En iedereen tegen de Bambara! Weldra zal het bloed hier de aarde rood kleuren. Goed vers, hoogrood bloed zoals het jouwe! Maar dan ben ik al heengegaan en proef ik de mede van de voorouders.'

Tiéfolo doezelde weg.

Toen hij op een ochtend een paar dagen later zijn kalebas dègè bijna leeg had gegeten, kwamen de soldaten hem halen. Hij volgde hen door het doolhof van binnenplaatsen naar de rechtszaal. Dit keer zag hij daar naast de rechters, de griffier en de bewakers ook een jongeman met de hoge gestalte en de zelfbewuste blik van de Ségoukaw; hij droeg lange wijde kleren en op zijn kaalgeschoren kruin een bruin kalotje. Ontroerd herkende Tiéfolo zijn broer* Tiékoro, die hij nog nooit in deze uitdossing had gezien. Ze gooiden zich in elkaars armen en de tranen die in stilte bijeen waren gespaard als het water van de podo achter de dijken van aarde en riet, stroomden over Tiéfolo's ingevallen wangen. Kijk, hij was in deze onbekende stad aangekomen en ze hadden hem als een misdadiger behandeld! Uit welke stof waren de mensen gemaakt? En waarom leerden ze van hun god alleen haat en oorlog?

Tiékoro moest een zware boete van tweeduizend kauri's en driehonderd sawal graan betalen, plus nog een halve briket zout uit Teghaza.

Wat is een stad? Niet slechts een geheel van strooien of aarden huizen, markten waar rijst, gierst, kalebassen, vis of ambachtelijke voorwerpen worden verkocht, moskeeën waarin mensen neerknielen, of tempels waarin het bloed van de slachtoffers wordt gestort. Het is even-

---

*Broerskinderen worden in Afrika niet als neven, maar als broers beschouwd.

zeer een legwerk van persoonlijke herinneringen die voor iedereen verschillen, waardoor geen enkele stad op een andere lijkt of zelfs maar een eigen karakter bezit.

Voor Tiékoro was Djenné een oord van verstoting en vereenzaming geweest. Na Tombouctou was dit andermaal het paradijs dat zich aan hem onttrok, de klomp goud die in zijn hand tot keisteen werd. En toch, op het moment dat hij deze stad verliet miste hij reeds de grote vrijheid die hij er had gekend, de anonimiteit waarin hij had geleefd en die hij zou verliezen zodra hij zich weer binnen de wallen van Ségou bevond en zijn voorouders opnieuw hun rechten kwamen opeisen. Voor Nadié was het een plaats waar zij gelukkig was geweest, waar de man van wie ze hield van haar alleen was en haar bijstand nodig had. Het was het stukje grond waarop haar kinderen waren geboren en waar ze in volslagen gebrek alles bezat wat haar hart begeerde. Ze wist dat voortaan vernedering en verscheurdheid haar deel zouden zijn. Voor Tiéfolo ten slotte was het de plek waar hem onverdraagzaamheid en hardvochtigheid ten deel waren gevallen. Zo keken ze ieder met eigen ogen naar deze rijen gevels met hun nissen voor de galamboterlampen en hun met zware, uit Tombouctou ingevoerde spijkers beslagen deuren. In de winkeltjes rond de moskee bogen leerbewerkers zich over sandalen – een paar zolen waar twee riempjes door werden gehaald –, laarzen, sabelscheden en kameelzadels met hoog rugstuk. De regen kon al deze bedrijvigheid niet afremmen; mannen en vrouwen ploeterden door de plassen terwijl lachende kinderen elkaar balletjes nat zand naar het hoofd gooiden.

Ja, op ieder van hun drieën maakte dit schouwspel een andere indruk. Nog geen week geleden stond Nadié achter haar eigen kraampje tussen de andere vrouwen op een hoek van dit plein haar waar aan te prijzen voor getulbande Toeareg, dikbuikige Marokkaanse kooplui in hun witte kaftans, Songhai uit Tombouctou en Gao die dieper uit hun keel praatten dan de lui uit Djenné.

Ze had er haar vaste klandizie; op marktdagen wanneer vrouwen uit de omliggende streek met balen katoen, gedroogde vis, donkerrood aardewerk en potten vruchtensap het plein vulden, wist ze soms niet meer waar ze al haar kauri's moest stoppen. Dan beklom Tiékoro de trappen die naar de moskee leidden voor de grote vrijdagse gebedsstonde, de enige die elke week in gemeenschap plaats moet vinden. Hij neeg zijn voorhoofd in het stof en herhaalde: 'God beloont hen die de rechte weg bewandelen' – terwijl hij zijn verbittering tot zwijgen bracht. Tussen al deze mannen die dezelfde woorden uitspraken en dezelfde kleren droegen als hij, kwam hij tot rust.

Voor de poorten van de stad was het één groot gedrang. De uittocht van de Bambara op hun ezels en muildieren, te paard, op kamelen of te voet, was begonnen. De vrouwen droegen enorme lasten op hun hoofd; de kinderen dribbelden achter hen aan, met een jutezak als kap tegen de regen. De mannen beschermden de dieren. Alle Bambara namen de wijk naar Ségou, naar Kaärta, Bélédougou, Dodougou, Fanbougouri... Meer nog dan voor de Marka, de Bozo of de Somono, moesten zij beducht zijn voor de Peul. Zij wisten dat als deze laatsten hun onderlinge geschillen bijlegden, ze zich zouden verenigen tegen een rijk dat hen al te lang had onderworpen. En als de Songhai en de Marokkanen uit Djenné, die tegenover Amadou Hammadi Boubou eerst zo vijandig stonden, met hem vrede sloten, zouden zíj het kind van de rekening zijn. Dus was het tijd voor de grote uittocht; ze namen mee wat ze konden en lieten een verleden achter dat misschien kostbaarder was dan bezit.

Pas nu drong het tot Tiékoro door hoe hachelijk de toestand was. Helemaal in beslag genomen door zijn persoonlijke problemen, had hij geen oog gehad voor de groeiende paniek onder zijn volk. Onder de vluchtelingen gingen de wildste geruchten. De Peul van Amadou Hammadi Boubou zouden de weg van Djenné naar

Gomitogo hebben versperd. Gewapend met bijlen, vroegen ze aan ieder die langskwam: 'Ben je tegen de islam? Of, nog erger, ben je een huichelaar?' Wanneer het antwoord hen niet aanstond, sneden ze meteen je keel door; langs de weg liep een lange, macabere haag van afgekapte en nog bloedende koppen. Bovendien hadden ze tondyons uit Ségou in de pan gehakt. Haveloze, half verhongerde voortvluchtigen waren in dorpen bijeengedreven en gesommeerd zich te bekeren. Da Monzon die na zijn vaders dood Basi uit Samaniana, Fombana, Toto en Douga uit Koré had verslagen, was voor Amadou Hammadi Boubou nog slechts een willoze prooi.

Nabij de aanlegsteiger op de Bani werden de prauwen bestormd. Opeens piste de hemel een grauwe plensbui en de naad tussen lucht en rivier verdween. De mensen renden alle kanten uit, wierpen zich in de Bani, zwommen, gingen kopje onder.

'Het is waar!' gilden de vrouwen. 'Allah heeft onze goden overwonnen! Ze zijn op de vlucht geslagen!'

Voor het eerst had Tiékoro het gevoel dat hij de zijnen had verraden. Hij had een geloof omhelsd, uit naam waarvan zij werden opgejaagd en uitgeroeid! Het was alsof een man een vrouw koos uit een familie die met de zijne in vijandschap leefde. Hij hielp een oude man die in een huurprauw stapte.

'Nooit van mijn leven,' mompelde de oude, 'zullen ze mij als een ezel mijn voorhoofd in het stof zien wentelen! De spitsvoeten* mogen het weten!'

'Fa,' zei Tiékoro zachtjes – waaróm wist hij zelf niet –, 'ik ben ook een moslim.'

Met een doordringende schreeuw stootte de oude man zijn prauw af.

Onderwijl had Tiéfolo op zijn prachtig paard dat door de kadi gelukkig niet verbeurd was verklaard, de oever bereikt. Hij sprong eraf en bood het een oude man met witte haren aan.

*Bambara spotnaam voor de Peul.

195

'Neem het, fa. Jij kunt het beter gebruiken dan ik!'

'Nee,' sprak de ander met een beslist gebaar. 'Jij moet je krachten sparen. Als de Peul ons overvallen zullen wij ze nodig hebben!'

Na enig aandringen liet hij toch een deel van zijn bagage op het paard laden. Er ontspon zich een gesprek waarin ze allebei scholden op die plankjesbekladders met hun aangescherpte rietstekjes en hun schapevellen. Tiéfolo verzweeg wijselijk dat zijn eigen broer zich had bekeerd.

Aan de overzijde van de Bani waar de muren van Djenné niet langer zichtbaar waren beving de menigte een gevoel van opluchting en de bijeenkomst kreeg iets feestelijks. Ze trokken door een weidse vlakte waar alleen nog wat acacia's en doornstruiken boven uitstaken. Na al die regen was de savanne groen geworden. Iedereen ging langs de weg zitten en pakte zijn proviand uit; de vrouwen maakten vuur en zetten hun vijzels klem om er gierst in fijn te stampen. De jongens gingen op zoek naar fini-korreltjes en bayri-bessen die de lippen vuurrood kleuren. Mannen gaven kalebassen dolo door. Fetisjpriesters die van alle markten thuis waren, leurden met amuletjes tegen de Peul. Nadié kocht er drie en kreeg van Tiékoro een ferm standje. Maar Tiéfolo nam het voor haar op.

Omdat een jongere broer een zekere terughoudendheid aan de dag dient te leggen, had hij Tiékoro over Nadié geen vragen gesteld. Hij had haar met de grootste voorkomendheid behandeld, want ze had de clan drie kinderen geschonken. Maar Tiékoro kende de zijnen goed genoeg om te weten wat er zich achter die hoffelijkheid verborg. Hoe zou Nya reageren? En Diémogo, die nu zijn vader als clanhoofd verving? Welke houding zouden de andere weduwen van zijn vader aannemen, die allen uit aanzienlijke families stamden? Tiékoro wierp een blik op Nadié die met de kinderen in de weer was. Hij zag de wallen om haar ogen en de zenuwachtigheid van haar gebaren. Ze was overstuur en bang. Als zij afknapte, wat moest er van hem dan worden? Zoals destijds toen ze de Joliba afdaalden, had hij haar midden in de menigte in zijn armen willen sluiten en in haar oor fluisteren: Wees maar niet bang, ik zal je nooit, nooit verlaten! En nooit zal ik toestaan dat jij tot de rang van een dienstmeisje wordt verlaagd! Jij bent het liefste wat ik op de wereld bezit, nu mijn dromen en ambities in rook zijn opgegaan.

Maar kan men zo iets zeggen tegen een vrouw?

Op een stel armzalige knollen kwam er opeens een troep ongure types aangereden die bijna geen broek aan hun lijf meer hadden. Wat voor geboefte was dat? Andermaal dreigde er paniek los te breken. De mannen die een geweer hadden sprongen naar voren en hielden de onbekenden in bedwang.

Het bleken tondyons van Diémogo Seri te zijn, die in Noukouma waren verslagen; ze leefden nu van struikroverij, want naar Ségou durfden ze niet terug. Dat het met deze eens zo gevreesde tondyons zover gekomen was, werkte demoraliserend op de menigte. De tondyons werden met vragen bestookt. Was het waar dat de rode apen je leven spaarden als je *'Allah Akbar'* nazei?

In dergelijke ogenblikken van verwarring kan het woord van één man wonderen verrichten. Soumaoro Bagayoko was een vooraanstaand fetisjpriester die zich in Femay–een streek even ten noorden van Djenné– had gevestigd en er een fortuin had verworven. Met een hele karavaan bezittingen, vier vrouwen en een dertigtal kinderen keerde hij naar Ségou terug. Hij klom op een helling en strekte zijn hand ten teken dat hij om stilte vroeg.

'Die rode apen die jullie zo veel angst aanjagen, zullen weldra voor andere moslims, afkomstig uit Fouta Toro, in het zand bijten. Van de stad die ze op de rechteroever van de Bani zullen bouwen en die ze in hun hovaardij zullen noemen naar hun God,\* zal geen steen op de

---

\**Hamdallay* betekent 'God zij geloofd'.

197

andere blijven. Ze zullen opnieuw veefokkers worden. Maar Ségou is onverwoestbaar. Zijn naam zal de eeuwen trotseren. Na jullie zullen de kinderen van je kinderen hem herhalen!'

Deze woorden brachten de gemoederen tot bedaren. De vrouwen gaven de mannen en de kinderen te eten en de reis ging verder. Eenmaal in Séladougou – een aan Ségou onderhorige streek met Bambara bevolking – hoefden ze niets meer te vrezen. Ze moesten er alleen vóór de nacht zien aan te komen. 's Nachts hoeft men niet beducht te zijn voor mensen. Dan zijn het de geesten die – door de kwaadaardigheid der mensen aangespoord – ziekten, gebrek en waanzin uitstrooien.

# 4

Malobali bekeek zijn oudste broer en was zelf verbaasd dat hij hem zo haatte. Door Tiékoro's schuld stortte het raamwerk van zijn leven in elkaar: Nya. Nya scheen hem te vergeten; al haar aandacht ging naar die drie snotapen Ahmed Dousika, Ali Sunkalo en Awa Nya. Ze wiegde hen, zong hun de liedjes voor die alleen voor hém waren bestemd, baadde en voedde hen. Toen hij nog eens op een nacht de jongenshut verliet en haar ging opzoeken, trof hij haar aan met Ali Sunkalo in haar armen, en zij joeg hem weg met het verwijt dat hij niet zo kinderachtig moest doen.

En de rest van de familie! 's Avonds bij het vuur werden geen verhalen meer verteld over Souroukou, Badéni of Diarra. Nu schitterden ieders ogen van bewondering voor Tiékoro die het had over zijn leven in den vreemde. Daarna kwam er geen einde aan de vragen.

'Is Ségou mooier dan Tombouctou?'

'Is Ségou mooier dan Djenné?'

'Zijn de Moren blanken?'

'Zijn de Marokkanen Moren?'

'Is het waar dat ze in Djenné honden opeten?'

En Tiékoro oreerde zelfgenoegzaam terwijl Malobali op zijn tong moest bijten. Kon hij hem maar doen zwijgen, hem zijn woorden weer doen inslikken!

Nog onuitstaanbaarder was het vertoon waarmee hij zijn bidsnoer door zijn vingers liet glijden, zittend op een mat voor zijn hut waar hij zich vijfmaal daags in het stof wierp. Eén keer per week begaf hij zich, met zijn twee zoontjes en tientallen andere jongetjes, naar de moskee van de Somono. Wist hij dan niet dat de moslims tegen zijn volk oorlog voerden? Voor Malobali was Tiékoro een verrader. In de familie hadden de mannen hem eens ongezouten de waarheid moeten zeggen. Maar nee hoor! Met open mond stonden ze hem aan te gapen. En maar zeuren: 'Heb je Tiékoro zien lezen in zijn boeken?' 'Heb je Tiékoro zien schrijven?'

Uit de naburige familiehuizingen kwamen oude mannen luisteren naar zijn gewauwel: 'Het woord is een vrucht waarvan de schil kletspraat heet, het vlees welsprekendheid, en de pit gezond verstand. Hij die de gave van het woord bezit, behoort – ongeacht de graad van zijn ontwikkeling – tot de ware bevoorrechten der aarde!'

Zelfs de mansa werd door deze dweepzucht aangestoken. Kort na zijn aankomst had hij Tiékoro bij zich ontboden. Alleen de goden en de voorouders wisten wat die intrigant hem toen had wijsgemaakt. Hoe dan ook, de mansa had hem de opvoeding van twee van zijn zonen toevertrouwd, opdat ook zij de geheimen van de islam zouden doorgronden, en hem als raadgever in islamitische aangelegenheden aangesteld. Tiékoro was meteen opgenomen in de hofraad en gaf advies over het onderhouden of aanknopen van betrekkingen met de Peul uit Fouta Djallon, Katsina en Macina. Er was sprake van hem als gezant naar Ousman dan Fodio in Sokoto te sturen in een poging om diens bondgenootschap met Amadou Hammadi Boubou ongedaan te maken. Kortom, Tiékoro was een notabele geworden. Hij had zijn familie haar invloed aan het hof teruggegeven, zodat zelfs fa Diémogo, die toch twee keer zo oud was als hij, hem over alles en nog wat om zijn mening vroeg.

Sinds enkele dagen werd er iets bekokstoofd. Tiékoro zou een echtgenote krijgen die zijn rang waardig was. Het was één heen-en-weer-gedraaf van lofdichters, één uitwisseling van geschenken. Malobali had horen zeggen dat het ging om een verwante van de mansa, een prinses uit het paleis; meer wist hij niet. En dat terwijl Malobali zo opkeek naar Nadié! Het was bij toeval begonnen. Op een keer toen Tiékoro hem had toegesnauwd: 'Jij bent geen bilakoro meer, gedraag je als een man!' had hij Nadié's blik ontmoet, die scheen te zeggen: Ach wat, trek je daar niets van aan... En toen hij beschaamd wegliep om zijn tranen te verbergen, was zij hem achterna geslopen en had ze hem een djimita aangeboden, een van die onvergelijkelijke lekkernijen die ze in Djenné had leren bereiden. Sindsdien hing hij vaak rond in de buurt van haar hut. Waren ze niet allebei misdeelden: zij beroofd van haar kinderen en haar levensgezel, en hij van Nya's genegenheid?

Bij de positie van de vrouw had Malobali nooit lang stilgestaan. Dat Dousika zijn moeder niet had gehuwd kwam omdat ze een vreemdelinge was die trouwens, toen ze haar kans schoon zag, de benen had genomen. Nadié daarentegen was een Bambara. Wat werd haar verweten? Dat ze niet van achtenswaardige afkomst was? Was het haar schuld dat haar familie op de slavenmarkt terecht was gekomen? Waarom werd haar dat als een onuitwisbare schandvlek aangerekend? Ze had de clan drie kinderen geschonken. Ze was zacht van aard en naarstig. Wie kon beter dan zij een kip kruiden, het schapevlees een goudbruin korstje geven en in de jus een gierstkoeskoes bereiden? Wie kon fijner weven? In Djenné had ze nieuwe verftechnieken geleerd waarmee ze andere vrouwen van het huis vertrouwd had gemaakt. Helaas keerden al deze vaardigheden zich tegen haar, want het waren die van een slavin en ze bevestigden de vooroordelen van haar nieuwe omgeving. In het begin had Tiékoro haar in bescherming genomen tegen de kleinerende behandeling die haar dagelijks te beurt viel. Maar van dag tot dag deed hij dat minder, alsof ook hij in haar alleen nog een nederig gebruiksvoorwerp zag dat niet bij zijn stand paste. 's Avonds ontving hij in zijn hut de mooiste slavinnen van de familiehuizing. En nu hij van de mansa enkele buitgemaakte meisjes had gekregen, telde zijn eigen harem een tiental vaste bijzitten.

'Wat sta jij me zo aan te gapen?' werd Malobali eens

door Tiékoro terechtgewezen.

De jongen sloeg zijn ogen neer en wilde zich uit de voeten maken.

'Kom eens hier!' riep Tiékoro hem toe.

Malobali liep naar de mat die in het voorportaal van Tiékoro's hut lag uitgespreid. Tiékoro droeg een solferkleurige, met borduursel bestikte kaftan die hij bij handelaars uit Fes had gekocht. De stof was zijig en hier en daar met gouddraad versierd. Op zijn kaalgeschoren kruin droeg hij een zwierig mutsje van hetzelfde ruwe kantwerk als zijn halsdoekje. In een hand hield hij een bidsnoer met reusachtige parels van gele, witgestreepte steen. Het Haussa parfum waarmee hij zijn wangen had ingewreven, maakte Malobali misselijk.

'Wist je wat ik voor jou heb geregeld?' zei Tiékoro terwijl hij zijn fonkelende blik op zijn broertje liet rusten. 'Je gaat naar Djenné, naar de koranschool die een verwante van mijn vriend Moulaye Abdallah daar heeft. Als je tijdens het opzeggen van een soera bij elk woord van zíjn gard zult hebben gekregen, zul je misschien wat meer karakter hebben.'

'Djenné?' stotterde Malobali. 'Maar ik wil helemaal niet naar Djenné!'

'Zo zo, wil je niet?' spotte Tiékoro. 'Sinds wanneer heeft een wurm als jij een willetje? Je gaat wél, en gauw!'

Malobali gluurde wanhopig om zich heen. Een paar maanden geleden was hij nog een kind, een onder de vele. Daarna was hem onthuld wie zijn moeder was, en nu moest hij de haat van zijn oudste broer het hoofd bieden. Waar had hij dit aan verdiend?

Hij liep naar de hut van Nya. Als hij niet voelde dat hij het daarmee nog erger zou maken, had hij zich in een aanval van razernij over de grond gerold. De andere kinderen die hem zo ernstig en zwijgend zagen langskomen, vroegen zich af of dit nog hún Malobali was.

Nya zat voor haar hut. Ze had Ali Sunkalo net een bad gegeven en was zijn lichaampje met galamboter aan het insmeren. Ali Sunkalo was een schriel jochie dat last had van bedwateren. Daarom had zijn grootmoeder hem heel in het bijzonder onder haar hoede genomen; Ahmed Dousika en vooral Awa Nya, die toch maar een meisje was en nog de borst kreeg, liet ze af en toe aan Nadié's zorgen over.

Malobali kroop in een hoekje en keek toe hoe zij die hij zo lang voor zijn moeder had gehouden, een ander kind vertroetelde. Zijn keel werd dichtgeschroefd. Wie had zijn vertrouwde wereldje zo verstoord? Tiékoro.

'Ba,' vroeg hij schor, 'is het waar dat ik naar Djenné moet?'

Nya wierp hem een vluchtige blik toe, waarin hij iets als een schuldgevoel meende te lezen.

'Er is nog niets beslist,' zei ze. 'Fa Diémogo is ertegen. Maar Tiékoro vindt dat alle jongens van de familie voortaan Arabisch moeten leren lezen en schrijven. Hij zegt dat de toekomst aan de islam behoort.'

'Ik wil geen moslim worden!' stribbelde Malobali tegen.

'Ik moet bekennen,' zuchtte Nya, 'dat ik ook huiver voor die godsdienst, maar Tiékoro...'

Tiékoro, altijd weer Tiékoro! Malobali kon het niet meer aanhoren. Alsof hij door een dolle hond was gebeten, stoof hij weg uit de hut, weg uit de familiehuizing, en pas aan de rivier kwam hij tot stilstand.

Ségou! Die hoge aarden wallen. Dit glinsterende en soms wild kolkende water, met op zijn oevers de in schel rood en geel geschilderde prauwen van de Bozo. De markt waar hij met Nya naar toe mocht, gevolgd door een rij slavinnen met brede kalebassen op hun hoofd. 'Wat een beeldschone jongen!' fluisterden voorbijgangers, waarna ze uit angst voor het jaloerse noodlot gauw een bezweringsformule tegen ziekte en dood prevelden. Het plein voor het paleis van de mansa, waar hij elke middag naar de djeli ging luisteren. De laatste tijd bezongen ze vooral het einde van de broederstrijd met Kaärta, dat Ségou een nieuwe koningin had geschonken. Dan drong Malobali de andere kinderen opzij tot hij in de eerste rij stond. De bala's en de tamani's leken in een druk gesprek gewikkeld, terwijl de broze, ijle houtklank van de flee door een statige, gedragen mannenstem beantwoord werd.

Tiékoro wilde hem dit alles ontnemen? Dan zou híj naar het andere uiteinde van de wereld vluchten! Vruchteloos zouden ze naar hem op zoek gaan. Ze zouden jammeren en treuren – maar te laat: hij zou ver weg zijn.

Malobali was niet de enige die onder Tiékoro's gedrag te lijden had. Nadié voelde zich nog ongelukkiger. In het begin hield ze zichzelf voor dat dit wel voorbij zou gaan, dat hij nog moest wennen aan die bewondering en verafgoding door zijn familie, aan de teruggevonden rijkdom en de eerbetuigingen. Ze dacht dat ze hem kende: hij was laatdunkend, egoïstisch, gevoelig voor vleierij, heftig sensueel, maar ook goedhartig. Ze was ervan overtuigd dat er na al die jaren samenleven tussen hen een band bestond die door niemand kon worden verbroken. Het kwam erop aan te zwijgen en te wachten, het vol te houden tot hij weer de oude werd. Maar stukje bij beetje hadden de twijfel, de angst, de radeloosheid zich helemaal van haar meester gemaakt. Tiékoro – nu was ze er zeker van – maakte zich voorgoed van haar los. Dat hij de echtgenote, hem door de mansa aangeboden, had aanvaard, kon zij hem niet kwalijk nemen: zo'n eerbewijs kon hij niet weigeren. Haar wanhoop had andere oorzaken. Hij sprak niet meer met haar. Hij vond de keuken van zijn moeder beter dan de hare. Hij ontweek haar blik.

Op een avond kon ze het niet meer harden en liep zijn hut binnen. Hij zat in het voorportaal waar een slavin uit Mandé, hem die ochtend door de mansa toegezonden, zijn eten opdiende. Het was een mooi meisje en ze was nog maagd, aangezien ze op een snoer van blauwe pareltjes om haar lenden en twee enkelbanden na helemaal naakt was. Nadié dacht aan hún eerste ontmoeting in de kroeg van de Moor, hoe hij haar had overweldigd. Waarom had zij toen de hele buurt niet bij elkaar geschreeuwd? Hield ze al van hem?

Tiékoro was met haar onaangemeld bezoek niet bijster ingenomen. 'Wat kom jij hier doen?' riep hij driftig.

Zonder een woord te kunnen uitbrengen was ze, onder de verrassend medelijdende blik van de slavin, weggevlucht.

Nu stak ze Awa Nya een borst toe. Het kind had haar bekomst en weigerde, en Nadié bleef een poos naar dat fraaie zwartzijden en toch dubbel geminachte hompje vlees staren. In Djenné voelde ze zich nuttig, maar hier in Ségou was ze overtuigd van haar volslagen overbodigheid. Op het materiële vlak hadden Tiékoro noch de kinderen haar nodig. Ze mocht de hele dag op haar slaapmat blijven liggen, nog zou het voedsel – gierst, gevogelte, wild, vis – in haar mond komen vliegen. Ook dan zouden de stoffen uit Europa en Marokko, de gouden en zilveren juwelen, de parels van amber en koraal zich in de kalebassen ophopen. Dank zij het werk van de slaven en de gunst van de mansa zouden hele hutten van de familiehuizing blijven volstromen met zakken kauri's en poedergoud en de omheiningen met hinnikende paarden. Genegenheid leek Tiékoro voor haar niet meer te voelen. Haar twee jongens lieten haar links liggen nu ze zelf, als oudsten van een eerstgeboren zoon, onder attenties werden bedolven. Ze sliepen bij Nya die hen baadde en voedde. Als ze vielen strekten zich duizend handen uit om hen weer overeind te helpen. Als ze huilden tuitten zich duizend lippen voor een zoen. Waarin verschilde Nadié nog van al die andere vrouwen die zij moeder noemden? Alleen Awa Nya bleef haar nog over, want een meisje behoort altijd aan degene die haar ter wereld heeft gebracht.

Daar verrees Nya, die haar hoge gestalte lichtjes moest buigen, in de deuropening. Ali Sunkalo die achter haar aan trippelde, vloog recht in de armen van Nadié, alsof hij raadde hoezeer zij behoefte had aan troost. Nya en Nadié droegen elkaar geen haat toe. De eerste speelde alleen haar rol als moeder die de belangen van haar zoon behartigde. Na Dousika's dood had de familieraad haar aan Diémogo toegewezen, maar het was een publiek geheim dat die twee het als man en vrouw niet goed met elkaar konden vinden.

Nadié kwam al met een taboeretje aanlopen dat amper plaats genoeg bood voor Nya's brede billen. Na de wederzijdse begroeting zette de bezoekster de reden van haar komst uiteen.

'Je moet weten,' sprak ze langzaam, elk woord wikkend en wegend, 'dat Tiékoro nu weldra in het huwelijk zal treden. Met een volle nicht van de mansa! De huwelijksgift was dus heel aanzienlijk. Wij konden de koninklijke familie niet beschamen; Tiékoro moet zijn stand ophouden.'

Hoewel Nadié de geschenkenruil en voorbereidselen voor de bruiloft op de voet had gevolgd, begon ze over haar hele lichaam te beven, terwijl het klamme zweet haar uitbrak.

'Waarom spreekt kokè daar met mij niet zelf over?' stamelde ze moeizaam.

'Waarom zou hij?' repliceerde Nya hard. 'Heeft hij tegenover jou enige verplichting? Wees blij dat ik je in mijn huis heb opgenomen!'

Verbouwereerd besefte Nadié dat zij de waarheid sprak. Ze schudde haar hoofd van rechts naar links alsof ze de hele wereld tot getuige wilde nemen. Maar niets of niemand scheen zich te bekommeren om wat er in haar omging. De zon stond als een eierdooier in het midden van de hemelkalebas. De acacia's droegen hun geurloze bloesems. Naakte kinderen renden rond. Achter muren zaten vrouwen gierst fijn te stampen. Het leven ging zijn gang – een leven waarin voor haar geen plaats meer was. De stem van Nya bracht haar tot de werkelijkheid terug.

'Ik kom je een voorstel doen: natuurlijk kun jij in... dienst van Tiékoro blijven...'

Het woord 'dienst' had ze met enige aarzeling uitgesproken, maar de rest volgde met grote vastbeslotenheid.

'...hoewel er hier een woloso is die ik als mijn eigen zoon beschouw. Ik bedoel Kosa. Ik heb met hem gepraat, en hij is bereid je te huwen. Hij zal een huwelijksgift overmaken, en jullie kunnen op de familiegronden in Fabougou gaan wonen.'

Als Nadié zich door het verdriet niet zo verpletterd had gevoeld, had ze de vrees geraden die door deze woorden werd versluierd. Ze werd niet zo geringgeschat en veracht als zij zich voorstelde. In tegendeel, iedereen was bang dat zij van te groot gewicht zou zijn in Tiékoro's bestaan en dat de wettige echtgenotes zich door haar aanwezigheid benadeeld zouden voelen. Daarom wilde men haar opzij schuiven, haar in de armen van een andere man gooien. Maar haar pijn was te groot om deze berekening te doorzien. Haar hart bonsde in haar keel. Ze klemde haar tanden op elkaar als een stervende, en kon geen woord uitbrengen. De blik die ze Nya toewierp sloeg ook háár met stomheid.

Nadié had nog de kracht om op te staan, Awa Nya op haar rug in evenwicht te hangen en naar de hut van Tiékoro te lopen. Plotseling waren alle geluiden uitgestorven; ze had het gevoel dat ze door een verblindend daglicht liep dat even stil was als de nacht.

Ze ging de hut binnen. Tiékoro had zich heel verzorgd aangekleed; om zijn middel knoopte hij de touwtjes van zijn witkatoenen pofbroek.

'Ik ben te laat, ik moest al in het paleis zijn,' zei hij ongeduldig.

'Vergeef me, kokè, maar ik moet je spreken!' smeekte Nadié die tegen de muur aanleunde.

'Heb je niet gehoord,' riep Tiékoro geprikkeld, 'wat ik je zei? Ik ben nu al te laat! Ik moet naar de hofraad!'

Terwijl hij deze woorden uitsprak voelde Tiékoro zich verscheurd. Hoe sluw hij het spel ook speelde, hij wist dat zijn hart en zijn zinnen onontkoombaar naar Nadié terug zouden keren. Die afhankelijkheid ergerde hem. Was zij maar een verwante van de mansa of een meisje van hoge afkomst! Maar ach, ze was de Nadié die hij op de plee in een stank van uitwerpselen en urine had overweldigd, en die zijn ontluistering, zijn vernederingen en armoede in Tombouctou en Djenné had meegemaakt. Van haar houden riep opnieuw een stuk van zijn leven en van zichzelf op dat hij het liefst wilde vergeten. Maar nu keek ze zo wanhopig dat hij zijn ergernis vergat.

'Straks,' zei hij, 'als ik uit het paleis terug ben.'

'Maar,' drong zij nog aan, 'je blijft er vaak tot 's avonds laat en soms tot laat in de nacht...'

Hij trok zijn babouches aan en nam in de hoek van het vertrek een brede paraplu die uit Europa kwam.

'Nee,' sprak hij, 'vóór de isja ben ik terug. Bak wat van die lekkere koekjes. We zullen samen de nacht doorbrengen.'

En hij ging weg. Nadié begon gejaagd de kleren die op de grond lagen bij elkaar te rapen, rolde de mat op waarop hij met een andere vrouw had geslapen, en veegde krachtig de vloer aan met een bezempje van rietbladeren. Toen ze zich na een poosje weer meester voelde van haar eigen lichaam, verliet ze de hut en keerde naar de binnenplaats voor de vrouwen terug om weer aan het dagelijkse bedrijvigheid deel te nemen.

In het paleis was de hofraad voltallig. De prinsen van den bloede en de hoofden der aanzienlijke families zaten op hun huiden of matten. Omringd door zijn slaven en lofdichters lag Da Monzon op een verhoging zijn pijp te roken. Staande wachtte Tiékoro tot Tiétigui Banintiéni hem namens de mansa het woord verleende.

'Meester der levenskrachten,' sprak hij met een lichte buiging, 'ik heb vernomen dat Amadou Hammadi Boubou geheime bodes naar Ousman dan Fodio in Sokoto heeft gestuurd om hem te vragen of hij de jihad mag uitroepen. Ousman dan Fodio heeft hem daartoe gemachtigd en zijn vaandels – voor elk te veroveren land één – gezegend. Twee heeft hij er echter overgeslagen, wat wil zeggen dat twee landen aan Macina's greep zullen ontsnappen.

'Welke twee?' vroeg Da Monzon die rechtop ging zitten en aan zijn pijp vergat te trekken.

'Daarover,' zei Tiékoro met een onzeker gebaar, 'heeft Ousman zich niet uitgesproken. Er zijn dus veel veronderstellingen mogelijk...'

Twintig paar ogen waren strak op hem gericht toen hij te midden van een diepe stilte voortsprak.

'Ousman dan Fodio is een heilige, maar zijn zoons zijn hebzuchtig. Geef me de leiding van een gezantschap dat goud, ivoor en kauri's naar Sokoto brengt, en ik praat hun wel in dat Ségou een van de twee rijken is die door de Peul uit Macina moeten worden ontzien.'

Deze woorden lokten algemeen protest uit. Aangemoedigd door enkele prinsen, schreeuwde het krijgshoofd dat Ségou niet om genade placht te smeken, maar zich altijd te weer hadden gezet en een slagveld bezaaid met doden en gewonden had achtergelaten.

Tiékoro luisterde vol misprijzen en wendde zich daarna weer tot de mansa, alsof hij alleen op zíjn verstand en inzicht kon rekenen.

'Het gaat hier niet om een gewone oorlog met het oog op roof en moord. Dit is een heilige oorlog. De God aan wie jullie je niet willen onderwerpen, is aan de zijde van Amadou Hammadi Boubou en staat hem bij in elk gevecht. Jullie kúnnen niet van hem winnen! Je kunt slechts onderhandelen in de hoop dat hij jullie leven spaart.'

Dit ging te ver. Ten overstaan van de mansa de macht van Ségou in twijfel trekken! Anderen zouden hiervoor met hun leven betaald hebben. Maar Tiékoro gold voor waarzegger en tovenaar. In de raadzaal heerste een onbehaaglijke stilte.

'En je huwelijk dan, Tiékoro?' vroeg Da Monzon. 'Wil je je nieuwe echtgenote alleen achterlaten?'

'Ik zal doen wat gij wilt,' antwoordde Tiékoro met een buiging, 'Meester van onze gronden en onze goederen.'

Dat was een onbeschofte aanspreektitel: hij liet doorschemeren dat de zielen alleen aan God toebehoorden. Maar Da Monzon nam er geen aanstoot aan. Er werd gefluisterd dat hij op Tiékoro verkikkerd was als op een vrouw en dat hem dat nog zou spijten. Schonk hij hem als bruid niet een van zijn nichtjes? En al waren de Traorés rijke edellieden, waren ze zo veel eer waard? Velen hadden aan Tiékoro een hekel omwille van zijn eigendunk en zijn vreemde, aanstellerige kleren. Geduldig wachtten ze op zijn val. Hij zou van nog hoger vallen dan zijn vader!

De hofraad ging uiteen, maar Tiékoro bleef met enkele favoriete lofdichters bij Da Monzon. De mansa maakte zich zorgen. Al stond hij achter de zienswijze van Tiékoro, ook hem leken onderhandelingen erg vernederend. Zou hij niet beter, nu hij met de Coulibali's uit Kaärta een bondgenootschap had gesloten, een leger tondyons onder de wapenen roepen en tegen de Peul inzetten? Bij die gedachte bekroop hem een bijgelovige angst. De voorspellingen van Alfa Seydou Konaté werden bevestigd door de woorden van Tiékoro: 'Het gaat hier niet om een gewone oorlog. God staat Amadou Hammadi Boubou bij in elk gevecht!' Hij kreeg bijna zin om zich tot de islam te bekeren, maar vrees voor de woede van zijn onderdanen weerhield hem.

'Wanneer vertrek je?' vroeg hij aan Tiékoro.

'Over enkele weken,' zei die na enig nadenken, 'is het regenseizoen voorbij. Dan zal de Joliba in zijn bedding terugkeren.'

De eerste lofdichter, die Tiékoro om zijn grote invloed op Da Monzon benijdde, vroeg zich af hoe een man die op het punt stond om te trouwen zo gauw bereid kon worden gevonden om zijn bruid te verlaten. Wie wil er niet zo lang mogelijk tussen de warme dijen van een maagd vertoeven? Dit mysterie moest hij zien op te helderen. Niets is beter om een man in het verderf te storten dan een vrouwengeschiedenis, en Tiékoro was een vrouwengek.

Tiétigui Banintiéni besnuffelde Tiékoro en draaide hem om en om zoals een roofdier een prooi waarmee het niet vertrouwd is. Wie was die man? Wat wilde hij? Wat ging er achter zijn bekering tot de islam schuil? Waar eindigde zijn geloof en waar begonnen de komedie en de berekening? Hij die gewend was de mensen te taxeren omdat hij van hun goedgelovigheid moest leven, stootte zich aan Tiékoro's ondoorgrondelijkheid – dat vreemde samengaan van goed en kwaad, van aantrekkings- en afstotingskracht. Tiékoro was van een ander slag dan de vechtjassen en hovelingen die naar Da Monzons gunst dongen en slechts hun familiehuizing met goud en kauri's en hun hutten met vrouwen wilden vullen. Deze man was een raadsel.

# 5

Ondanks al haar verdriet had Nadié geslapen. Ze ging
even naar buiten om het uur te raden. De nacht was
ondoordringbaar zwart. Het had geplensregend. De aarde had zich zat gedronken en stoomde nu zware wasems
naar de hemel. De bomen stonden roerloos, door het
onweer uitgeput.

Tiékoro had zijn belofte niet gehouden. Hij was nog
steeds niet terug. In het donkere voorportaal leken de
kalebassen koekjes die ze vol liefde had gekneed haar
verlatenheid te verzinnebeelden. Een wilde razernij, een
moordzuchtige waanzin grepen haar aan. Het scheelde
niet veel of ze ging hem halen, als een jaloerse feeks
die er een publiek schandaal van maakt. Maar Tiékoro
was haar echtgenoot niet. Ze kon geen enkel recht op
hem laten gelden.

Achter haar zuchtte Awa Nya in haar slaap. Ze draaide zich om, nam het meisje in haar armen en drukte
het hartstochtelijk tegen haar hart. Dit kind was tenminste van haar; niemand kon hen scheiden. Zonder
dat ze goed besefte wat ze deed, liep ze naar de binnenplaats; haar voeten zonken weg in het slijk, bij elke
stap maakten ze een licht zuiggeluid. De straat liep dood
in een duisternis vol geluiden als van fluisterende geesten.

'Waar gaat die op dit uur heen met haar kind?'
'Is dat niet de dochter van Diosséni-Kandian?'
Hoe lang was het geleden dat Nadié nog bij die naam
was genoemd? Sinds tondyons uit Ségou haar dorp in
brand hadden gestoken en haar familie verstrooid of
uitgeroeid. Ineens zag ze dat alles weer voor haar geest.
Ach, uit Ségou kon niets goeds komen! Dat had ze

moeten weten zodra ze Tiékoro op haar weg had ontmoet. Ze sloeg lukraak rechtsaf, door een steegje vol
loerende ogen van dieren die misschien in haar verbeelding werden geboren. Toch was ze niet bang. De wereld
van de onzichtbaren kon niet gruwelijker zijn dan die
van de levenden, en bovendien zou ze er haar vader
en haar moeder weerzien die onder haar ogen met bijl-
slagen waren afgemaakt. Ze kwam bij de zuidpoort van
de stad, die niet op de rivier maar op de wildernis en
de verdronken gierstvelden uitkeek. Rondom Ségou
strekte zich nu een eindeloos vluchtelingenkamp uit,
want de stad had de toevloed van Bambara uit Macina,
Femay, Sebera, Saro en Pondori niet kunnen verwerken.
Het was er een wirwar van strooien hutten als van Peul
nomaden, haastig opgetrokken aarden kubussen en zelfs
hutten uit vervlochten boomtakken. En wat Ségou sinds
lang niet meer had meegemaakt: uit deze krotten vertrokken stropersbenden die het op de huizen van welgestelde inwoners hadden gemunt. Nog maar een week
geleden waren er twee terechtgesteld vlak voor de stadspoort opdat het bloed van die schurken de grond van
de gemeenschap niet zou bezoedelen.

Mannengedaanten doemden naast de mahoniebomen
op, maar trokken zich terug, verschrikt door deze vrouw
die 's nachts met een kind ronddoolde.

Nadié liep in één rechte lijn, voortbewogen door het
dwangidee Ségou – dat oord van onrecht en trouweloosheid – zo ver mogelijk achter zich te laten. Haar voeten
baggerden door het slijk. Nat gras striemde haar benen.
Er viel wat motregen, maar een fikse windvlaag woei
de bui weg.

Op een gegeven ogenblik ging Nadié ineengedoken
onder een boom liggen. Toen de inkthemel witte wase-
mige vlekken kreeg, stond ze op en zette haar tocht
voort. Er verschenen steeds meer mannen en vrouwen
op het veld. Op drasland werd rijst geplant. Wat verder
werd gierst gemaaid. Nog elders waren vrouwen in de
weer rond aarden ovens waarin ze de pitten van de

boterboom roosterden. Op de achtergrond verhieven zich, donker als dierevachten, daken van hutten. Ja, het leven kon de smaak van een vrucht hebben. Voor haar was dat helaas niet zo.

Ze botste op een waterput. Een cirkelvormige opening, met droge samengevlochten takken afgezet. Eerst wilde ze alleen haar dorst lessen. Ze was al uren onderweg en hoewel het fris weer was, proefde ze op haar tong een bittere aanslag. Maar toen ze zich bukte om de geitevellen zak aan het lange da-touw op te trekken, zag ze het water schitteren. De stroom frisse lucht in haar gezicht leek haar te wenken, en ze herinnerde zich het verhaal van Siga in Tombouctou: 'Ze is in de put gesprongen!'

Het ranke lichaam met de puntige borstjes van een geslachtsrijp meisje. De zacht welvende buik. Zij zou geen kind achterlaten dat het mikpunt van de anderen was, zij droeg haar kleine kwetsbare meisje met zich mee. Ze maakte Awa Nya van haar rug los en legde haar tussen haar borsten, terwijl ze hartstochtelijk naar het slapende gezichtje staarde. Allebei zouden ze nu spoedig in de wereld van de geesten zijn. Uit ontsteltenis over haar einde zou de familie niet zuinig zijn met offers; zij, van haar kant, zou voor hun welzijn ijveren.

Opnieuw boog ze over de put. In dit seizoen kwam het water hoog. Ze zag het tegen de aarden wanden klotsen; de koelte steeg haar tegemoet als een welriekende adem.

Nadié stapte over de takkenrand. Een ogenblik kreeg haar instinct van zelfbehoud de bovenhand. Ze dacht aan Tiékoro's lichaam tegen het hare, aan de geur van zijn zweet wanneer ze de liefde bedreven, de kristallijnen lach van haar kinderen, het bijten van de zon. Ze klampte zich vast aan de takken, maar ze begaven het onder haar gewicht. Terwijl ze, door haar panen afgeremd, in het zwarte water viel, overkwam haar een gevoel van gelatenheid. Ze had dit gewild. Ze omklemde Awa Nya met haar armen.

Er werd met man en macht naar Nadié gezocht. Wel veertig ruiters kamden de streek in alle richtingen uit. Tiékoro die in een poging om zich het leven te benemen zijn hoofd tegen een mahonieboom had geramd, lag in zijn hut te ijlen; zijn moeder waakte bij zijn ziekbed met de befaamdste fetisjpriesters. De vrouwen van de familiehuizing zwegen. Allen voelden ze zich hierbij betrokken. Ze voelden zich allen verantwoordelijk. Eén glimlach voor Nadié terwijl ze gierst zat te stampen, één woord toen ze de vorige avond in hun kring plaatsnam, één vriendelijk gebaar hadden haar wellicht voor wanhoop behoed. Maar niemand had dat gebaar gesteld.

In Ségou kwamen de tongen in beweging. Wat was er toch met die Traorés aan de hand, dat ze zo door gewelddadige dood, verdwijningen, rampen van allerlei aard werden getroffen? Kennissen vroegen zich af of ze hun niet beter de rug zouden toekeren. Anderen waren blij dat ze zich nooit met hen hadden ingelaten. De meesten kenden Nadié niet en vertelden over haar de onwaarschijnlijkste verhalen. Ze was een Moorse uit Tombouctou of een Marokkaanse uit Djenné, die ter wille van Tiékoro haar geboorteland en haar familie in de steek had gelaten. Meestal beklaagde men haar, al was een liefde die deze graad van passie aannam onrustwekkend. Waar moest het heen als een vrouw haar levensgezel geen bijzit of geen tweede huwelijk meer gunde?

Het nieuws bereikte het paleis van de mansa en wekte de wrevel van prinses Sounou Saro, Tiékoro's toekomstige bruid. Moest zij een man huwen die zijn hoofd tegen een boom ramde omdat een bijzit hem verliet? Ze pleegde overleg met haar moeder, die er niet anders over dacht. Maar wat konden ze doen? De bruidsschat was betaald, de huwelijksdag lag vast. De twee vrouwen haalden er Tiétigui Banintiéni bij, wiens vindingrijke geest altijd een uitweg zag. De hele namiddag beraadslaagden ze in een zaal van het paleis.

Die avond kwamen enkele ruiters die Nadié zochten in het dorp Fabougou aan. Alles stond er in rep en roer, want uit de waterput waren de lichamen opgehaald van een jonge onbekende vrouw en – treuriger nog – van een meisje dat slechts enkele maanden oud was. De waarzegger had vreselijke rampen voorspeld. De hele streek zou verwoest worden door de Peul en door nog barbaarsere horden later.

De goden en de voorouders lieten de Bambara in de steek. Tiéfolo, die het groepje ruiters aanvoerde, steeg van zijn paard en knielde naast Nadié neer. Ze had niet zo lang in het water gelegen dat haar lichaam was gaan opzwellen, en haar vredige gelaat straalde haar gewone zachtheid uit. Hij herinnerde zich hoe hij haar een paar maanden eerder had leren kennen toen hij Tiékoro vaders overlijden was gaan melden. Hij kwam net uit de gevangenis en was erg toegetakeld. Zij had naast hem neergehurkt en met haar behendige handen op zijn wonden bladerkompressen gelegd. 'Heb je pijn?' vroeg ze hem. En terwijl ze zijn hoofd met een hand ondersteunde had ze hem een lauw en bitter drankje doen slikken. 'Wat is dat voor iets?' had hij gevraagd. 'Slaap maar,' had zij geantwoord. 'Je bent wat te nieuwsgierig. Denk je dat vrouwen hun geheimen zomaar prijsgeven?'

Nu was ze dood. Ze had de hand aan zichzelf durven te slaan: de afschuwelijkste daad. Welk lot was haar geest nu beschoren? En die van haar dochtertje? Hij probeerde zich haar laatste uren voor te stellen, haar ondraaglijk verdriet, haar eenzaamheid, haar angst. Schuldig waren ze allemaal – niet alleen Tiékoro.

'Ken je haar? Is het een van jullie vrouwen?' vroeg het dorpshoofd van Fabougou achter zijn rug.

'Jawel. Het is de vrouw van mijn oudste broer,' bekende hij.

Aangezien zij de ergste wandaad waaraan een mens zich kan bezondigen had begaan, mocht niemand haar straffeloos aanraken. De fetisjpriester wees inderhaast twee grafdelvers aan. Ze wikkelden haar in een mat en gingen haar ver van de bebouwde akkers in de grond stoppen.

# 6

'Jij hebt een kop die harder is dan de staart van een ezel!'

'Dat is niet waar! Ik wil leren lezen. Maar waarom moet ik tegelijkertijd de lof van jullie God zingen? Het is de mijne niet.'

Siga pakte zijn plankje en zijn schrijfdoos en maakte aanstalten om weg te gaan, maar Sidi Mohammed hield hem tegen. 'Een kopje thee?'

Waarop de ander weer ging zitten. 'Leg me eens uit,' herhaalde hij verongelijkt. 'Waarom moet ik in de koran leren lezen?'

Sidi Mohammed sloeg zijn ogen ten hemel. 'Zul je God blíjven lasteren?'

En om een einde te maken aan hun twistgesprek ging hij zeggen dat er thee moest worden gezet.

Sidi Mohammed woonde in de kasba van de Filala in Fes, en was zadelmaker van beroep. Hij wist dat zijn voorouders ten tijde van Yacoub el-Mansour als slaven waren aangevoerd, en dacht dat ze van Mossi afkomst waren. Toen hij Siga elke ochtend zijn winkeltje voorbij zag lopen op weg naar de soek Elkettan, had hij hem op een keer aangesproken, en zo waren ze vrienden geworden. Rijk was hij niet, maar hij kon op zijn gemak leven. Zijn prettige woning met haar fraai bewerkte en met mozaïeken bezette bakstenen gevel telde één bovenverdieping en had een binnenplaats en een vierkante portiek. Siga stelde de vriendschap van Sidi Mohammed erg op prijs. Zijn leven verdeelde hij in twee perioden: vóór en na zijn ontmoeting met Sidi Mohammed.

'Ik moet naar huis,' zei hij toen zijn thee op was.

Sidi Mohammed schokschouderde. Soms kon hij zijn

vriend niet begrijpen: die werkwoede, dat ascetische bestaan... Zwijgend – zijn protesten haalden toch niets uit – pakte hij zijn wollen boernoes en liep met hem mee tot aan de Bab el-Mahrouk-poort.

Omstreeks 1812 leek Fes het hoogtepunt van haar glans te hebben bereikt. Het bestond uit twee verschillende steden: Fes Jdid, gebouwd door Yacoub ben Abd el-Maqq el-Merini, en Fes el-Bali dat zich over de zachte helling van de wadi Fes uitstrekte. Siga raakte niet uitgekeken op dit kleinood van een stad. Het had hem geleerd hoe relatief alles was; in vergelijking was Ségou, voorheen in zijn ogen de mooiste stad ter wereld, slechts een groot dorp. Marmeren monumenten, stenen paleizen, mausolea, madrasa's, moskeeën – de ene nog vernuftiger en harmonieuzer dan de andere – met pannendaken die behoedzaam op ingewikkelde zuilencombinaties waren neergezet, tuinen met fonteinbekkens van een kostbaar, doorschijnend materiaal. Precies in het midden van een dichtbebladerd park verhief de Qarawiyyin haar achttien met bronzen drijfwerk, siermotieven en inscripties opgesmukte portalen. Haar achthoekige koepels, kapitelen, booggewelven en friezen leken in hun verfijning de getuigen van een haast bovenmenselijk genie. Met een diep gevoel van nederigheid zag Siga de studenten – Arabieren, Berbers, Spanjaarden, Joodse bekeerlingen, Soedanese zwarten – naar haar poorten toestromen, en hij voelde de fascinatiekracht die van de geletterdheid kan uitgaan. Op een keer waagde hij het de patio te betreden; in vervoering staarde hij naar de kleurenweelde op de binnenmuren: goud, purper, turkoois, safir en esmerald.

Nabij de Bab el-Mahrouk-poort nam Siga afscheid van Sidi Mohammed en begaf zich naar zijn meester die in Fes Jdid, niet ver van het koninklijk paleis, een luxueus patriciërshuis uit de tijd van de Meriniden bewoonde. Moulaye Idris, een familielid van Abdallah uit Tombouctou, was een van de rijkste inwoners van Fes. In zijn werkplaatsen werden zijde- en brokaatweefsels voor damesceinturen, wandtapijten en vaandels voor het gevolg van de sultan vervaardigd. In zijn dienst verfraaiden borduurders de stoffen voor tafelkleden, kussens en al die schatten die in de soeks van de Qaïceria te koop werden aangeboden. Al zag hij eruit als een streng gelovige, aan geld was hij erg gehecht en jaar na jaar huwde hij prille meisjes. Siga behandelde hij rechtvaardig maar zonder warmte, op een toon die ongewild een zeker misprijzen verried.

Siga ging door de dubbele, rijk van ornamenten voorziene deur naar de grote patio en liep langs het waterbekken met zijn majolicategels. Moulaye Idris zat blijkbaar op de uitkijk en kwam uit een van de gelijkvloerse vertrekken aanlopen om hem te wenken. Hij had twee uitgeputte, door de zon getaande Arabieren op bezoek, wier kleren nog onder het roodachtige woestijnstof zaten: kennelijk twee karavaangeleiders.

'Neem plaats, Ahmed,' zei hij met ongewone hartelijkheid.

Siga deed het, benieuwd. Een dienstbode kwam rond met schaaltjes groene thee en verse dadels. Weer was het Moulaye Idris die de stilte verbrak.

'Onze beide vrienden hier komen uit jouw stad, uit Ségou. Ze brengen een boodschap voor jou. Allah's wil geschiede, Ahmed! Je vader is overleden.'

Siga sprak geen woord en wist zelfs niet of hij bedroefd was. Ségou was zo ver weg! Overigens had hij nooit veel genegenheid gevoeld voor Dousika die zich nimmer om hem had bekommerd en hem als een knecht van Tiékoro had behandeld. Toen dacht hij aan het verdriet van Nya, aan de opschudding in de familie, en dat ontroerde hem.

'Wil je naar Ségou?' vroeg Moulaye Idris, nog steeds even vriendelijk. 'Ik zal je geld en rijdieren ter beschikking stellen.'

Siga haalde zijn schouders op. 'Heeft dat nog zin?' mompelde hij. 'Zelfs de plechtigheid van de veertigste dag moet nu al hebben plaatsgehad, na die lange reis.'

'Maar misschien zou je moeder graag door jou getroost worden?'

Móéder? Nya was een beste stiefmoeder, maar zijn moeder was ze niet. Siga schudde het hoofd. Even later vroeg hij of hij naar zijn kamer mocht. Dousika was dood? Het verdroot Siga dat hij zo gauw was heengegaan, nog vóór hijzelf had kunnen tonen wat hij kon. Nooit zou zijn vader weten wat hij – die bastaard – waard was, dacht hij bitter.

In Fes had hij de harteloosheid van de sociale tegenstellingen ontdekt. Weliswaar waren er ook in Ségou edelen, handwerkslui en slaven; iedereen trouwde er binnen zijn eigen kaste. Maar dit misprijzen van de ene stand voor de andere bestond daar niet. Zelfs niet in Tombouctou, waar de hooghartigheid van de Arma's en de oelema's hem pijnlijk had getroffen. Fes was een trefpunt van vijandige sociale groepen die elkaar de macht betwistten. De sjorfa verfoeiden de bildiyyin, en samen minachtten ze het volk dat zelf in rivaliserende partijen verdeeld was. Ver beneden hen stonden de vreemdelingen, de harratin, en de zwarte slaven. Hier was Siga zich van het in Tombouctou nog vage begrip ras in alle scherpte bewust geworden. Omdat hij zwart was werd hij veracht en op één lijn gesteld met het leger slaven waaraan sultan Moulaye Ismaïl in de vorige eeuw zijn overwinning op de Arabieren, Berbers, Turken en christenen te danken had. Tot aan zijn ontmoeting met Sidi Mohammed had hij hier niet één vriend. Met niemand had hij een glimlach gewisseld of een glas gedronken. Daarom wilde hij koste wat het kost bewijzen waartoe een Bambara uit Ségou in staat was. Eerst moest hij leren lezen en schrijven, en zich daarna al die wonderbaarlijke vaardigheden eigen maken waarmee hij naar zijn land wilde terugkeren. Niet alleen oefende hij dagelijks zijn stijve vingers in schoonschrift, maar hij observeerde ook de metselaars, de mozaïekwerkers, de gipsgieters, de meubelmakers, de lantaarnsmeden met hun kunstig drijfwerk. Dank zij relaties van Moulaye

Idris had hij enkele maanden bij een leerlooier van de befaamde familie Oulad Slaoui kunnen doorbrengen om zich met het ingewikkelde fabricatieproces van marokijn vertrouwd te maken. In Ségou was er geen gebrek aan runderen, schapen en geiten. Wat hier mogelijk was kon ook daar.

Iemand klopte op zijn deur. Het was Moulaye Idris' eerste echtgenote Maryam die zich voor hem, al deed ze soms hooghartig, altijd opvallend vriendelijk had betoond.

'Ik heb vernomen,' zei ze, 'dat je vader overleden is? Allah's Wil geschiede. Maar blijf hier niet treuren. Kom mee naar een vedelspeler luisteren.'

Siga ging mee. Eigenlijk was hij niet zo dol op de muziek uit Fes, maar hij was gevoelig voor de attentie van zijn gastvrouw. Hij volgde haar langs het overdekte balkon, dat om het hele huis heen liep, naar de patio die op zijn beurt door een ruime zuilengaanderij met booggewelfjes was omringd. De vedelspeler zat naast het grote waterbekken. De vrouwen van het huis zaten om hem heen, gesluierd, en er werden schaaltjes met dadels, honing- en rietsuikergebakjes rondgegeven.

Een jongetje met zwarte huid maar rossig kroeshaar gaf Siga met een brede lach een brief. Siga vouwde hem open en spelde moeizaam: *Ben je blind? Zie je niet dat ik van je houd?*

Stomverbaasd keek hij naar de knaap die opnieuw al zijn tanden bloot lachte en wegrende.

Sinds de vroege ochtend was hij aan het werk in de soek Elkettan waar zijn werkgever een winkel had in katoenen stoffen, geweven met de draad die door Abdallah uit Tomboectou werd geleverd. Het was een zware dagtaak: de stoffen zo uitstallen dat de fraaiste weefsels goed tot hun recht kwamen, de klanten lokken, marchanderen, zijn prijs doordrukken. Een adempauze werd hem niet gegund. Gelukkig liet Sidi Mohammed, wiens eigen winkel zich wat verder, vlak bij het kruispunt van de Semmarin bevond, hem af en toe wat thee brengen of een kop hele sterke koffie waarvan je de drab met schijfjes citroen kon oplepelen. Voor één keer liet hij zijn winkel zonder toezicht achter en probeerde de knaap door de met riethorden bedekte en reeds overvolle steegjes te volgen. De jongen schoot weg en liet zich weer inhalen, als ging het om een spelletje. Hij liep sloffen-, juwelen- en vogelwinkels binnen, of klampte zich met beide handen vast aan de boernoes van voorbijgangers. Opeens stond hij stil en Siga vatte hem bij zijn kraag.

'Wat heeft dit alles te beduiden?'

De jongen werd ernstig en bekeek Siga met zijn goudbruine katteogen. 'Het is mijn zus, mijn zus Fatima,' zei hij.

Geschrokken keek Siga om zich heen. 'Je zus? Waar is ze?'

'Kom vanavond,' ratelde de knaap, 'met je vriend Sidi Mohammed naar ons huis. Mijn zuster Yasmin trouwt. Tussen al die genodigden zal jullie aanwezigheid niet opvallen.'

Hij riep nog het adres en nam de benen.

Even bleef Siga met hangende armen staan, als een halfgare die niet weet waar hij moet kijken. Daarna holde hij naar Sidi Mohammed; in zijn haast liep hij bijna twee, drie waterdragers met hun geiteleren zakken op hun zij omver. Sidi Mohammed legde de laatste hand aan een paardetuig voor een familielid van de sultan, want hij stond bekend als een van de beste specialisten in zijn vak. Siga stopte hem het briefje toe en vertelde hijgend wat hem was overkomen.

'Nou,' zei de ander die niet eens verbaasd leek, 'dit komt niet te vroeg!'

Sinds zijn aankomst in Fes had Siga alleen met bordeelmeisjes omgang gehad. Hij was te trots om zich door een vrouw omwille van zijn huidskleur te laten afwijzen. Twee of drie prostituées uit de buurt van de Bab el-Chari'a-poort verleenden hem graag hun diensten. Het bleven anonieme pleziertjes, hoe die vrouwen onder hem ook steunden en kronkelden. Plotseling vernam hij dat in deze vreemde, haast vijandige stad een meisje hém tussen zo veel rijke, ontwikkelde, mooie en zelfverzekerde mannen had opgemerkt, en hij had haar hiervoor op zijn knieën willen bedanken. Hoe zag die onbekende eruit? Welke ogen had ze? Welke glimlach?

Sidi Mohammed krabde op zijn kroeskop.

'Dat adres is niet zo ver hiervandaan, in Zekkak erRoumane. Blijkens haar naam is ze de dochter van de koppelaarster Zaïda Lahbabiya, een buitenechtelijk kind, want koppelaarsters mogen zelf niet trouwen.'

Voor Siga, die slecht op de hoogte was van Fes' geheime zeden, hadden deze woorden maar weinig betekenis. Wat voor hem belang had, was dat een onbekende van hem hield en de moed had om hem dat te zeggen.

'Dos je maar eens mooi uit,' zei Sidi Mohammed die hem het briefje teruggaf, 'en kom me hier om zes uur ophalen.'

In afwachting wist Siga met zichzelf geen raad. Hij leek wel te zweven en beraamde de krankzinnigste plannen. Hij neuriede wijsjes uit Ségou die hij dacht te zijn vergeten. De hele wereld had hij tot getuige willen nemen en het uitschreeuwen: 'Een vrouw houdt van me. Van mij!'

Heel even bekroop hem een twijfel: als ze nu eens lelijk, oud of gebocheld was? Maar die vragen wuifde hij weg.

In de vroege namiddag sloot hij zijn winkel. Het was het einde van de winter. Arme stakkers doken weg in een dikke wollen boernoes, terwijl chique heren paradeerden in uit Europa geïmporteerde lakense jassen, met op hun hoofd een donkerrood mutsje en daaromheen een tulband die twee keer zo breed was als hun schedel. De kinderen zaten warm ingestopt in felgekleurde wollen kleren – althans de jongens die overal op straat te zien waren met hun schrijfplankje onder de arm, terwijl de meisjes thuis bij hun moeder moesten blijven. Siga besloot naar het Arabisch bad te gaan. Dat was een gewoonte waarvan hij de smaak te pakken had. Van de koude zaal naar de warme gaan waar je door bedreven handen werd gewassen, en daarna naar het zweetbad waar arm en rijk in de mestgeur van de ketels gezellig dicht bij elkaar zaten – het gaf een heerlijk gevoel!

Soms begonnen studenten van de Qarawiyyin er te declameren: 'O Fes, alle schoonheid probeert men jou te ontroven! Is wat ons tot rust brengt jouw briesje of een zucht? Is wat daar stroomt jouw frisse, heldere water of vloeiend zilver? Jouw gebied is een door rivieren en mensenmenigten, soeks en wegen gegroefde grond.'

Waar iedereen even naakt was knoopte men gemakkelijker gesprekken aan met onbekenden. Maar dit keer bleef Siga niet lang, uit vrees dat hij te laat zou komen op het rendez-vous. Hij die er doorgaans nogal slordig bij liep trok nu de elegantste kleren aan: een nauwsluitend jasje met donkerblauwe mouwen, een hemd van het fijnste linnen, een bruine kaftan en een zwartwollen boernoes met even zwart borduurwerk.

'Hemel! Waar ga jij heen?' riep Maryam tussen twee bevelen voor de huisbedienden uit toen hij zo uit zijn kamer kwam.

Zijn verlegenheid sprak boekdelen. Zij glimlachte, liep naar haar kamer en kwam terug met een parfum waarmee ze hem besprenkelde.

In Fes was een bruiloft een hele gebeurtenis. Al had de bruidsschat misschien niet zo veel belang als in Ségou, toch was er een overdaad van geschenken, dukaten, zijden en linnen stoffen, brokaat, gouden en vooral zilveren armbanden en halssnoeren met filigraanwerk van de beste kunstsmeden. Toen Sidi Mohammed en Siga in het huis van de mysterieuze Zaïda Lahbabiya aankwamen, was het feest nog maar net begonnen. Op de patio en in de kamers eromheen stond het vol mannen, terwijl de vrouwen zich op de eerste verdieping ophielden. Het was er één gegons van stemmen en vedels, één geschal van hoorns, gelach en lofzangen van dichters.

Wat een prachtig huis bezat die Zaïda! Kennelijk legde haar beroep als koppelaarster haar geen windeieren. Een hele ruime patio. Een tussenverdieping boven de gelijkvloerse en pas daarna de eerste etage. Balustrades met schuin aangebrachte geometrische motieven. Witmarmeren tegels en deurlateien met rozetten in het fijnste lijstwerk. De komst van Sidi Mohammed en Siga wekte niet de minste verbazing. Overigens zou in deze drukte van lachende en pratende mannen een kat haar jongen niet hebben herkend. Weldra verscheen Zaïda Lahbabiya; als koppelaarster mocht ze de mannen ongesluierd tegemoet treden. Zij was een zwarte die bijna niets Arabisch had, groot van gestalte, met fonkelende ogen; ze had iets onrustwekkends. Haar gezicht was fel geschminkt en in haar kort zwart haar hingen zilverstukken. Haar brede handen en voeten zagen blauw van de henna, en ze verspreidde een zachte en toch prikkelende geur van peper en munt. Ze keek Siga strak in zijn ogen; de moed ontzonk hem. Wist deze vervaarlijke moeder waarom hij hier was? Zou ze hem niet als een boerenkinkel eruit laten gooien? Of erger nog: hem publiekelijk voor schut zetten? Hoe zou hij zich verdedigen? Maar reeds verwijderde Zaïda zich zonder stil te staan, als een zwaargeladen prauw die de rivier afvaart. Het leek wel alsof zij de koningin van het feest was – niet haar dochter. Haar schoonzoon en zijn familie waren slechts figuranten. Met veel vertoon deelde zij dukaten uit aan een orkest dat zich op de patio had geinstalleerd. Ze klapte in haar handen en dienstmeisjes brachten schotels schapevlees en koeskoes. Ze maakte een paar danspassen. Opeens voelde Siga een hand op de zijne. Hij herkende, in zijn mooiste kleren en met een rechte scheiding in zijn netjes gekamde haar, de jongen die hem die ochtend had aangeklampt. De knaap legde een benige vinger op zijn lippen en wenkte hem.

Voor Siga was de liefde als de eerste winterse regenbui. Het droge seizoen heeft zich eindeloos lang voortgesleept. De aarde is gebarsten en poeierig. Het gras ziet ros. De kwijnende bomen kunnen niet meer. En opeens trekken er boven het land wolken samen. Ze barsten open. Naakte kinderen hollen naar buiten om de eerste, sporadische en nog lauwe druppels op te vangen. Daarna begint alles te groeien: de rijst, de gierst, de pompoenen. De fuiken zitten vol vis. Herders drenken hun kudden.

Hoe had hij kunnen leven zonder Fatima? Dat vroeg Siga zich af als hij 's nachts wakker schoot. Dat bleef hij zich afvragen overdag in de soek, tijdens zijn leeslessen, in het Arabisch bad, aan tafel. Nergens vond hij nog smaak in. Noch in eten noch in drinken noch in werken. Voor het eerst had Moulaye Idris iets aan te merken over de winkel, en Maryam over de wanorde in zijn kamer. En Sidi Mohammed had hem beknord: hij zou nooit leren lezen.

Fatima leek niet op de vrouwen van wie Siga soms had gedroomd. Ze was even zwart als haar moeder en haar broertje, maar had sluik haar en grijze ogen. En wat was ze klein! Een gestalte met nauwelijks gevulde heupen en boezem. Hoe kon een man aan zo'n lichaampje zo veel genoegens ontlokken? Toch hadden de vlezige schepsels die Siga tot vervelens toe had bezeten, hem nooit zo veel genot geschonken. Al was dit een ander genot, een met hart en ziel. Telkens weer liet hij Fatima haar verhaal vertellen.

'Ik was muiltjes gaan kopen in de soek Essebat en liep al, met mijn pakje onder mijn arm, terug naar huis. En toen zag ik jou...'

'Je zag me en was verliefd. Hoezo? Waarom?'

'Omdat je er zo treurig uitzag, en zo eenzaam.'

Bij deze woorden bedolf hij Fatima telkens onder kussen.

De idylle had één schaduwzijde: de clandestiene rendez-vous in El-Andaluz waar een vriendin haar huis ter beschikking stelde.

Fatima leefde in grote angst voor haar moeder. Zaïda Lahbabiya stamde af van een slavin die onder sultan Moulaye Abdallah, tijdens het jaar van de grote aardbeving die Fes verwoest had, naar Marokko was overgebracht. In de oude Fassi familie waarvan zij de naam had geërfd, moest zij de bruidjes aankleden. Allengs was die taak uitgegroeid tot een heus beroep dat ze 's winters, in afwachting van het voorjaar en de trouwerijen, met borduurwerk aanvulde. Het beroep en zijn voorrechten werden van moeder op dochter overgedragen. Ook was het de koppelaarster die baby's te vondeling legde of bij de besnijdenis formules uitsprak die alleen haar bekend waren. Onder de huidige regering van Moulaye Sliman telde het 'gilde' der koppelaarsters zeven meesteressen die allen van zwarte slaven afstamden en onder wie Zaïda veruit de machtigste was. Ze was rijk. Ze bezat zo veel juwelen dat ze die tegen woekerprijzen verhuurde aan bescheiden gezinnen waarin een meisje trouwde. Ze kende de sultan persoonlijk en werd vaak op het paleis ontvangen. Als ze door de straten van Fes el-Bali liep, werd ze door iedereen herkend en bij haar naam gegroet.

'Waar ben je bang voor?' vroeg Siga aan Fatima. 'Dat ze mij geen goede partij vindt? Ik ben de zoon van een edelman uit Ségou, en als ze dat wenst kan mijn familie haar een hele karavaan goud laten brengen.'

'Ze mag het niet weten!' zei Fatima die verbeten het hoofd schudde. 'Nooit!'

En dat terwijl Siga zijn liefde aan de gehele wereld wilde kond doen! Hij wilde kinderen hebben. Hij wilde zijn intrek nemen in een mooi huis in de kasba van de Filala, vlak bij zijn vriend Sidi Mohammed. Waarom bleef dat alles hem ontzegd?

Hij stalde zijn katoenen stoffen uit terwijl hij in gedachten nog eens dezelfde drie mogelijkheden overwoog. Waarom stelde Fatima hem niet aan haar moeder voor? Omdat hij zwart was? Onmogelijk, want ze was zelf ook zwart. Omdat hij geen goede moslim was? In dat geval was hij bereid om zich vijfmaal daags in de moskee van Abou el-Hassan in het stof te werpen. Of omdat ze hem voor een armoezaaier hield? Dan zou hij fa Diémogo een boodschap sturen om het tegendeel te bewijzen. Opeens snoof hij een vreemde geur, een parfum dat uit een rare mengeling van peper en munt scheen te bestaan, en hij hoorde een wat schorre stem die de harde Arabische keelklanken een sensuele zachtheid verleende.

'Nou, het werd hoge tijd dat ik je terugvond!'

Siga draaide zich om en schrok zo hevig dat hij het bijna op een lopen zette terwijl hij tegelijk de grond onder zijn voeten voelde wegzinken: voor hem stond, gekleed in een zware zwarte jurk, haar gezicht half verborgen achter een fantasiesluiertje, met zilveren zecchini in haar haar, Zaïda – Zaïda Lahbabiya in hoogsteigen persoon, de moeder van Fatima. Van de schrik liet hij de baal katoen die hij vasthield vallen.

'Jaag ik je zo veel angst aan?' lachte ze luidkeels, waarbij haar boezem op en neer schokte.

Siga was geen kind. Hij wist dat dit niet de manier was waarop een in haar eer gekrenkte moeder zich tot de minnaar van haar dochter richtte. Dit was een verleidingspoging. Te veel vrouwen van slechte levenswandel hadden hem zo aangestaard en het volume van zijn lichaam en zijn penis proberen te raden. Dit besef bracht hem nog meer van zijn stuk.

'Wat verlang je?' stotterde hij.

Zaïda schaterde nog harder.

'Wéét jij dat niet? Die keer, op de bruiloft van mijn dochter, ben je er wat te vlug tussenuit geknepen! Ik zocht en zocht, maar je was foetsie. Het heeft heel wat voeten in de aarde gehad voor ik je kon terugvinden!'

'Zeg me wat je verlangt,' zei Siga met het afschuwelijke gevoel dat hij voor aap stond. 'Ik zal doen wat ik kan.'

Zaïda kwam zo dicht bij hem dat ze hem bijna aanraakte.

'Ik weet zeker dat je dat kunt,' zei ze zacht. 'Mijn adres ken je. Ik verwacht je vanavond.'

# 7

Hoeveel mannen hebben ooit zowel met een moeder als met haar dochter naar bed kunnen gaan en in de armen van de ene evenveel genot kunnen beleven als in die van de andere?

Natuurlijk is dat niet hetzelfde soort genot. Als Siga met Fatima de liefde had bedreven, voelde hij zich lichter en gelukkiger, gepolijst en fijngeslepen als een kostbare steen in de hand van een edelsmid. Als hij zich aan Zaïda's omhelzingen ontrukte, was hij woedend op zichzelf en op haar, en liep hij te foeteren: 'Als ze zo gulzig blijft, draait ze mijn vogel nog de nek om!'

Hij stond duizend angsten uit dat de moeder iets zou horen over zijn relatie met haar dochter, of omgekeerd de dochter over zijn affaire met haar moeder. Zijn wilde nachten en het gebrek aan slaap putten hem uit en maakten hem verstrooid en slordig. Moulaye Idris gaf hem de ene uitbrander na de andere.

'Kijk eens, jongen,' kreeg hij een keer te horen toen hij weer op het matje werd geroepen, 'al die jaren dat je hier was had ik over jou nooit te klagen. Maar de laatste tijd herken ik je niet meer. Dit is mijn laatste waarschuwing. Als het zo blijft doorgaan vlieg je terug naar Abdallah in Tombouctou!'

Wat moest hij beginnen? Het uitmaken met Fatima? Daar dacht hij niet aan. Met Zaïda? Daartoe had hij de kracht niet.

Want Zaïda was niet alleen in bed een uitzonderlijke vrouw. Ze vertelde hem ook de meest fantastische verhalen. Als je haar mocht geloven was sultan Moulaye Sliman zo gek op haar geweest dat hij haar in zijn harem had willen opnemen. Als ze de waarheid sprak bezat de Qarawiyyin een manuscript op gazelleperkament met gedichten te harer ere. Naar haar zeggen prijkte haar portret in het paleis van de heer van Córdoba in Spanje. Hoezeer ze hem soms ook irriteerden, Siga raakte maar niet moe van haar verhalen. Hij viel schaterend tussen haar breed geopende dijen, en hun eerste omhelzing had altijd een ludiek smaakje. Wat moest hij beginnen?

Toen hij eens terugkwam uit de Mellah waar hij aan een rijke handelaar die zijn dochter uithuwde brokaat had geleverd, ging hij in de Lalla Mina-tuin zitten. Een paar stappen van hem af zong een speelman een romance die hij op een tamboerijn begeleidde. Wat verder lieten twee schooiers aapjes dansen met gekke rode jasjes aan. Het was een vertrouwd schouwspel en Siga schonk er niet de minste aandacht aan. Opeens kwam er een oude man in een versleten boernoes en met een muts zonder oorklep naast hem zitten. Hij stak hem zijn snuifdoos toe en toen Siga weigerde stopte hijzelf wat tabak in zijn neusgaten.

'Jongeman,' zei hij, 'jij ziet er niet erg gelukkig uit.'

Siga slaakte een diepe zucht. In ogenblikken van grote radeloosheid zoekt een mens iemand bij wie hij zijn hart kan uitstorten. Ook Siga ontsnapte niet aan die regel. Toen hij was uitgesproken schudde de oude man zijn hoofd.

'Wat is de jeugd een mooie tijd! Toen ik nog niet zo verlept was als nu, heb ik ook zo iets meegemaakt. Ik logeerde bij mijn oom in Marrakech...'

Siga kreeg al spijt dat hij zijn hart had gelucht, had weinig zin om die ouwe koek te moeten aanhoren, en stond op.

'Het enige dat je nog kunt doen,' onderbrak de oude man zichzelf, 'is vluchten.'

'Vluchten?' vroeg Siga die weer ging zitten. 'En Fatima dan?'

'Schaak haar! Loop weg met haar. Rust niet vóór de Sahara jou van haar moeder scheidt!'

Lef had die schooier wel. Maar eigenlijk sprak hij

hardop uit wat Siga niet durfde te denken.

'Weglopen?' mompelde hij. 'Maar ik heb hier nog zo veel te leren!'

De oude man moest lachen. 'Je doet me denken aan iemand die, als de dood hem komt halen, zegt: "Nu nog niet, ik heb hier nog zo veel te leren." Het leven is één eindeloze leerschool.'

Siga verzonk in gepeins. Weglopen? Naar Ségou terugkeren? En als Fatima niet mee wilde? Moest hij haar dan echt schaken? Wie zou hem in deze stad daarbij willen helpen? Hij wilde met zijn twijfels bij de oude man te rade gaan, maar die was verdwenen. Toen begreep hij dat het de geest van een voorvader was die hem, als mens vermomd, een uitweg had gewezen, en eindelijk kwam hij tot rust.

Hij richtte zich op. Nu hij Fes vaarwel moest zeggen, werd hij zich pas bewust hoezeer hij aan deze stad gehecht was. Van Tombouctou had hij nooit gehouden, maar Fes hield hem in de ban als een verleidelijke vrouw. Overal zou hij naar deze plek terugverlangen. Hij kwam voorbij de oude moskee van de Rode Minaret, wandelde door de tuinen van Bou Jeloud en liep langzaam naar Fes el-Bali terug. Kinderstemmen psalmodieerden de eerste soera's terwijl de stad zich aan zijn voeten uitstrekte, met achter haar die hoge bergketen. Had hij zijn tijd hier goed besteed? De ziel van deze stad was hem vreemd gebleven omdat hij haar godsdienst niet deelde. Hij knielde niet neer in haar moskeeën. Haar madrasa's had hij niet bezocht. Hij had zich nooit gemengd onder de menigten die in de Qarawiyyin kwamen luisteren naar de grote, uit alle werelddelen tot zelfs uit Andalusië hierheen gereisde tekstverklaarders van de hadiths.

Fatima vertelde hem huilend dat ze van haar moeder zo pas nog een pak slaag had gekregen. Siga overstelpte haar met zoenen. Nadat hij haar met het genot van de liefde had getroost, praatte hij bijna zijn mond voorbij. Maar zou zij met hem mee willen? Ze was nog geen

233

vijftien, ze was nog een kind. Dat ze een brief had laten schrijven om een man haar liefde te verklaren, lag in de lijn van haar romantische en lichtzinnige jeugd. Was ze tot meer in staat? Was het niet naïef te hopen dat ze haar lot in eigen handen zou nemen?

Siga besloot alleen te handelen en beraamde inderhaast een plan. Al die jaren had hij eerst van Abdallah uit Tombouctou en nu van Moulaye Idris alleen kost en inwoning, maar nooit een loon gekregen. Die achterstallen wilde hij opeisen. Daarmee zou hij een hele karavaan bevrachten met katoenen stoffen, met gouddraad versierde zijde, brokaat en geborduurde weefsels. De wereld veranderde. In Ségou zouden ook niet-moslims die nieuwigheden willen kopen. De vrouwen zouden voor de mode door de knieën gaan. Hij zou een grote handelszaak opzetten. Naast weefsels kon hij in het begin zout uit Tombouctou en kola inslaan. En waarom zou hij geen leerlooierij beginnen? Wat had je daarvoor nodig? Een open ruimte voor de kuilen en de kuipen. In Ségou was er geen gebrek aan ruimte. En in de Joliba was er water zat. De zon zou de huiden drogen. Hij kon er die babouches in soepel geel en wit leer laten vervaardigen, zoals Fes er naar alle mohammedaanse landen exporteerde. Siga zag zichzelf reeds als werkgever van tientallen garankè, want als zoon van een edelman kon hij zich niet verlagen tot de rang van leerbewerker. Ha, hij zou ze eens laten zien waar de zoon-van-de-vrouw-die-in-de-put-was-gesprongen toe in staat was!

Terwijl hij in gedachten reeds zijn zakken goud en kauri's telde, ploeterde hij nabij de madrasa van de ketelmakers met haar nederig minaretje door het vuilnis dat de wijkbewoners overal op straat kieperden. Haastig liep hij recht op de winkel van Sidi Mohammed af. Die was in een druk gesprek gewikkeld met een klant die een zadel kwam bestellen voor een volbloed die hij prees alsof het een vrouw was. Siga liet niets van zijn ongeduld blijken. Nadat de praatvaar eindelijk was weggegaan, deelde hij zijn beslissing op de man af mee.

'Zaïda heeft een goed stel hersens,' waarschuwde Sidi Mohammed na een lange stilte. 'Ik zou zelfs durven zeggen dat ze het slimste schepsel is dat de naam vrouw draagt. Als jij met haar dochter wegloopt, zal ze weten wat haar te doen staat. Ze zal de sultan ophitsen om alle reizigers en karavanen die zich naar Ségou begeven streng te controleren. Nog geen twee dagen later zul jij hier terug zijn, met ijzeren kluisters om je voeten.'

Het was een rake opmerking. Siga bekeek zijn vriend wanhopig. 'Heb jij een beter idee?' vroeg hij.

Sidi Mohammed krabde, zoals hij vaker deed, krachtig in zijn haar. Zijn wakkere geest verborg hij achter een wat onbehouwen uiterlijk.

'Een andere route!' liet hij zich ten slotte ontvallen. 'Je moet een andere route kiezen!'

'Een andere route?' Siga zette grote ogen op. 'Ken jij een andere?'

Sidi Mohammed schonk zich wat thee in en dronk met kleine slokjes zijn schaaltje half leeg.

'De zee,' sprak hij daarna.

'De zee? Waar in Fes zie jij de zee?'

Sidi Mohammed zuchtte alsof hij ontmoedigd werd door zo veel stompzinnigheid.

'Fes ligt niet aan zee, maar Kenitra wél. Dat is maar een paar kilometers hiervandaan, en ik heb er een oom wonen. Je zult er schepen vinden die naar alle windstreken varen.'

Met bedachtzame stappen liep Siga naar het huis van Moulaye Idris terug.

Als de avond de witgekalkte muren verdonkert komen de mensen samen op de stadspleinen, totdat de grote *Allah Akbar*-roep van de moëddzin hen naar huis terugroept voor het laatste gebed. Verkopers van amandelen, munt en geroosterde maïskolven proberen hun waar te slijten en aan elke stadspoort bezingen openbare vertellers de stichting van Fes.

Siga maakte een ommetje naar Bab el-Gissa, waar

elke dag voor een ingetogen menigte een dichter de verzen van Abou Abdallah el-Maghili reciteerde: 'O Fes! Moge Allah jouw bodem met het vocht des hemels voeden. Moge Hij hem met de regen van een gulle wolk besproeien. O paradijs van deze wereld! Jij die Hims met je overweldigend mooie panorama overtreft...'

Tranen liepen over Siga's wangen toen hij dit hoorde. Niet alleen omdat hij deze stad moest verlaten, maar ook om zijn eigen zwakheid, want hij wist dat hij klokslag middernacht opnieuw in Zaïda's bed zou liggen.

Siga verliet het washok waarin hij zich sinds gisteren schuilhield. Volgens zijn berekeningen konden zijn vrienden – of liever, die van Sidi Mohammed – nu niet lang meer wegblijven. Hadden ze hun slag kunnen slaan? Hij wist dat het moeilijkste obstakel Fatima zelf was; in haar angst en paniek had ze hen misschien niet willen volgen. Was er een fetisjpriester in de buurt, geen prijs zou hem te hoog zijn om hier het zijne van te weten.

Tot nu toe was alles goed gegaan. Met vorstelijke hooghartigheid had Moulaye Idris hem betaald wat hem toekwam, en daarna – met de ene hand terugnemend wat hij hem met de andere had gegeven – beloofd dat hij hem voortreffelijke koopwaar zou bezorgen. Eigenlijk was hij blij om het vrijwillige vertrek van die jongen wiens diensten hem toch geen voldoening meer schonken. Alleen zijn vrouw Maryam reageerde verbaasd.

'Heb je Abdallah wel geraadpleegd?' had ze nog gevraagd.

Siga had zijn plan voor Zaïda verborgen kunnen houden: het nachtelijk genot dat hij haar schonk had haar elke argwaan ontnomen. Sidi Mohammed en zijn vrienden zouden Fatima op de terugweg van de koranschool overmeesteren. Het aloude gebruik van de gesimuleerde ontvoering vóór het huwelijk was nog niet helemaal uitgestorven, zodat niemand tussenbeide zou komen. Vervolgens zou het groepje op paarden springen die onder de olijfbomen van de Lemta gereed stonden, en langs de Bab el-Gissa-poort de stad verlaten. Het leek kinderspel.

En toch was Siga bang. Zaïda achtte hij tot alles in staat. Ze zou hemel en aarde bewegen om hem terug te vinden en zijn trouweloosheid af te straffen. Zolang zij leefde zou hij geen rust kennen. Hij slenterde tot aan de wadi Fes, die samen met een tiental bronnen de stad van stromend water voorzag. Aan de overkant verhief zich een sinaasappelboomgaard zonder bloesems of vruchten tegen de grijze winterhemel. Teruggekomen in het washok, hurkte Siga op de grond. Bijna vervloekte hij de liefde die in zijn bestaan zo veel verwarring had gezaaid. Maar tegelijk besefte hij dat alleen die verwarring het leven zin gaf. Hij zou dus naar Ségou terugkeren. Welke veranderingen zou hij er aantreffen? Vader was gestorven. Zou Tiékoro uit Djenné terug zijn? Siga merkte dat hij ten aanzien van zijn broer nog steeds een diepe wrok koesterde. Die dwaas had een vrouw die hij niet eens verdiende! Bij de gedachte aan Nadié voelde Siga een grote vertedering. Voor haar had hij een stuk brokaat met een schering van goud- en zilverdraden en versierd met glinsterende lovertjes besteld. Wettige echtgenote of niet, zij was dit meer dan waard!

Hij meende een getrappel van paardehoeven te horen en liep haastig naar buiten. Maar het was slechts een troepje ezeldrijvers die met hun zwaarbeladen dieren van het slachthuis terugkwamen. Weer ging hij naar binnen en ten einde raad rolde hij zijn slaapmat open en probeerde in te dutten. Als hij emotioneel wat overstuur was kwamen de oude nachtmerries weer in zijn geest spoken. Ook nu had hij zijn ogen nauwelijks gesloten of het druipende lijk van zijn moeder verscheen naast de waterput: het ranke lichaam, de puntige borstjes van een nauwelijks geslachtsrijp meisje, de zacht welvende buik, die kring verschrikte en meewarig toekijkende vrouwen. Maar dit keer was het decor veranderd. In plaats van Dousika's familiehuizing was het een weidse verregende vlakte met hier en daar de glimmende bladeren van wat struikgewas. De gapende put was met een takkenrand afgezet en op zijn hurken smeekte een fetisjpriester de Aarde dat ze niet verstoord zou zijn en vrucht zou blijven dragen.

'Moge deze slechte, onvruchtbare dood u niet van ons vervreemden!'

Tussen de nieuwsgierigen wilde Siga dichterbij komen. Niet één lichaam, maar twee werden er opgehaald. Twee jonge, kwetsbare vrouwen, en tussen hen beiden een meisje dat maar enkele maanden oud was. Siga spande zich in om op de eerste rij te raken, doch onverbiddelijk en als met opzet sloot de kring van kijklustigen hem uit. Het gezicht van de vrouwen kon hij niet onderscheiden, en evenmin dat van het kind waarvan hij slechts de poezelige voetjes en de glanzende nageltjes te zien kreeg. Wat is zinlozer dan de dood van een kind? Kan de groene vrucht dan vóór de rijpe afvallen? 'Waarom hebben ze zich van kant gemaakt?' Niemand wist het. Ze behoorden tot die gevaarlijke soort vrouwen wier liefde te groot was, wier gevoelens sterker waren dan de regels van het leven in gemeenschap. 'Wie van de twee heeft dat kind met zich meegesleurd?' – 'Daar deed ze goed aan. Een meisje hoort bij haar moeder.'

Het gefluister van de vrouwenstemmen stierf uit. Eindelijk kon Siga wat naar voren dringen en de ronding van een wang, de hagelwitte tanden onder de opgetrokken bovenlip zien. Nadié! Het was Nadié! Een kreet van afgrijzen leek eerst in zijn keel te smoren, klom dan langzaam als een kruipdier naar boven, brak door de versperring van zijn huig en barstte uit. Nadié! Machteloos en gepijnigd richtte hij zich op terwijl een hand hem wakker schudde. Hij opende zijn ogen en zag een omfloerste schim. Hij hoorde lachen.

'Zo,' riep een stem, 'heet jij je vrouw welkom?'

De schim kreeg contouren en hij zag de lachende gezichten van Sidi Mohammed en enkele metgezellen met op hun hoofd een wollen muts.

238

'Ze is dood!' kreunde Siga.

'Nee hoor! Ze is springlevend!' schaterden de anderen.

Ze deden een stap opzij en daar lag Fatima, als pakgoed in dekens gewikkeld en vastgesnoerd, met op haar gezicht een mengeling van schrik en jubel.

Minutenlang moest Siga nog worstelen tegen zijn schimmen vóór hij droom en werkelijkheid weer van elkaar kon scheiden. Ook dan bleef hij zo sterk onder de indruk van het angstbeeld dat het als een onheilspellend voorteken zijn vreugde overschaduwde. Onder de afkeurende blikken van het groepje mannen en vooral van Fatima goot hij een boordevol glas brandewijn in zijn keel.

Sidi Mohammed en zijn vrienden hadden beschuit, olijven en uien meegebracht, en er werd een hapje gegeten.

Het eerste deel van het plan was ten uitvoer gebracht. Nu begon het tweede: per schip de wadi Sébou bereiken, en vandaar de Atlantische Oceaan. De rivier was een druk bevaren waterweg sinds de beheerser der gelovigen Abou Inan hem lang geleden met zijn oorlogsbodems had ontsloten. Over de oceaan werd verteld dat hij zwart zag van de scheepsmasten die naar alle windstreken uitzwermden: naar Spanje en, langs de Afrikaanse kustlijn, tot de monding van de Joliba.

Toen Siga met Fatima alleen bleef zette de herinnering aan zijn kwade droom nog steeds een domper op zijn vreugde. Het was alsof de geest van Nadié, vooraleer weg te zinken in het dodenrijk, een laatste vaarwel had willen zeggen aan hen die ze had liefgehad. Bovendien – dat bleek nu duidelijk – was Fatima nog een bakvis die hij stevig bij de hand zou moeten houden. Nu reeds miste ze haar broertje Ali.

'Die stakker! Met wie moet hij spelen nu ik er niet meer ben? En hij zal zijn gebeden vergeten te doen. Zoals jij trouwens, Ahmed: jij bent een slechte moslim! Je zult nog branden in het eeuwig vuur!'

Wie voor het eerst de zee ziet voelt een schok die hem de adem afsnijdt. Die wijd en zijd uitgespreide lijkwade geeft hem de maat van het oneindige en van de dood. Siga die op weg naar Tombouctou het Débo-meer had gezien en in de waan verkeerde dat de zee hem niet meer kon verrassen, bleef ingespannen naar haar horizon turen. Wat lag er achter die grijze lijn? Allicht een land van lieden met die blanke huid van Arabieren of Spanjaarden, die ook neerkeken op mensen met een zwarte huidkleur. Siga had genoeg gereisd en wist welke smet een zwarte huid werd aangewreven. Waarom? Hoe hij het ook wendde en keerde, op die vraag vond hij geen antwoord. De Bambara waren even machtig, zelfbewust en vindingrijk als andere volkeren. Lag het aan het verschil in godsdienst? In dat geval wilde hij nog hardnekkiger aan zíjn goden en zíjn voorouders vasthouden. Door dik en dun zou hij een alcoholdrinker en een fetisjist blijven.

Fatima en Siga waren vanuit Kenitra doorgereisd naar Salé – eertijds een bedrijvige haven vanwaaruit olie, leer, wol en graan naar Spanje werden geëxporteerd, nu nog slechts één groot kerkhof van grijze steen. Om Rabat, dat op de andere rivieroever lag en waar het krioelde van de slavenhandelaars, te ontwijken waren ze naar Mohammedia afgezakt.

Siga had Fatima die al de hele ochtend huilde, in de herberg achtergelaten. Opeens had ze beseft dat hun huwelijk niet aan haar dromen zou beantwoorden: geen weelderige uitzet, geen meubilair, geen slavin die haar op haar wenken zou dienen. Hoe Siga haar ook herhaalde dat ze dat alles in Ségou zou krijgen, hij begon zich af te vragen hoe zij tegen hun lemen familiehuizing, hun kalebassen, hun matten en hun eenvoudige kleren zou aankijken. Nee, de verfijning en het comfort van de Fassi bezaten zij niet. Hij zuchtte en liep naar de kade. In lage opslagplaatsen stonden zakken graan en rijst, manden dadels en olijven opgestapeld. Hij zag er ook het blauw geglazuurde fekkarin aardewerk dat door mannen met ontbloot bovenlijf voorzichtig in stro werd verpakt.

Sidi Mohammeds vrienden hadden niet gelogen. De oceaan was bezaaid met schepen. Waar hij ook keek schrobden matrozen het dek. Siga's oog viel op een zwarte die op een hoop touwen zat, en hij zette hem zijn reisplan uiteen. Bij wijze van antwoord tikte de man tegen zijn voorhoofd.

'Je bent krankjorem. Geen enkel schip vaart zo ver. Je wilt nog verder dan de monding van de Senegal en vandaaruit landinwaarts? Waarom ging je niet mee met een karavaan?'

'Dat is míjn zaak,' antwoordde Siga kortaf. 'Ken je een schip dat zuidwaarts vaart?'

De matroos wees naar een brik die er niet erg zee-waardig uitzag.

Kapitein Alvaro Núñez kwam uit Andalusië, was op de grote vaart gegaan en had een tijdje negerslaven vervoerd, maar sinds die vervloekte Engelsen alle sla-venschepen praaiden legde hij zich op een minder ris-kante handel toe. Verbaasd nam hij deze elegante, naar de mode uit Fes geklede zwarte op, die zich in vloeiend Arabisch wist uit te drukken.

'Wat doe jij zo ver van huis?' vroeg hij.

Maar Siga had geen zin om zijn levensverhaal te vertellen. Hij zei waar het hem om te doen was. Hij wilde tot elke prijs tot aan de monding van de Senegal of de Gambia. Alvaro Núñez pakte zijn neuswarmertje uit zijn mond.

'Tot een paar jaar geleden zou ik in dat gebied voor je vrijheid geen cent hebben gegeven. Nu is alles ver-anderd. Hier ben ik binnengevallen wegens averij; ik vaar naar Bonny, om palmolie. Je zei dat je goudpoeder hebt?'

Siga sprong van de ladder die naar de kade leidde. Nee, de goden en de voorouders lieten hem niet in de steek! Ze waren nog maar net in Mohammedia en hij had al een schip gevonden en een kapitein die er niet

241

als een kwaaie kerel uitzag. Dat moest gevierd worden! Hij liep een kroeg binnen waarin lieden van allerlei huidkleur – getaande Arabieren, witvlezige Spanjaarden, zwarten, Joden met een vale teint – gulzig dronken van likeuren die de dagelijkse zorgen doen vergeten: brandewijn, rum, wijn, jenever. Er waren ook een paar ongesluierde, sterk opgemaakte vrouwen. Siga ging aan een tafeltje zitten en stak een pijp op toen iemand naar hem toesnelde.

'Jean-Baptiste! Kerel, iedereen waande je dood!'

Hoewel door deze woorden onaangenaam verrast, wilde Siga zijn stemming niet laten bederven.

'Jean-Baptiste ben ik niet,' zei hij terwijl hij op het hout afklopte, 'maar ik betaal je toch een glas.'

De man kwam bij hem zitten. Hij leek wat in de war en deed zijn verhaal. Samen met zijn meester Isidore Duchâtel, een knettergekke Fransman die van Kaapverdië één grote proeftuin wilde maken, was hij in Beni Guareval bloemzaadjes, vruchtknoppen van citroen- en sinaasappelbomen en moerbeistekken gaan halen. Op Gorée had hij een Bambara slaaf ontmoet die Jean-Baptiste heette en als twee druppels water op Siga leek.

'Jean-Baptiste!' zei Siga met een schouderophalen. 'De moslims zadelen ons op met hun namen, en de christenen ook. Welke naam had zijn vader hem gegeven? Weet je die?'

De man maakte een onzeker gebaar. 'Tala, geloof ik. Of Sala...'

'Of Naba?' vroeg Siga met grote aandrang. En nogmaals, terwijl hij vooroverboog: 'Heette hij niet Naba?'

# 8

Tegelijk met de bijtende zon voelde Naba de gedachten van zijn broer om zijn gezicht fladderen en vervolgens, zacht als de vleugel van een vlinder, op zijn voorhoofd neerstrijken. Hij trok aan zijn maconha-pijp. Na enkele trekjes werd zijn geest licht en poreus, maakte zich van zijn lichaam los en zweefde verre gebeurtenissen en mensen tegemoet.

Zo had hij de ziel van zijn vader ontmoet toen die zich van haar lichaam losmaakte, en was met haar een eind weegs meegereisd voor ze in het onzichtbare weg-zonk. Ook nu wist hij dat de familie zwaar op de proef werd gesteld. Alleen was hem niet duidelijk wie er werd beweend. Alles speelde zich af rondom een waterput. Een ranke gedaante. Het regenseizoen, slijkgrond.

Hij trok nog eens aan zijn pijp om uit te maken welke broer er aan hem dacht.

Tiékoro, zijn geliefde oudste broer, was het niet, want diens geest zwierf verdwaasd van het verdriet door de wildernis. Tiéfolo evenmin: er ging immers geen dag voorbij zonder dat ze samen waren. Dus moest het Siga zijn, de zoon van de slavin, de zoon-van-de-vrouw-die-in-de-put-was-gesprongen. Siga, die er nooit helemaal bij had gehoord. Waar was hij? Niet in Ségou. Naba zag een oceaan waarvan de vloeibare massa door de wind tot een steeds hogere muur werd opgezweept.

Tussen de donkergroene bladeren boven zijn hoofd hingen vruchten, sinaasappelen. Gisteravond had hij nog in zijn tuin rondgewandeld. Toen kon hij de vruchten nog niet van de bladeren onderscheiden. En vandaag was er plotseling die overvloed, die bloei van zonnen. Jazeker, deze aarde was vet en vruchtbaar. Ze had een drang tot baren, als een vrouw. Naba stond op en keek om zich heen. Een dichte plantengroei moest plaats maken voor suikerrietvelden onder de zachtpaarse sluier van hun wasdom. In de verte, door de afstand en de hitte als met een stippellijn getekend, ontwaarde hij het silhouet van de chapadas, dat gebergte met zijn door de vijzelstamper van de tijd geknotte toppen. Naba stak zijn armen uit en plukte omzichtig een sinaasappel, één enkele. Morgen zou hij bezit nemen van de hele oogst.

Manoel Ignacio da Cunha–eigenaar van deze fazenda in de provincie Pernambuco, niet ver van de in het noordoosten van Brazilië gelegen stad Recife–had niet Naba gekocht, want hij had genoeg suikerrietkappers, maar wel diens vriendinnetje, het Nago meisje Ayodélé. Samen met een hele partij slaven was Naba opgekocht door een Hollander die in de sertão vee probeerde te fokken en niet bang was voor roerige elementen. Enkele maanden later was hij tijdens het avondeten op de fazenda van Manoel opgedoken en recht op het Nago meisje afgegaan, dat intussen Romana was gedoopt. Van toen af aan had de bijgelovige Manoel de raad van zijn vrouw gevolgd en dat slavinnetje waarop hij nochtans gek was en dat bovendien zwanger van hem was, niet meer aangeraakt.

Wat had zich in de sertão afgespeeld? Naba had er niets over losgelaten. Praten deed hij overigens nauwelijks. Hij kwam en ging met zijn maconha-pijp in zijn mond en op zijn hoofd een brede strohoed, gekleed in een katoenen kniebroek en een vormloze kiel. De slaven zeiden dat hij gek was en kon toveren; al had hij geen kwade inborst, hij was in staat verderfelijke krachten te ontketenen. Omdat hij zo veel afwist van kruiden, kwamen ze hem raadplegen als een kind last had van een opgezwollen buik, een vrouw van een etterende zweer, of een man van een of andere ziekte aan zijn penis. Beschermd door zijn reputatie van krankzinnigheid, kon Naba vrij beschikken over zijn doen en laten. Ten oosten van de suikerrietvelden en de molen had hij een lapje grond ontgonnen en er een moestuin met boomgaard van gemaakt. Tomaten, aubergines, peentjes, kolen, papaja's, sinaasappelen, citroenen – alles gedijde er. Hij wist dat de grond hem eigenlijk niet toebehoorde, en na elke oogst bracht hij op de veranda twee overvolle manden voor de senhora. De rest verkocht Ayodélé in Recife waar het voedselaanbod schaars was, omdat alles per schip uit Portugal moest komen. En sinds João IV van Portugal na de door Napoleon uitgelokte onlusten de wijk had genomen naar Rio, ging al het voedsel daarheen.

Naba was weer met Ayodélé opgetrokken alsof er tijdens zijn afwezigheid niets was gebeurd, alsof zij niet maandenlang in het woonhuis had geslapen, alsof het kind dat ze droeg niet van Manoel was. Dat bood de slaven heel wat gespreksstof. Zag hij dan niet dat haar oudste een mulatje was met een veel lichtere huid dan de negertjes die híj in haar schoot had verwekt? Aan die Ayodélé hadden ze de pest: dat ex-hoertje van de meester deed nu alsof ze een fatsoenlijke dame was, en wilde op de fazenda een bond van 'Onze Lieve Heer van de verzuchtingen en de verlossing der zwarten' stichten, zoals er in Bahia al een bestond. Vooral de vrouwen spaarden haar niet.

Naba nam het pad dat dwars door de suikerrietvelden naar het park en het woonhuis op de top van de heuvel leidde. Daar woonden Manoel, zijn vrouw Rosa, zijn schoonzuster Eugenia die nadat haar man door syfilis was weggemaaid bij hen haar intrek had genomen, ruim vijftien wettige en onwettige, geheel en half blanke kinderen, een twaalftal huisslaven, een padre die wegens zijn passie voor prille negerinnetjes uit zijn pastoorsambt was ontzet, en een schoolmeester uit Rio, die de kinderen het schoonschrift moest bijbrengen. Die eerste sinaasappel van het seizoen móést Naba meteen aan Ayodélé laten zien. Hij wilde met haar dit unieke ogenblik vieren waarop het in de warme vulva van de aarde gestorte zaadje na een stil kiemproces een sappige, volmaakte vrucht was geworden, als een pasgeborene naar wie de ouders reikhalzend uitkijken.

Het woonhuis van Manoel mocht luxueus heten. Het stenen gebouw met zijn pannendak telde één verdieping met daarboven nog een zolder. Gelijkvloers was er de gele salon – zo genoemd naar de kleur van zijn zijden gordijnen – met op de vloer een nogal mooi d'Aubusson-kleed, naast twee kleinere salons, een groene en de blauwe waarin Rosa en Eugenia bij tijd en wijle een vleugelpiano betokkelden en die bijgevolg muzieksalon werd genoemd, of ook wel Chinese salon, want er stond een Chinese met parelmoer ingelegde canapé, een biljartzaal waar Manoel zich met bevriende plantagebezitters onderhield, en een ruime eetkamer met een sober meubilair van taboeretjes rond een grote, met kandelaars versierde tafel. De vestibule had een vloer van dambordtegels waarmee ook de onderste helft van de muren was bekleed. Een houten trap leidde naar de eerste verdieping, een steile ladder van daar naar de zolderkamertjes voor de favoriete slavinnetjes van Manoel. Maar ondanks de kwaliteit van de jacarandahouten meubels, het bronswerk en de tapijten, ademde het huis een zekere viezigheid uit die misschien aan de excessen van het tropische klimaat te wijten was. Het luchtje van de po's onder de trap, die door een slaaf werden geleegd wanneer ze bijna overliepen, won het van de welriekende kruiden die door kleine slaafjes de hele dag door werden verbrand in de vertrekken waar Rosa en Eugenia als spoken ronddwaalden, in hun lange zwarte japons als nonnenpijen, met voor hun gezicht een lange zwarte sluier die vastzat aan de kam boven hun glanzende haarwrong, en een zwarte omslagdoek over hun schouders. Naar het zeggen van de slaven ging Manoel zowel met de ene als met de andere vrouw naar bed, wat de gekwelde uitdrukking op hun gezicht verklaarde.

Ayodélé stond in de keuken, omringd door een hele zwerm kinderen onder wie Naba de zijne herkende. Zij was heerlijk geurende pamonhas aan het bakken, en keek op toen ze zijn stappen hoorde. Niemand wist beter dan Ayodélé dat Naba niet krankzinnig was. Niemand kende zijn goedhartigheid, zijn fijngevoeligheid en zijn gulheid beter dan zij. In haar leven was hij de rustige kracht, de dijk die haar driften indamde.

Hij toonde haar de sinaasappel, alsof het een goudklomp uit Ouro Prèto was.

'Wordt het een goede oogst?' vroeg ze met een glimlach.

Hij knikte bevestigend.

'Zal hij ons een aardig stuivertje opbrengen?' wilde ze nog weten.

Nu glimlachte hij. 'Waarom ben jij zo berekenend, iya?' vroeg hij. 'Waarom laat je dat niet over aan de goden?'

'Ik zal een dagje vrij vragen en naar Recife gaan,' zei ze zonder op zijn verwijt in te gaan. En ze deelde een paar klappen uit aan de kinderen die ondertussen met hun kleverige vingertjes vol suikerrietsap in het deeg peuterden.

De slavernij maakt de mens tot een vod of een roofdier. Ayodélé was nog geen zestien toen ze aan haar familie was ontrukt, zodat ze nu nauwelijks de twintig voorbij was. Maar haar hart was vroeg oud geworden, ouder dan haar moeder die haar ter wereld had gebracht, ouder zelfs dan haar grootmoeder. Haar hart was verbitterd. Het was als het caoutchouc, het hout dat huilt als de seringueiros het met hun priemen doorboren. Was Naba niet teruggekomen, dan zou ze misschien gek zijn geworden of zich van kant hebben gemaakt, moe een kind te dragen in haat en zelfverachting. Zonder één woord had hij haar laten verstaan dat ze een slachtoffer was. Die liefde had haar de moed geschonken om voort te leven. Maar de liefde van een man is niet genoeg, er was veel meer: allereerst dit land met zijn onuitstaanbare pracht. Koningspalmen als een uitdaging tegen de diepblauwe hemel. Meren met een weelde aan bloeiende waterplanten: waterlelies met hun groene doorschijnendheid, orchideeën met hun bloedende, gescheurde lippen. Vervolgens de mannen. Slaven die zich lijdzaam schikten in hun lot. Door syfilis verteerde meesters die met hun weerzinwekkend lange nagels de korsten op hun wonden openkrabden.

En toch, sinds enige tijd koesterde Ayodélé een hoop. Ze had horen spreken over genootschappen van slaven uit Bahia en Recife, die ijverden voor vrijlating en terugkeer naar Afrika. Met de hulp van ganhadores, vrijgelaten zwarten en mulatten stortten ze hun spaargeld in een gemeenschappelijke kas. Als een van hen een bedrag had gespaard dat overeenkwam met de helft van de door zijn meester geëiste vrijkoopsom, schonken de leden hem de andere helft. Daarna moest hij voor zichzelf en zijn gezin Portugese paspoorten zien te krijgen, wat niet zonder smeergeld en allerlei gesjoemel ging. Enkele gezinnen hadden zo kunnen terugkeren; ze hadden zich in de havens aan de golf van Benin, vooral in Ouidah, gevestigd. Ayodélé had elke *reis* die Naba's groente en fruit opbrachten opzij gelegd en met de ganhador José contact opgenomen. Deze zaak wilde ze tot een goed einde brengen.

De stad Recife ontleent haar naam aan de riffen die de toegang tot haar haven en zelfs tot haar stranden bemoeilijken. In de zestiende eeuw door de Portugezen gesticht, was ze in handen gevallen van de Fransen en daarna van de Hollanders, vóór ze opnieuw Portugees bezit werd. Alle achtereenvolgende bezetters hadden er iets van zichzelf achtergelaten, wat in de bonte mengeling van bouwstijlen tot uiting kwam.

Ayodélé begaf zich naar de Nago Tedo-wijk – een hoop aarden hutten, verstrooid over een heleboel met strodaken overdekte percelen – waar men zich in Ife, Oyo of Ketu in de Golf van Benin had kunnen wanen. Hier op de helling tussen stad en land leefden uitsluitend zwarten, meestal Nago, maar ook Haussa en Bantoe vrijgelatenen, en mulatten. Ze beoefenden de meest verscheiden ambachten: van blikslagers, pottenbakkers, waterdragers, draagstoelsjouwers tot kolenbranders, terwijl hun vrouwen op de straathoeken neerhurkten en gebak, fruit en groente te koop aanboden. De straten vol modderkuilen wemelden van de naakte en in lompen geklede kinderen. Behalve naar de palmolie waarmee hier werd gekookt, rook het er naar Spaanse pepers en paradijskorrels.

De hut van de ganhador José viel meteen op door een pathetische poging tot enig comfort. Ook zij was van aarde, maar ze telde drie vertrekken en een veranda. Het eerste vertrek was een winkel, want de ganhador José verkocht ook houtskool. Het tweede was een salon en bevatte een canapé en twee stoelen waarvan het kant-werk aan de rugleuning op zijn Portugees met linten was vastgemaakt. Het derde was de slaapkamer; het bed was met een muskietennet omhangen. José – een Nago uit Oyo – was een wat zonderling personage. Omdat hij zo mooi was hadden de Portugezen hem als een vrouw misbruikt en hem op den duur met hun perversiteit besmet. Zo kwam het dat hij een hele hofhouding van met hun kont draaiende poten om zich heen had. Met hun hulp had hij wat geld verdiend en zich een zekere vrijheid veroverd. Wie hem voor het eerst zag twijfelde of hij wel tot het mannelijk geslacht behoorde: zo slank was hij, zozeer met kanten boordseltjes opgedirkt, ter-wijl om zijn hals en aan zijn oren sieraden en hangertjes bengelden. Met kohl accentueerde hij zijn mooie ra-deloze ogen, want in zijn hart voelde hij treurnis, schaamte en haat voor de blanken.

José joeg de twee halfnaakte jongens weg die zijn nagels zaten te polijsten, en wees Ayodélé een stoel aan. Ze kwamen allebei uit dezelfde stad.

'Heb je nieuws van thuis?' vroeg ze gespannen.

José slaakte een zucht. 'Ik ben aan boord van een schip geklommen en heb met de kapitein gepraat,' zei hij. 'Ons land is er beroerd aan toe.'

'Wanneer komt daar ooit een einde aan?' vroeg Ayodélé met opeengeklemde tanden. 'Wanneer zal ons volk die blanken eindelijk terugdrijven naar de zee?'

José schudde het hoofd. 'Daar gaat het niet om. De Engelsen hebben trouwens aan de slavenhandel een eind gemaakt. Weldra waagt zich geen slavenschip meer op zee. Nee, er is nu een ander gevaar, dat uit het noorden komt.'

'Uit het noorden?'

'Jazeker. De Peul hebben onze steden overvallen. Ze steken ze in brand. Ze moorden onze vrouwen en kinderen uit.'

Ayodélé's mond viel open van verbazing. 'De Peul?' riep ze. 'Zijn dat niet sinds jaar en dag onze buren?'

'De islam! Je weet toch dat ze zich nu tot de islam hebben bekeerd. En ze geloven dat zij geroepen zijn om ook ons te vuur en te zwaard te bekeren. Jihad noemen ze dat.'

Het gesprek stokte. José verbrak het eerst de stilte. 'Maar laten we het hebben over jouw zaak. Het genootschap tot vrijlating heeft je aanvraag goedgekeurd.'

Zo hevig was het geluk dat Ayodélé overspoelde dat ze geen woord – zelfs niet van dank – kon uitbrengen.

'Hoewel sommigen bezwaren opperden,' ging José door. 'Je man is een Bambara uit Ségou. Ben je wel zeker dat hij met je mee wil naar de Golf van Benin?'

'Ségou of Benin, is dat niet eender?' vroeg Ayodélé schokschouderend. 'Terug naar Afrika, daar gaat het om! Dit helse land kunnen verlaten!'

José maakte een gebaar dat alles kon betekenen.

Op dit tijdstip had reeds een tiental gezinnen de haast onoverkomelijke hinderpalen kunnen overwinnen om zich van een plaatsje te verzekeren op een schip dat een van de havens van de golf aandeed. José wist dat dit voor hem niet was weggelegd. Hoe zouden zijn stamgenoten en verwanten, zijn vader, moeder, broers en zusters reageren als hij onder hen terugkeerde met de perversiteit die hij van de Portugezen had geërfd? Ze zouden hem stenigen! Ze zouden hem vierendelen en zijn ledematen naar de vier windstreken verspreiden, opdat hij de aarde die door de mannen werd betreden niet zou bezoedelen! Hij was geen Nago meer. Hij was geen mens meer. Hij was een vod, een mietje.

Intussen bracht Naba zijn sinaasappeloogst bij de Hollander Jan Schipper, een trouwe klant van Ayodélé, die in het einde van de Hollandse overheersing geen reden had gezien om Recife te verlaten. Jan Schipper woonde in de Rua da Cruz in een smal hoog bouwsel met houten zonneblinden. Ook nu keek Naba vol verrukking naar de haven, naar de jagandas en de schepen met hun zware zeilen. Lange tijd bleef hij naar de eerst rimpelloze zeespiegel staren, die opeens begon te kolken en een holle, metershoge roller vormde. Toen hij verder liep kwam er een man op hem af. Een grote zwarte met kaalgeschoren schedel, die om zijn lichaam een wijde tunica droeg. Nadat hij spiedend in het rond had gekeken, stopte hij hem een dubbelgevouwen vel in de hand, dat aan de binnenzijde met Arabische lettertekens was beschreven.

'Broeder,' bromde hij, 'Allah roept je! Kom vanavond in Fundão met ons bidden!'

De waanzin greep onder de zwarten in Pernambuco–slaven, ganhadores of vrijgelatenen–fel om zich heen, zodat Naba aan deze zonderling niet veel aandacht schonk. Hij stak het vel onder zijn kiel. Die kabbalistische tekens spraken hem wel aan; hij zou ze graag eens proberen na te bootsen.

Toen hij bij de ganhador José aanliep, waar Ayodélé met hem had afgesproken, vond hij hen beiden bij een glaasje cachaça in een druk gesprek gewikkeld. José lichtte haar in over de recente opstand in Bahia, die volgens een vernuftig plan had moeten verlopen. De opstandige slaven moesten op verschillende punten in de stad brand stichten om de aandacht van politie en leger af te leiden en hen uit hun kazernes te lokken. Vervolgens moesten ze van de verwarring gebruik maken om de kazernes aan te vallen, er beslag te leggen op de wapens en alle Portugezen uit te moorden. Een-maal meester van de stad, wilden ze een verbinding met de slaven op de fazendas in het binnenland tot stand brengen. Een aanbrenger had dat mooie plan op het laatste ogenblik nog doen mislukken.

'Er wordt verteld,' zei José gedempt, 'dat dit plan was uitgewerkt door moslims die ook alle katholieke Afrikanen ter dood wilden brengen.'

Ayodélé haalde haar schouders op. 'Katholiek, zijn wij dat ooit? We doen alsof, dat is alles.'

De ganhador José moest lachen. Toch hadden ze al-lebei dezelfde zorg. De 'mohammedaanse' slaven wilden de 'katholieke' uitmoorden; was dat geen duidelijk teken dat de twisten uit Afrika naar de wereld van de slavernij werden overgeplant? En de enige vijand was toch de meester, de Portugees, de blanke?

Die nacht sliep Naba erg slecht.

Telkens wanneer hij wegdoezelde verscheen hem het behuilde gelaat van Nya, zijn moeder, en vlak daarna het met bloed besmeurde gezicht van de onbekende die hem in de straten van Recife had aangesproken. Als hij probeerde op te staan, drukten onzichtbare handen hem tegen de grond en knepen hard in zijn vlees. Ten slotte werd hij wakker met een assmaak in zijn mond, en hij ging in het tuintje dat aan de senzala paalde een maconha-pijpje roken. Maar die nacht bleek het kruid dat hem op magische wijze kon ontspannen machteloos. Er naderden gevaren, wist hij, als gedaanten waarvan je de omtrek niet scherp kunt onderscheiden. Hij hoorde snikken en zweepslagen. Hij snoof de geur van de urubu des doods.

Terwijl hij naar de nacht bleef staren, kwam zijn tweede zoon Kayodé bij hem. Het was een erg zacht-aardig ventje dat zijn vader aanbad. Hij wilde een ver-haaltje horen, en Naba zette hem op zijn knieën. Al had hij Ayodélé aan de kinderen Yoruba namen laten geven, hij sprak met hen altijd Bambara, en nu vertelde hij een van de talloze avonturen van Souroukou.

'Souroukou viel in een put. Ze wilde voelen of ze door de val geen tand had gebroken. Maar ze was nog zo versuft dat ze bij vergissing haar hand in haar gat stak. "O!" riep ze uit, "ik ben al mijn tanden kwijt!"'

Zijn zoontje schaterde het uit. 'Hoeveel talen spreek jij eigenlijk, baba?' vroeg hij.

Naba glimlachte in het donker. 'Je mag zeggen dat ik er drie spreek. Twee die me uit het hart zijn gegrepen: het Bambara en het Yoruba. De derde is die van onze verknechting: het Portugees.'

Het kind dacht even na. 'En ik? Hoeveel talen spreek ik?' vroeg het daarna.

Naba aaide over zijn schedeltje met het harde kroeshaar. 'Ik hoop,' zei hij, 'dat jij alleen de talen zult spreken die je uit het hart zijn gegrepen.'

En terwijl hij het kind in zijn armen wiegde bracht hij het naar zijn strozak terug. 'Slaap nu!'

De senzala bestond uit twee vertrekken met een vloer van gestampte aarde. Omdat Ayodélé elke reis die ze met Naba's groente en fruit verdiende oppotte, bevatte ze slechts het strikte minimum. Een rommelkast die Naba zelf had gemaakt voor het keukengerei en de door veelvuldig gebruik zwartgeblakerde pannen. Een tafel. Een bezem. In het tweede vertrek een paar bij Indianen gekochte hangmatten en wat strozakken.

Ayodélé sliep in één hangmat met haar jongste kind Babatundé. In de andere hangmat lag Abiola, de oudste, de zoon van Manoel. Naba wilde op zijn tenen wegsluipen toen hij, bij het rokerige schijnsel van de olielamp, merkte dat ook Abiola niet sliep. Hij liep naar hem toe.

'Wel?' zei hij. 'Kennelijk heeft iedereen vannacht koffie gedronken.'

De jongen sloot zijn ogen. Hij had de pest aan Naba. Hij had de pest aan zijn zwarte broertjes die hem eraan herinnerden dat zijn moeder een slavin was en hijzelf een halve neger. Hij had de pest aan die voornaam

Abiola waar ze hem mee hadden opgescheept, terwijl hij zijn doopnaam Jorge had willen dragen. Jorge da Cunha. Want hij was een zoon van de meester. Waarom verbleef hij niet, samen met diens andere zonen, in het woonhuis? Waarom moest hij in deze hut van gedroogd slijk op een met strostengels gevulde zak slapen? En nu hoorde hij spreken van een mogelijke terugkeer naar Afrika, naar dat barbaarse gebied waar mensen als vee werden verkocht, als ze niet door hun soortgenoten werden opgevreten! Nooit van zijn leven! Dat plan zou hij uit alle macht tegenwerken.

Naba liet het daarbij, want hij wist wat er in Abiola omging. Meer dan eens had hij met Ayodélé over hem willen praten, maar hij was bang dat hij haar zou kwetsen. Had zij niet al genoeg geleden onder de manier waarop Manoel haar had misbruikt? Bovendien, een kind is als een plant. Met veel liefde kun je het rechtop laten groeien, recht naar de zon.

Opnieuw ging hij naar buiten, de nacht tegemoet waarin zich hier en daar de donkerder vlekken van de senzalas verdichtten. Niet één geluid. De stroperig zoete lucht van het rietsap, door de wind van de molen hierheen gewaaid, en de wilde geur van aarde die door het suikerriet niet kon worden getemd.

Wat was die zwarte gedaante in het topje van de broodboom? Was het de dood? Was het de urubu des doods?

254

## 9

Manoel keek om, met gefronste wenkbrauwen om het jongetje dat tot hem sprak beter te kunnen opnemen. Het was een nogal donker mulatje met mooi krulhaar en brede, wat paarsige lippen die later sensueel zouden zijn, maar op dit ogenblik alleen trilden van benauwenis.

'Weet je dat zeker?' vroeg hij.

'Als u me niet gelooft,' zei het kind met gebogen hoofd, 'laat dan het huis doorzoeken. U zult de papieren vinden. Hij is een moslim, en hij kent die van Bahia.'

Hadden ze iemand anders gegolden, dan zou Manoel deze beschuldigingen met een schouderophalen hebben afgedaan. De slaven van zijn fazenda deden hun ochtend-, middag- en avondgebed, baden met hun meesters de rozenkrans en het *Salve Regina*, staken kaarsen aan, sprenkelden wijwater met palmtakjes, en zegden vroom na: 'Ik geloof in de Verlossing door het Kruis!'

Maar het ging om Naba die hem een vrouw had afgenomen naar wie hij nog steeds verlangde.

'Ga de feitor halen,' bromde hij.

Het kind verroerde zich niet.

'Heb je niet gehoord wat ik je zei?' riep Manoel.

Het jongetje viel op zijn knieën. 'Als ik de waarheid heb gesproken, zult u me dan in uw huis opnemen? Ik ben uw zoon, meester; waarom mag ik niet bij u wonen?'

Manoel was verrast en voelde zich gevleid. En hij die dacht dat die kleine helemaal aan de kant van zijn moeder stond.

'Natuurlijk,' zei hij, 'jouw plaats is hier.'

Het kind maakte zich uit de voeten.

Manoel Ignacio da Cunha was een typische vertegenwoordiger van een generatie Portugezen. Als telg van een geslacht van avonturiers die – bij gebrek aan ruimte op hun eigen stukje schiereiland – naar Azië, Madeira en Kaapverdië waren uitgezwermd, was hij in Pernambuco beland, waar hij eerst als gewone landbouwer zijn suikerriet naar de molen van de landheer had moeten brengen, maar zich spoedig had verrijkt. Nu overwoog hij naar Recife te verhuizen en zijn fazenda aan de zorg van een vertrouwensman over te laten. Nogal van streek door wat Abiola hem had verklapt, zocht hij zijn vrouw Rosa op en vond haar in bed, even geel als de Voorindische kussensloop waarop haar hoofd rustte. Ze luisterde aandachtig en voelde haar hart van vreugde popelen in haar met gewijde medailles, reliekhoudertjes en scapulieren beschutte borst. Eindelijk kreeg ze de kans om zich op Ayodélé te wreken!

'Ik geloof nooit,' riep ze, 'dat hij het is! Hij is maar een arme, onschuldige gek. Zij is het! Ik heb zelf gezien hoe ze er dagelijks vijf keer tussenuit knijpt... ongetwijfeld om haar sabbat te gaan vieren!'

Manoel onderkende in haar woorden de hersenspinsels van een jaloerse vrouw, maar na wat zich in Bahia had afgespeeld, waar moslims een der best georganiseerde opstanden van de laatste jaren hadden uitgekiend, kon een mens niet voorzichtig genoeg zijn. Hij liep de trap af en stuitte beneden op de feitor, met zijn strohoed in de hand. De feitor Joaquim was zijn kwade genius en vertrouwensman, die in feite de fazenda bestuurde. Verbijsterd luisterde hij naar wat zijn meester hem toevertrouwde.

'Een moslim is hij niet!' repliceerde hij. 'Een tovenaar – dat kan. En hoe zou hij de anderen kunnen opstoken als hij met niemand praat?'

De twee mannen bekeken elkaar. Ook de feitor had redenen tot ontevredenheid over Ayodélé, want toen hij op een avond in haar borsten had geknepen, had zij hem een oorvijg toegediend. Ze begrepen elkaar zonder woorden. Joaquim zakte af naar de senzalas.

Het doorzoeken van Naba's hut leverde een in het Arabisch beschreven vel papier op en wat boombladeren waar dezelfde lettertekens in gegrift stonden.

Vergezeld door drie sterke slaven ging de feitor Naba aanhouden. Ze troffen hem aan in zijn boomgaard, met zijn maconha-pijp in zijn mond. Hij bood niet de minste weerstand en liet zich in de voetboeien slaan.

Het nieuws verspreidde zich als een lopend vuurtje op de fazenda en veroorzaakte grote verslagenheid. Iedereen nam het voor Naba op; hoevelen onder hen had hij niet genezen of getroost? Ayodélé moest de ware schuldige zijn. Had zij niet, in samenspraak met lui uit Bahia, een bond van 'Onze Lieve Heer van de verzuchtingen en verlossing der zwarten' willen oprichten, waarvan het ware doel de bevrijding van de slaven was? En wat voerde ze in haar schild met een genootschap uit Recife, dat ijverde voor vrijlating? Tientallen mannen en vrouwen kwamen de feitor opzoeken en zwoeren op het kruis dat ze haar met haar neus in het stof hadden zien zitten, met in de hand een mohammedaans bidsnoer met negenennegentig houten kralen en één dikke bol.

De feitor en Manoel waren het erover eens dat deze aantijgingen te gek waren om los te lopen. Naba's arrestatie stelde een netelig probleem. Hij was immers geen slaaf – of dan toch geen slaaf van Manoel, al verbleef hij op diens fazenda. Moest hij dan als een vrij man worden beschouwd? Nee, want hij behoorde iemand anders toe, een Hollander die klinkende munt voor hem had neergeteld en zich nu ergens in de sertão bevond. Was hij dus een weggelopen slaaf? Waarom had Manoel dan al die jaren zijn aanwezigheid geduld? Het was een kluwen dat niemand kon ontwarren, en Naba werd in de cel naast het woonhuis opgesloten om de volgende ochtend naar Recife te worden overgebracht.

Ayodélé was die dag niet op de fazenda. Het was een zondag, en dus rustdag. Meteen na de mis in de kapel had ze, zoals altijd uit op winst, een ossekar vol manden groente en sinaasappelen geladen om ze op de fazendas in de buurt te gaan verkopen. Onderweg had ze het vuil goed van haar kinderen uitgewassen in het heldere water van de Rio Capibaride die zich dwars door het veld voortslingerde naar zijn monding in de Rio Beberibe om uiteindelijk Recife van water te voorzien. Thuisgekomen trof ze in haar hut alleen haar huilende kinderen aan. Een medelijdende buurvrouw verklapte haar wat er was gebeurd.

Als een waanzinnige rende ze naar het woonhuis en wierp zich in het stof voor Manoel die in een hangmat op de veranda lag.

Hij zag neer op de vrouw die hem zo getart had, en genoot van haar tranen.

'Tja,' zei hij, 'ik kan er niets aan doen. Jouw eigen zoon heeft hem verklikt. En we hebben bewijzen gevonden!'

Ayodélé wentelde zich over de vloer. 'Meester,' schreeuwde ze, 'neem mij, als het dát is wat u wil!'

Manoel was op zijn tenen getrapt. Hij wenste niet dat dit als een wraakneming werd opgevat, maar als een daad van gerechtigheid.

'Wil je ook nog zweepslagen krijgen?' riep hij nijdig.

Ze bleef smeken, en toen ze haar hoofd naar hem ophief drong het tot hem door hoe dwaas het was om niet op haar aanbod in te gaan.

'Laat me dan alstublieft,' smeekte ze, 'naar Recife gaan om hem te verdedigen!'

Bijna proestte hij het uit. Een slavin, een negerin die het Portugees nauwelijks machtig was en bij de koninklijke rechtbank gehoor dacht te vinden? Hij haalde zijn schouders op.

'Loop naar de duivel!' bromde hij.

Naba's proces vond plaats op een woelig tijdstip. Sinds enkele decennia braken er geregeld opstanden van slaven en vrijgelaten Afrikanen uit, zowel in Bahia als in Recife en op de fazendas in het binnenland. De publieke opinie was verdeeld. De meeste Brazilianen beschouwden ze als uitingen van de aangeboren wreedheid en verdorvenheid der zwarten. Anderen zagen ze als een gerechte wraak tegen onmenselijke meesters. En voor een handvol intellectuelen en liberalen getuigden ze van de nobele reflex van onderdrukten die van hun onvervreemdbare vrijheid waren beroofd. De massale aanvoer van gevangenen ten gevolge van de oorlogen en troebelen in de Golf van Benin versterkte nog de opstandige gezindheid van de slaven, vooral van de moslims onder hen, die van de nieuwkomers vernamen hoe hun geloofsgenoten steeds meer terrein wonnen.

Als klap op de vuurpijl deed het nieuws de ronde dat op Hispaniola, een eiland van de Antillen, de slaven naar de wapens hadden gegrepen en een echte bevrijdingsoorlog tegen de Fransen voerden. Dat was genoeg om alle theorieën die de zwarten als 'grote ongevaarlijke kinderen' afschilderden, de bodem in te slaan. Die onnozele halzen die in de kapel achteraan moesten staan opdat hun lijfgeur de pastoor en de gelovigen niet misselijk zou maken, en die in koor zongen:

> Met God ga ik slapen, met Hem sta ik op,
> Met de goddelijke genade van de Heilige Geest.
> Verlicht mij op de dag van mijn dood
> Met de fakkels van de Heilige Drievuldigheid!

– die onnozele 'grote kinderen' joegen hun meesters opeens angst aan.

Naba verscheen in de rechtszaal in het grof katoenen hemd en de nanking broek van de gevangenen, en hij leek niets te begrijpen van wat er zich om hem afspeelde.

Toen hem de Heilige Schrift werd voorgelegd en hem werd gevraagd daarop een eed af te leggen, zweeg hij. Op de vraag: 'Ben je een moslim?' lachte hij. Toen van hem verlangd werd te kiezen tussen een katholiek en een mohammedaans bidsnoer, gaf hij geen kik. Zo ook toen hij voor de keuze stond tussen een afbeelding van de heilige Gonçalves van Amarante en een Arabische kalligrafie. Dat hij in contact zou hebben gestaan met moslims of Malé uit Bahia – een stad waar hij nooit een voet had gezet –, kon niet bewezen worden. Men liet zijn geslacht en dat van zijn zoontjes onderzoeken om te zien of hij besneden was. Dat waren ze. Maar was dat geen Afrikaans gebruik? Ten einde raad beschuldigden de rechters hem dan maar van zwarte kunst, en hier waren de getuigenissen verpletterend.

Als Naba zich niet verdedigde, was het niet omdat hij niet besefte dat zijn hoofd op het spel stond. Maar hij was het moe. Sinds de noodlottige jacht die hem van de zijnen had gescheiden, vond hij geen smaak meer in het leven. De vruchten en de planten, Ayodélé, en zelfs zijn zoontjes hadden hem die smaak niet kunnen teruggeven. Hij miste de aarde van Ségou, de geur van de Joliba bij laag water wanneer haar oever schittert van de oesterschelpen, de to van zijn moeder met een sausje van apebroodboombladeren, de blakerende wildernis op het middaguur. Indertijd had hij zich in Saint-Louis willen laten doodhongeren. Men had hem gered. Maar nu kon hij niet meer. Bij de gedachte aan Ayodélé voelde hij iets als wroeging. Maar Ayodélé was jong en mooi. Een andere man zou haar troosten. Alleen als hij aan zijn zoontjes dacht: Olufémi, Kayodé, Babatundé* – die laatste vooral, geboren na de dood van Dousika wiens geest in hem was gevaren – wilde hij in leven blijven. Maar waartoe dient een vader die slaaf is? Hoe kunnen zijn kinderen zich aan hem spiegelen? Nooit zou hij Babatundé bij de hand nemen om met pijl en boog samen op leeuwejacht te gaan.

*De gele leeuw met de rosse weerschijn,*
*De leeuw die de mens en zijn bezittingen voorbijziet*
*En zich voedt met wat in vrijheid leeft...*

*In het Yoruba: 'Vader is terug.'

Nooit zou hij van hem een karamoko maken. Wat had het dan voor zin? Wat heeft het voor zin te leven zonder vrijheid, zonder zelfrespect en trots? Liever stierf hij.

Tijdens het proces bleef de ganhador José niet bij de pakken neerzitten. Hij alarmeerde het genootschap dat ijverde voor vrijlating, en richtte een verzoekschrift tot João IV in Rio, waarin om genade werd gesmeekt. Helaas bereikte deze brief de koning op een ogenblik waarop net een ander plan voor een opstand aan het licht was gekomen. Bij een inval in de hutten van Antonio en Balthazar, twee Haussa slaven van Francisco das Chagas, waren vierhonderd bogen, touw om nog meer bogen mee te bespannen, en een voorraad geweren en pistolen ontdekt. Bijgevolg eiste João van de rechtbanken de grootste gestrengheid en had hij het bevel uitgevaardigd dat iedere slaaf die nog na negen uur 's avonds op straat of buiten het huis van zijn meester werd aangetroffen, meteen zou worden opgepakt en veroordeeld tot honderd zweepslagen.

Onwetend over al deze gebeurtenissen, bleef Ayodélé tot het laatste ogenblik op een goede afloop hopen. De herinneringen aan de jaren dat ze samen met Naba had geleefd, trokken steeds weer door haar hoofd. Sinds die dag dat hij in het slavendepot van Gorée met zijn zak sinaasappelen op haar af was gekomen, tot hij in de sertão verdween en later onverhoeds op de fazenda van Manoel was opgedoken. De kalebas van haar buik had hem toen niet weerhouden. Hij had haar toegelachen, een zakdoek opengeslagen en haar twee geelroze guaves voorgehouden. Daarna had hij voor haar het huisje aan de zoom van het suikerrietveld gebouwd.

Naba die haar schande had toegedekt.

Naba die haar opnieuw met zichzelf had verzoend.

Het was drukkend heet in die rechtszaal. De rechters spraken een taal waarvan zij niets begreep, het Portugees van de ontwikkelde burgers, dat maar weinig gemeen had met het verbasterd taaltje vol Afrikaanse woorden waar Manoel en de feitor zich van bedienden. Naba zelf kreeg zij niet te zien; het was alsof ze hem reeds had verloren, gescheiden als ze waren door zetels, banken, mannen, priesters, rechters.

Op een bepaald ogenblik nam de ganhador José, die naast haar zat, haar bij de arm en toen wist ze dat het vonnis was geveld. Buiten werden ze verblind door het licht in een straat waar slechts weinige bomen wat schaduw boden.

Er viel niets meer te zeggen.

Waar liepen ze heen? Zij zakte in elkaar op de Santo Antonio-brug – zachtjes, bijna ongemerkt, als een dier dat het tot de uiterste limiet van zijn krachten heeft volgehouden. Een dier, of een slaaf. Soms stortte op de fazenda een man of een vrouw ook zo ineen, zonder een klacht. Toevallig bevonden ze zich in de buurt van het Santa Casa de Misericordia-ziekenhuis, en daar droeg de ganhador haar met enkele vrienden naar toe.

Er viel niets meer te zeggen. Er was niets meer aan te doen. Een tovenaar, of een moslim – het deed er niet toe – was ter dood veroordeeld. Tot Gods meerdere eer en glorie. Een zwarte was ter dood veroordeeld. Tot meerdere rust en vrede voor de blanken.

Lange tijd was het leven voor Ayodélé nog slechts een rechthoek vol blauwe hemel, een smaak van melissewater, af en toe de pijn van een aderlating, en witte nonnenkappen als grote zeevogels. Dan herkende ze op een dag de gezichten van haar kinderen. Olufémi. Kayodé. Babatundé. Waar bleef Abiola? Toen herinnerde ze zich alles en huilde.

Opnieuw aan het leven wennen als er geen redenen meer zijn om voort te leven. Spreken over morgen als er geen toekomst meer is. De zon zien opstaan als het nooit meer dag wordt.

Op een ochtend kreeg ze bezoek van een priester, pater Joaquim, een van die mystici die het gezelschap van ketters en onterfden opzoeken. Hij wekte bij haar berouw over haar schuld. Weldra liet ze zich alleen nog Romana noemen. Weldra ging ze ter communie.

De eerste keer dat ze ter communie ging kreeg ze een visioen. De hemel ging open en de Heilige Maagd, met in haar armen het Kind Jezus, wierp haar een roos toe. Pater Joaquim en de nonnen waren blij.

Ten slotte was ze weer sterk genoeg om het ziekenhuis te verlaten. Toen vernam ze het nieuws van de nonnen en pater Joaquim: als gezellin van een feticeiro die over alle tongen was gegaan, was ze in Brazilië ongewenst verklaard en veroordeeld tot deportatie naar Afrika met haar drie kinderen.

Het schip waarmee ze moest vertrekken, de Amizade, lag voor anker op de punt van het Ilha das Cobres. Naast Romana werden er ook nog Malé aan boord gebracht die in Bahia bloed hadden doen vloeien, en enkele zwarte gezinnen die zich hadden kunnen vrijkopen en paspoorten hadden weten te bemachtigen. Op het dek was het een zootje van lichamen, koffers, pakken, flessen, muziekinstrumenten, vogelkooien, kortom de armoede met al haar toebehoren. De kinderen, die door de nonnen bij de ganhador José omwille van zijn onnoemelijke zonde waren weggehaald en zolang hun moeder ziek was in het weeshuis van Santa Casa ondergebracht, staarden naar de Braziliaanse kust waar de gouden stranden fel afstaken tegen het donkergroen van de palmbomen. Op Babatundé na, die nog te jong was, voelden ze zich allen verdrietig. Waar was hun vader? Wie had hun moeder zo veranderd? Ze herkenden haar niet meer in die strenge vrouw met haar ingevallen gezicht, die helemaal in het zwart gekleed ging en alleen nog over God sprak.

Onzichtbaar voor de ogen der gewone stervelingen streek de urubu des doods neer in een boom van de familiehuizing en sloeg zijn vleugels uit. Hij was bekaf. De eindeloze oceaan was hij overgevlogen, vechtend tegen stuifwater en luchtstromen, en ondoordringbare wouden waarin hij een krioelend en woekerend leven vermoedde. Ten slotte had hij onder zich de rosse zandvlakte bespeurd en begrepen dat het eindpunt van zijn reis nabij was. Even later waren de stadswallen van Ségou opgedoemd.

Hij had een opdracht uit te voeren. Naba was ver van zijn geboorteland gestorven. Zijn lichaam rustte in vreemde aarde, verstoken van de gebruikelijke begrafenisriten. Zijn verwanten moesten worden gewaarschuwd dat zijn geest in de toekomst gedoemd zou zijn om door deze desolate wildernis te dolen, onmachtig herboren te worden in het lichaam van een jongetje, of eerst een beschermende voorvader te worden en vervolgens een god.

De urubu keek om zich heen.

Het was ochtend. De zon leek haar antwoord op de vrouwen die reeds in hun vijzels stampten in beraad te houden en dommelde nog aan het andere eind van de hemel. De hutten rilden, dicht tegen elkaar gedrongen. Maar het pluimvee kakelde al, de schapen blaatten, en onder de afdaken van de kookplaatsen kringelden rookslierten. De slavinnen begonnen de gierstebrij te bereiden terwijl hun mannen naar de waterhutten liepen of hun daba op een steen aan het slijpen waren vóór ze zich naar het veld begaven.

De urubu spiedde nieuwsgierig naar deze ochtenddrukte die zo sterk verschilde van die op de fazendas waar lang vóór zonsopgang de ossekarren naar de sui- kerrietmolen trokken, voorafgegaan door het klaaglijk gepiep van hun wielassen en beladen met in lompen gehulde mannen. Daar was het een vernedering te moe- ten werken op het land. Hier vroegen de mensen aan de aarde alleen wat ze voor hun levensonderhoud nodig hadden. Ook het landschap was verschillend. Ginds was het barokke overdaad, zoals de kathedralen die de Por- tugezen voor hun goden bouwden. Hier was het kaal, met grasvlakten als kortharige dierevachten, en toch harmonisch. De urubu sprong op een lagere tak pal tegenover de hut van Koumaré, de vaste fetisjpriester- en-oppersmid in dienst van Dousika's familie. Dat bleek een goede gok, want even later kwam Koumaré eens kijken wat voor dag het zou worden, en meteen bemerkte hij de vogel in het gebladerte.

Koumaré wist al dat het wilsbesluit van de voorouders betreffende een van Dousika's zonen weldra ten uitvoer zou worden gebracht. Dat had hij onlangs afgelezen uit de stand van de kauri's op zijn waarzeggersschaal. Meer hadden ze, ondanks al zijn aandringen, niet willen los- laten. Nu gaf de komst van de vogel hem te verstaan dat alles was voltrokken. Hij liep zijn hut weer binnen, kauwde op wortels die hem voor het woord van de onzichtbaren ontvankelijk zouden maken, en nam uit een kalebas drie droge gierststengels. Hij ging ze aan de voet van de boom in de grond planten, legde er een oor tegen en wachtte op instructies. Die lieten niet op zich wachten. Boven hem had de urubu zijn ogen ge- sloten; hij zou de hele dag rusten. Koumaré keerde terug naar zijn hut. Met een handgebaar weerde hij zijn eerste vrouw die hem een kalebas gierstebrij kwam brengen, en met zijn uit Europa ingevoerde deken om zijn schou- ders – want het weer was fris in dit seizoen – verliet hij zijn woning.

Ségou veranderde. Waaraan lag dat? Aan die stroom van kooplui wier eertijds zeldzame en kostbare produk-

ten nu haast van dagelijks gebruik waren? Mohammedaanse vrouwenkleding, kaftans, laarzen, Europese
stoffen, Marokkaanse meubilering, wandtapijten en
gordijnen uit Mekka... De islam vrat Ségou aan als een
onstuitbare kwaal. De Peul hoefden niet eens verder
op te rukken; hier had hun kwalijk riekende adem nu
reeds alles bedorven! Hun jihad was niet eens meer
nodig: overal verrezen moskeeën vanwaaruit moёddzins
schaamteloos hun goddeloze roep uitgalmden. Overal
zag je kaalgeschoren schedels. Op alle marktpleinen was
het een stormloop naar de kraampjes met talismans,
poeders en andere rommel die omwille van de Arabische
lettertekens op de verpakking als hoogst begerenswaar-
dig werd beschouwd. En de mansa legde het nieuwe
geloof niets in de weg!

Koumaré liep de familiehuizing van wijlen Dousika
binnen. Aan diens opvolger Diémogo zou hij een witte
haan en een schaap van dezelfde kleur vragen; ook wilde
hij nagaan onder welke boom de navelstreng van Naba
was begraven. Diémogo was in gesprek gewikkeld met
de opzichter van een ploeg slaven die een stuk braakgrond van de clan gingen ontginnen; verontrust keek
hij naar de fetisjpriester. Welk nieuw onheil was de reden
van zijn komst?

Want de familie was reeds zwaar beproefd. Sinds
Nadié's dood was Tiékoro zo zwak en sukkelig dat hij
niet meer uit zijn hut kwam. Prinses Sounou Saro, zijn
verloofde, vond dit zo krenkend dat ze al wat ze aan
huwelijksgeschenken had ontvangen door de koninkl-
lijke lofdichters liet terugbrengen. Bijgevolg werd het
gezantschap naar het sultanaat van Sokoto aan iemand
anders toevertrouwd. Daardoor was de gezondheid van
de door de jongste familietragedie en het verdriet van
haar zoon ernstig geschokte Nya er nog meer op ach-
teruitgegaan. Vermagerd en met ingevallen wangen
bleef ze voor alles onverschillig, en zonder haar leiding
liep de hele huishouding in het honderd. Want op de
andere vrouwen, die altijd naar Dousika's bara muso

266

hadden moeten luisteren, viel niet te rekenen.

Diémogo haastte zich naar Koumaré, die hem naar een rustig hoekje meetroonde.

'De voorouders hebben me een boodschapper gezonden,' zei hij kort. 'Een van Dousika's zonen heeft mijn hulp nodig.'

'Tiékoro?' vroeg Diémogo huiverig.

'Tracht geen geheimen te vernemen die voor jou te zwaar zijn,' sprak Koumaré met een strenge blik. 'Ik heb een witte haan, een schaap zonder één vlek en tien kolanoten nodig. Laat dat alles vóór de nacht naar mijn woning brengen.'

Vervolgens ging hij op zoek naar de boom waaronder het ritueel plaats moest vinden. Dieper in de familiehuizing passeerde hij langs een hut waar slavinnen gejaagd in- en uitliepen. Het was de hut van Nya die opeens van de pijn aan haar hart in elkaar was gezakt, bewusteloos. In zijn binnenste moest Koumaré de kracht van de moederliefde bewonderen, de intuïtie ook waarmee zij de kennis, voortvloeiend uit een vertrouwelijke omgang met de geesten, weet te evenaren.

Omringd door vrouwen, mede-echtgenotes en slavinnen lag Nya met gesloten ogen op haar slaapmat. Af en toe hijgde en snoof ze als een dier. Twee medicijnmannen legden bladerkompressen op haar voorhoofd, wreven haar ledematen in of probeerden een drankje tussen haar lippen te wringen. In een hoek waren twee waarzeggers met hun kauri's en hun kolanoten in de weer. Toen Koumaré, hun onbetwiste meester, binnentrad stonden ze vol eerbied op.

'Help ons, Komotigi!' smeekte een van hen.

'Haar leven is niet in gevaar,' stelde Koumaré hen gerust. Hij hurkte naast de zieke neer.

Hij wist wat ze sinds haar weduwschap had moeten doorstaan. De familieraad over de overdracht van Dousika's echtgenotes had haar aan Diémogo toegewezen voor wie zij nooit veel achting had gevoeld en die ze, terecht of ten onrechte, als een vijand van de belangen van haar zoons – en vooral van Tiékoro – beschouwde. Niettemin was ze hem nu tot onderdanigheid verplicht; haar lichaam kon ze hem niet weigeren. Bovendien had ze op een onverklaarbare wijze weet van Naba's dood. Koumaré besloot voor haar bij de voorouders te bemiddelen, opdat ze haar lijden wat zouden verzachten. Intussen haalde hij uit een bokkehoorn een poedertje dat hij in haar neusgaten stak; dat zou haar tenminste een droomloze slaap verschaffen.

Daarna verliet hij de hut. Achter in de familiehuizing, nabij de omheining om de paardenweide, stond een bomengroepje waar een apebroodboom vol vogels boven uitrees. Gebeden murmelend liep Koumaré er driemaal omheen. Nee, de navelstreng lag niet hier begraven. Een zilverreiger scheerde over de grond, steeg daarna als een pijl omhoog en streek een paar meter verder neer in een tamarindeboom die tegen de muur van de familiehuizing aanleunde. Koumaré dankte deze bode van de goden en de voorouders.

Nya sliep de hele dag. Ze sliep zo diep als vroeger in haar kinderjaren. Toen ze haar ogen opende was het al donker. Ze vond haar verdriet terug, niet minder groot, een stilzwijgende aanwezigheid waaraan geen ontkomen was.

Haar zoon Naba was dood – dat voelde ze, al wist ze niets over de plaats en de omstandigheden van zijn dood. Ze zag hem weer als zuigeling en als kind, in het voetspoor van zijn oudste broer. Daarna als jager. Haar hart bonsde wanneer hij met Tiéfolo de wildernis introk. Vaak bleven ze daar wekenlang, totdat fluitsignalen hun terugkeer aankondigden. Het nog dampende wild – antilopen, gazellen, wrattenzwijnen – werd in stukken gesneden. De kop en de poten waren voor Koumaré die de pijlen had vervaardigd, terwijl zij een symbolisch deel, de rug van de dieren, kreeg. Die tijd was voorbij. Die tijd zou nooit meer terugkomen. Welke smart treft

268

een moeder die niet weet welke grond het lichaam van haar zoon toedekt!

Ze draaide zich op haar zij. De vrouwen die bij haar waakten, werden onrustig.

'Wil je wat kippebouillon?'

'Ba, zal ik je wat masseren?'

'Voel je je beter, ba?'

Zij knikte. Diémogo kwam de hut binnen, en iedereen trok zich terug. Diémogo en Nya hadden nooit van elkaar gehouden; hij meende dat zij te veel invloed had gehad op Dousika. Als de familieraad hen tot man en vrouw had gemaakt, was dat om die spanningen te neutraliseren, om hen te dwingen niet langer aan hun eigen persoon maar aan de familie, de clan, te denken. Tot nog toe echter hadden ze hun contacten tot het minimum beperkt; alleen om haar niet al te zeer te vernederen bracht Diémogo soms de nacht met haar door.

Maar nu voelde hij voor haar een deernis die op liefde leek. Zij was nog mooi, Nya. Mooi met die laatdunkendheid van de Coulibali wier totem de mpolio is. Hij legde zijn hand op haar voorhoofd.

'Hoe voel je je?'

'Mijn uur is nog niet aangebroken, kokè,' zei ze met een vluchtige glimlach. 'Morgenochtend bereid ik weer jouw gierstebrij.'

Zo veel tederheid was hij van haar die hem altijd als een vijand placht te ontvangen, niet gewend. Wellicht voor het eerst keek hij naar haar lichaam met iets van wellust. Haar nog stevige borsten. Haar brede heupen. Haar lange dijen onder haar paan. Dat alles was van zijn oudste broer geweest en kwam hém nu toe. Want nu was hij de meester. Van de grond, de goederen, de dieren, de slaven. Hij, die nochtans niet goed wist wat trots was, voelde zijn hart zwellen in een lichte roes die hij voor begeerte hield.

Intussen was het nacht geworden. Alle geluiden in de familiehuizing waren nu uitgestorven, op het huilen na van een kind dat nog niet van ophouden met spelen wilde weten. Heel ver weg weerklonk een tamtam. Verbaasd over de stijfheid van zijn roede schoof Diémogo nog dichter bij Nya. Het was alsof een ander in zijn huid was gekropen en van zijn hart en zijn geslacht bezit had genomen.

'Laat me bij je slapen!' fluisterde hij terwijl hij zich naast haar neervlijde. 'De warmte van een man is nog het beste geneesmiddel.'

Ze draaide zich naar hem toe en gaf zich met een ongedwongenheid die hij van haar niet kende. Een beetje onzeker raakte hij haar borsten aan; ze waren heet en vol verwachting. Toen drong hij in haar.

Zo vond Naba's dolende ziel die nacht, dank zij Koumaré, de weg terug naar de schoot van zijn moeder.

# Deel III

# Te kwader ure

# I

Beestenweer! Het regende al weken – of was het maanden? De bomen strekten hun toppen steeds hoger en raakten haast een hemel die zwart zag als het keteldeksel van een slechte huisvrouw, terwijl ze hun wortels steeds dieper in de schoot van de vette, kleffe, drassige aarde stootten. De ochtend was als de middag of de avond, want de zon kwam er niet door. Krachteloos bleef ze het antwoord schuldig op de vijzelstampers van de vrouwen, verscholen achter een dik wolkendek.

Malobali liep een van de haastig opgetrokken hutten van takken en bladeren binnen.

'Zouden we niet beter onze tocht voortzetten?' zei hij tegen zijn metgezellen.

Een van de mannen keek op. 'Mond dicht, Bambara! Of denk je soms dat jij de aanvoerder bent?'

Dat was hij niet. Met een zucht ging Malobali zitten en zocht in zijn zakken naar een kolanoot, maar hij vond er geen.

'Heeft iemand soms wat tabak of een kolanoot voor mij?' vroeg hij.

Iemand stak hem zijn tabakszak toe.

Malobali en zijn maats droegen een wollen jasje waar allerhande driehoekige zakjes met mohammedaanse talismans en amuletten aan bungelden, een katoenen

273

broek die met riemen van dierestaarten om hun middel werd opgehouden, en hoge, ooit rode maar nu alleen nog smerige leren laarzen. De muts van apehuid, die met een bandje waar kauri's waren ingewerkt om hun kin sloot, deden ze binnen in de hut af. Ze behoorden tot een legercolonne van de asantehene, de vorst van het Ashanti koninkrijk.

Malobali nam een snuifje en ging in opgerolde houding op de grond liggen om wat te slapen. De van vocht verzadigde lucht om hem heen stonk naar het zweet van al die klamme, ongewassen lichamen. Maar hij was even vuil, wist hij. Was híj dat wel die als klein jongetje en zoon van een machtige edelman in de hut van Nya zo vertroeteld werd? Nu was hij nog slechts een huurling die, in ruil voor kost en onderkomen en zo nu en dan een deel van de krijgsbuit, de asantehene diende. Een huurling, een van de vele. Het leger van die vorst telde zowat zestigduizend manschappen: krijgsgevangenen, schatplichtigen, vreemdelingen van allerlei herkomst, die niet tot het Ashanti volk behoorden. Deze legermacht had alle naburige staten – Gonja en Dagomba in het noorden, Gyaman in het noordoosten, Nzema in het zuidoosten – onderworpen, en was zelfs de Voltarivier overgestoken om Akwamu en Anlo te veroveren. Het enige volk dat de Ashanti opmars probeerde te stuiten, de Fanti die via de kust krachtige steun kregen van de Britten, was nu ook verslagen.

Malobali kon de slaap niet vatten. Hij stond op en liep naar zijn vriend Kodjoe, dezelfde die hem de tabakszak had aangereikt.

'Sta op, lamstraal! Kom mee met mij een luchtje happen. Misschien schieten we wat wild.'

Kodjoe deed één oog open. 'Regent het nog?'

'En of! Wat dacht je? Heb je het in dit rotland al één keer niet zien regenen?'

Iemand verhief zijn stem. 'Als je niet van dit land houdt, Bambara, verlaat het dan! Niemand houdt je tegen. Keer terug naar huis!'

274

Dat was niet als grapje bedoeld. Zonder te antwoorden liep Malobali met Kodjoe naar buiten. Rondom hen was het woud zo dichtbegroeid dat het er bijna donker leek. Allerlei planten woekerden wild door elkaar: van de reuzevarens en bamboe die op een kleed van mos en paddestoelen stonden, tot de iroko waarvan de kruin een gesloten gewelf leek. Bij elke stap trapten ze op lianen die zich met ingewikkelde arabesken om boomstammen probeerden te slingeren, en op klimplanten met hechtranken en verraderlijke grijpwortels. De eerste dagen haatte Malobali deze schimmige wereld die naar dood en verrotting rook. En ook nu nog voelde hij zich hier niet op zijn gemak, want overal meende hij de boosaardige gedaanten van vertoornde geesten te bespeuren. Hij die aan niets wilde geloven, betrapte zichzelf op het mummelen van schietgebeden tegen ziekten of onverhoedse dood.

Kodjoe bukte zich en raapte een paar dikke paarsvlezige huisjesslakken op; in deze streek waren de mensen daar dol op, maar Malobali vond ze vies. Kodjoe was een Abron uit het koninkrijk Gyaman dat een eeuw geleden door de Ashanti onder de voet was gelopen. Maar zijn moeder was een Goro en had hem een taal geleerd die erg op die van Malobali leek. Dat had hen nader tot elkaar gebracht. Ze bleken dezelfde kijk op het leven te hebben, een zelfde misprijzen dat soms uitgroeide tot haat tegen het menselijk geslacht.

Kodjoe ging op een boomwortel zitten, een enorme uitwas die enkele stappen verder weer in de grond kroop, en keek op naar Malobali.

'Ik moet je wat vertellen. Als we Cape Coast bereiken, zien ze mij in Kumasi nooit meer terug.'

'Ben je gek?' riep Malobali die zich naast hem neer liet ploffen.

'Nee hoor. Ik heb hier'–en hij tikte op zijn hoofd–'een mooi plannetje uitgebroed. De kust, daar daagt de toekomst. Met de Engelsen, de blanken. Was het niet dank zij hen dat de Fanti zo lang aan de Ashanti weer-

275

stand hebben kunnen bieden? Zíj hebben wapens, zíj hebben schepen waarmee ze alle zeeën doorkruisen, zíj hebben geld, zíj kennen vreemde planten... Asantehenee Osei Bonsu beeft voor hen en probeert bij hen in de gunst te komen.

Malobali bekeek zijn makker stomverbaasd. 'Ga jij je dan ten dienste stellen van die blanken?'

'Ik wil,' zei Kodjoe terwijl hij een wilde bes plukte en in zijn mond stopte, 'hun geheimen leren kennen. Ik wil leren schrijven.'

'Word dan moslim,' gromde Malobali, 'dan leer je ook schrijven!'

Kodjoe die voelde dat het gesprek zinloos was, stond op en liep door. Malobali volgde hem zonder een woord te zeggen, in gedachten verzonken.

'Ze zullen zich om jou,' opperde hij ineens, 'niet veel gelegen laten, die Engelsen, als je je niet tot hun godsdienst bekeert.'

Kodjoe keek even om. 'Nou, dan bekeer ik me!' zei hij.

Bij het woord 'bekering' dacht Malobali onmiddellijk aan zijn gehate broer Tiékoro. Tiékoro die zijn leven deze wending had gegeven. Tiékoro die hem met zijn bemoeizucht uit Ségou had verjaagd.

Na Nadié's zelfmoord had Tiékoro een tijdlang tussen leven en dood gezweefd. Toen hij die inzinking te boven was, bleek hij uit het gebeurde geen les in nederigheid te trekken. In tegendeel, in zijn ogen verleende zijn beproeving hem ten overstaan van de hele wereld een nieuw aureool. Wat had hij niet allemaal doorstaan! En waarom was hem die beproeving opgelegd? Omdat hij een armzalige zondaar was. Maar voortaan zou hij boete doen. Helemaal in het wit gekleed, met in de hand of om zijn pols een bidsnoer, ging hij op zijn mat zitten, die hij alleen nog verliet om naar de moskee te gaan. Weldra begonnen de mensen naar hem toe te stromen; de een vroeg om een gebed, een ander om raad, nog een ander om een handoplegging. Zijn faam van heiligheid breidde zich langs onnaspeurbare wegen uit tot Djenné, Tombouctou en Gao, en was zelfs doorgedrongen tot Amadou Hammadi Boubou die de titel van sjeik had aangenomen en zich een stad genaamd Hamdallay had laten bouwen. Hij nodigde hem uit om daar te komen verblijven en samen te zoeken naar de beste manier om de Bambara tot de islam te bekeren.

Malobali herinnerde zich nog een ochtend waarop Tiékoro, zoals hij vaker deed, voor een handvol gelovigen preekte: 'God is liefde en almacht. De schepping is het voortvloeisel van Zijn liefde, en niet van een of andere dwang. Wie het werk van de door liefde gedreven Goddelijke Wil afwijst, keert zich tegen het plan Gods en vecht Zijn wijsheid aan.'

De klank van die stem had in Malobali zo'n woede en walging opgeroepen dat hij op een paard was gesprongen en Ségou had verlaten. Eerst had hij nog naar Tenenkou willen rijden om er zijn moeder op te zoeken. Ook met haar had hij een rekening te vereffenen! Maar hij was op handelaars in kolanoten, die naar Salaga afzakten, gestuit en met hen meegegaan. Op den duur was hij als huursoldaat in het leger van de asantehenee terechtgekomen.

Zich bekeren! De goden van de vaderen afzweren, en mét hen de hele levenswijze, de hele beschaving die zij hadden ontwikkeld: dat leek Malobali een onvergefelijke misdaad. Nooit, al was het onder druk van marteling, zou hij zich daartoe lenen! Siga had tenminste het oude geloof bewaard toen hij uit Fes terugkeerde. De gedachte aan Siga stemde Malobali milder. Misschien had hij die oudere broer moeten raadplegen vóór hij zich in het avontuur stortte? Ach, het was nu te laat om dat nog te betreuren.

Ze kwamen op een kleine open plek die met jamswortel en zoete aardappelen was beplant. Dit was het eerste teken van menselijk leven sinds ze vier dagen geleden Kumasi hadden verlaten. Zonder scrupules wilden ze reeds die knolvruchten die hun niet toebehoorden loswoelen toen ze een meisje zagen dat een korf in de hand hield. Ze was nog erg jong en had kleine maar stevig ronde borstjes en eindeloos lange benen.

'Afblijven!' sprak ze met haar dunne stemmetje. 'Of betaal ons anders met kauri's!'

Malobali schoot in de lach. 'Waarom zeg je "ons"? Je bent toch heel alleen?'

Het meisje wees naar een bospad. 'Ons dorp is vlak-bij.'

'Waarom ben je dan zo bang?'

Kodjoe ging grinnikend op een boomwortel zitten terwijl Malobali op haar afliep. Mooi was ze, met een gitzwarte huid en op haar wangen de fijne rituele in-kervingen van haar stam. Malobali verslond haar met zijn blik.

'Hoe heet je?'

'Ayaovi,' zei ze na een kleine aarzeling.

Toen wendde ze zich om en sloeg op de vlucht. Ma-lobali liep haar achterna. Eerst had Ayaovi, zoals elk jong en aantrekkelijk meisje, in hem slechts een vage en makkelijk te onderdrukken geilheid wakker geroepen. Maar door de achtervolging raakte hij opgehitst. Ayao-vi's naakte billen schudden tijdens het rennen, en de regendruppels gaven haar schouderbladen een vreemd reliëf. Ze verdween achter een boom, dook weer op tussen twee varens, struikelde over een liaan. Malobali sprong boven op haar in het humusbed. Toen hij het tengere lichaampje dat haar prilheid verraadde onder zich voelde, wilde hij haar er met de schrik van af laten komen. Maar zij begon hem uit te schelden, met zo'n woordenvloed dat zijn nog slecht aan het Twi gewende oor alleen ongevormde klanken opving. Het werkte op zijn zenuwen. Hij wilde haar een klap geven om haar te doen zwijgen, toen zij als een lenige slang haar hoofdje ophief en hem in het gezicht spuwde. Dit was te veel. Nu moest hij haar straffen, en daarvoor beschikte hij slechts over één middel. Terwijl hij ruw haar benen spreidde dacht hij eraan dat ze nog maagd moest zijn, en hij gruwde van de schuld die hij op zich zou laden. Maar zij daagde hem uit met een blik die verbaasde bij zo'n jong kind, en hij drong in haar. Zij liet een schreeuw, en Malobali wist dat hij die schreeuw tot het einde van zijn dagen door zijn oren zou voelen vlijmen. De doodsschreeuw van een gefolterd kind. De schreeuw van een kind dat de goden tot getuigen roept om zo veel wreedheid van de volwassenen.

Onder zijn nu weer slap geworden lid voelde hij een plasje bloed uitsijpelen. Hij wilde opstaan en haar om vergeving smeken, maar een kwaadaardige kracht van onbekende oorsprong maakte zich van hem meester. Niet zonder moeite drong hij nog eens in haar binnen. Daarna bleef hij roerloos liggen en durfde haar niet meer aan te kijken. Een hand tikte op zijn schouder.

'Vergeet je vrienden niet,' zei Kodjoe.

Hij liet hem begaan.

In tegenstelling met alle troepenbewegingen van de jongste jaren – vooral als ze tegen de Fanti waren gericht –, had de expeditie waarvan Malobali deel uitmaakte een vreedzame bedoeling. Het was slechts een escorte voor een blanke, Wargee genaamd, die naar Cape Coast wilde. Wargee was aan het hof van de asantehenee beland na een onwaarschijnlijke tocht die hem van Istamboel naar Tripoli, daarna naar Murzuk, Kano en Tombouctou, en vandaar naar Djenné en via de handelsstad Salaga naar Kumasi, hoofdstad van het Ashanti koninkrijk, had gevoerd. Asantehenee Osei Bonsu, die bekend stond om zijn hoffelijkheid ten aanzien van vreemdelingen, liet hem onder gewapend geleide naar de kust brengen om hem onaangename verrassingen te besparen. Daar zouden de Engelsen er wel voor zorgen dat hij veilig thuiskwam. Waar kwam die Wargee vandaan? Waarom bevond hij zich in Afrika? Dat was de laatste zorg van Malobali en zijn makkers. Zij voerden alleen hun opdracht uit, en verder waren ze het erover eens dat ze het beste elk contact met die blanke konden mijden.

Malobali had nog nooit een blanke gezien, op de Moren na die hij op alle handelswegen had ontmoet. Voor hem vormden Wargee en zijn gelijken, net zoals vrouwen of dieren, een aparte, bevreemdende en on- doorgrondelijke soort. Hij begreep niet hoe sommigen hen zogenaamd om hun uitzonderlijke verworvenheden konden bewonderen, want daardoor waren ze juist veel gevaarlijker dan de Peul en alle moslims bij elkaar.

Het was pikdonker toen Malobali en Kodjoe in het kampement terug waren. De andere soldaten hadden een vuur aangestoken dat meer rook dan licht gaf, en zeker geen warmte, want het hout was nat.

'En?' vroeg een van hen. 'Wat is de buit?'

Kodjoe schudde zijn zak leeg: een stuk of wat slakken die diep in hun dikke zwarte schelp waren weggekropen, en enkele zoete aardappelen.

'Dat wordt nog eens eten!' werd er gelachen.

'We hebben ook beter wild gevangen,' zei Kodjoe geheimzinnig terwijl hij ging zitten.

Zij die zaten te knikkebollen waren meteen klaar wak- ker en anderen die in de hut lagen te luieren slopen dichterbij om toch maar niets te missen van Kodjoe's beschrijving van de mooie Ayaovi. Malobali voelde zich zo al katterig genoeg en vond het welletjes.

'Zwijg, Kodjoe!' schreeuwde hij. 'Er zijn dingen waarover je beter niet opsnijdt!' En hij liep weg.

'Die Bambara is gek!' hoorde hij achter zijn rug nog zeggen.

Sinds hij uit Ségou was weggegaan, was Malobali's leven één aaneenschakeling van afkeurenswaardige da- den geweest. Dat hij de vijanden van de asantehene doodde of gevankelijk meevoerde, behoorde nog tot de regels van het spel waarvoor hij werd betaald. Maar te vaak keerden zijn wapens zich tegen onschuldigen. Samen met Kodjoe en nog een paar anderen drong hij zelfs Ashanti dorpen binnen waar vreedzame boeren korsten slijk van hun voeten trokken, terwijl hun vrou- wen weegbree fijnstampten die ze tussen het cassavemeel zouden mengen. Ze verkrachtten, brandden en plunderden om te lijken op goden die wanhoop stichtten waar een ogenblik voordien nog vrede en geluk heersten. Op een keer hadden ze een oude man vermoord, alleen maar omdat ze zijn gezicht dat beefde van de angst, lelijk vonden.

Malobali moest walgen van zichzelf. Maar wat kon hij doen? Naar Ségou terugkeren?

De regen die een ogenblik was opgehouden, plensde opnieuw neer in dikke, hete en toch verfrissende druppels. Malobali zag Ayaovi's gelaat weer voor zich. Hoe oud kon ze wezen? Hooguit tien of elf. Na een verkrachting dacht Malobali gewoonlijk niet meer aan zijn slachtoffer. Waarom dan deze schaamte, deze wroeging? Doelloos liep hij door de regen. Ergens liep hij een een man tegen het lijf. Hij herkende de safohenee van de colonne.

'Ha, het is de Bambara!' riep zijn aanvoerder. 'Waarschuw de manschappen dat we morgenochtend verder trekken.'

'Nou, het is niet te vroeg!' spotte Malobali. 'Nog even en we hadden hier wortel geschoten.'

De aanvoerder, die al vaker aan Malobali's gedrag aanstoot had genomen, was met deze opmerking kennelijk niet ingenomen.

'Besef goed,' sprak hij terwijl hij hem de rug toekeerde, 'dat ik hier de bevelen geef. De blanke die we moeten begeleiden is een oude man. De tocht door het oerwoud valt hem zwaar.'

Het was inderdaad geen kinderspel. De soldaten moesten met de bijl de struiken, lianen en reusachtige wortels doorhakken die hun de weg versperden. Soms zakten ze tot hun knieën weg in de zompige grond, en alleen de touwen waarmee ze aan elkaar waren vastgebonden, konden dan beletten dat het moeras hen helemaal zou opslokken. Dan waren er nog de reptielen en insekten – echte bloedzuigers die zich in gezicht, hals en schouders vastbeten.

In andere omstandigheden had Malobali van zo'n

uitbrander amper notitie genomen. Maar deze kwam op hem over als een zware vernedering. Hij liep de hut weer binnen.

De mannen poften nu de aardappelknollen in de gloeiende as waarop ze ook de slakken roosterden die ze aan een spit hadden geregen. Veldflessen met palmwijn gingen rond.

Malobali ging in een hoekje zitten, met zijn rug tegen het vochtige schot. Hoelang nog zou hij dit ruw en afstompend bestaan volhouden, dit primitieve voedsel eten en naar deze grove grapjes moeten luisteren?

'Makker, verklap me eens dat mooie plan van jou!' vroeg hij aan Kodjoe die naar hem toe kwam.

'Ik wist het wel,' lachte Kodjoe, 'dat mijn plannetje jou zou interesseren! Luister, er zijn verschillende mogelijkheden. In het fort van Cape Coast is er een garnizoen, goed getrainde mannen die maar al te graag de Ashanti zouden aanvallen. We kunnen hun onze goede diensten aanbieden.'

'Anders gezegd: verraad plegen?'

Dat lelijke woord wuifde Kodjoe weg. 'In de stad en omgeving zijn er priesters – zendelingen worden ze genoemd – die op hun grond mensen laten werken aan wie ze leren lezen en schrijven. Ik heb me zelfs laten vertellen dat ze hen soms laten studeren in Engeland. We kunnen het ook van die kant proberen.'

Malobali leek niet erg enthousiast.

'Of we kunnen handel drijven.'

'En waarin?' spotte Malobali. 'De Engelsen willen geen slaven meer.'

Kodjoe haalde zijn schouders op. 'Maar er zijn ook nog de Fransen, de Portugezen, de Hollanders. Je moet slim zijn, daar komt het op aan. We kunnen ook palmolie leveren; de blanken maken daar hun zeep van. Of huiden. Of slagtanden van olifanten...'

Perplex luisterde Malobali. Hij vroeg zich af hoe Kodjoe, net als hijzelf een lichtzinnige genotzoeker, zo iets had kunnen beramen. Hoe karig hij daar doorgaans ook mee was, dit dwong respect af. Hiermee vergeleken vond hij zichzelf stompzinnig en verachtelijk. Hij woelde en stootte tegen het schot van slijk en takken waartussen het wemelde van de insekten. Maar slapen kon hij niet; Ayaovi gunde hem geen rust. Wat een dwaze en zinloze daad! Toen hij haar verkrachtte was het of zijn penis weigerde, en hij had hem, als een onwillig paard, met háár scheldwoorden moeten aansporen. Hij stelde zich haar terugkeer in het dorp voor, en tussen haar tranen door haar treurige relaas. Uit haar beschrijvingen zou haar familie afleiden dat het om manschappen van de asantehenee ging, zodat zij zich beter gedeisd konden houden. Dan zou ook deze misdaad ongestraft blijven. Maar hij was dit leven zat. Waarom zou hij zich niet aan de kust gaan vestigen?

Hij drukte zich nog vaster tegen de hutwand. Op de bladeren van het dak roffelden de regendruppels.

## 2

In juni 1822 werd Cape Coast door sommigen als de mooiste stad van de zogenaamde Goudkust beschouwd. Aan weerszijden van haar brede en goed onderhouden straten stonden de prachtige stenen huizen van de Engelse kooplieden die zich daar sinds ettelijke decennia hadden gevestigd, terwijl de plaatselijke bevolking in een soort voorstad verbleef die, met haar lemen hutten onder de palmen en kokosbomen, een zekere bekoring uitstraalde. Maar het indrukwekkendste bouwwerk was ongetwijfeld het fort. Wel tien keer was het in andere handen overgegaan; na de Zweden, de Denen en de Hollanders hielden de Engelsen het nu stevig in hun macht. Met zijn dikke vestingwal had het de vorm van een driehoek waarvan twee zijden naar de zee waren gewend; de zwarte en verstarde vuurmonden van zijn zevenenzeventig kanonnen werden weliswaar door de zeelucht aangevreten, maar waren nog steeds schietvaardig. Tot voor kort gebruikten de Engelsen het als opslagplaats voor slaven die naar Amerika werden verscheept; zelf verlieten ze het fort alleen om, wanneer er schepen aanlegden, handel te drijven met de kustbewoners, vooral met de Fanti. Zo hadden ze hun machtspositie steeds verder uitgebouwd en zich als de beschermers van de Fanti tegen hun inlandse vijanden, de Ashanti, opgeworpen. Toch hadden deze laatsten het gebied weten te onderwerpen en er een resident geïnstalleerd. Nu de slavernij was afgeschaft, zat het Engelse garnizoen te trappelen van ongeduld. De Britse kroon moest nu maar eens uitmaken welke betrekkingen zij met de nieuwe Ashanti meesters wenste aan te knopen. Waar wachtte men nog op om die barbaren aan te vallen, het hele gebied te bezetten en er de vrijhandel in te stellen?

Zo dacht ook MacCarthy, de nieuwe gouverneur van de vestingplaats, erover. Toen hem de komst van een colonne Ashanti krijgers werd gemeld, wilde hij er eerst met een kanon op los laten schieten. Het enige wat hem hiervan weerhield, was dat er zich onder hen ook een bejaarde blanke, in het uniform van de Royal African Company, bevond. Wantrouwig gaf hij de wachten het bevel dat ze alleen die oude man, een tolk en de sa-fohenee zouden binnenlaten.

Malobali en Kodjoe gingen ondertussen op zoek naar een kroeg. Na het vochtige oerwoud leek de zeelucht droog; op hun lippen zette zij een korstje af dat hun dorst nog meer prikkelde, terwijl zij uit hun ogen zoute tranen beet.

De kroeg, een bakstenen gebouw, scheen Malobali een waar lustoord toe; niet alleen was hij overschaduwd met kokosbomen, hij bood ook een ruime keus aan alcoholische dranken: naast gin, rum en jenever ook een aantal Franse wijnen. De kastelein was een mulat – wat hier aan de kust, waar de Europeanen zich in steeds groteren getale waren komen vestigen, niet uitzonderlijk was. In het begin hadden de Denen, Zweden en Engelsen met Afrikaanse vrouwen huwelijken gesloten en de kinderen – de jongens vooral – in hun land laten studeren. Maar sinds het geval zich wat te vaak begon voor te doen, konden de moeders in het beste geval alleen nog op een toelage rekenen.

'Maar wie is die blanke toch die jullie moesten begeleiden?' vroeg de kastelein nadat hij hun kalebassen boordevol had geschonken.

Malobali deed of de vraag hem niet aanging, en liet het antwoord aan Kodjoe over.

'Het schijnt dat hij geboren is in een land dat Kisliar heet, en dat hij als slaaf is verkocht...'

'Zo zo, worden er ook blanken als slaaf verkocht?'

Kodjoe ging naast Malobali aan een tafeltje zitten.

De kroeg bood uitzicht op een strand met wit zand, waarover hier en daar een rottende kokosboomstam en wrakgoed van vissersbootjes lagen. In de verte zagen ze een Europees schip voor anker liggen, omringd met een hele zwerm bootjes van plaatselijke handelaars. Je kon de balen rood-, groen-, wit- en blauwgestreept laken zien, de rijen messing en koralen armbanden, de vaatjes sterke drank – al die schijnbaar onbeduidende dingen waar de mensen om vochten.

Kodjoe wenkte de kastelein, die prompt hun kalebassen kwam bijvullen.

'Jij als halve blanke,' vroeg hij hem op de man af, 'jij moet toch alles weten over de zaakjes van de blanken?'

'Hangt ervan af,' grinnikte de man.

'We zoeken werk,' bekende Kodjoe. 'We zijn het leger zat.'

De kastelein keek naar de zee en fronste zijn wenkbrauwen.

'Iedereen trekt naar de kust en wil voor de blanken werken. Het wordt moeilijk, al kun je nog steeds bij de zending terecht. Jullie lijken me wat groot om catechist te worden. Maar je kunt het proberen.'

Malobali kon zijn weerzin amper onderdrukken.

'Jij bent geen Ashanti!' riep de man hem toe. 'Jij moet een Peul zijn!'

Aan die halve Peul herkomst, via een moeder die hem in de steek had gelaten, werd Malobali niet graag herinnerd, en hij trok een zuur gezicht. Kodjoe probeerde hem wat op te monteren.

'Kop op, kerel!' fluisterde hij hem in het oor. 'Zo zul je misschien vlugger werk vinden!'

En inderdaad, in het hele gebied tussen de rivier Ankobra en de Volta gold de naam Ashanti allesbehalve als een aanbeveling. Dat lag niet alleen aan de intriges van de Engelsen en de Fanti. De asantehene hield de onderworpen volkeren met zware belastingen, chicanes en allerlei vernederingen onder de duim.

Kodjoe en Malobali besloten zelf een kijkje te gaan nemen in de stad.

Onder impuls van de methodisten heerste er in Cape Coast een grote bekeringsijver. Het zendingswerk dat vroeger tot het fort en het jaarlijkse dozijn mulattenkindjes van het personeel beperkt bleef, had zijn actieterrein nu tot de autochtone bevolking uitgebreid. Een reusachtige kerk in grijze steen was in het centrum van de stad verrezen, terwijl de zending zich discreet en half verscholen op de weg naar Elmina had gevestigd. Het was een niet bijster aantrekkelijk gebouwtje, een soort vierkante blokhut met een dak van stro en een voortuintje waarin op roerende wijze bloemperken afgewisseld werden door groentebedden. Onder een luifel was een groepje jongens houtblokken aan het kappen, terwijl schelle stemmetjes in koor een onverstaanbaar lied zongen en een hele kudde zwarte varkens met hun snuit in de grond aan het wroeten waren.

Benieuwd wat die twee Ashanti krijgers hierheen mocht hebben gedreven, verscheen de zendeling op de veranda. Tot hun stomme verbazing was het een mulat. Hij droeg een kleed in dik zwart laken en om zijn hals een soort bidsnoer waar een groot houten kruis aan hing.

Een mulat! Malobali en Kodjoe bekeken elkaar. Nee, aan zo'n halve zwarte hadden ze geen boodschap. Daarover waren ze het eens, en ze keerden hem hun rug toe.

Wat een heerlijk machtsgevoel om door een stad te lopen in het uniform van de veroveraar! De handelaars keken bezorgd naar hun koopwaar, de mannen naar hun vrouwen die voor een krijgsman maar al te graag bezweken. De kinderen renden de straat op, met schril geschreeuw en handgeklap.

Dat alles waar hij vroeger zo intens van genoot, liet Malobali nu onverschillig. Wanneer hij om zich heen keek, was hij helemaal niet onder de indruk van deze stad zonder verleden of tradities. Cape Coast was een schepping van de blanken. De Portugezen vonden het een geschikte aanlegplaats en hadden het Cabo Corso gedoopt; andere Europeanen waren in hun kielzog opgedoken en hadden gevochten om er hún fort te kunnen bouwen. Cape Coast had toen nog geen stadswallen en lag voor het grijpen, open en bloot als de meisjes die door de blanken werden misbruikt en, zwanger, in de steek gelaten. Met zijn rechte hoeken en koopmansbedrijven was het een stad zonder mysterie. Was dit wel een stad? Het was niet meer dan een grote opslagplaats die voor altijd het stempel van de schande der slavernij zou dragen.

Aangezien hun aanvoerder de colonne uiteen had laten gaan, begaven Malobali en Kodjoe zich naar de resident van de asantehenee, Owusu Adom, die hier de Ashanti staatsmacht vertegenwoordigde. Als neef van de asantehenee was Owusu Adom van koninklijken bloede en hield hij er een hele hofhouding op na. Hij bezat zijn eigen schemel – het heilige zinnebeeld van zijn gezag – en in zijn provisorische residentie liepen waaier-, scepter-, olifantestaart-, hangmat- en zwaarddragers elkaar voor de voeten, naast taalgeleerden, eunuchen, koks en muzikanten die de sfeer van het paleis waarin hij was opgegroeid probeerden op te roepen. Zijn krijgshoofd, Amacom, wees de twee mannen een barak aan waarin de rest van de colonne reeds was ondergebracht. Iedereen was in een vrolijke stemming, want Amacom had kalebassen palmwijn en pannen cassave laten brengen, met een rode oliesoep.

'En zo komt er een eind aan ons mooie plannetje!' spotte Malobali terwijl hij zijn handen waste.

Kodjoe sloeg zijn ogen ten hemel. 'Denk jij dat ik de moed zo gauw laat zakken? Hier moeten zich ook zendelingen bevinden die voor beide helften blank zijn. En mocht dat niet zo zijn, dan verzinnen we iets anders.'

Intussen was het audiëntiedag aan het hof van de asantehenee in Kumasi.

Asantehenee Osei Bonsu, die zijn oudere broer Osei

288

Kwamé was opgevolgd nadat de hofraad deze laatste wegens zijn sympathie voor de islam had afgezet, was een kleine maar kloek gebouwde man met prachtige ogen die schitterden van intelligentie. Hij zat op zijn troon, met naast zich, eveneens op een troon geplaatst, de gouden schemel – zinnebeeld van het Ashanti koninkrijk – waaraan drie grote en drie kleine belletjes van goud en messing hingen. Osei Bonsu droeg een kentee – een fraaie geweven paan die één schouder onbedekt liet – en aan zijn voeten die de grond nooit mochten raken een paar brede sandalen. Om zijn armen en enkels spanden zware, kunstig bewerkte gouden banden waarop allerlei dieren waren uitgebeeld. Gouden snoeren en sieraden, en tal van mohammedaanse amuletten in leren zakjes hingen om zijn hals die glad en recht als een boomstam was. Naast hem stonden de hogepriesters, terwijl dienaren hem met waaiers van struisvogelveren koelte toewuifden. Osei Bonsu luisterde vol aandacht naar zijn opperste taalgeleerde die hem de woorden van een eerbiedig in het stof gebogen dorpshoofd uit de streek van Bekwai vertaalde.

Er was een ernstig vergrijp gepleegd. Een nog niet eens huwbaar meisje was in het woud verkracht toen ze op weg was naar het veld van haar ouders. In andere omstandigheden zouden die ouders misschien gezwegen hebben, want de schuldige was een soldaat uit het machtige leger van de asantehenee. Maar het slachtoffertje, Ayaovi, was hun enig kind, geboren nadat zes broertjes en drie zusjes hun door de goden waren ontnomen. Daarom vroegen ze om gerechtigheid. Toen de opperste taalgeleerde zweeg, spraken de hogepriesters zonder verwijl het vonnis uit. Deze misdaad was een vergrijp tegen de Aarde. Als dit ongestraft bleef, zou zij rust noch duur hebben. Zij zou de jagers geen prooi meer gunnen, zij zou geen oogst meer dragen. De chaos zou losbarsten.

Wie was de schuldige?

De kontihenee trad naar voren. Volgens de beschrijving door het kind was het een soldaat die niet op een Ashanti leek, maar veeleer op een van die Peul of Haussa huurlingen uit het noorden. Een week geleden bevond hij zich in de streek van Bekwai. De conclusie was vlug getrokken. Het moest Malobali zijn, de Bambara die deel uitmaakte van het gewapend geleide voor Wargee. Hij zou naar Kumasi teruggeroepen worden om er zijn gerechte straf te ondergaan.

Onder Osei Tutu, de stichter van het koninkrijk, zou hij ter dood zijn veroordeeld. Maar Osei Bonsu had die strenge zeden afgezwakt. Zijn devies luidde: Grijp niet naar het zwaard zolang er nog kan worden gepraat. Hij beval dat de eisers een onderkomen zouden krijgen in het gastenverblijf, en als blijk van sympathie liet hij hun door zijn schatbewaarder een dommafa poedergoud overhandigen. De priesters en de ouden prezen deze koninklijke welwillendheid.

Het Ashanti rijk, waarvan Kumasi de hoofdstad was, werd ook het rijk van het goud genoemd. Als de regen tijdens het winterseizoen de aarde omwoelde, hoefden de vertegenwoordigers van de asantehenee de goud-klompjes slechts op te scheppen. Bovendien bezat het rijk onuitputtelijke mijnen in Obuasé, Konongo en Tar-kwa – wat de vorst de bijnaam 'hij-die-op-het-goud-zit' had opgeleverd. Maar ondanks deze buitengewone voorspoed, waarvan zijn overvloed aan sieraden een duidelijk bewijs was, zag Osei Bonsu de toekomst som-ber in. De Engelsen zaten hem dwars.

Nadat ze eeuwenlang hun schepen met slaven hadden volgeladen, hadden ze nu opeens de slavernij afgeschaft. Waarom? Met welke bijbedoeling? En wat moest híj nu met zijn krijgsgevangenen? Zou hij hen, als onkruid op het veld, tussen zijn eigen volk in aantal laten toe-nemen tot ze het verstikten? Moest hij hen als roofdieren laten afmaken? En hoe hij ook de Engelsen met gebaren van goede wil probeerde te paaien, ze bleven hun steun verlenen aan alle opstanden tegen zijn gezag. Streefden ze dan de vernietiging van zijn rijk na?

Zoals altijd wanneer hij zorgen had, besloot Osei Bonsu de goden en de voorouders te raadplegen. Had hij soms een of andere rite verwaarloosd? Nee, dagelijks werden de koninklijke schemels met bloed besprenkeld. Tijdens het jongste Odwira-festival had hij kippen en schapen geofferd, bereid zonder toevoeging van zout of peper, met jamswortel die even fris en zacht was als het vlees van een jonge vrouw. Daarna had hij de poorten, de vensters en de booggewelven van het paleis met een mengsel van eierdooiers en palmolie laten insmeren.

Hij liet de maraboet Mohammed al-Gharba halen. Al dacht hij er niet aan om zich, zoals zijn oudere broer, tot de islam te bekeren, toch had hij de grootste achting voor de wetenschap van de moslims, en in zijn hofhouding zowel als in het hele koninkrijk liet hij hen belangrijke ambten bekleden. Sommigen maakten deel uit van zijn geheime raad. Anderen stuurde hij als ambassadeur naar de islamitische landen in het noorden. Nog anderen voerden zijn briefwisseling met verre vorsten en kooplieden. In Kumasi was er zelfs een hele moslim-wijk die Asanté Nkramo heette.

Niemand wist precies waar Mohammed al-Gharba vandaan kwam. Uit Fes, werd wel eens gezegd. Ook zou hij tot de entourage van sultan Ousman dan Fodio hebben behoord. Hij was niet zomaar een gewone waarzegger of amulettensjacheraar. Als hij het heden en de toekomst ontraadselde en zijn helderziendheid ten dienste van Osei Bonsu stelde, was dat uit naam van Allah: om de vorst van Gods almacht te overtuigen.

Toen hij de zaal binnenkwam wendde Osei Bonsu zich meteen tot hem. 'Ik verneem zojuist dat de Engelsen een andere gouverneur naar het fort van Cape Coast hebben gestuurd. Ik werd daarvan niet eens officieel op de hoogte gebracht, laat staan dat hij me de gebruikelijke geschenken zou hebben toegezonden!'

'Zoon van de Zon,' zuchtte Mohammed, 'gij zijt veel te goed. Die Engelsen zijn vals en verdorven. Het enige wat ze nastreven is machtsuitbreiding, om beslag te kunnen leggen op uw goud en uw handelsmonopolies. Onderhandelen met hen is zinloos. Val hen aan, roei hen uit vóór het te laat is!'

'Te laat?' vroeg Osei Bonsu angstig.

'Het staat geschreven, Meester,' sprak Mohammed gedempt, als wilde hij de hardheid van zijn woorden temperen. 'De Engelsen zullen de Ashanti heerschappij vernietigen en de hand leggen op de gouden schemel!'

Zulke vermetele woorden verdienden de doodsstraf. Osei Bonsu wist echter dat ze niet als belediging waren bedoeld en dat hij zijn raadgever kon vertrouwen.

'Bid tot uw god, Mohammed,' mompelde hij, 'en smeek hem dat hij zich aan onze zijde schaart. Als je hem kunt overreden, als je hem voor onze zaak kunt winnen...'

Hij brak zijn zin af. Wat kon hij een man die zo'n vergeestelijkt leven leidde, aanbieden? Een gevoel van onmacht en ontmoediging beving hem. Waartoe nog strijden als zijn nederlaag geschreven stond? De strijd was hopeloos.

Niet iedereen deelde die sombere stemming. Ayaovi voelde zich gelukkig. Sinds ze hier drie dagen geleden met haar ouders uit Bekwai was aangekomen, viel ze van de ene verrukking in de andere. Wat een prachtige stad was Kumasi! Haar vader had haar de plaats laten zien waar de kumnini stond, de boom-die-de-python-doodt, enkele eeuwen geleden door de stichter van het koninkrijk geplant. Dat was ten tijde van Osei Tutu. Kumasi, dat nog niet zo heette, was toentertijd een groot dorp. Maar de kumnini was gegroeid en had zich wijd vertakt en aan alle Ashanti deze plek als hoofdstad aangewezen. Het paleis alleen reeds was een echte stad, met al zijn gebouwen, booggewelven en binnenhoven vol hemelhoge bomen.

Ten overstaan van zo veel schoonheid vergat Ayaovi bijna haar verdriet, de schande die haar was aangedaan, die wrede wonde. Tenslotte was ze een kind van elf jaar. Ze wipte van het ene been op het andere en neuriede

292

een liedje dat ze vaak zong met haar vriendinnetjes, ginds in het dorp. Toen zweeg ze opeens. De tijd voor dit soort kinderlijkheden was voorbij. Weldra zou ze een man hebben. En wat voor een! Ze bracht zich het gezicht van Malobali, hard en vertrokken door de geilheid, weer voor ogen. Maar wat was hij mooi! Dit was niet de tronie van een van die brute soldeniers die, met het geweer over de schouder, het kapmes aan de heup en in de vuist een stok, zich een weg baanden door de wildernis. Zoals zijn maat, wiens gezicht ze reeds vergeten was. Alleen Malobali telde. O, mochten de mannen die hem achterna waren gegaan, zich maar wat haasten en hem gauw terugbrengen!

Soms was Ayaovi ook wat ongerust. Had ze niet gelogen toen ze onder ede slechts één man had beschuldigd? Ze herinnerde zich de woorden van de priester bij het doden van het offerdier:

> *Aarde,*
> *Opperwezen,*
> *mijn steun en toeverlaat,*
> *Aarde,*
> *gedoog niet dat het kwaad overwint!*

Jazeker, ze had gelogen. Maar ze schudde die gedachte van zich af. Ze was toch pas elf! Ze sloop over de binnenplaats vol soldaten, en keek door de openstaande poort naar de tulpebomen met hun felrode bloemen, de koningspalmen en de al even aanmatigende kapokbomen die grijsachtige vezels om zich heen spreidden. Haar moeder kwam achter haar aan. Na wat zich de week voordien had afgespeeld kende ze geen rust meer en verweet zichzelf dat ze niet goed genoeg op haar dochtertje had gepast. Háár hadden die soldeniers moeten verkrachten – zij kende het lichaam van een man – en niet haar frêle en nog zo kinderlijke dochtertje!

Haar man snauwde haar af. Waarom huilde ze toch? Het was niet de eerste keer dat mannen zo'n kind misbruikten. De schuldige zou als boete een schaap moeten afstaan. De Aarde zou door de priester met het bloed van het offerdier worden besprenkeld, opdat zij vergiffenis zou schenken. En zodra het meisje haar eerste maandstonden kreeg, zouden de riten in acht worden genomen en het huwelijk voltrokken. Dat was alles. Ayaovi zou nu spoedig een man hebben. En wat voor een! Een krijgsman uit 's konings leger! De asantehenee zou hem vast een lapje grond cadeau doen, waarop ze oliepalmen konden planten. Een meisjeskoor zou bruid en bruidegom toezingen:

> *God geve je jongens en meisjes!*
> *Hij gunne jou een rijpe leeftijd!*

Ach, de voorouders weten wel wat ze doen. Elk kwaad keren ze ten goede.

# 3

'Lopen, Bambara, lopen! Ze komen je halen!'

Die schreeuw wekte Malobali uit zijn slaap. Hij ging rechtop zitten.

'Lopen, Bambara, lopen!' herhaalde de stem.

Met slome ledematen, nog half in slaap, kroop Malobali naar zijn kleren die hij in een hoek van het vertrek had gesmeten.

'Loop je weg?' protesteerde de vrouw die tegen hem aan lag.

Hij gaf haar een stomp, trok zijn broek aan en rende naar buiten. De dag brak aan. Tussen de kokospalmen lichtte de grijze hemel. Monotoon ruiste de branding van de zee. Op een van de binnenplaatsen klonken verwarde stemmen die Malobali duidelijk maakten dat hij niet gedroomd had. Een kapokboom leunde tegen de muur die om de hutten heen liep. Malobali hees zich aan de onderste takken op, wipte op de muur en sprong naar de straat. Daar zette hij het op een lopen.

Een man die rent voor zijn leven, heeft geen besef van wat hem omringt. Hij is nog slechts een bundel spieren die zich afstoten, een adem die snakt naar regelmaat, een wild kloppend hart. Malobali rende en had geen weet meer van de dingen om zich heen. Hij rende, en op de rechte lijnen van de rijen hutten volgde een landschap van rechte of door de wind geknakte en in het zand liggende kokosbomen. Hij rende, en de straat liep over in een slecht onderhouden veldweg waar nauwelijks twee of drie mannen naast elkaar konden lopen. Hij rende, en de zon ging op en stak haar splinters in zijn schedel en zijn schouderbladen.

Tot hij doodop in het zand rolde. Hoelang rende hij

al? En waarom rende hij? Hij had het niet kunnen zeggen. Op enkele meters afstand zag hij de vaalgroene zee die, als om hem te tarten, begon te glinsteren. Met de rug van zijn hand veegde hij het zweet dat in zijn ogen prikte van zijn voorhoofd. Hij probeerde zijn gedachten wat te ordenen. Waarom zouden ze hem komen aanhouden? Wat had hij gedaan?

Hij had zich bezopen, maar niet erger dan gewoonlijk. Keet had hij niet geschopt. De vrouw die hem in haar bed had toegelaten, was er een die van alle mannen hield, maar nog het meest van de kleur van zijn goud. Nou dan?

Hadden de Fanti het bestand gebroken en met de zegen van hun Engelse beschermheren de Ashanti weer de oorlog verklaard? Waarom zou hij dan weglopen? Kon hij zich niet beter bij zijn colonne melden om de wapens op te nemen? Malobali was te zeer op avontuur belust en te doortastend om zomaar op de vlucht te slaan. Hij liep naar Cape Coast terug. Maar hij nam de voorzorg zijn uniform weg te gooien en hield alleen zijn pofbroek en een dolk. Vanuit Cape Coast vertrokken twee wegen, de eerste naar het fort van Elmina in het westen – het oudste, ooit Portugees, nu Hollands bezit – en naar het half verlaten fort van Mouri in het oosten, terwijl de tweede naar de Pra-rivier liep en in Ashanti gebied uitkwam. Malobali koos voor de invalsweg vanuit Elmina die, gezien de slechte relaties tussen de garnizoenen van beide forten, nauwelijks werd gebruikt. Toen hij de stad naderde zag hij er een groepje mannen uit te voorschijn komen. Hij herkende in hen Ashanti krijgers en wilde reeds naar hen toelopen, hen wenken, zich blootgeven, toen hij zich afvroeg of dit niet te onvoorzichtig was. Dwars door een stuk jungle sloop hij naar een kruispunt.

Een twaalftal soldaten sleepte Kodjoe mee, wiens handen op zijn rug waren gebonden, terwijl zijn benen als bij een ter dood veroordeelde misdadiger in een voetkluister waren geklonken. Het bloed dat uit een wonde op zijn hoofd stroomde, had op zijn wangen een vieze droge korst gevormd, donkerrood op zijn zwarte huid. Hij zag er versuft en verdwaasd uit.

Malobali was het niet minder. Waarom werd Kodjoe aangehouden? Wat had hij misdaan? Opeens begreep hij het. De verkrachting! Het meisje op die open plek. Dat moest het zijn. De drang naar gerechtigheid moest bij de ouders sterker zijn geweest dan hun angst. Bijna snelde Malobali naar zijn vriend om hem te helpen. Maar wat kon hij doen, halfnaakt, tegen gewapende mannen? Hij bleef gehurkt tussen het hoge gras zitten. Van pure machteloosheid en schaamte kotste hij het even later uit. Een kolonie vraatzuchtige mieren kroop uit de aarde.

Wat moest hij nu doen? In de stad was hij niet meer veilig. Zou hij zich melden bij de resident, dan stond hem hetzelfde lot te wachten als Kodjoe. Een gevoel van berusting beving hem. Was dit niet wat hij had gewenst: een keerpunt in zijn bestaan? De spotzieke goden lieten hem naakt achter, als een kind. Toen Sira in Ségou van hem beviel was hij niet kwetsbaarder.

Tegen het middaguur begon de honger te knagen. In de loop van zijn avontuurlijk bestaan had hij vallen leren zetten voor vogels, vuur slaan tussen twee stenen, en hoe je met as zout kunt maken. Hij zocht wat takken bij elkaar en begon er punten aan te slijpen.

'De goden mogen me van het gezicht beroven als dat de Bambara niet is!' hoorde hij ineens uitroepen.

Hij sprong overeind. Voor hem stond een tandeloze oude man wiens benen met zweren overdekt waren, maar die er desondanks nog erg kwiek uitzag. Zijn enige kledingstuk was een katoenen lapje dat zijn geslacht bedekte, maar een zware liesbreuk bloot liet.

'Papa,' zei Malobali eerbiedig, 'hoe ken jij mij?'

De oude schaterde zo hard dat zijn paarsige huig te zien was. 'De hele stad spreekt uitsluitend over jou. En jij vraagt me hoe ik je ken? Wist je wat er met je maat is gebeurd?'

297

'Ik heb hem zien voorbijslepen,' zuchtte Malobali.

De oude lachte nog harder. 'Het mooiste van al is dat hij het niet eens was die door de kontihenee werd gezocht, want het meisje had het alleen over jou!'

Ook Malobali moest nu lachen. Maar toen hij aan Ayaovi dacht, aan haar tengere lichaam met die geur van groene bladeren, voelde hij wat spijt.

'Papa,' vroeg hij, 'wat moet ik nu doen? Jij kon best mijn vader hebben verwekt. Geef me raad!'

De oude man hurkte neer, haalde uit het lapje voor zijn geslacht een kolanoot en brak ze open.

'Vluchten!' sprak hij terwijl hij naar het roodgeaderde vruchtvlees staarde. 'Dat is het enige wat je kunt doen. Vluchten. De zee is met boten bezaaid.'

De zee met boten bezaaid? Maar waar voeren ze heen? Naar landen van slavendienst en rouw: Jamaïca, Guadeloupe... En Malobali die aan de rand van de woestijn was geboren, had voor de zee altijd een zekere weerzin vermengd met angst gevoeld. Dat bedrieglijke oppervlak dat onder je voeten wegzakte en je in een bodemloze afgrond stortte... Toen hij zijn hoofd ophief om nog meer vragen te stellen, bleek de oude man verdwenen. Hij begreep dat het een voorvader was die hem een uitweg had willen aanwijzen, en een rustige zekerheid maakte zich van hem meester.

De stad vermijdend liep hij naar het strand. In de baai waar de schepen van de Europeanen voor anker lagen heerste nog steeds dezelfde koortsachtige drukte van heen en weer varende prauwen. Als hij aan al diegenen dacht die, geketend en wanhopig, op deze kust hun voetsporen hadden achtergelaten, voelde Malobali, die nochtans niet bepaald sentimenteel was, een diep medelijden. Hij wist dat de asantehenee zich verzette tegen de Engelsen die de slavenhandel onwettig hadden verklaard; maar hoe sympathiek die maatregel ook leek, hij vond hem verdacht. Wat zat daarachter?

Een ogenblik kwam in Malobali het verlangen op om naar Ségou terug te keren. Ségou! Hoezeer miste hij zijn geboortestad! Wanneer zou hij opnieuw in het water van de Joliba zwemmen? Maar de gedachte aan Tiékoro, de herinnering aan zijn stem die in haar nederigheid nog hoogmoedig klonk, wekte in hem de oude walging.

'Ik moet jullie nogmaals spreken over de naastenliefde, want het verdriet mij dat niemand onder jullie in voldoende mate die ware goedheid in zijn hart koestert. Terwijl zij toch een bron van genade is!'

Nee, dat kon hij niet meer aanhoren! Vastberaden liep hij naar het verste stukje strand waar een jongeman met vriendelijk voorkomen toezag op het lossen van een prauw.

'Zeg eens,' vroeg hij, 'voor wie werk jij?'

'Ik houd een oogje in het zeil bij de levering van koopwaar voor de heer Howard-Mills,' antwoordde de jongen met een brede glimlach.

'Een Engelsman?'

'Nee, een mulat.'

'Een mulat!' riep Malobali. 'Die beesten zijn een echte plaag!'

'Wat wil je?' zei de jongen met een gebaar van berusting. 'Ze worden door de blanken bevoordeeld, want het zijn hun kinderen. Meneer Howard-Mills is steenrijk. Maar jij bent niet van de kust, hè?'

Malobali greep hem bij een arm.

'Waar ik vandaan kom gaat jou niet aan. Help me liever om hier weg te komen!'

Om hen heen kwamen rijen sjouwers de balen koopwaar voor Cape Coast halen. De jongeman duwde een prauw in zee, liet Malobali instappen en begon krachtig te peddelen in de richting van de schepen die als zinnebeeldige schemels van nieuwe goden in de baai lagen. De zee spreidde zich als een vorstelijk vloerkleed uit. Als je het hoofd wendde zag je een groene lijn van bomen en het massieve fort. De blanken waren gekomen, ze hadden wat grond afgebedeld om er die vestingen op te bouwen, en sindsdien was alles door hun schuld veranderd. Ze hadden onbekende produkten aangevoerd die oorlogen onder broedervolken hadden uitgelokt. Nu kende hun ambitie geen grenzen meer. Hoe ver zouden ze nog gaan?

De jongen roeide naar een statige driemaster. Voor de ladder die naar het dek leidde deinsde Malobali eerst terug. Hij wist niet eens waarheen hij ging! Maar hij vermande zich. Volgde hij niet de raad van een voorvader?

Toen Owusu Adom, de resident van de asantehenee, Malobali's verdwijning vernam zag hij daarin de hand van de Engelsen. Zij alleen hadden hem kunnen helpen om onder te duiken en te vluchten door hem op een van hun schepen op te pikken.

Owusu Adom was des te woedender omdat hij sinds zijn aankomst in Cape Coast nog nooit op het fort was uitgenodigd, noch door de oude noch door de nieuwe Engelse gouverneur. Dat was niet alleen voor hém een belediging, maar indirect ook voor de persoon des konings, de asantehenee zelf. Hij besloot Cape Coast te verlaten en onmiddellijk naar Kumasi terug te keren.

's Morgens vroeg toog hij op weg. Aan het hoofd van de stoet liepen met sabels gewapende slaven die de lianen, boomwortels en hinderlijke takken moesten doorhakken. Daarna kwamen twee mannen die, ieder bij een van de uiteinden, het gouden zwaard – symbool van zijn waardigheid – droegen, gevolgd door de priesters, de raadgevers en allerhande personeel. Owusu Adom zelf werd door mannen met een groot uithoudingsvermogen meegedragen in een stevige hangmat, en omringd door muzikanten die op toeters en hoorns bliezen, op tamtams roffelden en belletjes lieten klingelen, zodat de vogels uit hun nesten vluchtten en de slangen verschrikt naar hun schuilplaatsen slopen.

Bij deze stoet sloten zich handelaars aan die op de kust zaken waren komen doen. Er ontsponnen zich levendige gesprekken. De Engelsen en de Hollanders kochten geen slaven meer – tenminste niet meer openlijk, want in het ruim van menig schip dat onder hun vlag voer werden nog steeds mensenvrachten geladen. En gelukkig waren de Fransen er nog! Slechte betalers en pingelaars, maar tot elke koehandel bereid. In Elmina en Winneba zag het zwart van hun schepen. Wat moest men zonder de slavenhandel beginnen? De export van palmolie en hout zou nooit evenveel opbrengen. Niet alleen de vorsten, iedereen voer wel bij de slavernij. De kleine hoofden konden een ieder die door het gerecht veroordeeld was verkopen, en de gewone man zijn schuldenaars.

Ook Kodjoe en Malobali brachten de tongen in beweging. Choquerend vond men, meer nog dan de verkrachting zelf, de manier waarop die twee slampampers er ieder om beurt op los waren gegaan. Wie had ooit zo iets meegemaakt? De Aarde zou heel wat schapenoffers eisen vóór ze dit zou vergeven! Anderzijds kwam het nog goed uit dat een van die schobbejakken de benen had genomen. Stel je voor, wat een dilemma voor de rechters! Aan wie moesten ze het meisje anders uithuwelijken? Aan de eerste die in haar gedrongen was, vond de een. De tweede, zei de ander; de eerste had voor hem slechts de weg bereid.

Opeens zweeg iedereen, want ze drongen het oerwoud binnen, met zijn heilige stilte. De iroko's en de mahoniebomen waarvan het gebladerte nu het hemelgewelf leek, sloten hen in. Het woud is de woonplaats van de goden en de voorouders. Daar maken ze hun wilsbesluiten kenbaar. Aan de zoom van het woud hadden destijds de goden, op het verzoek van de hogepriester Okomfo Anokyé, de gouden schemel op de schoot van Osei Tutu neergelaten en hem aldus ten aanschouwe van een ieder tot de hoogste waardigheid verheven. In het woud werd de koninklijke schemel bewaard. In het woud kwamen bij elke belangrijke beslissing de hogepriesters samen. Het woud is als de schoot van een vrouw, waaruit het leven en de hoop ter wereld komen.

Toen het te donker werd om de tocht nog voort te

zetten, kapten slaven laag hangende takken af en trokken inderhaast enkele hutten op. Anderen staken vuren aan en de muzikanten speelden dat het een lieve lust was, tot een taalgeleerde midden in de kring van de toehoorders sprong om het verhaal te reciteren dat iedere echte Ashanti het liefst hoorde: dat van de stichting van het koninkrijk en de avonturen van Osei Tutu.

'Uit de hemel is het Ashanti volk neergedaald, uit de schoot van de maan, de maan-vrouw die wil dat de macht door de vrouwen wordt overgedragen. Koning Obiri Yéboa echter was bezorgd, want zijn zuster Manou, die hij vijf jaar voordien had gehuwd, had nog geen kind gebaard. Wie moest hem dan opvolgen? Op zekere dag werd Manou door de koningin-moeder ontboden. "Kind," sprak zij, "ik geloof niet dat jij onvruchtbaar bent. De hogepriester heeft het mij verzekerd. Volg hem dus, en doe al wat hij zegt."

Manou gehoorzaamde, en negen maanden later – slaat op de heilige trommen der geboorte! blaast op de ivoren trompetten! – werd haar een zoon geboren. De hogepriesters die zich over het kind bogen, wisten gauw van welke voorvader hij de wedergeboorte was en gaven hem de naam Osei, gevolgd door Tutu, want Tutu is de god van de overvloed, die Manou's schoot had gezegend.

En Osei Tutu groeide op...'

Ergens boven het takkengewelf van de bomen verrees de maan. Met haar stralen drong zij door het dichte gebladerte, alsof ook zij het vertrouwde verhaal nog eens wilde horen. Was het niet ook háár verhaal? Want Osei Tutu was haar zoon, al had in de loop der tijden de zon zich deze plaats in de wereld toegeëigend en zijn alleenheerschappij gevestigd, zich beroepend op zijn vaderschap van alle schepselen.

'Toen Osei Tutu tien jaar oud was, zond zijn vader de koning hem bij zijn oom in het koninkrijk Denkyira. Een ruil van prinsjes is een onderpand van vrede. Zou een koning niet aarzelen om de oorlog te verklaren, wanneer hij weet dat zijn erfgenaam de gijzelaar van zijn vijand is?'

De kring mannen, de maan, Owusu Adom – iedereen luisterde naar het verhaal van de taalgeleerde. Het zelfvertrouwen werd opnieuw geboren. Het Ashanti volk was onsterfelijk! Nooit zou het door de Engelsen – dat watervolk met zijn koude huid die de bleke kleur had van het kwaad – worden vernietigd.

Ondertussen luisterden de priesters scherp naar de geluiden van het woud en ontraadselden die boodschappen uit de wereld van het onzichtbare. Ze voorvoelden dat er grote gebeurtenissen op til waren en dat op de eigenste plaats waar zij zich bevonden een veel vervaarlijker en wonderbaarlijker verhaal zou worden geschreven dan dat van Osei Tutu.

# 4

Malobali voelde de blik van de oudste blanke over zijn gezicht dwalen en zich eraan vasthechten, hardnekkig als een vlieg op een kreng dat met opengebarsten buik op een kruispunt ligt. Hij kon niet horen wat de blanke zei. Hij kon het evenmin van zijn lippen aflezen. Maar hij raadde het.

'Ik vertrouw hem niet. Om te beginnen is hij te oud. Op die leeftijd zijn bekeringen altijd oppervlakkig of voorgewend.'

'U vergist zich, pater Etienne,' antwoordde de tweede blanke met de zachtheid maar ook onbuigzaamheid die hem eigen waren. 'Het is een harde werker, en hij is verbazingwekkend verstandig. Hij maakt grote vorderingen in de Franse taal en de schrijnwerkerij. En voor zijn godsvrucht sta ik garant.'

Malobali vroeg zich af wie van beiden hij het meest haatte. De eerste, die hem zo goed doorzag? Of de tweede, die hem zo goed meende te kennen? Hij keek strak naar het plankje dat hij aan het schaven was.

'Samuel, kom hier!' riep pater Etienne, waarbij hij elke lettergreep nadrukkelijk beklemtoonde.

Malobali gehoorzaamde en nam de houding aan die hem was aangeleerd: met neergeslagen ogen, zijn handen tegen de naad van zijn broek geklemd. De twee priesters zaten op de veranda van de bescheiden hut met strodak. De een was kaal en nogal dik. De ander was zo mager dat hij bijna uitgemergeld leek. Allebei hadden ze een vuurrood gezicht dat ze onafgebroken koelte toewaaierden. Wat Malobali beangstigde waren hun heldere, doorschijnende ogen waarin een vuur als van een smidsoven lichtte. Telkens als ze die ergens op zijn lichaam lieten rusten, was het of ze in zijn vlees schroeiden en was hij verbaasd dat hij er geen brandwonden aan overhield.

'Pater Ulrich zegt me dat je weldra het lichaam van Onze Heer Jezus Christus zult ontvangen. Ben je klaar voor dat onvergelijkelijke eerbewijs?'

Malobali zette zijn gezicht in de plooi van de diepste boetvaardigheid. 'Jawel, pater,' sprak hij.

'Morgen vertrekken we naar Ouidah waar we jou, tezamen met een groot aantal christenen, het heilig sacrament zullen toedienen. De familie van Onze Lieve Heer wordt steeds groter.'

Malobali glimlachte met geveinsde verrukking. Toen verzwakte zijn zelfbeheersing even; hij sloeg zijn ogen op en ontmoette de blik van pater Etienne, waaruit een haat sprak die even sterk was als de zijne. Jij bent een hoogmoedige en wrede wilde – las hij erin.– Je handen zijn met bloed bevlekt. Maar goed, laten we het spelletje even meespelen. We zullen zien wie het eerst opgeeft.

'Het is goed, Samuel,' zei pater Ulrich op zijn zalvende toon. 'Je kunt gaan. Had je niet nog wat vuil goed te wassen?'

Malobali kropte zijn woede op en draaide zich om. Dit was hij dus geworden: een vrouw voor die blankezonder-vrouw, die blanke zonder kloten aan zijn lijf. Onder de luifel naast de keuken nam hij de teil met vuil linnen en trok ermee naar de lagune. Als hij alles goed afwoog was hij nog liever als slaaf naar Amerika verscheept. Daar hadden ze hem tenminste mannenwerk gegeven, op het veld. Hij passeerde het kerkje van boomstammen en takken, met zijn drie of vier parochianen die zich in ruil voor wat katoenen kleren hadden laten dopen, en sloeg het met gras en onkruid overwoekerd paadje in dat vanuit het dorp naar de lagune liep. De missiepost lag op een heuveltje dat door koning Dè Houèzo aan de paters was toegewezen. Hij telde twee missionarissen, pater Ulrich en pater Porte die momenteel naar Sakété was getrokken, in de ijdele hoop op wat bekeringen. Pater Etienne, de oudste, kwam uit Martinique waar hij vele jaren had verbleven.

Soms, als hij niet door haat werd verblind, voelde Malobali een soort bewondering voor die mannen die ter wille van een onbegrijpelijk ideaal hun land en hun gelijken hadden verlaten en nu, onverschillig voor de eenzaamheid en het gevaar, de speelbal waren van een koning die hen elk ogenblik weer in zee kon drijven. Alleen met de Franse slavenschepen die aan de overzijde van de zandplaat het anker uitwierpen, hadden ze nog contact. Slechts heel zelden kwam een of andere op een sterk verhaal beluste Franse reiziger op deze kust een kijkje nemen.

Meestal was er in Malobali's hart geen plaats voor enige bewondering, maar alleen voor wanhoop en machteloze razernij. Hoe verpletterend had de Aarde zich op hem gewroken over de verkrachting van Ayaovi en zijn vlucht! Hoe had de jongeman met dat vriendelijke voorkomen die hij in Cape Coast in vertrouwen had genomen, hem bij de neus genomen! Hoeveel zou hij voor zijn verraad gekregen hebben? Hij had hem naar een schip gebracht waar hij met de kapitein een lang gesprek had gevoerd, en nauwelijks waren ze in volle zee, of de matrozen hadden Malobali afgetuigd en, stevig geboeid, tussen de balen koopwaar gesmeten, waar ze hem lieten hongeren. Enkele dagen later had het schip ergens aangemeerd. Met zijn door koorts en honger benevelde blik zag Malobali hoe de groen beboste kustlijn door een dorp en de logge massa van een fort gebroken werd. Hij werd in een sloep gegooid, waarin ook nog de kapitein plaats nam, naast twee matrozen die in de richting van het fort roeiden. Toen besefte hij wat hem te wachten stond, als naamloze onder de slaven die weldra deze stenen vesting zouden verlaten.

Hoe was het hem gelukt zijn boeien wat losser te maken en zich in het water te werpen om aan dat schrikbeeld te ontkomen? Een voorouder moest medelijden met hem hebben gehad. Hij was op het strand aangespoeld, naakt en verstijfd, ineenkrimpend onder de blik van een blanke. De blanke had zich over hem gebogen, hem als een kind in zijn armen genomen en naar zijn hut gebracht. Daar had hij hem dag en nacht verpleegd, en geweigerd hem uit te leveren aan degenen die hem kwamen opeisen. Jazeker, die blanke had zijn leven gered!

En toch haatte hij hem zoals hij nooit tevoren iemand had gehaat, zelfs Tiékoro niet. Hij haatte hem omdat de ander hem meteen in een afhankelijke positie drong. Hij, de blanke, was de meester. Malobali was nog slechts zijn leerling. Een straaltje water op zijn voorhoofd, en zijn naam was veranderd in Samuel. Hij kreeg verbod nog langer zijn 'brabbeltaaltje' te spreken, en moest Frans leren, de enige nobele taal ter wereld. Het geloof dat vergroeid was met zijn leven moest hij uitbannen. Er werd hem geen ogenblikje vrijheid meer gegund. Hij zat opgesloten tussen gevangenismuren die dikker en ongrijpbaarder waren dan die van de slavenvesting, want ze waren onzichtbaar.

Vaak droomde Malobali ervan de blanke te doden. Op een keer was hij naar het bed geslopen waarop de pater lijkbleek lag te zweten onder zijn muskietennet. O, een dolk in zijn keel te stoten en zijn bloed zien opborrelen! Dat alleen zou hem schoon wassen. Het zou van hem opnieuw een man maken. Maar pater Ulrich had zijn ogen opengesperd, zijn blauwe ogen.

Dan maar vluchten? Maar waarheen? Vóór hij tien stappen had gezet zouden de Goen en de Nago die hier in het dorp Porto Novo woonden, hem grijpen en vastbinden om hem te verkopen. Ook hen haatte hij – dat hebzuchtige en wreedaardige volk dat al ten tijde van koning Dè Adjohan zijn eigen kinderen versjacherde! Hoeveel gevangenen uit het binnenland zaten er niet in het fort waar ze als beesten werden behandeld? En niet alleen voor de jacht op slaven moest hij op zijn hoede zijn. Het gebeurde dat de lari of koninklijke eunuchen de buik van een zwangere vrouw opensneden, haar ongeboren kind het hoofd afhakten en het op het marktplein gooiden. Om nog te zwijgen van de gruweldaden waaraan de prinsen van den bloede zich schuldig maakten!

Malobali naderde intussen de oever van de lagune. Hij was al bang dat hij er weer vrouwen zou aantreffen. Zodra ze hem zagen aankomen in de rode uniformjas en de lange broek die hij van de pater had gekregen, proestten ze het uit. Als hij zijn vuil goed uitpakte en er met onhandige gebaren op begon te wrijven, lachten ze zich krom. Omdat hij hun taal niet sprak, kon hij hun niet eens de huid vol schelden. En hij durfde het niet aan hun een pak slaag te geven. Gelukkig was er die ochtend niemand op de oever. De dichte begroeiing kroop tot in het water en woekerde er voort; hier en daar dreven violette, giftige bloemen boven. Wat verder strekten zich grijze stranden uit, vol hoefindrukken van dieren. Malobali hurkte neer, trok zijn jas uit en spreidde hem open. Boven zijn hoofd was er geen wolkje aan de hemel. Ergens op aarde – in het noorden? het oosten? het westen? – dacht Nya aan hem en huilde. Voortdurend drong ze er bij haar fetisjpriesters op aan bij de voorouders ten gunste van hem te spreken. Dat was hun aardig gelukt! Hij leek wel opgesloten in de hel – in die hel waar pater Ulrich het altijd over had.

De godsdienst die de priester hem probeerde bij te brengen, bleef voor Malobali volkomen onbegrijpelijk en abstract, want hij knoopte nergens aan bij de riten, de dieren-, voedsel- en plengoffers, die hem vertrouwd waren. En wat nog erger was: muziek en dans, alle uitbundige levensuitingen waren uit den boze. Het bestaan was nog slechts een woestijn waarin hij eenzaam ronddoolde. Als pater Ulrich hem toesprak, wendde Malobali soms zijn hoofd naar links of rechts om toch maar een glimp van die alomtegenwoordige god te ontdekken. Maar hij ontdekte niets dan stilte en afwezigheid.

Wat moest hij doen? Voor de zoveelste keer stelde

Malobali zich die vraag waarop hij geen antwoord vond. Ver weg maakte een neushoornvogel zich los uit de kruin van een boom.

Vanuit Porto Novo kon men nog het best met een bootje langs de kust naar Ouidah – dat in deze streek Gléhoué heette – reizen. Met de hulp van vier roeiers legden de twee priesters en Malobali dat traject af in twee en een halve dag. De stad Ouidah was in handen van de machtige koning van Dahomey die er zijn vodoen had opgesteld. Vanaf de dichtstbij gelegen zeeoever volgden de reizigers het pad dat platgetreden was door de slaven voor Brazilië en Cuba en door de Portugezen, Hollanders, Denen, Engelsen en Fransen, die allen in de buurt een fort bezaten en elkaar probeerden te overtroeven om de vorst het hof te maken.

Bij hun aankomst in de stad moesten de beide priesters, zoals alle vreemdelingen, hun opwachting maken bij de yovogan, de vertegenwoordiger van de Dahomeyse koning, om hem het doel van hun bezoek bekend te maken. De paters hadden vernomen dat er zich in Ouidah een belangrijke kolonie katholieke Afrikanen bevond: gewezen slaven uit Brazilië, die door hun Portugese of Braziliaanse meesters waren vrijgelaten. Nu de laatste Portugese priester van het fort was overleden en het door de oorlogen en het verlies van zijn Braziliaanse kolonie verzwakte Portugal niet meer voor zijn opvolging kon instaan, wilden pater Ulrich en pater Etienne die schapen zonder herder onder hun hoede nemen. God is God. Wat doet het ertoe of hij door Portugezen dan wel door Fransen wordt gediend!

De yovogan Dagba was een man van groot gewicht – zo groot dat hij zich amper kon verplaatsen. Omringd door waaierdragers zat hij op een hoge houten stoel, gehuld in een smetteloze katoenen paan, met om zijn hals een groot aantal kaurisnoeren. Malobali, die de pronkerige hofhouding van de asantehene in Kumasi had gezien, keek met een zeker misprijzen om zich

De met stro bedekte hut zag uit op een zorgvuldig aangeveegde binnenplaats vol voorwerpen die met elkaar op het eerste gezicht niet het minste verband hielden, maar in werkelijkheid het hoge ambt van Dagba verzinnebeeldden.

Dagba liet de bezoekers grif in de stad toe en – summum van welwillendheid – gelastte een slaaf hen naar de senhora Romana da Cunha te geleiden, een vrijgelaten slavin uit Brazilië; daar was haar, zoals gebruikelijk, de naam van haar meester gegeven. Zij was de spil van deze christelijke gemeenschap.

In de straten van Ouidah baarden de twee priesters en Malobali heel wat opzien. Met blanken was men in deze stad al lang vertrouwd. Maar deze twee, met hun zwart kleed, hun brede buikband en dat kruis om hun hals, hadden niets van de mannen in pandjesjas, knoopjesvest en korte laarzen met omgeslagen rand, die men hier gewend was. Ook Malobali wekte nieuwgierigheid. Wat waren dat voor huidinkervingen op zijn slapen? Waar kwam hij vandaan? Een Mahi was hij niet, en ook geen Yoruba. Een Ashanti?

Ouidah was een mooie stad met goed gebaande straten en verzorgde behuizingen rondom de centraal gelegen tempel van de god Python die van de Houéda, de oorspronkelijke bewoners van deze plaats, was overgeërfd. Niet ver van de tempel lag een marktplein waar van alles te koop was. Plaatselijke produkten: vers en gerookt vlees, maïs, maniok, gierst, jamswortel. Maar ook produkten uit Europa: felgekleurde katoenen stoffen, Engelse hoofd- en halsdoeken, en vooral sterke drank – rum, aguardente, cachaça. In tegenstelling met Cape Coast stonden de Europese forten hier in de stad en in elkaars schootsveld, als om elkaar beter in de gaten te kunnen houden.

Romana da Cunha woonde in de Maro-wijk, bevolkt met vrijgelaten slaven uit Brazilië die 'Brazilianen' of 'Agouda's' werden genoemd, naast blanke Brazilianen en Portugezen met wie ze zich door godsdienstige en andere levensgewoonten verbonden voelden. Romana had fortuin gemaakt met een wasserij voor de bemanning van de Europese slavenschepen; ze woonde in een groot rechthoekig huis waar een galerij met ajour bewerkte houten ramen omheen liep. Als ondubbelzinnige verwijzing naar de godsdienst die in dit huis werd beleden, glommen op de noordgevel glazuurtegels die Onze Lieve Vrouw voorstelden, met in haar armen haar kostbare last, terwijl boven de buitendeur ook nog een kruisbeeld hing. Een jongetje met grote-mensenmanieren kwam opendoen en vroeg de bezoekers of ze even wilden wachten terwijl hij zijn moeder zou gaan halen. Na een hele poos verscheen dan eindelijk de senhora da Cunha.

Het was een klein, vrij tenger en nog jong vrouwtje, dat men zelfs mooi had kunnen noemen als haar gelaat er niet zo vreemd had uitgezien: tegelijk streng en geexalteerd, verdrietig en vroom, bedeesd en onbuigzaam. Een zwarte hoofddoek verborg de helft van haar voorhoofd, terwijl haar hele figuur – de borsten waarvan alles liet vermoeden dat ze rond en stevig waren, haar heupen en haar billen – verdoezeld werd door een al even sombere hobbezak. Ze voelde zich, stotterde zij, zeer vereerd; dit was te veel eer voor haar bescheiden woning, vertaalde haar zoontje dat als tolk optrad. Toen trok ze de beide vleugels van een deur open en liet hen binnen in een vertrek dat gemeubileerd was met fauteuils, een zware commode en een tafel waarop glanzende metalen kandelaars prijkten. Al die tijd was Malobali buiten voor de deur blijven staan. Op een wenk van pater Ulrich kwam hij naar binnen en begroette op zijn beurt de gastvrouw.

Zodra Romana haar ogen op hem richtte begon zij te beven als een riet. Op haar gezicht stond eerst ongeloof en daarna een panische angst te lezen.

'Vanwaar komt die?' stamelde ze. En haar zoon vertaalde onverstoorbaar: 'Wat verlangt die man? Wie is dat?'

'Samuel,' antwoordde pater Ulrich op geruststellende toon, 'mijn rechterhand. Ook hij is reeds een kind Gods.

'Jij blijft buiten!' gebood Romana, en ze keerde hem haar rug toe.

Woedend deed Malobali wat hem was gezegd. Voor wie hield die vrouw zich? Met welk recht sprak ze hem zo toe? Een ex-slavin die met de naam van haar meester pronkte, haar goden had afgezworen en haar voorouders verloochend! Bijna was hij op zijn stappen teruggekeerd om Romana te tarten en uitleg te vragen over haar onhoffelijk gedrag, maar hij weerhield zich. Buiten stond alles in rep en roer. In een mum van tijd had het nieuws over de komst van de twee priesters zich in de stad verspreid, en alle katholieken kwamen aanlopen. Er waren blanken bij, en ook mulatten zoals Malobali er in Cape Coast had gezien. Maar in meerderheid waren het zwarten. Ze gingen gekleed in tunica's met bloemmotieven en spraken een Portugees doorspekt met Franse en Engelse woorden, dat ze met drukke gebaren onderstreepten.

Romana verscheen weer op de binnenplaats. Zolang ze nog niet wisten of ze konden doorreizen naar de koning van Dahomey, mochten de paters bij haar logeren. Ze kregen bedden met Hollandse lakens en een muskietennet in haar mooiste slaapkamers. Intussen deed de senhora of ze Malobali niet zag staan. Zou hij dan op straat moeten slapen?

Terwijl hij droefgeestig onder een sinaasappelboom stond te peinzen, kwam er een meisje op hem af.

'Bambara?' vroeg ze hem.

Hij knikte. Ze wenkte hem en verbaasd volgde hij haar. Op een drafje liepen ze terug naar het stadscentrum. Voor een van de forten gaf ze hem te verstaan dat hij moest wachten. Zij ging binnen en enkele minuten later kwam ze eruit met een soldaat. Nog vóór de man zijn mond had opengedaan herkende Malobali een Bambara. De twee gooiden zich in elkaars armen. Toen hij zijn taal hoorde spreken wreef Malobali tegen

312

de uniformjas van zijn landgenoot de tranen uit zijn ogen, om niet als een vrouw betrapt te worden op huilen. Bij het afscheid stonden ze nog hand in hand, alsof ze elkaar niet helemaal wilden verlaten.

'Tiè, ik ben Birame Kouyaté.'

'Ik ben Malobali Traoré.'

Een Bambara! Speel op de bala, de flee, de n'goni! Sla op de doenoemba! Een Bambara! Hij was niet langer alleen!

Het meisje dat Malobali had gegidst hield zich, discreet en toch nadrukkelijk aanwezig, op de achtergrond.

'Wie is zij?' vroeg Malobali.

'Modupé\*,' glimlachte Birame. 'Een naam die ze verdient. Toen ze hoorde zeggen dat jij een Bambara was, kwam ze meteen op het idee om jou bij mij te brengen. Zijzelf is een Nago. Ze woont in de Sogbadji-wijk, naast het meisje met wie ik trouw.'

Maar het werd tijd om terug te gaan. Wat zouden de paters zeggen als ze merkten dat hun 'rechterarm' ervandoor was? En Romana als ze zag dat haar dienstmeisje ertussenuit was geknepen?

Hoe dan ook, Malobali voelde zich gesterkt en getroost.

Bij Romana had niemand hun afwezigheid opgemerkt. Er was een hoge gast aangekomen, iemand die bijna even belangrijk was als koning Guézo zelf: de Portugees Francisco de Souza, bijgenaamd Chacha Ajinakou. Francisco was in Ouidah begonnen als boekhouder van de magazijnmeester in het fort San João de Ajuda. Maar toen de Portugezen en de Brazilianen zich hadden teruggetrokken was hij gebleven en de opperste gezagdrager geworden. Rijk was hij geworden met de verkoop van slaven, waarvan hij het monopolie bezat. Zonder zijn toestemming kon geen enkel slavenschip ook maar één zwarte aan boord laden. Al was hij een vurig katholiek, toch hield hij er een echte harem

*In het Yoruba: 'Ik dank.'

313

op na; zijn kinderen kon hij niet meer tellen. Voor een man van zijn stand liep hij er wat slordig bij, met op zijn hoofd een fluwelen muts waarvan de eikel op zijn voorhoofd afhing. Met de hulp van zijn zoon Isidoro, die wat Frans radbraakte, legde hij uit dat het een belediging was zomaar aan zijn huis voorbij te gaan. Pater Etienne, die wist hoe dit soort plooien glad te strijken, had het over Martha en Maria, die nederige vrouwen in wier woning Onze Heer Jezus Christus zijn intrek had genomen, en Chacha Ajinakou kwam tot bedaren. Hij beloofde aan te zullen dringen op een spoedige audiëntie en een inwilliging van hun verzoek bij koning Guézo, die hem naar zijn zeggen veel verschuldigd was, want aan hem had de regerende vorst het te danken dat híj en niet zijn broer de troon had bestegen.

Modupé en de andere dienstmeisjes dienden daarna gerechten op die Malobali volkomen onbekend waren: feijoada, een mengsel van tomatensap, uien, gebraden vlees en gari–het recept kwam uit Bahia–, cocada en pé de moleque.

Het was lang niet de eerste keer dat Malobali zich onder vreemdelingen bevond, hij die in tijden niet meer thuis was geweest. Maar wel was het de eerste keer dat hij zo ongastvrij werd behandeld. Hij zat erbij als een paria om wie niemand zich bekommerde. Waarom? Omdat hij niet met een slavenschip was meegevoerd naar een land van knechtschap en dubieuze vertrouwelijkheid met de blanken? Omdat hij uit dat land niet was teruggekeerd als een die hun manieren naäapte en hun geloof beleed?

Daar begon iedereen met gevouwen handen het *Salve Regina* te zingen, de hoge stemmetjes van de kinderen boven die van de volwassenen uit, terwijl pater Ulrich met één hand de maat sloeg en de vrome geestdrift van zijn nieuwe schaapjes in toom probeerde te houden. Malobali ontmoette Romana's blik. Ze had haar zwarte slobberjurk geruild voor een lange glanzige japon met een nauwsluitende ceintuur, pofmouwen en een halskraag van zes lagen kant. En toch vond Malobali die potsierlijke uitdossing haar niet slecht staan, vooral nu haar gezicht straalde van vreugde om het bezoek van de priesters. Snel wendde zij haar ogen van Malobali af. Onthutst vroeg hij zich af waarom die vrouw hem haatte. Ze hadden elkaar nooit eerder ontmoet.

Terwijl hij zich deze vraag stelde, reikte Modupé hem met een kniebuiging een kalebas voedsel aan. Op haar gezicht stond verering en – nu reeds! – volstrekte onder- werping te lezen. Malobali besefte dat ze, zodra hij dat wilde, hem zou toebehoren. Eigenlijk begon dit verblijf in Ouidah niet zo slecht. Van de eerste dag af had hij de vriendschap van een man en de liefde van een vrouw gewonnen.

# 5

'Ago!'

Malobali deed zijn ogen open en herkende het silhouet van Eucaristus. Hij glimlachte en wenkte hem, want niet alleen was er een gevoel van kameraadschap tussen hen gegroeid, hij had ook medelijden met dat jongetje. Als hij aan zijn eigen vrijheid, zijn vrolijkheid, zijn spelletjes in Dousika's familiehuizing terugdacht en dat alles vergeleek met de opvoeding van Eucaristus die altijd stijf in de kleren zat en voor de kleinste ondeugendheid de gard kreeg, die bovendien urenlang op zijn knieën moest bidden en zinnen opdreunen waarvan hij nauwelijks een woord begreep, bekroop hem de lust om naar Romana te gaan en haar eens zijn mening te zeggen. Maar met welk recht? Blijkbaar was dit de aanloop naar nieuwe zeden die hem volkomen vreemd waren.

Het jongetje bleef schuchter in de deuropening staan.

'Mama wil dat je hout kapt,' zei hij.

Malobali zuchtte. Hij voelde dat het onvermijdelijk op een fikse ruzie met Romana zou uitlopen. Sinds meer dan twee weken waren pater Etienne en pater Ulrich vertrokken naar koning Guézo. Hem hadden ze hier achtergelaten, omdat hij hun bij deze opdracht niet van nut kon zijn. En Romana gebruikte hem in afwachting van hun terugkeer als knecht. 'Samuel, doe dit!... Samuel, doe dat!'

In het begin had hij, uit hoffelijkheid en omdat hij haar gast was, gehoorzaamd. Maar al gauw had hij begrepen dat het Romana om iets heel anders te doen was. Ze wilde hem bewust vernederen. Waarom?

Hij stond op en zonder zich de moeite te geven om zijn kleren aan te trekken, met niets dan een lapje voor

316

zijn geslacht, liep hij de binnenplaats op. Een bijl lag tegen een stapel hout die bijna tot aan het dak reikte. Hij onderdrukte zijn woede en ging aan het werk. Met krachtige slagen kliefde hij de stammen en de takken, zodat het zweet over zijn rug gutste. De stapel was al met meer dan eenderde geslonken toen Romana opeens uit het huis te voorschijn sprong. Ze schreeuwde onverstaanbare woorden en tierde als een bezetene. Op het gevaar af zich te verwonden wierp ze zich op Malobali, rukte hem de bijl uit zijn handen en slingerde die weg. Hij was totaal verbijsterd. Wat scheelde er? Wat verweet ze hem? Door het gekrijs gealarmeerd kwamen de kleine dienstmeisjes aansnellen die onder een luifel het wasgoed aan het klaarleggen waren, en ook de meisjes die de kamers deden.

Malobali veegde met een hand het zweet van zijn voorhoofd en keek Romana aan. Hij kreeg echt medelijden als hij haar zo te keer zag gaan. Die vrouw werd ergens door gekweld. Waardoor? Modupé had hem verklapt dat haar man in Brazilië was omgekomen in omstandigheden waarover zij niets losliet, en dat ze voortaan geen andere bruidegom meer wilde dan Onze Lieve Heer. Was het die herinnering die haar verteerde en dit onmenselijk gedrag verklaarde? Romana's gekrijs stokte even en Malobali merkte de schoonheid op van haar amandelogen en de wat kinderlijke lijn van haar mond, die gewoonlijk onder een bittere grimas verborgen zat.

'Wat wil je toch?' vroeg hij.

Eucaristus, die doodsbang tegen de muur van het huis stond gedrukt, deed een stapje naar voren.

'Ze zegt dat je je moet aankleden,' stamelde hij, 'dat ze geen naakte wilde in haar huis duldt, dat dit een christelijk huis is.'

Dit was wel het laatste verwijt dat Malobali had verwacht. Sinds wanneer wekte het lichaam van een man schandaal? Hij schaterde het uit, keerde zich om en liep terug naar zijn kamer.

Daarbij had het kunnen blijven. Maar dat was niet het geval. Geërgerd over de nonchalante wijze waarop Malobali zich terugtrok in een kamer die hij alleen aan haar goedgunstigheid had te danken, verdween Romana in haar huis en kwam er even later uit met de gard waarmee ze haar kinderen tuchtigde. Daarmee rende ze op Malobali af. Misschien had ze niet de bedoeling er ook gebruik van te maken? Misschien wilde ze alleen maar dreigen?

Toen Malobali haar met de gard in haar hand zag toesnellen, stond hij als verstijfd. Wat was er van hem geworden dat een vrouw hem zo durfde te dreigen? Een geweldige razernij kwam in hem op. Bijna had hij zich op Romana geworpen en haar neergeslagen – hij had haar misschien doodgeslagen – toen hij zich herinnerde hoe hij na de verkrachting van Ayaovi ternauwernood zijn gerechte straf had kunnen ontlopen. Wat stond er hem niet te wachten als hij nu een moord zou begaan?

Hij duwde Romana weg, brak de gard op zijn knie in stukken en liep weg.

Modupé haalde hem op straat in. Ze gaf hem zijn kleren waar het allemaal om begonnen was, waarna ze hem ook nu, als een goede geest, door de stad gidste. Ondanks het vroege uur heerste er al een grote drukte. Vrouwen stroomden naar de markten waar de hand-werkslui – kalebasgraveerders, pottenbakkers, wanners, wevers – hun waar te koop aanboden. Rijen slaven spoedden zich naar de palmbosjes even buiten de stads-poorten en naar de velden die de bevolking voedden. De handelaars waren op weg naar de haven.

Modupé en Malobali kwamen langs de tempel van de Python en trokken naar de Sogbadji-wijk waar Mo-dupé's familie woonde. Afkomstig van Oyo, legden ze zich toe op het weven. Het waren welgestelde mensen die van niemand afhingen, maar hun dochter aan de senhora Romana da Cunha hadden toevertrouwd, een Nago als zijzelf, die in hoog aanzien stond. Uit zichzelf zou Modupé het nooit in haar hoofd hebben gehaald

318

zich te beklagen over de slaag en de lijfstraffen die ze
van Romana kreeg; tot nog toe had zij dat alles toegeschreven aan het verlangen haar een goede opvoeding
te geven. Maar haar liefde voor Malobali gaf haar meer
durf. Haastig liep ze over de binnenplaatsen van het
woonerf en wierp zich aan de voeten van haar moeder;
snikkend vertelde ze haar wat er was voorgevallen, waarbij ze vermeldde dat Malobali een verwante van Birame
was. Eerst wilde Molara, de moeder van Modupé, niets
doen wat de machtige Romana zou kunnen ontstemmen. Maar de traditionele gastvrijheid van haar volk
kreeg weldra de bovenhand. De babalawo raadpleegt
alle dagen Ifa, omdat hij weet dat het leven vol verrassingen is, zegt het spreekwoord. Misschien zou ooit
een van haar eigen zoons of familieleden ver van huis
en in nood verkeren? Ze liet een van haar dienstmeisjes
voor Malobali fris water en een overvloedig ontbijt met
weegbree en witte bonen brengen, en wachtte op de
thuiskomst van haar echtgenoot.

Francisco de Souza, alias Chacha Ajinakou, placht bij
ruzies in de Agouda gemeenschap als scheidsrechter op
te treden. In zijn huis, gelegen in de Brazilië-wijk die
hijzelf had gesticht, fungeerde hij als raadsman en vre-
derechter. Eerst hoorde hij de versie van Romana da
Cunha, aangezien zij de klacht had ingediend, en vervolgens die van Malobali, bij monde van Modupé's
achtbare familieleden wier wens om op zijn gezag een
beroep te doen zijn volle instemming genoot.
    Chacha's huis was mooi. Een twaalftal vertrekken met
Europees meubilair – fauteuils, tafels, commodes en van
een muskietennet voorziene bedden – lag gegroepeerd
om een ruime vierkante patio waarop sinaasappel- en
kasuarisbomen groeiden. Naast het woonhuis was er een
opslagplaats bestaande uit een grote omheinde ruimte
met barakken voor de slaven die van heinde en ver
werden aangevoerd. Momenteel zaten er zeker honderd
op een schip te wachten; een doffe wanhoop ging uit

van hun terneergeslagen silhouetten. Maar daar had niemand uit Chacha's omgeving oog voor – hijzelf nog het minst.

Chacha nam een snuifje en monsterde Malobali eens van onderen tot boven, van man tot man. Wat waren de vrouwen toch onredelijk! Dacht Romana dan echt dat ze zo'n kerel kon tuchtigen? Hij wendde zich naar Isidoro en velde zijn vonnis.

'Toen pater Etienne en pater Ulrich deze Samuel bij de senhora da Cunha achterlieten, hebben ze er niet bij gezegd dat zij hem als huisknecht kon gebruiken. Samuel is gedoopt en kan niet als een slaaf worden behandeld. Maar we moeten toegeven dat hij door zijn onfatsoenlijke kleding een eerbare dame aanstoot heeft gegeven. Hoewel dit de senhora da Cunha nog niet het recht gaf om hem te dreigen met een gard. Om een herhaling van dergelijke feiten te voorkomen zal ik Samuel onderdak verschaffen tot de terugkeer van de bedienaren des altaars.'

Daarna zegde hij drie onzevaders en drie weesgegroeten op, die door alle aanwezigen werden meegebeden. Modupé's ogen schoten vol tranen. Ze had gehoopt dat Malobali bij haar thuis zou mogen blijven, en dan... geen stiekeme omhelzingen meer, maar lange liefdesnachten! Malobali echter was in de wolken en ging krachtig de hand van Chacha, diens zoon en Modupé's vader Olu schudden, om daarna, met een van die galante gestes waarmee hij alle vrouwen voor zich innam, diep te gaan buigen voor haar moeder zoals hij dat voor Nya zou hebben gedaan. Olu, wiens sympathie hij direct had veroverd, had hem Yoruba kleren geschonken waarmee hij zijn natuurlijke waardigheid meteen had teruggekregen.

Na de uitspraak trok Romana met Eucaristus naar huis. Het jongetje legde zijn hand in de hare en schrok toen hij voelde hoe heet die was.

'Het is beter zo, mama!' zei hij.

Romana hoorde het nauwelijks. Malobali had het

goed geraden: zij leverde een zware innerlijke strijd. Sinds Naba's dood en haar terugkeer naar Afrika had ze geen man meer aangekeken. Haar hart was een rouw- kapel voor de gestorvene, en in haar geest herleefde elk detail dat aan de verschrikkelijke ontknoping was voor- afgegaan: de moslim opstanden in Bahia, Abiola's ver- raad, het proces. Niemand had ze daar ooit iets over gezegd; ze voelde dat bij het eerste woord de dijken van haar verdriet het zouden begeven en waanzin of de dood haar zouden overrompelen, terwijl ze drie zoon- tjes had groot te brengen.

Door de komst van Malobali was alles veranderd. Haar hart waarvan ze dacht dat het ineengeschrompeld was als een stuk rookvlees van de markt, klopte weer. Een wild verlangen kwelde haar. Ze waande Naba terug te zien – jonger en mooier, en toch zo gelijkend. Met haar vrouwelijke intuïtie die door de jaloezie fel werd aangewakkerd, had ze meteen geraden wat er tussen Modupé en hem gaande was, en gemerkt hoe het meisje tussen de middag, als iedereen een dutje deed, telkens naar zijn kamer glipte. Eerst had ze het aan Modupé's vader willen overbrieven. Uit eerlijke schaamte had ze gezwegen.

Wat had ze nu gedaan? Door haar eigen dwaze schuld zou ze hem niet meer zien. Hij zou niet langer met zijn lange slenterpassen over haar binnenplaats lopen. Hij zou haar niet meer in zijn onzeker Yoruba groeten. 's Ochtends zou ze hem niet langer staande zijn maïsbrij zien eten. En het ergste, vreesde ze, was dat iedereen haar nu doorzag, dat iedereen nu wist dat zij gek was op die man, die vreemdeling, dat pastoorshulpje dat jonger was dan zij! Thuisgekomen wilde Romana in haar kamer wat gaan uithuilen. Maar ze had geen rekening gehouden met de Agouda gemeenschap: alle Almeida, Souza, Assumpção, da Cruz, do Nascimiento meldden zich aan, want door deze uitspraak voelden ze zich allen mede beledigd. Een neger die moedernaakt bij een christenvrouw durfde rond te lopen, moest een voorbeeldige straf krijgen! Van lieverlee werden er nog een paar schepjes bovenop gedaan, en aan het eind van de ochtend had Malobali dienstmeisjes lastiggevallen en naar Romana obscene gebaren gemaakt, terwijl hij haar kinderen had afgeranseld. Er werd al gewag gemaakt van een beroep op koning Guézo, bij wie de Agouda's al lang in een goed blaadje stonden, en voor het eerst woei er een geest van rebellie tegen Chacha.

Bij het invallen van de nacht kon Romana het niet meer uithouden. Ze stuurde een dienstmeisje naar Malobali, met het verzoek of hij bij haar wilde komen. Malobali had geen flauw vermoeden van het soort gevoelens dat hij bij Romana opwekte. Hij reageerde erg verbaasd en vroeg zich af wat die vrouw, die hem al zo veel narigheid had bezorgd, nu weer in de zin had.

Hij ging op weg door de nachtelijke duisternis. Ergens in een stadswijk had iemand de dood zijn tol moeten betalen, want er weerklonk een rouwkoor.

> De slang die heen is
> Rekent op de dode bladeren
> Om haar kleintjes te verbergen.
> Op wie rekende jij?
> Aan wie laat jij ons over
> Nu jij bent heengegaan?
> O ku! O ku! O ku!

Dit lied voorspelde weinig goeds, en bijna keerde hij op zijn stappen terug. Maar hij liep toch door. Bij het binnenkomen van de Maro-wijk merkte hij dat er nauwelijks nog licht was in het huis van Romana. De dienstmeisjes waren al naar hun kamer in het bijgebouw achter de binnenplaats. De kinderen waren naar bed. Alleen in Romana's slaapkamer met wat matten en kalebassen als enig meubilair – want de mooie meubels stonden in de pronkkamers – brandden stearinekaarsen.

Romana had haar Portugese kleren uitgetrokken en droeg nu een Yoruba ensemble dat bestond uit een korte

322

geweven paan die opzij werd dichtgevouwen, en een diep uitgehaalde blouse waarin haar lichaam opeens weer jong werd en zich vrij bewoog. Ze was blootshoofds, met fijne, fraaie vlechtjes in haar dik zwart haar.

Eigenlijk wist Romana zelf niet goed wat ze van dit gesprek met Malobali verwachtte, en toen ze hem zo dichtbij zag kreeg ze bijna een flauwte. Eerst meende ze weer Naba voor zich te zien – jong en sterk zoals hij nog was vóór hij door de gevangenschap was ondermijnd –, die haar met een vrucht zijn liefde kwam schenken. Maar Malobali bleef haar zwijgend en verbijsterd aanstaren.

'Wat verlang je van mij?' vroeg hij ten slotte, moeizaam zoekend naar zijn woorden in het doolhof van die vreemde taal. 'En als je mij iets goeds te zeggen hebt, waarom wacht je dan tot het donker is?'

'Ik wou je alleen excuus vragen,' sprak Romana met afgewende blik.

Malobali haalde zijn schouders op. 'Laten we het daar niet meer over hebben, nu die zaak door Chacha Ajinakou is beslecht.'

Er viel een stilte. Romana raapte al haar moed bij elkaar.

'Ik zou je willen vragen opnieuw hier te komen wonen,' zei ze. 'Onze Lieve Heer is mijn getuige dat ik je voortaan goed zal behandelen.'

Malobali glimlachte. 'In mijn land zeggen de mensen dat wie een vrouw zijn vertrouwen schenkt, vertrouwt op een rivier die vroeg of laat overstroomt. In weerwil van je belofte zul je opnieuw boos worden.'

Bij het horen van de woorden 'in mijn land' flapte Romana eruit wat al zo lang op de punt van haar tong lag.

'Mijn overleden echtgenoot kwam zoals jij uit Ségou...'

Meteen daarna verweet ze zich dit verraad. Over de dode spreken ten overstaan van een levende die haar deze wrede smaad aandeed: haar hart en haar zinnen te veroveren – van háár, de weduwe!'

'Kom dan terug terwille van de kinderen,' onderbrak ze haar bekentenis. 'Ze houden zo van jou, Eucaristus vooral.'

'Ik zal terugkomen, senhora,' zei Malobali terwijl hij naar de deur liep.

Verward, ontevreden over zichzelf en ongerust sloeg Malobali de weg in naar het fort om Birame op te zoeken. Waarom liet deze vrouw hem niet met rust?

Birame's levensverhaal verschilde volkomen van dat van Malobali. Hij kwam uit Kaärta en was gevangen-genomen door Toeareg die hem naar Walo hadden mee-gevoerd. Daar had gouverneur Schmaltz hem als re-kruut ingezet bij zijn poging om in Senegal een landbouwkolonie te stichten. Vandaaruit had hij, nog steeds onder Franse vlag, rondgezworven en was uit-eindelijk in het fort van Ouidah terechtgekomen. Nadat de Fransen door hun regering waren teruggeroepen, was hij met de overige Bambara gebleven; ze leefden er van de mensenhandel en hesen de vlag als de slavenschepen zich mochten komen bevoorraden. In feite werkte hij voor Chacha.

'Kom hier wonen,' stelde Birame voor toen hij het relaas van Malobali had gehoord. 'Hier is plaats genoeg.'

'Nee,' zei Malobali. 'Chacha verleent me onderdak, en ik wil niet ondankbaar lijken.'

Birame haalde zijn neus op. 'Wees voorzichtig met die Portugezen, die Brazilianen, vooral met de zwarten! Ze apen de blanken na en verachten hun eigen ras. Ze voelen zich superieur. Ga hen zoveel mogelijk uit de weg!'

Malobali dacht aan Romana. Van een andere vrouw had hij het geheim meteen geraden. Maar van haar houding begreep hij niets, van haar zoetsappige praatjes na zo veel woede en geweld, van haar glimlachjes, haar blikken. Om zijn verwarring te vergeten dronk hij met Birame verscheidene kalebassen aguardente leeg.

Spoedig hadden de hele Agouda gemeenschap en heel Ouidah stof voor geroddel.

Chacha Ajinakou had een zwak voor Malobali. Dat was op zich al ongewoon, want Chacha was een hooghartig man die alleen met de kapiteins van de slavenschepen omging, als hij niet met een van zijn vrouwen in bed lag. Hij zette Malobali aan het werk in de slavenverkoop. Ruim tien jaar eerder hadden de Engelsen deze handel verboden en andere naties gedwongen hun voorbeeld na te volgen. In de praktijk was daar nauwelijks iets van te merken. Nog steeds zetten de schepen vol mensenvee koers naar Brazilië en Cuba.

Dagelijks zag men Malobali in een sloep naar de slavenschepen varen en terugkeren met de kapiteins die hij naar de yovogan Dagba en vervolgens bij Chacha bracht. Men zag hem met deze gasten aan Chacha's tafel aanzitten en de koopwaar inspecteren, nadat hij die eerst met allerlei trucjes presentabel had gemaakt.

Het duurde niet lang of Malobali werd door iedereen gehaat.

Waarom? Zeker niet omdat hij slaven hielp verhandelen. Dat deed, rechtstreeks of zijdelings, in Ouidah iedereen. En evenmin omdat hij een vreemdeling was. Deze smalle landtong tussen de rivieren Coufo en Ouémé was een smeltkroes van Aja, Fon, Mahi, Yoruba en Hoeweda – om nog te zwijgen van de Portugezen, de Brazilianen, de Fransen en de Engelsen Fort William's. De talen, goden en zeden waren niet meer uit elkaar te houden. Wat werd hem dan verweten? Dat hij verwaand was, succes had bij de vrouwen, te veel dronk, altijd won bij een kaartspel waarvan hij beweerde dat hij het tijdens zijn lange omzwervingen had geleerd, en Ségou verheven achtte boven elke andere plek op aarde. Waarom was hij daar dan niet gebleven?

Het conflict spitste zich toe bij de terugkeer van de twee paters uit Abomey. Ze liepen over van erkentelijkheid voor koning Guézo die hun een lapje grond even buiten de stad had toegewezen. Toen ze hun bediende terugvorderden, wilde Chacha daar niet van horen; naar zijn zeggen was Malobali veel te begaafd voor de klusjes die zij hem lieten opknappen.

Dat was de knuppel in het hoenderhok. De paters verweten Chacha dat hij hem betrok bij een eerloze mensenhandel die een christen onwaardig was, berispten Malobali en trokken ten slotte aan het langste eind. Van nu af aan zou Malobali zijn tijd verdelen tussen de bouw van de kerk en het werk in de palmentuin van de plantagebezitter José Domingos.

Tegelijk met de slavenhandel was er zich namelijk een nieuwe economische bedrijvigheid aan het ontwikkelen, waar de slavenverkopers van de Goudkust en vooral die van de Olierivieren fortuinen mee verdienden: de handel in palmolie.

Voortaan zag men Malobali aan het hoofd van rijen slaven naar de palmentuinen trekken en erop toezien hoe zij in de bomen klauterden met een touw om hun middel en een hakmes tussen hun tanden om de trossen noten af te kappen die nadien in prauwen werden geladen of in grote korven op de rug van sjouwers gehesen.

Malobali bleef echter bij Chacha wonen. Tot laat in de nacht kon men hem met de kapiteins van de slavenschepen horen biljarten, rum drinken en grapjes maken, zodat Chacha's drie oudste zonen Isidoro, Ignacio en Antonio jaloers werden en het over Bambara toverij hadden.

Voor Malobali was dit leven een verademing. Na al het gevaar, het moorden en verkrachten als huursoldaat en het frustrerende bestaan als patershulpje, genoot hij nu een onbeperkte vrijheid. En aan de palmnoten die hij van José Domingos als beloning kreeg, verdiende hij een aardige duit, want hij verkocht ze aan vrouwen die de noten vermaalden tot er alleen een rode olie overbleef. Twee Fransen, de gebroeders Régis, waren onlangs in de stad aangekomen met plannen om het fort tot een particuliere factorij om te bouwen. Daarin zouden ze de olie opslaan met het oog op export naar

Marseille, een stad in Frankrijk waar fabrikanten er zeep van zouden maken, machineolie, enzovoort. Op den duur zou dit lonender dan de slavenhandel worden.

Maar Malobali twijfelde. Chacha ging er prat op dat hij van koning Guézo een stuk grond voor Malobali los zou kunnen krijgen waarop die dan zijn eigen huis kon bouwen; daarna kon hij met Modupé trouwen. Maar Malobali droomde ervan naar Ségou terug te keren. Hij rook gevaar in de droge, verbrande lucht van dit land, in zijn lagunes, zijn mangrove. Het zat ergens verscholen als een roofdier dat wachtte op het geschikte ogenblik om op hem te springen en naar zijn keel te klauwen. Iemand vertelde hem dat Adofoodia, in het noorden van het koninkrijk, op slechts tien dagmarsen van Tombouctou lag. Hij had geen rust vóór hij precies wist waar die stad zich bevond en hoe je haar kon bereiken. En eenmaal in Tombouctou was hij toch bijna in Ségou?

# 6

Eucaristus tikte op de arm van Malobali.

'Vertellen!' vroeg hij.

'Souroukou en Badéni kwamen elkaar tegen,' begon Malobali na enig nadenken. 'Badéni dacht dat Souroukou zijn moeder was. Hij liep haar achterna en begon aan een van haar borsten te zuigen. Souroukou wilde zich losmaken en greep Badéni bij zijn hoofdje. Maar opeens beet ze haar eigen geslachtsorganen uit. "Au!" riep ze, "die Badéni zuigt veel te hard!"'

Eucaristus, het kleinste zoontje van Romana, schaterde. Als Malobali zo aan het vertellen ging, dook in zijn geheugen de wazige herinnering aan zijn vader op. Hij was zo jong, amper drie en een half jaar, toen zijn vader stierf. Sindsdien sprak moeder nooit meer diens naam uit, als lag hij begraven op een vervloekte akker waarop men bomen, struiken en onkruid laat groeien zonder ooit te wieden of te schoffelen. Als Malobali hem nu een verhaaltje vertelde, meende hij een hele grote man terug te zien, breedgeschouderd en toch zachtaardig, veel tederder dan zijn moeder. Hij herkende de tongval van een taal die niet het Yoruba was. Tot welk volk behoorde zijn vader? Aan Romana durfde hij het niet te vragen, want hij wist dat hij als antwoord de gard of een oorvijg zou krijgen. Hij vlijde zijn hoofdje tegen Malobali's schouder.

'Vertel me nu het verhaal van jouw geboorte!'

'Dit is geen vertelseltje,' lachte Malobali. 'De dag van mijn geboorte stond er een blanke voor de poorten van Ségou, die vroeg om door de mansa te worden ontvangen. Waar kwam hij vandaan? Wat wilde hij? Niemand die het wist. De fetisjpriesters dachten dat hij een vermomde boze geest was, omdat hij de huidkleur van een albino had.'

'Waarom zijn de mensen bang voor albino's?'

Toen kwam een klein dienstmeisje de kamer binnen. 'Iya vraagt naar jou, Samuel.'

Romana wachtte binnen in huis. Kennelijk had ze een bad genomen, want haar glimmend geoliede huid wasemde een zachte geur uit.

'Nou,' sprak ze verwijtend, met haar ogen strak op hem gericht, 'meneer komt bij Eucaristus en mij groetie niet eens!'

'Ik dacht dat je sliep, senhora,' zei Malobali met een glimlach.

Ze wees hem een stoel aan. 'Ik zou je een zakelijk voorstel willen doen. Ik weet dat jij met die palmolie goede zaken doet. Laten we vennoten worden.'

'Vennoten?'

Die domkop! Had hij dan niet door dat het haar niet om palmentuinen, palmkwekers en palmolie was te doen?

'Hoor eens,' ging ze verder, 'ik stel voor dat jij me wekelijks drie tot vijf korven noten levert. De rest laat ik wel door mijn knechten en slaven opknappen.'

Malobali dacht na. Hij had niet veel zin om met Romana in zee te gaan, want hij voelde zich bij haar niet op zijn gemak. Haar overprikkelde zenuwachtigheid, waarvan hij de enig mogelijke oorzaak niet onder ogen durfde te zien, schrikte hem af.

'Je weet toch,' antwoordde hij, 'dat ik niet mijn eigen baas ben. Ik moet er eerst eens met José Domingos over praten.'

'Die man haat me,' zuchtte zij.

'Waarom zou hij?' vroeg hij ongelovig.

'Omdat vrouwen gehaat en misprezen worden, omdat mannen niet willen dat zij initiatieven nemen.'

Deze woorden klonken in Malobali's oren volkomen onbegrijpelijk. Hij zocht naar een antwoord, maar vond er geen.

'Weet je,' ging Romana door, 'het leven is erg moeilijk voor een vrouw zonder man.'

'Maar waarom blijf je zonder man?' repliceerde Malobali die zich nu op een vertrouwder terrein voelde. 'Je bent...'

Voor de eerste keer misschien bekeek hij haar aandachtig en zag hoe teer ze was.

'...mooi,' sprak hij met overtuiging.

'Even mooi als Modupé?'

Dit was een duidelijk signaal. Malobali had te veel vrouwen voor zich zien bezwijken om nog langer te twijfelen. Hij deinsde terug als een man die in de wildernis op een slang is gestuit.

'Iya,' stotterde hij, 'Eucaristus wacht op mij. Ik moet mijn verhaaltje nog beëindigen.'

Door haar 'iya' te noemen probeerde hij haar aan te sporen tot meer zelfrespect. Maar amper had hij dat woord uitgesproken, met verwaarlozing van de toonhoogte en een te grote nadruk op de eerste lettergreep, of zij veerde op en wierp zich in zijn armen. 'Zo noemde iemand anders me vroeger ook!' riep ze uit.

Malobali drukte haar tegen zich aan en, als een man die niet aan zijn proefstuk toe is, wilde hij al doen wat overduidelijk van hem werd verwacht, toen een flitsende ingeving hem waarschuwde dat hij met dit tere lichaam onbekende, gevaarlijke gevoelens in zijn leven zou binnenhalen: hartstocht, bezitsdrang, jaloezie, zondebesef. Met een bruusk gebaar duwde hij haar terug op haar mat.

Half onder de sinaasappelbomen verscholen, zag Eucaristus hem met grote stappen wegbenen.

Toen het tot Romana doordrong dat ze alleen achterbleef, was ze eerst als versteend. Ze had zich gegeven, het zevende gebod overtreden, de nagedachtenis aan haar echtgenoot geschonden, en ze was afgewezen. Van afschuw stootte ze zo'n doordringende kreet uit dat de kleine dienstmeisjes die met hun handen in het zeepsop zaten, haar eigen kinderen en de buren het allen hoorden. Die kreet ging Malobali zo door merg en been dat hij er vleugels van kreeg. Hij vluchtte zo hard weg dat de mensen voor hun deur kwamen kijken welke dief zo rende voor zijn leven.

Pas toen hij op het strand het fijne witte zand onder zijn voeten voelde, kwam hij tot rust. De door zout en mos aangevreten kokosboomstam waarop hij neerplofte, verpulverde zachtjes onder zijn gewicht. In de verte dobberden een schoener en een barkas. Ach, kon hij zijn leven maar opnieuw beginnen in Brazilië, in Cuba, waar dan ook! Als hij op zijn bestaan terugblikte, was het of hij in een vunzige hut een ouwe slet in het gezicht keek, met wie hij zijn dagen moest delen.

Terwijl hij daar zo met zijn hoofd tussen zijn handen zat, kwam er een man in zijn richting, die hem tersluiks gadesloeg.

'Ben jij niet Samuel, de vennoot van José Domingos?' vroeg hij.

Malobali keerde hem zijn rug toe. Dit keer zou hij niet in de val lopen en de raad opvolgen van een quasi-medelijdende voorvader die hem in het verderf wilde storten. Maar de onbekende bleef aandringen.

'Laten we samen naar Badagry trekken! Of naar Calabar. Daar ligt de toekomst! Over drie maanden lopen we, zoals Chacha Ajinakou, gekleed in zijde en fluweel!'

Nee. Als hij hier wegging was het om naar zíjn land terug te keren! Maar zou hem dat ooit lukken? Hij wist dat zijn weigering om met Romana de liefde te bedrijven hem duur zou komen te staan. Wreken zou zij zich, maar hoe?

Een sloep maakte zich van de oever los. Ze was volgeladen met ongelukkigen die in voetkluisters geklonken in het ruim van de barkas zouden worden gesmeten. De wind prikkelde zijn neusgaten met hun stank van zweet en lijden.

Ondertussen verdrong zich een menigte woedende Agouda's op de binnenplaats van Chacha Ajinakou's

331

huis. Geschrokken kwam Chacha in een kamerjas naar buiten, want hij was met een aguardente-kater in bed gekropen. Francisco d'Almeida, een mulat die het afgelopen jaar uit Bahia was overgekomen, nam eerbiedig zijn neteldoeks petje af.

'Chacha,' zei hij, 'lever Samuel uit! Hij heeft de senhora da Cunha verkracht!'

Ondanks zijn slecht humeur schaterde Chacha het uit. 'Wie heeft jullie dat wijsgemaakt?'

'Er zijn getuigen!'

'Getuigen?' grinnikte Chacha. 'Dan was het geen verkrachting.'

Toch gaf hij een slaaf bevel om Malobali te gaan halen. Toen de slaaf alleen terugkwam en meldde dat de Bambara er niet was – wat onder de Agouda's heftige reacties uitlokte –, verscheen Malobali op de binnenplaats, met gebogen hoofd en een gezicht alsof hij reeds wist waarvan hij werd beschuldigd. Chacha wendde zich tot hem.

'Samuel, deze lui hier beschuldigen je van een zwaar vergrijp. Het schijnt dat jij de senhora da Cunha hebt verkracht...'

Malobali sloeg zijn ogen op en bekeek Chacha in opperste verwarring. 'Wie heeft hun dat gezegd?' vroeg hij.

'De senhora zelf,' beet Francisco hem toe. 'De hele buurt heeft haar horen schreeuwen toen ze zich tegen jou te weer stelde. En de kleine Eucaristus heeft je na je misdaad zien weglopen!'

Chacha besloot in te grijpen. 'Laten we hem voor Dossou leiden die hem aan de adimo zal onderwerpen.'

'Doe maar geen moeite,' zuchtte Malobali. 'Ik beken schuld.'

De verontwaardiging was groot. Sommigen probeerden zich op Malobali te werpen. Anderen scholden hem de huid vol, terwijl nog anderen takken van de kasuarisbomen afrukten om hem te geselen. Slechts met de grootste moeite kon Chacha het rumoer weer tot bedaren brengen.

'In Guézo's koninkrijk kan niemand het recht in eigen handen nemen. Leidt hem voor Dossou, die de strafmaat zal bepalen.'

Dossou vertegenwoordigde in Ouidah de ajaho, die zelf in Abomey aan het hof van de koning verbleef. Als rechter van instructie onderzocht hij kleine misdrijven, en wanneer een zaak buiten zijn bevoegdheid viel verwees hij de eisers door naar Guézo. Dossou betrok niet ver van de yovogan Dagba een woning die, in vergelijking met de luxueuze huizen van de Agouda's, nogal bescheiden uitviel. Misschien was het daarom dat hij hen zo haatte. Zijn gedachten waren nog bij de gepofte jamswortel en de calalou die een van zijn echtgenotes hem had bereid, toen die opgewonden menigte bij hem binnenviel.

'Kan die zaak niet wachten tot morgen?' riep hij geërgerd.

Hij beval twee slaven Malobali's handen op zijn rug te binden en hem in het hutje naast zijn woning, dat als gevang diende, op te sluiten. Toen moesten de Agouda's wel afdruipen.

Malobali hurkte in een hoek van de kleine, donkere en vochtige hut waarvan de deur door de slaven met kokosboomstammen werd versperd. Hij begreep zelf niet goed wat er in hem omging. Een soort vermoeidheid, alsof hij de wedloop met zijn levenslot niet meer aankon. Aan Ayaovi was hij ontsnapt om in Romana's strikken te trappen. Nog een ander, duister en verwarrend gevoel herkende hij. Iets wat leek op medelijden met Romana. Zou hij haar openlijk vernederen door te gaan verklaren dat zij loog? Hij dacht aan Chacha's glimlachje. Wat een idee om Romana te verkrachten, viel eruit af te lezen, te gek!

En hij herinnerde zich haar klaaglijke vraag: 'Ben ik even mooi als Modupé?' Ach, hij had 'ja' moeten zeggen en haar in zijn armen sluiten! Nu was hij als een lafbek weggelopen. Welke straf stond er op verkrachting? Aangezien Romana niet getrouwd en evenmin maagd was,

333

zou dit vergrijp in Ségou niet als erg zwaar worden aangerekend. Maar in Dahomey? Had hij niet gehoord dat de veroordeelden vaak gevankelijk naar Abomey geleid en daar geofferd werden tijdens de grote traditionele ceremoniën voor de geesten van 's konings voorvaderen? Soms werden ze ook gedeporteerd naar een moerassig gebied, Afomayi geheten, waar ze hun leven lang de grond van de vorst moesten bewerken. En Romana was een Agouda, behoorde dus tot een invloedrijke bevolkingsgroep die goede relaties met het hof onderhield. Hij moest het ergste vrezen.

Vanuit zijn donkere cel hoorde hij op de binnenplaats Dossou's vrouwen en kinderen praten en lachen. Wie zou er zich hier om bekreunen als hij ter dood of tot dwangarbeid werd veroordeeld? Niemand, op Modupé na. Maar Modupé was nog geen zestien, ze zou hem vergeten. Zelfs daarginds, in Ségou, zou Nya het moe worden te wachten op zijn terugkeer; ze zou liever de kinderen wiegen die Tiékoro wel bij een andere vrouw dan Nadié zou hebben verwekt. Nadié... Wat is het leven? Een vluchtige doortocht die op de aardbodem geen enkel spoor achterlaat. Een aaneenschakeling van beproevingen waarvan je niet eens de zin kunt vatten. Pater Ulrich zei dat het doel van dit alles was de mens te louteren en hem nader tot Jezus te brengen. Had hij het bij het rechte eind?

De muggen begonnen hun helse rondedans om zijn gezicht. Morgen zou hij voor de agoli worden geleid en gevonnist. In afwachting moest hij wat zien te slapen. Niet voor niets was Malobali een huursoldaat geweest die het gewend was te pitten tussen twee gevechten of twee razzia's door. Nauwelijks had hij zijn ogen gesloten of zijn geest maakte zich los van zijn lichaam en begon zijn omzwerving in het onzichtbare.

Zijn geest zweefde over donkere, eindeloze oerwouden en de rosse vacht van zandwoestijnen, en landde te Ségou in de familiehuizing van wijlen Dousika. Daar werd een geboorte gevierd. Nya lag op haar zij en drukte een baby tegen zich aan. Het was een zoon en hij heette Kosa. Wat is er mooier voor een vrouw dan op rijpe leeftijd nog een kind ter wereld te brengen! Nya straalde van geluk. Haar gezicht kreeg opnieuw een jeugdige kleur als ze haar jongste spruit, met nog een druppel melk op zijn lippen, zag slapen. Opeens opende het kind zijn ogen – en het waren ogen van een volwassene, zwart en diep, die Malobali strak aankeken, met een zekere boosaardigheid.

'Zul jij evenveel geluk hebben als ik, Naba?' vroeg hij.

Zo suggestief was de droom dat Malobali hijgend wakker schoot. Wat had dit te betekenen? Malobali was hooguit zeven of acht toen Naba verdween, zodat hij die oudere broer amper gekend en niet eens om hem getreurd had. Daarom ook dacht hij niet zo vaak aan hem. Deze plotselinge en schokkende ontmoeting met een zuigeling in wie de ziel van die broer was gevaren, kon maar één ding beduiden: Naba was dood. Maar waarom die boosaardigheid, die vijandigheid? Wat had hij zijn oudere broer misdaan?

De hele nacht woelden deze vragen door zijn hoofd.

De volgende ochtend namen de slaven de kokosboomstammen weg die de ingang versperden, en pater Etienne stapte binnen. Dat was wel de laatste die Malobali had verwacht. Als het pater Ulrich nog was geweest! Nog steeds erg aangeslagen door zijn kwade droom, kroop Malobali grommend in een hoekje. Wat kwam die zwartrok hier doen? Zich vrolijk maken over zijn ongeluk?

'Op je knieën, Samuel!' beval pater Etienne terwijl hij langzaam het teken des kruises sloeg. 'Bid met mij een onzevader!'

Onder de hypnotiserende blik van de missionaris kon Malobali, zoals vroeger, alleen gehoorzamen. Werktuigelijk prevelde hij de woorden die voor hem geen echte betekenis hadden, maar waaraan die paters zo veel gewicht hechtten.

335

'Ik weet dat je niet hebt gezondigd,' verklaarde de priester na het gebed, 'dat je onschuldig bent aan de misdaad waarvan je wordt beticht.'

Een straaltje hoop schitterde in Malobali's ogen. 'Hoe weet u dat, pater?' stamelde hij.

'Gisteravond,' zei pater Etienne terwijl hij zijn handen samenvouwde, 'is Romana da Cunha bij mij te biecht geweest. Samuel, ken jij de parabel van de parels die voor de zwijnen worden gegooid? Dit is een parel die je wordt toegeworpen, ondankbaar zwijn! Maar misschien heeft God in Zijn oneindige wijsheid jouw verlossing op het oog. In Romana's nabijheid zul jij gelouterd worden. Zij zal je het pad des Heren laten bewandelen.'

'Wat verlangt u dan van mij, pater?' vroeg Malobali die de priester verward aanstaarde.

'Dat je haar huwt, Samuel, opdat de liefde die jij in haar hebt laten ontvlammen jullie beiden tot heil moge strekken.

'Dit moet ik je uitleggen, je zou kunnen denken dat ik me zomaar in de armen van de eerste de beste gooi...'

Malobali legde zijn vingers op Romana's lippen, maar zij trok ze weg.

'Laat me spreken! Te lang heeft deze last op mijn hart gewogen. Ik moet me ervan bevrijden. Ik ben geboren in Oyo, in het machtigste Yoruba koninkrijk. Mijn vader bekleedde een belangrijk ambt aan het hof: als arokin was hij belast met het reciteren van de koninklijke stamboom. Wij woonden binnen de muren van het paleis. Tot op een keer, ten gevolge van vetes en kuiperijen van zijn vijanden, mijn vader uit zijn ambt is ontzet. Onze familie werd uiteengeslagen. Ik weet niet wat er van mijn broers en mijn zusters is geworden. Ik werd verkocht aan slavenhalers en naar Gorée gevoerd. Kun jij je die pijn inbeelden: te worden gescheiden van je ouders, ontrukt aan een leven van voorspoed en weelde? Ik was toen nauwelijks dertien jaar, ik was nog een kind.

En in dat barbaarse fort – die laatste wachtplaats vóór de hel – huilde ik aan één stuk door. Ik wilde doodgaan en ongetwijfeld was mij dat gelukt als hij toen niet was verschenen. Een grote, sterke man. Op zijn schouder droeg hij een zak sinaasappelen. Hij gaf mij er een, en het was alsof de zon die voor mij al wekenlang niet meer verrees, opnieuw aan de hemel stond.

Voor mij, om mij te beschermen, ging hij mee op die moordende overvaart. Soms sloegen golven, zo hoog als het paleis van de alafin, over het dek. Dan drukte ik me dicht tegen hem aan, en hij zong wiegeliedjes in een taal waarvan ik alleen de tedere melodie kon vatten. In het ruim werden de zwarte vrouwen door blanke matrozen verkracht, en hun gehuil vermengde zich met het gebulder van de zee. Als de hel bestaat, Samuel, moet ze er zo uitzien!

Ten slotte kwamen we aan in een grote stad op de kust van Brazilië. Kun jij je voorstellen wat het betekent te worden verkocht? Op een verhoging staan, dicht tegen elkaar gedrongen, aangegaapt door de menigte; betast worden door handen die je spieren, je tanden, je geslachtsorganen onderzoeken; de hamer van de veilingmeester horen vallen! Toen werden Naba en ik helaas gescheiden...

'Naba? Zei je: Naba?'

'Laat me doorvertellen. Nadien zal ik op je vragen antwoorden. Ik werd opgekocht door Manoel da Cunha die me meenam naar zijn fazenda, terwijl Naba naar de sertão in het noorden moest. Toen is mijn lijdensweg pas echt begonnen. Ik besefte spoedig dat ik tot dan toe nog niet echt had geleden, aangezien híj bij mij was. Voortaan was ik alleen, moederziel alleen. Ik sliep nog geen twee nachten in de senzala, toen Manoel me reeds liet halen. Die man, die ik haatte, moest ik met mij zijn gang laten gaan. Hij stortte zijn zaad in mij...

'Zwijg, als spreken je zo zwaar valt!'

'Nee. Nu ga ik door. Honderd, duizend keren heb ik dat kind willen doden. De oude slavinnen kenden kruiden en wortels waarmee ik, in een gulp bloed en slijm, die foetus – symbool van mijn schande – had kunnen uitstoten. Maar iets weerhield me. Op zekere dag stond Naba daar. In de keuken, net vóór ik het eten ging opdienen, sloot hij me zonder een woord in zijn armen. En ik voelde me gereinigd en verlost.'

Ze zweeg even en haalde diep adem.

'Spreek me over die man, Romana,' smeekte Malobali. 'Je zei dat hij Naba heette?'

'Ja, ik moet nu over hem spreken, of je zou me nog voor een slet houden die zich aan de eerste de beste man verslingert! Hij was, zoals jij, een Bambara uit Ségou. Zijn diamoe was Traoré. Zijn totem was de kroonreiger. Hij was nog geen vijftien toen hij reeds zijn eerste leeuw doodde; als de vrouwen hem zagen zongen ze:

*De gele leeuw met de rossige weerschijn,*
*De leeuw die aan het bezit van de mens voorbijziet*
*En zich voedt met wat in vrijheid leeft*
*– Lijf om lijf heeft Naba uit Ségou...*

Maar op een keer hebben de dolle-honden-uit-de-wildernis hem gevangengenomen en verkocht. Toen ik jou met die twee priesters mijn huis zag binnenkomen, dacht ik dat God in Zijn oneindige goedheid hem aan mij terugschonk. Bijna viel ik op mijn knieën om Hem te danken. Maar ach, ik had me vergist! Dat maakte me razend, want eens te meer stak het lot de draak met mij, om me nog meer te doen lijden. Want mijn verhaal is nog niet uit. Ze hebben hem vermoord, Samuel! Vermoord!'

'Hebben ze mijn broer vermoord?'

'Jouw broer?'

'Jawel, hij was mijn broer! Het verhaal dat jij me vertelde, is dat van mijn familie. Daardoor zijn mijn moeders haren wit geworden en is mijn vader vroegtijdig gestorven, en was bij ons thuis niets meer als voorheen.'

Malobali omhelsde Romana, dankbaar en opgetogen om de vooruitziende blik van de voorouders. Want na de dood van zijn oudere broer kwam zijn weduwe hém toe. Hoe had hem deze nalatenschap waarvan hij door zo veel zeeën, woestijnen, oerwouden, gescheiden was, ooit kunnen bereiken zonder hún hulp, zonder deze lange dooltocht vol wederwaardigheden waarvan zij de draden geduldig hadden verweven? Van Ségou naar Kong. Vandaar naar Salaga. Van Salaga naar Kumasi. Daarna naar Cape Coast. Van Cape Coast naar Porto Novo. En ten slotte van Porto Novo naar Ouidah.'

O, hoe zou hij nu van haar houden! Opdat zij zou vergeten. Reeds had ze, dank zij hem, haar schoonheid en haar jeugd teruggevonden. Weldra zou ze ook haar vrolijkheid terugkrijgen. Hij zou niet rusten voor hij om haar mond – en die van haar kinderen – opnieuw een glimlach zag verschijnen. Hij liet zijn hand over haar zachte borsten glijden, daarna over haar lichtjes gewelfde buik, waagde het haar schaamhaar aan te raken. Heel deze tuin, deze mooie akker zou hij voortaan ploegen onder de welwillende blik van de goden en de voorouders.

En Modupé? Hij verjoeg haar uit zijn gedachten. Welk recht kon zij laten gelden ten overstaan van zijn broers weduwe? Dit was een heilige en dwingende plicht waaraan hij zich niet kon onttrekken.

Hij drukte Romana heel dicht tegen zich aan en bevredigde haar verlangen om door hem te worden bezeten.

## 7

Waren de verroeste kanonnen van de forten Saint-Louis-de-Grégoy, São João de Ajuda en William tegelijk beginnen te bulderen, dan zou de stad niet méér zijn opgeschrikt dan door de aankondiging van het huwelijk tussen Malobali en Romana. Daar moesten de paters de hand in hebben. Wat stak daarachter? Zij wisten beter dan wie ook dat Malobali's katholicisme slechts een dun laagje vernis was en dat het geen twee maanden zou duren of Romana zou een of meer mede-echtgenotes naast zich moeten dulden. De Agouda's konden maar niet begrijpen dat zij haar mooie Braziliaanse familienaam da Cunha wilde verruilen voor de naam Traoré die stonk naar barbarij en fetisjisme. En iedereen beklaagde Modupé die zelf niets zei, want voor een groot verdriet zijn er geen woorden.

Tegen het einde van het droge seizoen werd het huwelijk ingezegend. Met de hulp van de slaven die Chacha hun ter beschikking had gesteld, hadden de missionarissen goed werk geleverd. Ze hadden een nogal indrukwekkende kerk gebouwd. Het was een grote rechthoekige hut met een strodak dat rustte op irokostammen die tot op halve hoogte met een opengewerkte muur waren verbonden. Het altaar stond op een verhoging tegen een palissade waarop met plantaardige kleuren een kruis was geschilderd. Een gangpad liep midden door de rijen banken die wel honderd zitplaatsen boden. Achter de kerk verrees een bouwwerk dat als school en als pastorij diende. De Société des missions africaines uit Lyon was in de wolken nu de missiepost in Ouidah kon bogen op een totaal van zesenvijftig leerlingen, allemaal Agouda kinderen, en vroeg de hulp van zusters voor de meisjesschool. Want alleen de vorming van christelijke gezinnen die aan de opvoeding van hun kinderen de hand zouden houden, kon op den duur de missies een stevige grondslag geven.

Malobali liet zich door Romana overreden om zich voor de bruiloft bij een Engelse koopman, die op doorreis naar de Olierivieren enkele dagen in Fort William verbleef, een geklede herenjas met strak zittende pantalon en zwartzijden stropdas aan te schaffen. Romana zelf had een paarse zijden japon met wijd openvallende mouwen gekocht, en een sjaal waarvan de punt over de grond sleepte. Haar drie zoontjes Eucaristus, Joaquim en Jesus zouden alle drie in het zwart zijn en wandelstokjes met een zilveren knop meedragen. Chacha Ajinakou trad voor Malobali als getuige op.

Een incident stuurde bijna de hele ceremonie in de war. Pater Ulrich, die de mis opdroeg, had nauwelijks zijn homilie over de schoonheid van de menselijke liefde beëindigd of een lange python maakte zich van de dakbalk los waar hij zich omheen had gerold. Het dier wiegde zijn kop van voren naar achteren en liet zich daarna lenig en geruisloos op de grond vlak voor de koorknapen vallen. Dagbé, de python Dagbé, het vlees geworden Opperwezen! Wat wilde hij melden? Sommigen zagen hier een gunstig voorteken in, anderen vreesden onheil. Iedereen stond versteld.

Heel Ouidah kwam op straat met gemengde gevoelens van spot en bewondering kijken naar die stoet van paraderende Agouda's. Wat moesten ze zweten in al hun fluweel en zijde onder deze zon! Manoel da Cruz droeg een hoge hoed die hij bij een slavenhaler had gekocht, en waar hij voorbijkwam lachte de menigte zich krom. Vergaten die lui dan hun huidkleur dat ze zich als blanken kleedden?

De stoet trok Chacha's huis binnen en de slaven die even hun mismoedigheid vergaten kwamen uit hun barak om naar bruid en bruidegom te kijken. Chacha bedacht hen met een extra rantsoen. Reusachtige tafels waren gedekt met serviezen in Chinees porselein, prachtig geslepen glazen en zilveren schotels waarin allerlei gerechten werden opgediend Braziliaanse specialiteiten zoals feijoada, cocido, cachuapa en piron. Maar ook lokale lekkernijen: balletjes acassa, pannen vol met calalou, in hun geheel gekookte zee- en riviervissen uit de moerassen van Wo, stapels garnalen, jamswortel en maniokmeel. Kalebassen werden gevuld met gierstbier, aguardente, gin, aquavit, portwijn, Franse wijnen, bierpullen met stout en guinness. De kapiteins van de slavenschepen zaten mee aan. Zelfs de yogovan Dagba daagde op, met een gevolg van dansers en muzikanten.

Maar het meest opgetogen waren wellicht Romana's kinderen die aan het einde van de tafel zaten. Dit was voor hen de dageraad van een nieuw leven. Hun moeder leek wel veranderd, een en al lach en toegeeflijkheid. En hun vader kregen ze terug in de persoon van zijn broer. Dit overtrof de avonturen van het tutu-dier, zumbi en jurupari, welke moeder hun vroeger vertelde. Met deze nieuwe vader zou de gard worden opgeborgen en kwam er een eind aan de oeverloze rozenhoedjes, de *Salve Regina's*, het zingen van:

> *Afrikaans volk in de nacht,*
> *Jij wordt niet gehaat of veracht,*
> *Je bent niet verdoemd en niet vergeten!*

– gevolgd door:

> *Laten we in Jezus' voetspoor treden.*

En er kwam een eind aan de uitputtende lees- en rekenlessen! Meer nog dan de andere bruiloftsgasten voelden de kinderen dat er een strijd op komst was tussen twee levenswijzen, twee culturen, twee werelden, en ze meenden de overwinnaar al te kennen.

Bij het dessert doken er muzikanten op die schuin

over hun borst linten droegen met de geel-en-groene kleuren van Bahia. Het waren slaven van de Agouda's, die op kleine vierkante trommetjes roffelden, met een metalen staafje over de tanden van een zaag wreven, plankjes tegen elkaar sloegen en in hun handen klapten, kortom een leven van jewelste maakten.

De Bambara op het feest, en vooral Birame, zaten er verstomd bij. Als ze de herinnering aan Brazilië zo levendig wilden houden, waarom waren de Agouda's daar dan niet gebleven? Nu riepen ze uit dat ze er de mooiste jaren van hun leven hadden doorgebracht! Waren ze dan vergeten dat ze ginds slaven waren en koste wat het kost naar Afrika hadden willen terugkeren? Waren ze vergeten dat ze er oproer hadden gestookt? Een vreemde ommekeer!

In de late namiddag trokken de twee priesters zich na een laatste sermoen terug en werd de stemming meer uitgelaten. Jeronimo Carlos stond op en gaf de razende cadans van de boya o boy – de stier – aan, terwijl zijn broer João zich een careta – een masker – voorhield. De kinderen lieten klappertjes ontploffen, wat de autochtone bevolking die dit van de blanken geleerd vermaak niet kende, vreselijk aan het schrikken bracht.

's Avonds was er een bal. Alle Agouda's herinnerden zich nog levendig de bals welke hun ex-meesters op de dag van de botada in Recife, Bahia of op de fazendas hadden gegeven en waarbij zíj de schotels hadden moeten aandragen. Welnu, ditmaal waren zij het die op de maat van de quadrilles en de walsen dansten met een bezetenheid die de Portugezen wellicht onbekend was. De hele sfeer was van nostalgie en revanchegeest doortrokken, wat dit bal een heel aparte kleur gaf en tussen de feestvierders een hechte band smeedde.

Alles eindigde met een vuurwerk dat nog lang zijn kronkels trok boven de strodaken van Ouidah, tussen de kokospalmen op de kust en tot aan de zee die even donker was als de hemel.

Die eerste tijd na zijn huwelijk was voor Malobali een openbaring. Was het omdat hij zo veel vrouwen had bezeten dat hij hun nooit aandacht had geschonken? Ze waren slechts warme, gewillige lichamen die hij onmiddellijk weer vergat. Met Romana ontdekte hij in de vrouw een menselijk wezen wier gevoelswereld een waar doolhof was. Spoedig onderkende hij in haar een intelligentie die hij zelf niet bezat. Hij zou haar hebben bewonderd als ze niet zo afhankelijk van hem was geweest. Eén bars woord, één ongeduldig gebaar, en ze begon te snikken. Een schijn van onverschilligheid bracht haar in paniek, waarna zij urenlang kon vragen wat hij haar verweet.

Voor Malobali was de liefde altijd een simpele, onmiddellijk bevredigende daad geweest, zoals het genot van spijs en drank. Met Romana werd zij een drama, een fascinerend en pervers spel, een theater van de wreedheid waarvan hij de beeldspraak niet kon ontraadselen en waar hij haast met tegenzin en afgrijzen een rol in speelde. Hij kon maar niet begrijpen waarom Romana hem zo hartstochtelijk begeerde en evenmin waarom zij dat zo scheen te berouwen.

Op het materiële vlak ging het hun voor de wind. Chacha, die voor de handel in palmolie geen belangstelling had, kreeg van koning Guézo gedaan dat Malobali het monopolie verwierf van de verkoop aan de Europeanen, en met name aan de gebroeders Régis. Malobali kocht dus alle rode olie op die de vrouwen produceerden en, na de betaling van een accijnsrecht aan de tavisa of ambtenaar des konings, verkocht hij die door. Weldra was hij zo rijk dat hij, met Agouda ambachtslui die in Brazilië hout hadden leren bewerken, een kuiperij oprichtte. Houten vaten–een nieuwigheid–hadden op de aarden kruiken dit voordeel dat ze onbreekbaar en handzamer waren.

Romana was altijd op winst uit geweest. Naba had haar dat vroeger verweten. Die trek van haar karakter had zich verder ontwikkeld gedurende die lange jaren dat zij, als alleenstaande weduwe, voor haar toekomst had gevreesd. Nu kocht ze een metalen koffer waarin ze het goudpoeder en de kauri's opstapelde naast de goud- en zilverstukken waarmee sommige kooplui haar betaalden, en waarvan ze de sleutel tussen haar borsten wegstopte, want ze wantrouwde Malobali's gulle buien en zijn neiging om fortuinen te verspillen aan alcohol en met kaartspel. Daarom ook probeerde ze hem uit de buurt van Chacha en Birame te houden, al deed ze dat misschien vooral uit jaloezie: ze kon niet verdragen dat hij zo veel tijd ver van haar doorbracht, dat hij elders plezier beleefde en zijn vrijheid niet aan banden liet leggen. Het liefst had ze hem de hele dag thuis in het oog willen houden als een van haar kinderen, en als hij er was tikte ze hem voortdurend op de vingers om toch maar zijn aandacht te trekken.

Wanneer kwam het tot onenigheid? Eigenlijk reeds vanaf de eerste huwelijksnacht, toen Malobali meer moest geven dan hij had. Weldra werd alles een aanleiding tot krakeel. De Agouda's wier tijdverdrijf Malobali kinderlijk en gemaakt toescheen en die zo neerkeken op de inheemse bevolking. De Bambara die Romana als onbeschaafd en verdorven, en erger nog als vijanden van de ware God bestempelde. Vooral op Birame had ze het gemunt, omdat hij een moslim was en de islam in haar ogen een bloeddorstige godsdienst was die Oyo, haar geboorteland, te vuur en te zwaard verwoestte en de dood van de onschuldige Naba had veroorzaakt. En dan de kinderen, Eucaristus vooral. Nu Romana had vernomen dat Engelse missionarissen jonge Afrikanen naar Londen stuurden om er tot priester te worden opgeleid, wilde ze pater Etienne smeken dat hij Eucaristus zou aanbevelen. Ze zag haar jongste zoon al in een lang zwart kleed, met de rozenkrans als wapen Gods op zijn heup en om zijn hals het kruis, terwijl een menigte voor hem neerknielde. Maar Malobali bracht de jongens het hoofd op hol over Ségou, die broedplaats van het fetisjisme, en sprak hen aan met de Bambara namen die hij hun had gegeven.

Om aan al dat gekibbel, gevolgd door nog zenuw-slopender verzoeningen, te ontkomen had Malobali, die nochtans altijd elke inspanning had geschuwd, zich op de handel gestort. Langzamerhand had hij het met Romana alleen nog over hoeveelheden palmolie, vaten, winstmarges, of het uitschakelen van een of andere concurrent. Het ergste was dat de maansomlopen elkaar opvolgden en Romana maar niet zwanger werd. Zij die vier zoons ter wereld had gebracht! Haar schoot was als een veld dat te lang braak had gelegen en nu geen zaad meer kon voeden.

In haar angst ging Romana een babalawo opzoeken. De man was afkomstig van Ketu en genoot een uitstekende reputatie onder de Nago van Ouidah. Hij zat op zijn mat, met voor zich zijn waarzeggersinstrumenten: de zestien palmnoten, de gewijde ketting en het poeder. Hij vestigde zijn fonkelende ogen op de hare en dwong haar de rituele formule na te zeggen:

> *Ifa is de heer van deze dag,*
> *Ifa is de heer van morgen,*
> *Ifa is de heer van overmorgen.*
> *Ifa behoren de vier dagen toe*
> *Die Oosa op aarde heeft geschapen.*

Daarna wierp hij zijn palmnoten op zijn houten waarzeggersschaal waarvan de rand met driehoekige motieven en een afbeelding van Eshu als goddelijke boodschapper was versierd. Romana voelde haar hart heftig bonzen terwijl de priester van Ifa een lang en duister gedicht reciteerde dat eindigde met het geruststellende woord 'olubunmi.'

Wanneer sloeg Malobali weer de weg in naar het huis van Modupé die, opgelucht door de voorspellingen van haar babalawo, geduldig op zijn terugkeer had gewacht? Wanneer begon hij haar als zijn enige wettige echtgenote te beschouwen? Nee, die ceremonie in de kerk van

Ouidah had niets te betekenen; er waren geen geschenken uitgewisseld. De goden en de voorouders moesten verstoord zijn omdat zij niet om hun bescherming waren gevraagd. Geen koor had de traditionele zegen gezongen:

> *Moge dit huwelijk gelukkig zijn!*
> *Moge het handen en voeten krijgen!*
> *Moge het vuur der vereniging duren!*

Ségou, Ségou! Daarheen moest hij terug. Waarom bleef hij onder vreemdelingen? Bij een vrouw die zijn krachten uitputte, maar zelf geen kind baarde! Wat was er intussen gaande in Ségou? Ongetwijfeld overlaaddte mansa Da Monzon zijn rijk nog steeds met roem en zegepraal. Waarom was híj er niet om die grootse ogenblikken mee te maken? Ach, zijn hoofd op Nya's schoot te kunnen leggen en te zeggen: 'Moeder, je haren zijn tijdens mijn afwezigheid wit geworden. Deze rimpels om je mond had ik nooit gezien, en je bent tengerder en kwetsbaarder dan in mijn herinnering. Moeder, vergeef je me mijn lange zwerftocht?'

Hij verklapte Modupé zijn plan. 'Maar ik weet niet goed hoe ik daar moet komen. Ik zal de Haussa handelaars om raad vragen: die kennen alle wegen.'

'Mag ik het aan mijn moeder zeggen?' vroeg Modupé met tranen in haar ogen.

Malobali omhelsde haar. Hij wist hoeveel zij voor hem overhad. De meeste Agouda's, al waren ze dan katholiek, hadden twee of drie vrouwen, maar dat – wist hij – zou Romana van hem nooit dulden. Daarom kon hij Modupé niet huwen, met hoeveel geschenken hij haar familie ook overstelpte. Zij leed onder die vernederende, onhoudbare toestand.

'Wij zullen onze bruiloft bij mij thuis in Ségou vieren,' fluisterde hij haar toe. 'Daarna zal mijn familie een hele karavaan opladen met geschenken voor de jouwe. Zie je haar Ouidah al binnentrekken? De mensen

347

zullen te hoop stromen. "Waar komen die kameeldrijvers vandaan? En naar wie zijn ze op zoek?" zullen ze uitroepen.'

Ondanks haar verdriet kon hij Modupé een glimlachje ontlokken. Jazeker, hij moest dit plan meteen ten uitvoer brengen! Ook Birame was het moe ver van huis te moeten leven. Hij zou meegaan, dat stond vast, terug naar het geboorteland!

In Romana's huis was er een heleboel veranderd. Op de binnenplaats had Malobali een lemen gebouw laten optrekken waarvan de ene helft diende als opslagplaats voor de vaten palmolie die nog op een koopvaardijschip wachtten, terwijl in de andere de kruiken van de leveranciers op Franse weegschalen werden gewogen. De hele ochtend was het er één geroezemoes en gekwebbel van vrouwen die, vol argwaan voor die weegtoestellen van de blanken, zich telkens beetgenomen voelden en ermee dreigden bij koning Guézo zelf klacht in te dienen. Eucaristus, die al goed kon schrijven, deed de boekhouding achter een tafel vol inktpotten, ganzeveren van verschillende kleur en wassen stempels. Zijn jeugdig maar ernstig en plechtig gezicht, en de geheimzinnige tekens die hij op het papier kraste, dwongen zo veel respect af dat er over niets anders meer werd gesproken dan over dit wonderkind. De kuiperij zelf was op een aanpalend stuk grond gebouwd en stelde tien arbeiders te werk die de hele dag kapten, schaafden en polijstten, terwijl slaven boomstammen uit de omliggende wouden aansleepten.

Toen Malobali die dag thuiskwam was alles stil, want het was erg laat. Alleen de wrange geur van palmolie en vers gehakt hout, die het hele huis doordrong, verried nog de bedrijvigheid van de dag. Hij kwam de slaapkamer binnen en Romana merkte opgelucht dat hij niet dronken was. Hij stopte zijn pijp met tabak uit Bahia en klemde ze tussen zijn tanden, maar stak ze niet aan, want hij wist dat Romana de rook niet kon verdragen.

En zij, die zich met kruimeltjes moest tevredenstellen, was blij om deze kleine attentie.

'Iya,' zei hij, 'ik geloof dat ik naar Abomey ga.'

'Naar Abomey?' vroeg zij verbaasd. 'Wat ga je daar doen?'

'Luister,' sprak Malobali vol overtuigingskracht, want hij had alles goed voorbereid. 'Ik wil mijn eigen palmentuin hebben. Ik wil dat mijn eigen slaven de trossen afsnijden en er olie uit winnen. Dan hoeven wij die niet langer van kleinhandelaars te kopen.'

Romana zweeg even.

'Palmolie winnen,' zei ze daarna, 'is het voorrecht van vrije vrouwen die vaak tot machtige Fon families behoren. Een van de vrouwen van de yovogan Dagba doet het. Denk je dat zij je ooit laten begaan?'

'Precies daarom wil ik bij de koning zelf een audiëntie vragen.'

'Malobali,' zuchtte Romana, want hij had haar verboden hem Samuel te noemen, 'vergeet niet dat je een vreemdeling bent!'

'Maar ik ben getrouwd met een Agouda,' repliceerde hij, 'en die krijgen van de koning alles gedaan. En wat heet vreemdeling? Zijn de Portugezen en de Brazilianen die het hier voor het zeggen hebben soms geen vreemdelingen?'

Als zij 'Ja, maar dat zijn blanken' antwoordde, wist ze dat hij razend zou worden.

'Tja,' mompelde ze dan maar, 'doe wat je niet laten kunt...'

Hij sprong op alsof hij weer weg wilde.

'Blijf je niet bij mij?' smeekte zij.

In een flits besefte Malobali dat, als hij haar argwaan wilde wegnemen en de handen vrij hebben om zijn vertrek voor te bereiden, hij haar beter nu haar zin kon geven. Toen hij zich naar haar toe boog merkte hij dat ze haar lichaam met een geparfumeerde crème van een of andere Haussa handelaar had ingewreven. Dat vertederde hem zo dat hij zijn medelijden voor begeerte hield.

349

Ach, had Romana maar aanvaard dat ze een vrouw was! Dat zij zich bij de hand moest laten nemen in plaats van hem leiding te willen geven en hem een levenswijze op te dringen die hij haatte! Was het niet schrijnend zoals zij nu het geluk tussen haar vingers liet glippen?

Maar Romana had haar eigen verklaring voor de strubbelingen tussen haar en Malobali. Zij zag daar de hand van Naba in. Hij die zijn hele leven zo zacht en verdraagzaam was geweest, kon het nu niet aanzien dat zijn weduwe in de armen van zijn broer lag. Hoe Malobali haar ook herhaalde dat dit in zijn land de gewoonte was, dat Nya – zijn eigen moeder – na de dood van Dousika, met het oog op het algemeen welzijn, aan diens jongere broer Diémogo was toegewezen; voor Romana rook dit alles verdacht veel naar incest. Ze bad nog meer en vuriger dan vroeger, smukte het kerkaltaar met bossen bloemen op en zong hartstochtelijk: 'O Heer, heb medelijden!'

In één woord, sinds haar huwelijk werd ze innerlijk nog meer gekweld dan voorheen. Ze vermagerde zienderogen, en de matrones van Ouidah raadden wel waarom. De voorouders hadden zo hun redenen om dit huwelijk niet te zegenen, en de god van de christenen, die het had bekrachtigd, zou dat tot zijn schade en schande ondervinden.

Maar vannacht voelde Romana zich met haar lot verzoend. Bevredigd streelde ze Malobali's arm.

'Om bij Guézo een audiëntie te verkrijgen zul je hem kostbare geschenken moeten aanbieden,' fluisterde ze. 'En het moeten spullen van de blanken zijn. Morgen maak ik de koffer open, neem eruit wat je nodig hebt.'

Deze woorden waarmee zij hem wilde plezieren en haar onderdanigheid bewijzen, ergerden hem. Híj had moeten zeggen: Iya, morgen maak ik de koffer open, want ik heb grote onkosten. Zo ging het er tussen Nya en Dousika aan toe vóór belangrijke familieceremonies. In het donker raapte hij zijn kleren bij elkaar.

'Waar ga je heen?' fleemde zij.

Zonder antwoord liep hij weg.

Op de binnenplaats stak hij zijn pijp aan en ademde de rook diep in. De nacht was mild. Een beverige maan-sikkel ging schuil achter de takken van een kapokboom. Moest hij weggaan? Naba's kinderen – die ook de zijne waren – achterlaten, met vreemde namen opgezadeld, opgevoed in onwetendheid over hun tradities en hun taal, in de godsdienst van de blanken? Was dat geen misdaad waarvoor de familie hem ter verantwoording zou roepen? Hoe moest hij dat ooit goedpraten? Hoe zou hij Nya's blik kunnen verdragen als ze vernam dat hij Naba's zonen had teruggevonden en hen niet naar Ségou had meegebracht?

Malobali probeerde zijn geweten tot zwijgen te bren-gen door zich voor te houden dat dit te riskant was, toen Eucaristus uit het donker oprees. Dus had-ie met zijn deur op een kier gewacht op zijn terugkomst. Van de drie jongens was dit degene die het meest aan hem gehecht was, de gevoeligste, degene die het meest zijn vader miste.

'Vertel me iets!' vroeg hij.

'Goed dan, luister,' zei Malobali terwijl hij het kind een aai over zijn bolletje gaf. 'Een man en zijn zoon waren eens aan het eten. Toen kwam daar een hongerige vreemdeling aan. Ze nodigden hem uit om mee te eten. De vreemdeling ging zitten en nam een geweldige por-tie. Toen riep de jongen: "Baba, heb je gezien wat voor een hap die vreemdeling neemt?" Zijn vader berispte hem en sprak: "Zwijg! Wie zegt dat hij die ook zal opeten en er nog zo een nemen?" Nou, wie heeft die vreem-deling van tafel gejaagd, denk jij: de zoon, of de vader?'

Eucaristus deed alsof hij het antwoord nog niet wist, en stelde een andere vraag.

'Wat ben ik: een Agouda, een Yoruba, of een Bam-bara?'

Malobali drukte hem dicht tegen zich aan.

'Jongens zijn altijd alleen van hun vader. Jij bent een Bambara. Eens zul je naar Ségou komen. Nog nooit

351

heb je zo'n stad gezien. De steden hier zijn scheppingen van de blanken. Ze zijn het tastbaar resultaat van de handel in mensenvlees. Het zijn niets dan grote opslagplaatsen. Maar Ségou! Ségou is ommuurd. Ségou is als een vrouw die je slechts met geweld kunt bezitten.'

Eucaristus luisterde en zijn verbeelding raakte verhit. Nee, van de toekomst die zijn moeder voor hem weglegde wilde hij niet weten. Een priester, een man zonder vrouwen, wilde hij niet worden. Hij wou dat de meisjes voor hem de belletjes om hun enkels zouden laten rinkelen en, als Yoruba jagers voor een luipaard, vol bewondering en angst uitriepen:

> *Prins, prins, reus onder je soortgenoten,*
> *Jouw omhelzing is dodelijk.*
> *Je speelt en doodt,*
> *Je verslindt de harten.*
> *De dood die jij veroorzaakt, is zacht en snel.*

Er schoof een wolk voor de maansikkel en een ogenblik was alles donker. Bij vlagen verdrong de zeelucht de koppige geur van de sinaasappelbomen die hier zo welig groeiden. Malobali zuchtte. Hij zou weggaan, zijn beslissing was genomen. Maar nu hij Romana moest verlaten, stelde hij zich zijn leven zonder haar voor en kreeg spijt. Zou Modupé die leemte kunnen vullen?

Eucaristus voelde dat Malobali zich in gedachten van hem verwijderde, en wou nog meer over Ségou horen.

'Vertel me over de dag van je geboorte en over die blanke aan de poort van de stad!'

'Dat heb je al honderd keer gehoord.'

'Misschien,' zei de jongen met een pruilmondje, 'maar je hebt me nooit gezegd of je moeder dat als een gunstig voorteken beschouwde.'

'Mijn moeder?'

Malobali stond op. Hij was nu bijna dertig. Hij had rondgereisd, de wereld gezien, vrouwen in zijn armen gesloten. En toch was dát verdriet nog even groot. Nya's woorden klonken nog in zijn oren: 'Ik bén je moeder, omdat ik de vrouw ben van je vader en van je houd. Maar ík heb jou niet in mijn schoot gedragen...'

Waar was ze, zij die hem in de steek had gelaten? Afwezige, stiefmoederlijke moeder! Wist je dat jij me hebt veroordeeld om rusteloos te zwerven op zoek naar jou?

# 8

Van Ouidah af maakt het zand plaats voor de aarde. De plantengroei wordt weelderiger, het boomgebladerte dichter, en de reiziger trekt door een oerwoud dat hij pas in Ekpè weer verlaat. Eenmaal Ekpè voorbij volgt hij de modderige bedding van de Lama, waarin nooit veel water staat. De grond bestaat er uit een mengsel van klei en mergel. De weg duikt daarna uit de Lama op, gaat een poos steil omhoog, klimt nog iets verder en mondt uit in een vlakte die naar het zuiden toe boogvormig uitdijt. De dichte plantengroei neemt geleidelijk af tot de vlakte nog slechts bedekt is met grassen en groepjes rondierpalmen en kapokbomen.

Voor Malobali was deze tocht slecht begonnen. Vertederd door de tranen van Modupé had hij haar familie op de hoogte gebracht. Als iemand zijn mond voorbij praatte zou Romana de waarheid vernemen over zijn reis naar Abomey. En toen hij de yovogan Dagba had gepolst, kreeg hij van hem te horen dat hij alleen tussen de blanken en de vorst bemiddelde. Malobali was een zwarte, gehuwd met een ingezetene van het land, en dus genoot hij een volledige bewegingsvrijheid op voorwaarde dat hij de tol betaalde aan de denoe. Hij mocht te paard reizen onder een parasol en met een gewapend escorte zoals een inheems stamhoofd – een grote eer die Malobali niet had kunnen afwijzen, maar die zijn doortocht erg opvallend maakte. En dat terwijl hij als een van de vele kooplieden de Zou-rivier had willen oversteken naar Adofoodia vanwaaruit het, naar hij had horen zeggen, erg gemakkelijk was om zich naar Tombouctou te begeven. Daar wilde hij wachten op de komst van Modupé en haar gids Birame. Het was een gewaagd avontuur dat door onvoorspelbare omstandigheden in de war kon worden gestuurd.

In Abomey verbaasde Malobali zich over de uitgestrektheid van de stad en vooral van het koninklijk Singboji-paleis dat een even grote oppervlakte bestreek als heel Ouidah. Omringd door enorme vestingwallen achter een brede verdedigingsgracht, bood het plaats aan ongeveer tienduizend mensen: naast de koning, zijn vrouwen en kinderen, zijn ministers, zijn amazones en krijgers, ook nog een hele menigte priesters, zangers, handwerkslui en allerhande personeel. Guézo huisde in rechthoekige bouwsels, maar de graven van de overleden koningen, die ook binnen de paleismuren lagen, waren cirkelvormig en met zo'n laag strodak bedekt dat men er alleen kruipend binnen kon, uit eerbied voor de geesten van de hoge afgestorvenen. Deze graven bevonden zich aan het oostelijke eindpunt van een centraal gelegen laan die Aydo Wedo – regenboog – heette, terwijl de residenties van de koningin-moeders of 'panter-moeders', die aan het hof een belangrijke positie innamen, aan de westkant lagen. Overal klonk muziek van hoorns gemaakt uit olifantstanden, maar ook van tamtams, klokken en 'koningsvogeltjes' – een koor van honderden meisjes wier hoge stemmetjes de vorst bij elke schrede begeleidden.

Malobali was van plan een of twee nachten bij familie van Modupé in de Okéadan-wijk door te brengen. Zijn escorte zou hij met een royale fooi terug naar Ouidah sturen. Tegen de tijd dat ze daar aankwamen en men zich vragen begon te stellen over zijn bedoelingen, hoopte hij reeds in de buurt van Tombouctou te zijn. Een zekere Guédou die een agent was van koning Guézo's geheime politie, de beruchte lêgêdê, frequenteerde ook het huis van dezelfde Nago familie, waar hij naar de hand van een dochter des huizes dong. De vreemdeling wekte zijn wantrouwen door de heimelijke haast waarmee hij afscheid nam van zijn escorte en zich in de kamer die hem was toegewezen terugtrok zonder met de familie zelfs maar kennis te willen maken. Gu-édou's instinct zei hem dat die man iets te verbergen had.

'Weet jij wie die kerel is?' vroeg hij aan een van de kinderen van zijn gastheer, ergens in een donker hoekje van het huis.

'Ik geloof dat het een Ashanti of een Mahi is,' ant-woordde het kind met opgetrokken lippen. 'Een Nago is hij zeker niet.'

Guédou fronste zijn wenkbrauwen. Een Ashanti of een Mahi? Dan was het een vijand!

De relaties tussen de asantehenee van Kumasi en de koning van Dahomey waren nooit erg goed geweest; een of twee jaar geleden, toen gouverneur MacCarthy in het fort van Cape Coast werd geïnstalleerd, had Guézo hem laten weten dat hij de Engelsen graag op het Ashanti land beslag zou zien leggen. En de Mahi was de erfvijand die, volgens alle veldheren van Guézo, moest worden uitgeroeid. Iedereen wist dat de koning eens te meer naar Hounjroto, de hoofdstad van zijn buren, wilde oprukken, want hij had gevangenen nodig die hij als slaven kon verkopen of als mensenoffers voor het grote Atto-feest kon gebruiken. Dit was een goede tijd voor spionnen op zoek naar inlichtingen over de militaire voorbereidselen van de vijand.

Guédou haastte zich naar de Ahuaga-wijk waar zijn chef Ajaho, die de ambten van voorganger in de ere-dienst, kamerbewaarder des konings en hoofd van de geheime politie in zijn persoon verenigde, verblijf hield.

Wat was het druk in de straten van Abomey! Blanken in hangmatten die wiegden met de stappen van hun dragers. Kaalgeschoren fetisjpriesters met naakt boven-lijf, met kaurikransen om hun polsen en enkels, en om hun ogen witte en rode kringen waarvoor de kleurstof uit een oplossing van kaolien en lateriet werd verkregen. Lange rijen meisjes in fluwelen en satijnen panen die uit de Dido-bron water gingen putten als plengoffergave voor de overleden koningen.

In de Ahuaga-wijk vernam Guédou dat Ajaho sinds die ochtend op het Singboji-paleis aan een belangrijke bespreking van de ministerraad deelnam. Het paleis had een groot aantal poorten die op het marktplein uitkwamen. Guédou vermeed zorgvuldig de Hongboji-poort die voor de koninginnen was bestemd en door eunuchen werd bewaakt, en koos de Fêdê-poort. De raadszitting was afgelopen. Ajaho was aan het praten met de juwelier Hountonji die op een houtblok zat, met zijn voeten in het stof en om zijn bezwete lichaam alleen een reep katoen die tussen zijn benen liep en met een riem van lianen werd opgehouden. Ajaho zelf was een mooie, rijzige man, een van de zeven 'dragers van de vilthoed' in het koninkrijk; hij ging gekleed in een ruime witzijden paan. Guédou zette hem snel uiteen welke verdenkingen Malobali bij hem had gewekt, en Ajaho leek de zaak serieus op te vatten.

'Guézo heeft alleen oog voor de Mahi,' verklaarde hij na enig nadenken. 'Hij wil hun een lesje geven, omdat ze twee of drie van zijn blanke vrienden hebben gedood toen deze hun heilige bossen wilden betreden. Om de Ashanti bekommert hij zich niet. Maar ik denk dat een aanval van die kant zou kunnen komen. De Ashanti hebben door de blokkade van de Engelsen nauwelijks nog een toegang tot de zee, en zouden wel eens zin kunnen krijgen om onze haven in Ouidah in te palmen. Wees waakzaam, Guédou. Hou die man in de gaten!'

Guédou liet het zich geen twee keer zeggen. Hij verliet het paleis, stak het Singboji-plein over in de richting van de grote markt, en sloeg westwaarts af naar de Okéadan-wijk. De zon zakte steeds dieper weg in de Coufo-rivier. De grote hitte was voorbij en met het donker zeeg de avondkoelte neer. De marktvrouwen gingen naar huis, gevolgd door meisjes met de balen kruiden en Spaanse pepers, kalebassen palmolie, het rookvlees en de maïs die ze niet hadden verkocht. Guédou zocht naar een list om de identiteit van de vreemdeling te achterhalen. Het had geen zin het hem

357

op de man af te vragen. Opeens had hij een idee. Het gierstbier maakte de tongen los. Als hij nu eens – wat hij als vriend des huizes gemakkelijk kon – onder etenstijd aanliep en trakteerde? Hij maakte een ommetje langs de Ajahi-wijk.

'Ik begrijp onze koningen niet,' zei Malobali met een tong die wat dubbel sloeg. 'Ze zijn gek op de blanken. Eerst hebben ze de Portugezen in de watten gelegd, en nu heeft Guézo zijn oog laten vallen op de zodjagi. En in Cape Coast zag ik hoe de Engelsen op handen werden gedragen. Zien ze dan niet dat die blankhouten stammen gevaarlijk zijn? Ik heb...'

Guédou spitste zijn oren. 'Was je in Cape Coast? Vergeef me mijn nieuwsgierigheid, maar uit welk land kom jij?'

Malobali wou hem eerst de waarheid zeggen, maar bedacht zich. Hij bewaarde beter het incognito. Stel dat Romana haar spionnen achter hem aan had gestuurd! Pas in Tombouctou zou hij zich veilig voelen.

De ander die hem met zijn blik niet losliet, merkte die aarzeling. 'Neem me niet kwalijk,' zei hij met geveinsde beleefdheid. 'Mijn vraag was misschien indiscreet.'

'Indiscreet?' riep Malobali. 'Nee hoor! Ik ben een Ashanti uit Kumasi. Ik heb lang een soldatenuniform gedragen, maar sinds enkele jaren leg ik me toe op de handel. Ik verkoop kolanoten aan die plankjesbekladders uit het Haussa land, en daarheen was ik op weg.'

Het klonk ongeloofwaardig, waarom wist Guédou zelf niet. Toch drong hij niet verder aan en kwam liever terug op hun eerste gespreksonderwerp.

'Wat de blanken betreft heb je gelijk. Wat trekt onze vorsten in hen zo aan? Hun geweren en kruit? Hebben wij soms geen bogen en pijlen? Hun sterke drank? Is ons gierst- of maïsbier niet even lekker? Hun zijde en fluweel? Ik geef de voorkeur aan onze eigen raffia stoffen!'

Beide mannen lachten en dronken nog een kalebas gierstbier.

'Het schijnt dat de blanken weigeren voor Guézo een voetval te doen?' vroeg Malobali.

Guédou knikte. 'Ik heb het zelf gezien. En dat is niet alles. De koning had hen op het Atto-feest uitgenodigd. Toen de krijgsgevangenen door de offerpriesters naar het rijk van de goden en de voorouders werden gestuurd, lieten zij openlijk blijken hoezeer zij dat verafschuwden en afkeurden. Enkelen onder hen verlieten zelfs de koninklijke tribune.'

'En wat heeft Guézo toen gedaan?'

Guédou schudde treurig het hoofd. 'Niets, natuurlijk. De blanken willen niet begrijpen dat wij op onze manier onze overledenen eer betonen. Stel je voor dat bij het overlijden van jullie asantehenee Osei Bonsu de priesters niet samen met hem zijn vrouwen, slaven en gunstelingen naar het dodenrijk hadden verwezen om hem gezelschap te houden!'

Toen beging Malobali een – weliswaar begrijpelijke – fout. Hij was half dronken, vermoeid door de lange reis, en wat bang en ongerust over het welslagen van zijn plan.

'Is Osei Bonsu dan dood?' flapte hij eruit.

Guédou keek hem strak aan. 'Sinds minstens twee droge seizoenen heeft Osei Yaw Akoto zijn plaats op de troon ingenomen,' zei hij.

Daarop trok hij zich terug.

Er zijn ogenblikken waarop een mens de strijd – tegen zichzelf, tegen het lot, tegen de goden – moe is. Ach, denkt hij dan, laat maar. En nog erger, iets in hem snakt naar het einde van al die beroering en ongedurigheid, en verlangt rust. De eeuwige rust. Malobali had het gevoel dat hij al die jaren op de vlucht was voor een duistere en almachtige drift waaraan hij slechts ontkwam om er nadien weer het slachtoffer van te worden. Zijn straf voor de verkrachting van Ayaovi was hij ontlopen om in de valstrik van de missionarissen te trappen.

En later in die van Romana, aan wie hij nu probeerde te ontsnappen. Waar zou dit eindigen?

En hoewel zijn instinct hem waarschuwde dat hij Guédou moest wantrouwen en dit huis verlaten na de flater die hij had geslagen, dat hij de benen moest nemen en de Zou oversteken, bleek hij niet in staat om te handelen. Hoe hij zich ook de warme borsten van Modupé en Nya's gelaat voor ogen hield, of zich de geur van de door de zon verhitte of door winterregens overstroomde aarde in Ségou herinnerde, hij bleef maar zitten, met verlamd lichaam en verdoofde geest. Ondertussen spoedde Guédou zich naar het Singboji-paleis.

Ajaho was in een gesprek gewikkeld met zijn vriend Gawu – een prins van den bloede, bekend om zijn dapperheid in de oorlog. Ze gaven elkaar een tabakszak door en lurkten aan kalebassen rum uit Ouidah, die in principe alleen voor de koning waren bestemd. Toch waren ze helemaal niet vrolijk. Ze hadden het over het grote onderwerp van alle hofroddels: de invloed van de blanken op Guézo.

'Wie had gedacht dat Guézo zo sterk van zijn vader koning Agonglo zou verschillen?'

'Is hij vergeten dat hij van Agasu, de panter, afstamt?'

Guédou kuchte zachtjes om de aandacht op zijn aanwezigheid te vestigen. Ajaho keek even op. 'Nou?'

Guédou knielde neer op het fijne witte zand uit Kana, dat op de vloer was uitgestrooid.

'Wat vindt u,' sprak hij nadrukkelijk, 'van een Ashanti die niet eens weet dat asantehenee Osei Bonsu zich sinds twee droge seizoenen bij zijn voorouders heeft vervoegd?'

De drie mannen bekeken elkaar.

'Dat klinkt inderdaad vreemd,' lachte Gawu.

Er viel een korte stilte.

'Neem een paar mannen mee en ga hem aanhouden,' beval Ajaho. 'Leid hem morgenochtend voor.'

'Waar moet ik hem opsluiten?' vroeg Guédou, die al aan promotie dacht.

Want de gevangenen werden, volgens hun sociale rang, in verschillende kerkers opgesloten. Binnen in het paleis waren er cellen voor de prinsen en prinsessen. Voor het gewone volk waren er gevangenissen in verschillende stadswijken. Die van Gbekon-Huegbo had een sinistere faam. De gevangenen werden er in hurkzit met hun hals in een ijzeren ring geklonken; aan die ring zat een ketting waar de cipiers voor de grap aan trokken. Soms, als ze een extra verzetje wilden, trokken ze zo hard dat de hals brak. Dan werd het lijk 's nachts weggehaald. De nabestaanden konden niet eens het haar van het slachtoffer afscheren, zijn nagels knippen, of het lichaam met lauw water wassen en het daarna met een welriekende zalf insmeren opdat de tolbeambte Sava de dode waardig zou bevinden om de schimmenstad Koutomé binnen te gaan.

Het was naar Gbekon-Huegbo dat Guédou Malobali liet overbrengen.

'Tja, wat was hij eigenlijk voor iemand? Hij is met de missionarissen hiernaar toe gekomen. Hij heeft hen verlaten. Hij heeft onze vrouwen verleid. Als de mannen van de lêgêdê hem nu aanhouden, moeten ze daar hun redenen voor hebben.'

Dat was zo ongeveer wat in Ouidah werd gezegd toen het nieuws over Malobali's arrestatie bekend werd. Niemand had zin om zich naar Abomey te begeven en er te gaan zweren dat hij een achtbare ingezetene van deze stad was. Chacha Ajinakou bromde dat hij te arrogant was geworden en zich wellicht tot een of andere misstap aan het hof had laten verleiden. Pater Etienne en pater Ulrich staken geen vinger uit. Om te beginnen vreesden ze de koning te ontstemmen. En verder hadden ze over Malobali altijd al van mening verschild; de eerste vond hem onbetrouwbaar, terwijl de tweede die ziel voor God hoopte te winnen. De familie van Modupé liet een babalawo komen die voor het meisje drankjes en zalfjes voorschreef om Malobali uit haar geest te bannen;

voorts gaf hij de raad haar, als bekroning van deze kuur, naar een oom in Ketu te sturen. De Bambara van het fort, Birame het eerst, herinnerden zich opeens dat ze vreemdelingen in dienst van andere vreemdelingen – de Fransen – waren, en dat Guézo al die vreemde indringers wel eens in zee kon laten drijven. Kortom, niemand nam het voor Malobali op.

Niemand behalve Romana. Het maakte haar opstandig dat haar tragische geschiedenis zich zou herhalen, dat ze nog een keer zou moeten meemaken hoe de man van wie ze hield werd beschuldigd van een misdrijf dat hij niet had gepleegd. Welke schuld had zij dan toch op zich geladen? Wilden de Yoruba orisha haar straffen omdat zij hen had afgezworen door haar naam Ayodélé – de-vreugde-is-in-mijn-huis-neergedaald – te verruilen voor Romana? Dat was de schuld van pater Joaquim die haar had bekeerd, en van de nonnen uit het ziekenhuis Santa Casa de Misericordia in Recife!

Ook verweet zij zich dat ze van Malobali hield zoals ze alleen God had moeten liefhebben. Dat ze ter wille van hem haar overleden echtgenoot ontrouw was geworden. Haar toestand werd zo kritiek dat men vreesde voor haar leven. De hele Agouda gemeenschap die haar zo vaak had bekritiseerd, stroomde samen rond haar slaapmat, de een met een bladerenkompres dat op haar voorhoofd moest worden gelegd, een ander met een aftreksel van plantewortels, nog een ander met een geneeskrachtige zalf.

De babalawo en de bokono die onder de sinaasappel- en kasuarisbomen hurkten, gooiden palmnoten en kauri's op hun waarzeggersschalen en reciteerden litanieën die zij alleen kenden, onder het argwanend oog van pater Etienne en pater Ulrich die hen niet durfden weg te jagen en zelf de zieke, telkens als ze even bijkwam, de communie uitreikten.

Ze hadden haar reeds opgegeven toen zij opeens rechtop ging zitten op haar slaapmat en om een kalebas water vroeg.

362

'Ik moet naar Abomey,' zei ze gejaagd. 'Ik moet hem redden!'

Van Ouidah naar Abomey was het voor een geoefend voetreiziger wel een week lopen. Want alleen de koning en blanke bezoekers mochten zich in een hangmat laten dragen. En alleen hoogwaardigheidsbekleders mochten te paard of op een muildier reizen. Konden ze een vrouw wier lichaamsgestel was ondermijnd en die half gek was van verdriet, laten vertrekken? Tot ieders verbazing meldden Birame en de Bambara zich als vrijwilligers om haar te begeleiden. Was het uit wroeging? Romana's dienstmeisjes en de vrouwen van de Bambara propten de schoudertassen vol met geroosterde maïs, gierstmeel en acassa-balletjes, en vulden de veldflessen met drinkwater.

In de vroege ochtend trok het groepje erop uit. Birame nam zijn pas verworven bruid Molara mee. Even buiten de stad doemde voor hun ogen het standbeeld van Legba, de geest van het kwaad, op. Het was een terracotta beeld met een monsterlijke penis en een blik die alle boosaardigheid van de hele wereld leek uit te stralen. Romana's hart kromp samen van angst. Legba staarde haar aan alsof hij wilde zeggen dat elke poging om Malobali te redden tot mislukken was gedoemd. Hij zou die prooi niet laten ontsnappen.

Ze trokken door een streek vol palmentuinen en bij het zien van de slaven die op de stammen klauterden of de afgekapte trossen opraapten, dacht ze aan Malobali. Hoe zij hem in die eerste weken na hun huwelijk een Braziliaanse schotel acaraje – beignets van wittebonenpuree vermengd met fijngestampte garnalen – voorzette wanneer hij drijfnat van het zweet thuiskwam. Hij was dol op dat gerecht en volgde haar daarna naar de slaapkamer, waar hij lachend uitriep: 'Liefde in de namiddag! Dat heb jij van de blanken geleerd.'

De blanken. Ja, het waren hun levenswijze en hun godsdienst die haar van Malobali hadden gescheiden. Zij had niet, zoals haar moeder vóór haar, het spel van

363

onderdanigheid, eerbied en geduldigheid weten te spelen. Ze had hem aangesproken als haar gelijke. Ze had hem raad en zelfs leiding willen geven. En ze had het pleit verloren. Haar was hij ontvlucht naar Abomey, besefte ze nu. Haar, en haar alleen.

Terwijl al deze warrige gedachten door haar hoofd woelden, gaven Birame en zijn metgezellen hun ogen de kost. De weg van Ouidah naar Abomey was de drukst bereisde van het hele koninkrijk. Tevergeefs probeerden ze de Fransen van de Engelsen te onderscheiden. Maar het waren dezelfde kaolien-kleurige gezichten, gele haren en ogen die fonkelden als die van roofdieren.

Dahomey was een welvarend land. Zover het oog reikte was het één opeenvolging van maïsvelden, heuveltjes waarop de groene krullende bladeren van de jamswortel waren uitgeschoten, en de witte stippellijnen van katoenvlokken. De slaven met hun brede kalebassen vers geput bronwater hadden iets van rijen mieren op weg naar hun nest.

Iedereen moest aan de graskant langs de weg gaan staan om een hoogwaardigheidsbekleder door te laten, voorafgegaan door zijn zangers, dansers en muzikanten, en beschut door een enorme parasol die zijn slaven hem boven het hoofd hielden. Sommigen beweerden dat het prins Sodaaton was, de plaatsvervanger van yovogan Dagba die bij Guézo in ongenade was gevallen.

Zij die Romana's droevige verhaal kenden, bekeken haar vol medelijden, maar hielden zich op afstand. Het ongeluk is besmettelijk. Als Zo, het vuur, een boom wil treffen, slaat de brand ook uit naar het gras en het kreupelhout.

Op een morgen arriveerden ze in een slaperige, wachtende stad. De koning en zijn dignitarissen, de soldaten en amazones hadden het beleg geslagen voor Hounjroto, de hoofdstad van de Mahi. Als Agouda kon Romana op heel wat bondgenoten rekenen. Sinds de regering van koning Adandozan hadden tal van Braziliaanse vrijgelaten slaven – mulatten en zwarten – een grote invloed aan het hof van Abomey, waar ze allerhande functies uitoefenden: als tolk, kok of arts. Al gauw kwam ze te weten in welke gevangenis Malobali zat opgesloten.

# 9

Het beleg van Hounjroto duurde drie maanden.

Koning Guézo had een rekening te vereffenen met deze stad waar twee van zijn broers gevangen hadden gezeten en gestorven waren. Zodra zijn troepen haar hadden ingenomen, liet hij haar dan ook in brand steken en met de grond gelijk maken; alle bejaarden werden afgemaakt, terwijl de gezonde mannen, de vrouwen en de kinderen gevankelijk werden meegevoerd.

Op een ochtend deden de overwinnaars hun intrede in Abomey langs de Dossoumoin-poort die uitkeek op de rijzende zon. Vooraan marcheerden de soldaten, gevolgd door de dignitarissen die te paard de in zijn hangmat liggende vorst omringden. Guézo was gekleed als veldheer, in een rode tunica en een paan die onder zijn rechteroksel doorliep en op zijn linkerschouder was dichtgeknoopt. Om zijn middel hing zijn patroontas; op zijn hoofd droeg hij een hoed waarvan de brede rand met beschermende amuletten was bestikt, terwijl hij in zijn rechterhand een buffelhoorn vol kruit hield. Een lijfwacht van amazones scheidde de mannen van de koninginnen die hun echtgenoot hadden willen vergezellen. In deze krijgshaftige stoet vielen de koninklijke gemalinnen op door hun weelderige panen van glanzende satijn, fluweel en damast, hun gouden halssnoeren, armbanden en oorhangers. De amazones daarentegen, gewapend met musketten, droegen een mannenbroek onder een mouwloze tuniek die losjes om hun middel sloot. De achterhoede bestond uit eunuchen die de koninginnen voor elke aanraking of onreine adem moesten vrijwaren. Helemaal achteraan volgden de eindeloze rijen krijgsgevangenen, hun handen op hun rug geboeid, hun voeten gekluisterd.

Het volk wist niet goed wat de Mahi hadden misdaan en waarom ze nu onder het mes van de offerpriester zouden moeten sterven, tenzij ze als slaven naar Brazilië of Cuba werden verscheept. Maar het geroffel van de tamtams, het gezang van de soldaten, het geschal van de olifantshoorns in een geur van kruit en stof sleepten de toeschouwers mee in de overwinningsroes. Toen de soldaten een vreugdesalvo afvuurden steeg een gejoel van geestdrift op.

Ondersteund door Birame en Molara, had Romana zich naar het Singboji-paleis gesleept. Ze scheen de stoet niet te zien, maar hield haar ogen strak op Ajaho gericht om erachter te komen wat voor man hij was, want ze was van plan zich aan zijn voeten te gaan werpen. Als hij haar niet wilde geloven, als hij dacht dat zij een gevaarlijk individu wilde beschermen, mochten ze haar aan de adimo onderwerpen: dan zouden ze wel zien dat ze niet loog. Birame legde zijn arm in de hare en trok haar mee.

'Kom, Ayodélé,' – want evenmin als Malobali sprak hij haar ooit bij haar katholieke voornaam aan – 'hier kunnen we niets meer doen. Laten we naar Ajaho's ambtswoning gaan.'

Vroeger konden Romana en Birame elkaar niet luchten; de een vond dat de ander helemaal beslag probeerde te leggen op Malobali. Maar tijdens de drie maanden dat ze nu reeds samen in Abomey verbleven, verenigd door dezelfde angst, hadden ze elkaar pas echt leren kennen en waarderen. Bij de gedachte aan de vreselijke beproevingen die deze vrouw had moeten doorstaan, beving Birame een gevoel van eerbied en bewondering. Terzelfder tijd was zij voor hem een raadsel. Hoe had zij met al haar doorzettingsvermogen, ambitie en haar grote intelligentie zich kunnen verslingeren aan een Malobali die alleen pronkte met zijn mooie lijf en haar zo vaak had vernederd? Wat waren die vrouwen rare wezens!

Door de uitgelaten menigte gidste hij Romana en Molara naar de Ahuaga-wijk. De grootste opwinding was voorbij. De marktvrouwen keerden terug naar hun kraampjes, de wevers naar hun weefgetouwen, de ververs naar hun verfkuipen. In de buurt van de Adononpoort zagen ze de fabrikanten van zonneschermen voor het hof met hun leerjongens lachen en praten over de feesten die op til waren. In zijn vreugde om de overwinning zou Guézo grote openbare feestmalen aanrichten en hopen goud- en zilverstukken in de menigte werpen. Er zou dagenlang geschranst en gedronken worden!

Romana, Birame en Molara hoefden niet lang te wachten, want als gewetensvol ambtenaar wilde Ajaho zo vlug mogelijk weer orde op zaken stellen. In een onwillekeurige reflex van behaagzucht had Romana een van haar mooiste Braziliaanse japonnen aangetrokken. Het mousselinen lijf had van de hals tot de taille een breed kanten oplegsel. De zoom van de wijd uitstaande hoepelrok was met een witte arabesk versierd. Haar naakte rechterschouder was bedekt met een sjaal die uit smalle repen gekleurde katoen bestond. Een grote hoofddoek van wit netelgaren was om haar haar geknoopt.

Zo veel charme kon Ajaho niet weerstaan. Hij luisterde zonder haar ook maar één keer te onderbreken.

'Waarom zou een man die zo'n vrouw bezit, haar verlaten?' vroeg hij daarna, met een spottende blik in de richting van zijn adjuncten. 'Je vergist je. De man die jij voor je echtgenoot houdt is een Mahi hond die zich voor een Ashanti wilde laten doorgaan.'

Romana wierp zich aan zijn voeten.

'Laat hem voor mij verschijnen, heer!' smeekte ze. 'U zal zien of hij dan nog volhoudt dat...'

Een vreemde zaak! Ajaho vroeg Romana de volgende dag terug te komen. Toen ze met Birame bij het verlaten van de Ahuaga-wijk onder de Adonon-poort doorliep, kwamen ze de stadsomroeper tegen wiens rinkelende bel door twee tamtamspelers kracht werd bijgezet. Ze bleven staan om naar zijn mededeling te luisteren.

'Inwoners van Abomey! De Meester van de wereld, de Vader van alle rijkdom, de Kardinaalvogel-die-de-savanne-niet-in-brand-steekt heeft mij gelast de gebruikelijke feesten ter ere van de goden en de overleden koningen aan te kondigen. Ze zullen overmorgenavond aanvangen. Zodra de boodschappen voor zijn overleden voorgangers zijn verstuurd, zal de Meester van de wereld panen en geld aan het volk laten uitdelen.'

Romana kreeg een rilling. De boodschappen voor zijn overleden voorgangers! Dat waren de mensenoffers. Als ze niet snel Malobali's leven wist te redden, zou hij een van die boodschappers worden!

Wat verder stuitten ze op blanken. In hun hangmatten lieten ze zich in allerijl uit de stad evacueren, want zij konden de mensenoffers niet verdragen die Guézo hen, als blijk van zijn hoge gunst, op de koninklijke tribune wilde laten bijwonen. Birame spuwde op de grond.

'Huichelaars!' riep hij uit. 'Het schijnt dat zij in hun land met de wapens die ze fabriceren elkaar bij honderdduizenden afslachten! En ons willen ze zedelessen geven!'

De voorbijgangers die dit hoorden betuigden hun instemming, en er ontspon zich een levendig gesprek. Iedereen bleek het eens te zijn. De blanken voerden Dahomey naar de ondergang, aangezien ze de slavenhandel en de mensenoffers voor de koningen wilden afschaffen. Maar Romana's gedachten waren elders. Zij bad met hart en ziel, en riep Jezus, Onze Lieve Vrouw en alle heiligen aan. Maar ook de machtige Yoruba orisha, wier gunst haar ouders destijds probeerden te winnen met palmolie, verse jamswortel, vruchten en bloed. Wie van hen had zij vertoornd? Ogun, Shango, Olokun, Oya, Legba, Obatala, Eshu?

Guédou liet de steen wegwentelen die de plank tegen de celingang drukte, en deinsde terug voor die weerzinwekkende drekput. Noodgedwongen had de gevangene drie maanden lang daarbinnen zijn gevoeg gedaan. Deze stank mengde zich met die van verrotte etensresten en ongedierte en de muffe lucht in dit nauwe gat.

De aanvoerder gaf twee van zijn mannen een teken. 'Maak hem los,' beval hij hun.

De twee trokken een hoopje beenderen te voorschijn; ze zaten onder een dun vliesje etterende huid die vol zweren stond of schubbig was geworden als een slangevel. De hoofd- en baardharen waren als onkruid uitgegroeid, en in paniek zocht een hele kolonie luizen, nu hun woongebied zo ingrijpend werd verstoord, naar een veilige schuilplaats. Door het daglicht gekwetst, leken de ogen van de gevangene rond te fladderen als nachtvlinders om een kaarsvlam. Guédou kon het niet meer aanzien; hij had zijn plicht willen vervullen, en nu zag het ernaar uit dat hij beulswerk had verricht. Hij gaf de gevangene een ferme trap.

'Als je een Bambara edelman bent, waarom zei je het dan niet? Waarom liet jij je voor een Ashanti doorgaan? Een ruzie met een vrouw wordt onder een boom beslecht – en niet in de gevangenis!'

Malobali was niet tot een wederwoord in staat. Reeds lang was hij zo goed als buiten bewustzijn; zijn geest had zijn lichaam verlaten en rukte ongeduldig aan de draadjes die hem nog aan de aarde vasthechtten. De mannen gingen in een kring om hem heen staan.

'Hij schijnt zelfs een vriend van Chacha Ajinakou te zijn,' zei Guédou wrokkig. 'Ajaho zal een van de koninklijke lijfartsen sturen vóór we hem aan zijn vrouw, een Agouda, teruggeven.'

Deze woorden – Chacha Ajinakou, Agouda – maakten duidelijk hoe schromelijk hij zich had vergist. Maar waarom had die dwaas zich niet verdedigd?

De lijfarts was snel ter plaatse. Bij de eerste aanblik

vreesde hij dat Malobali dood was. Maar de zwakke huiduitwaseming bracht hem tot een andere conclusie. Uit de tas die hij meedroeg haalde hij zijn poeders, pleisters en zalven, en de talismans die hun geneeskracht moesten versterken. Maar hoe hij zich ook uitsloofde, Malobali bleef bewusteloos, niet bij machte om op zijn benen te staan of de vragen te beantwoorden. Ten einde raad omwond de arts het lichaam met verband om de infectie te bestrijden, en trok zich terug nadat hij haar, baard en nagels had laten knippen. Wat Romana de volgende dag terugkreeg was niet veel meer dan een lijk.

Het gebeurt dat een vrouw te vroeg baart en een misvormd kind ter wereld brengt. Dan wil de familie dat stukje ellende in de grond stoppen en zoenoffers brengen aan de goden die hiermee hun toorn hebben laten blijken. Maar de vrouw weigert en hecht zich aan dat ongelukkige wezentje. Het wordt haar lieveling. In zijn oogjes bespiedt ze de geringste levensvonk, ziet in elke krampachtige grijns een glimlach, en onder de drang van zo veel liefde neemt de stakker een menselijke vorm aan. Dat was zo ongeveer wat zich tussen Romana en Malobali afspeelde. Zij liet zich niet afschrikken door de stank van zijn open wonden, van zijn braaksel en zijn uitwerpselen, maar bleef hem verzorgen en zocht tot ze vond wat de babalawo en de artsen nodig hadden; geen inspanning was haar te veel. Ze kreeg de raad zich tot Wolo te richten, een van de koninklijke bokono die soms, ten behoeve van gewone stervelingen, het orakel raadpleegden. Met de hulp van Marcos, een Agouda kok van Guézo, lukte het haar in het ronde vertrek rechts achter de paleispoort binnen te dringen, waar de oude man verblijf hield. Wolo concentreerde zich en probeerde voeling te krijgen met de geesten. Maar hoe meer hij zijn instrumenten hanteerde, des te onthutster leek hij. Het was alsof hij langdurig onderhandelde met een onzichtbare gesprekspartner, waarbij hij beurtelings een overredende en dreigende toon aansloeg. Daarna zweeg hij een hele poos vóór hij uitspraak deed.

Sava, de tolbeambte die de poorten van de dodenstad Koutomé opent, had de geest van Malobali reeds binnengelaten. Dat was een vergissing en Wolo had hem gesommeerd die levende onder de levenden terug te laten keren. Maar Sava had erop gewezen dat de eerste arts die Malobali bijstand had verleend, zijn haar had afgeschoren en zijn nagels afgeknipt – zoals alleen met lijken werd gedaan. Bijgevolg had hij het recht aan zijn kant. Wolo wanhoopte niet Sava alsnog te kunnen overhalen. Maar dat was een werk van lange adem.

Voor het eerst gaf Romana toe aan de ontmoediging. Ze had reeds een groot deel van haar fortuin uitgegeven. Haar kinderen verbleven ver van hier; wat was er in Ouidah van hen geworden? Zij bevond zich in deze vreemde stad die feest vierde om een overwinning die haar onverschillig liet. Haar begeleiders, zelfs Birame en Molara, werden ongeduldig; Malobali's doodsstrijd duurde hun te lang. Een ogenblik kreeg ze zin om er een eind aan te maken en daarna zichzelf te doden, als een koningin die haar gemaal volgt. Maar ze schaamde zich over dit verlangen dat verwerpelijk was zowel in de ogen van de christelijke leer als van het Yoruba geloof. Op de Ajahi markt verkochten meisjes gierst en maïs. De kippen, hun poten met droge twijgjes samengebonden, kakelden zonder ophouden. Wat vertelden ze? Even treurige verhalen als die van de mensen? Romana moest zich aan een van de iroko-zuilen waar de overkapping van de markt op steunde, vastklemmen om niet ineen te zakken. Uit een kraampje kwam een geur van gember en paprika. Een vrouw die lachte, ontblootte haar schitterende tanden. Het leven ging door terwijl zij verpletterd werd door het verdriet. Terwijl zij wilde doodgaan. Moeizaam sleepte ze zich voort naar de veemarkt en kocht er het zwarte schaap waar Wolo om gevraagd had. De mensen keken bevreemd naar de tengere vrouw die achter dat enorme dier aanliep.

Bij haar terugkomst in de Okéadan-wijk wachtte haar

een verrassing. Malobali was rechtop gaan zitten en had om water gevraagd. Nu gaven ze hem wat maïsbrij. Hij staarde haar aan.

'Iya, waar ben je zo lang geweest?' fluisterde hij klaaglijk.

Zijn eens zo atletische lichaam was nu graatmager. De zorgvuldig met olie ingesmeerde huid vertoonde scheuren en littekens die soms nog niet helemaal dicht waren en etterden. Zijn wat brutale gezicht dat ooit zo veel vrouwen had doen omkijken, was uitgemergeld en hier en daar ontstoken, alsof een krankzinnige smid er met een hamer op los had gebeukt. Maar hij leefde! Zij dankte de goden en drukte hem innig tegen zich aan.

Het werden de mooiste dagen van haar leven. Romana had er altijd van gedroomd Malobali helemaal voor zich te hebben. Dat was vroeger onmogelijk: als het geen andere vrouwen waren, hadden drinkebroers en losbollen steeds weer beslag op hem gelegd. Maar nu wilde niemand nog van hem weten. Zij alleen kon hem in haar armen sluiten, zijn lichaam aanraken, onvermoeibaar zijn nauwelijks verstaanbare woorden opvangen. Bezoekers die hun kamer naderden, hoorden een gemurmel dat leek op een zachte fluitmuziek als de maan hoog aan de hemel staat en de herders zich naast hun kudden in het gras neervlijen. Ze schroomden om binnen te gaan, en zetten het voedsel of de geneesmiddelen voor de deur neer. Op hun tenen slopen ze verbaasd weer weg. Bestond er een volmaakte liefde? Kunnen een man en een vrouw tot een totale eenwording van hart en zinnen komen?

Geen mens kent de inzichten van de goden, en al wijken de koninklijke bokono niet uit de faagbaji, ze kunnen niet alles voorzien. Enkele weken na de plundering van Hounjroto, toen het volk nog het voedsel verteerde dat Guézo had laten uitdelen, barstte Sakpata, de godin van de pokken, in woede uit. Niemand kon zeggen wat haar zozeer had ontstemd. Waren niet alle offers gebracht? Waren sommige gebeden te haastig gepreveld? En door wie? Eén ding was zeker: op een mooie ochtend ontstak zij in gramschap, en over Abomey voer haar stinkende adem. Met grote stappen beende zij van links naar rechts, van de Okéadan-wijk – dat Nago nest – naar de Ahuaga- en de Adjahito-wijk, terwijl ze evenmin de Dota- en Hetchilito-buurten spaarde. Ze stapte over het graf van Kpengla het paleis binnen en gooide wachten en amazones die met hun musketten voor zich op de grond rustig een praatje maakten, met stekende pijn-scheuten in het zand. Ze liep om het 'paarlenhuis' dat ter ere van de overleden koningen was gebouwd, ont-week het verblijf van Agasu – de panter waarvan de Fon koningen afstamden – en om niemand over haar slecht humeur in het ongewisse te laten stormde zij de troon-zaal binnen waar Guézo, omringd door dignitarissen en prinsen van den bloede, zat te luisteren naar de lofliederen van zijn hofzangers. Dodelijk getroffen zakte prins Doba aan de voeten van zijn vader neer, met een gezicht dat er ineens paars en opgezwollen uitzag, terwijl uit zijn ogen dikke, gore tranen sprongen. Sakpata staar-de Guézo boosaardig aan.

'Dit keer ontzie ik je nog,' siste ze. 'Maar eens kom ik je halen, jij zult me niet ontsnappen!'

Stampvoetend keerde ze terug naar de volkswijken.

Molara, de jonge echtgenote van Birame, bevond zich op de Ajahi-markt toen ze hoorde dat Sakpata in de stad was. Ze had net wat gerookte vis uit het moeras van Wo, palmolie en maniokbladeren gekocht, en was op zoek naar karnemelk voor Malobali. Halsoverkop rende ze naar huis, want als Sakpata zich boos maakt is het veiliger thuis te blijven, bezoekers af te schepen en elke omgang met buren te vermijden. In een mum van tijd liepen de markten leeg, en ook het plein voor het Singboji-paleis, waar altijd een grote menigte een glimp probeerde op te vangen van de prinsen en de koning. De straten stroomden vol doodsbenauwde mensen op zoek naar de kruidenaftreksels waarmee ze de vreselijke ziekte konden voorkomen. Priesters van de godin spoedden zich naar haar tempels om te pogen haar met gebeden en offers te sussen. Kennelijk slaagden ze daar niet in, want diezelfde avond telde men reeds tweehonderd vijftig lijken. Nauwelijks hadden de families een dode afgelegd of een andere verwante moest worden opgebaard. Ze wisten niet meer waar ze nog graven moesten delven op hun woonerf. Weldra was er een tekort aan witte schapen en pluimvee, en ook aan matten om de lijken in te wikkelen. Slimmeriken trokken naar omliggende dorpen, in de hoop zich daar het nodige te kunnen aanschaffen en op kosten van de nabestaanden voordelige zaakjes te doen. Voor een magere kip werden al gauw twee zakken kauri's of drie kruiken palmolie gevraagd.

De tweede dag ging Sakpata nog erger te keer. De mensen begonnen hier op eigen houtje een verklaring voor te zoeken. Sakpata was een Mahi godin wier eredienst door Guézo was ingesteld. Was dit geen uiting van haar misnoegen over de uitroeiing van haar volk door de bewoners van Abomey? Was het geen blijk van haar afkeer voor het land dat haar cultus had ingevoerd? Of had ze een hekel aan hogepriester Misayi die door de koning was benoemd? Het waren bijna heiligschennende gedachten.

In de Okéadan-wijk werd voor Malobali het ergste gevreesd. Weliswaar nam hij opnieuw voedsel tot zich en had hij zonder hulp al een paar stappen gezet. Maar veel weerstandsvermogen had hij nog niet, en bij de eerste wenk van de godin zou hij zich bij de stoet van haar volgelingen moeten aansluiten. Romana sloeg een voorraad tamarinde in, waarvan de zaadjes en bladeren immuun heetten te maken. Birame en Molara bekommerden zich meer om Malobali dan om hun baby die nog maar enkele weken oud was. Iemand beval als ziektewerend middel een aftreksel van mahonieboomwortels aan. Birame toog naar Kana om het daar te vinden.

375

Sakpata's stoet werd steeds langer. In Abomey was er niet één familie die niet in rouw was gestort, toen ook Malobali een koortsaanval kreeg. In paniek ontbood Romana een arts die reeds de kinderen van buren had gered. Maar hij durfde zich niet uit te spreken en schreef cataplasma's van apebroodboombladeren voor. 's A-vonds haalde iedereen in huis weer adem, want de koorts was afgenomen. Drie dagen later klom hij steil omhoog.

Romana die een stoop water was gaan putten, hoorde een harde schreeuw. Ze rende naar de kamer en zag hoe Malobali kromtrok als een boog, met zijn hele li-chaam vol puisten die zich als een zwerm sprinkhanen op hem hadden gestort, terwijl zijn ogen melkachtige etter traanden. Enkele uren later stierf hij in haar armen.

Waaraan dacht Malobali vlak voor zijn vertrek naar Koutomé? Aan Ayaovi die hij had verkracht, waardoor hij zich de woede van de Aarde op de hals had gehaald? Was zij het niet die nu met de hulp van een andere godin wraak nam? Of dacht hij aan Modupé die hij nooit zou huwen en zonen schenken? Aan Romana, die parel die hem – het zwijn – was toegeworpen? Nee, hij dacht aan de twee enige vrouwen die echt in zijn leven hadden meegeteld: Nya en Sira. Wat deden zij op dit moment waarop hij zijn ogen voorgoed sloot? Voelden ze een steek door hun hart en keken ze angstig op naar de hemel boven de mahonieboomkruinen? Of liepen ze onverstoord over de binnenplaatsen van de familiehui-zing, terwijl ze hun dienstmeisjes bevelen toeriepen?

'Moeder, ik sterf, en jij weet het niet!'

Toen de geest van Malobali opsteeg uit zijn lichaam, kwam Sakpata tot bedaren. Eenenveertig dagen en een-enveertig nachten lang had ze de stad geteisterd en van haar priesters het uiterste gevergd. Onder de indruk van haar machtsvertoon was het aantal van haar aanhangers verdrievoudigd. Aan alle poorten van de stad verrees haar beeld, en op de graven die in Abomey nu talrijker waren dan de hutten stonden haar geliefkoosde gerech-ten.

In het Singboji-paleis echter heerstte angst. Had Sakpata er niet mee gedreigd koning Guézo zelf te komen halen? De priesters weken niet uit de faagbaji om het ogenblik van haar noodlottige terugkeer te kunnen bepalen. De hele dag gooiden ze palmnoten op hun waarzeggersschalen, maar Faa hulde zich in diep stilzwijgen.

## 10

'Na de dood van Malobali vond Ayodélé nergens meer
vreugde in. Ze wilde doodgaan. Toen merkte ze dat ze
zwanger was. Een kind! Die schat waarop ze vruchteloos
had gehoopt zolang híj nog bij haar was, werd haar
geschonken na zijn dood. De voorspelling van de babalawo die ze enkele jaren eerder had geraadpleegd,
schoot haar weer te binnen. "Olubunmi" was zijn laatste
woord, wat wil zeggen: "Je wens zal in vervulling gaan."
Die naam zou zij haar kind geven. Welke speling van
het lot! God liet haar wens in vervulling gaan en sloeg
terzelfder tijd toe. Als christenvrouw heeft ze haar lot
aanvaard. Moedig heeft ze haar kind onder het hart
gedragen. Maar ik geloof dat voor een vrouw als zij
kinderen niet genoeg waren om haar leven een zin te
geven. Hoe we haar ook bijstonden, haar levenswil was
uitgeblust. Haar geest had zich naar Koutomé toege-
wend en talmde voor de poorten van de stad der doden.
Op een ochtend hebben we haar dood op haar slaapmat
aangetroffen. Omdat zij geen melk had, was het mijn
vrouw Molara die haar kind zoogde. Dat is ze blijven
doen, en omdat we toch terug wilden naar Ségou hebben
we het voor jullie meegebracht. Het behoort jullie toe.'

Birame zweeg. Een ogenblik waren alleen het gesnik
van de vrouwen en het gezucht van de mannen te horen.
Maar welk ander verweer, welk ander geneesmiddel is
er tegen de dood dan een kind? Olubunmi was er nog.

Nya was de enige die deze gevoelens van berusting
niet deelde. In één adem was haar de dood van twee
van haar zoons meegedeeld. Geen wonder dat zij er het
hoofd bij verloor.

'En de anderen?' voegde ze Birame toe. 'De andere

kinderen van mijn zoons? Wat heb je met hen gedaan?'

Diémogo gaf haar een teken dat ze moest zwijgen. Toch keek hij niet bars. Ook hij wist wel dat vrouwen, vooral als ze verdriet hebben, hun woorden niet meer meester zijn. Maar reeds zette Birame zijn relaas voort.

'De familie van Ayodélé was afkomstig uit Oyo. Wij dachten dat ze uitgeroeid of verstrooid was door de godsdiensttwisten in de streek, de oorlogen tussen de islamitische Peul en de Yoruba. Maar in Ouidah kwam er een man aan die zei dat hij haar oom van vaderskant was, anders gezegd: haar vader. Hij woonde in Abéokuta, was als slaaf naar Jamaïca gevoerd; eenmaal vrijgelaten had hij zich in Freetown gevestigd, vanwaar hij naar zijn land was teruggekeerd. Hij was rijk en heel goed in staat om voor de drie oudsten te zorgen; we konden hem niet beletten hen met zich mee te nemen.'

Nya wentelde zich over de grond, en alle andere vrouwen volgden haar na. Diémogo voelde zich verscheurd tussen zijn erkentelijkheid tegenover een gast die hun een kind terugbracht, en het verdriet om het verlies van de drie andere.

'Maar waarom,' vroeg hij, 'heb je hem laten begaan?'

'Vergeef me,' sprak Birame met gebogen hoofd. 'Ik was bang voor de lange reis door landen die oorlog voeren om slaven te verwerven, en ik vreesde dat het treurige avontuur van Naba ook een van zijn zonen te beurt zou vallen. Olubunmi daarentegen is nog een baby; Molara kon hem op haar rug meedragen. Waar zij heen gaat, gaat hij. Hij heeft alleen haar melk nodig.'

Toen pas wierpen de familieleden een blik op het jongetje. Rond en mollig, nog niet één jaar oud, nam hij iedereen met grote ogen op, alsof hij de ernst van de toestand ten volle besefte.

'Olubunmi?' riep iemand uit. 'Dat is toch geen Bambara naam!'

Diémogo maande tot kalmte. 'De naam doet er niet toe,' zei hij. 'Het belangrijkste is dat hij in leven is.'

Vervolgens wendde hij zich tot Birame. 'Wij behan-

379

delen jou onheus. In plaats van je te danken en met geschenken te overladen, zitten we te vitten. Zo gaat dat nu eenmaal met een boodschapper. Hij moet opdraaien voor het slechte nieuws dat hij meebrengt.'

'Dat had ik jullie graag bespaard, geloof me,' zuchtte Birame. 'Maar het is de wil van de goden.'

Ze zaten op de grote binnenplaats van de familiehuizing. Diémogo had in het midden plaats genomen, met zijn jongere broers, Dousika's oudste zonen en zijn eigen jongens om zich heen. Ook de vrouwen waren erbij; zij zaten rondom Nya, om haar met hun medeleven te omringen. Was zij niet het voornaamste slachtoffer van dit drama? Waar had zij zo veel tegenslagen aan verdiend? Toch durfden ze haar niet al te luid te beklagen. In haar armen hield ze Kosa, het kind dat ze op rijpe leeftijd had gekregen – en was dat geen overduidelijk bewijs van de welwillendheid der goden? Wat was zij mooi! Door het verdriet waren haar ogen dieper gaan liggen, wat de aanmatigende eigendunk van de jeugd had getemperd en vervangen door een tedere weerschijn van toegeeflijkheid voor de menselijke dwaasheid. Twee rimpels waren om haar mondhoeken gegroefd. Maar in plaats van bitterheid gaven ze haar gelaat een wat vermoeide, grootmoedige en milde uitdrukking.

Nya bekeek Tiékoro als om hem tot spreken aan te zetten, want hij had nog geen woord gezegd. Hij nam in de familie een heel bijzondere plaats in. Al was Diémogo de fa, het hoofd dat door de familieraad was aangewezen, Tiékoro was in ieders ogen de geestelijke leider. Door Nadié's zelfmoord eerst ernstig ondermijnd, was zijn gezag nu groter dan voorheen, aangezien hij zich medeverantwoordelijk had verklaard en openlijk boete had gedaan. Daarna had zijn verblijf in Hamdallay, de hoofdstad van Macina, bij Cheikou Hamadou die met hem de mogelijkheden om in Ségou de islam te propageren had onderzocht, hem een aureool van wijsheid en deskundigheid verleend. Sindsdien was hij

de man tot wie iedereen zich voor elke belangrijke beslissing wendde, een soort orakel van Mohammed. Als
bekroning van dit alles was hij vorig jaar op pelgrims-
tocht naar Mekka getrokken, en bij zijn terugkeer had
hij halt gehouden in Sokoto waar de sultan hem met
eerbewijzen had overstelpt en hem zelfs een echtgenote
had geschonken. De hele clan was trots op deze telg
wiens faam zich over de vier windstreken had verspreid.

Tiékoro stond op. Zijn prestige werd nog kracht bijgezet door zijn weelderige klederdracht: een zijden tunica op een dito pantalon, een korte, rijkelijk geborduurde bolero en een zware tulband met aan de punt
een witte sluier die op zijn voorhoofd hing. Hij vouwde
zijn handen samen.

'Verre van op jou te vitten,' sprak hij tot Birame, 'wil
ik je danken en de hele familie verzoeken mijn voorbeeld
na te volgen. Jij bracht ons heuglijk nieuws. Want is
de dood soms geen feest? Alleen de ongelovige jammert
over het stoffelijke overschot; hij denkt niet aan de gelukzaligheid van de ziel, die lamp van het lichaam, wanneer zij kan opgaan in het goddelijke licht. Er is geen
andere god dan God...'

Onder het uitspreken van deze woorden won Tiékoro's stem aan volume en spoedig verdrong zij alle
andere geluiden: het geknetter van de takken in het vuur,
het ruisen van de wind in de bladeren van de bomen,
het geblaat van de schapen. Terwijl hij naar zijn broer
luisterde voelde Siga een krop opstijgen in zijn keel,
en in zijn mond proefde hij een bittere smaak van gal
en haat. Die huichelaar! Iedereen wist dat zíjn wreedheid en willekeur Malobali uit de familiehuizing hadden
verdreven en in avonturen gestort die hij met de dood
had moeten bekopen. En zie, verre van wroeging te
voelen stond hij hier te preken, lessen te geven en con-
clusies te trekken tot meerdere glorie van God. Wat was
dat voor een god die van een moeder verlangde dat ze
zich over de dood van haar zonen zou verheugen? Ach,
Siga had Nya in zijn armen willen sluiten.

'Huil maar, moedertjelief,' zou hij haar zeggen. 'Er is geen licht meer in de hut, en de zoete vogels van het geluk zijn weggevlogen. Huil, maar vergeet niet dat ík bij jou ben.'

Toch was Siga eerlijk genoeg om zichzelf te bekennen dat het niet alleen de woorden van Tiékoro waren die hem ergerden. Ook de manier waarop iedereen hem aangaapte. De vrouwen vooral–en zijn eigen vrouw Fatima in het bijzonder. Uit haar blik sprak een mateloze bewondering, alsof de goden zelf op de aarde waren neergedaald. Zagen ze dan niet hoe die waanwijze zich stond aan te stellen?

Nu richtte Birame zich op om Olubunmi symbolisch aan Diémogo te overhandigen. Die stak hem keurend omhoog. Het was een mooi kind. Maar het Yoruba bloed, vermengd met de halve Peul afstamming van zijn vader, gaf hem een vreemd voorkomen. Molara, die niet om haar mening werd gevraagd ofschoon ze hem tien maanden lang had gevoed, zat stilletjes voor zich uit te huilen en werd door Birame beknord. Waarom klaagde ze nu het reisdoel was bereikt en het weesje zijn familie had teruggevonden?

Op een wenk van Nya brachten slavinnen kalebassen dolo en wierpen houtblokken op het vuur. Even later trokken de vrouwen zich terug, terwijl de mannen nog wat bleven keuvelen en drinken. Birame werd met vragen bestookt.

'Dahomey? Zei je Dahomey?'

'Je zei dat er daar veel blanken zijn?'

'En Peul? Zijn er daar ook Peul?'

'En moslims? En moskeeën?'

De nieuwsgierigheid bleek sterker dan de rouwgevoelens. De wonderlijke avonturen van Naba en Malobali zouden weldra tot de familielegende gaan behoren.

Siga zei niets. Malobali had hij nauwelijks gekend; die jongere broer was opgegroeid terwijl hij in Fes verbleef. Bij zijn terugkomst in Ségou had hij hem tegen hun oudste broer zien revolteren, maar van die twisten had hij zich afzijdig gehouden. Wat speet hem dat nu! Misschien had hij kunnen voorkomen dat Malobali zich in dat dolle avontuur zou storten waarvan het tragische einde de familie nu in rouw dompelde? Allen waren ze verantwoordelijk! Het was onrechtvaardig alleen Tiékoro de schuld te geven. Die zat intussen Birame uit te horen.

'Dus jij denkt dat in Dahomey de blanken een gevaar betekenen? Waarom? Wegens hun godsdienst? Of hebben ze politieke ambities?'

De eenvoudige Birame was natuurlijk niet in staat om deze vragen afdoend te beantwoorden, en Tiékoro genoot van zijn intellectuele superioriteit. Siga kon het niet langer aanzien.

En toch leed Tiékoro aan een grote gewetensangst. Niet alleen voor de dood van Nadié, ook voor die van Naba en Malobali voelde hij zich aansprakelijk. Hij had zich over de grond willen rollen en het uitschreeuwen als een vrouw tijdens een begrafenis, om zich van zijn angst en wroeging te bevrijden. Maar de rol van wijze, van God vervulde, speelde hij nu al jaren, en hij raakte haar niet zomaar kwijt. Onwillekeurig sprak hij de woorden, maakte hij de gebaren, nam hij deze houding aan. Wie kon raden wat er in hem omging?

In werkelijkheid was zijn leven één lange tweespraak met Nadié. Soms verweet hij haar een gebrek aan vertrouwen en geduld. Waarom had ze niet gewacht tot dat waas van hoogmoed, dat zijn geest benevelde, weer was opgetrokken? Even later smeekte hij haar om vergiffenis en om een blijk van haar liefde. En nu voegden zich nog twee doden bij die schim! Enigszins overstuur wendde hij zich tot Diémogo.

'Zouden we zijn moeder niet op de hoogte moeten brengen?' vroeg hij.

Diémogo was even de kluts kwijt. Eens te meer maaide Tiékoro hem het gras onder de voeten weg. Had híj hier niet aan moeten denken?

'Wie weet waar zij zich bevindt?' bromde hij ontstemd.

'Dat is makkelijk uit te maken,' drong Tiékoro aan. 'Iedereen weet dat zij in Macina woont en getrouwd is met een zekere Amadou Tassirou, die het met Cheikou Hamadou aan de stok heeft gehad. Want hij behoort tot de Tidjaniya broederschap en Cheikou Hamadou tot de Qadriya.'

Alweer werd Tiékoro pedant en kon hij zich niet inhouden de ander zijn onwetendheid over deze geloofskwesties, die nochtans de wereld om hen heen verscheurden, onder de neus te wrijven. Diémogo staarde naar de grond om zijn wrevel niet te verraden.

'En wie raad jij me aan naar haar toe te sturen?' vroeg hij.

'Dat is een opdracht die ik graag op mij wil nemen.'

Verbouwereerd keek Diémogo hem aan. 'Ga jij dan je zaoeïa verlaten?'

'Ik zal slechts enkele weken afwezig zijn. En ik moet toch weg, want de mansa heeft me gevraagd met Cheikou Hamadou in Hamdallay te gaan onderhandelen.'

Dezelfde ochtend nog had Tiékoro die opdracht willen weigeren. Als hij nu van mening veranderde, was het omdat het hem een onverhoopte afleiding bood voor zijn wroeging en zijn schuldgevoel, nu hij Sira kon gaan opzoeken om samen met haar over de overleden Malobali te praten en haar te troosten.

'Wanneer denk je te vertrekken?' vroeg Diémogo.

'Morgenochtend al.'

En hij verwijderde zich. Diémogo keek hem na met een gevoel dat aan haat grensde. Tiékoro, dat eeuwige obstakel tussen hem en Nya! Hij had gehoopt dat Kosa, de zoon die hij haar had geschonken, hen nader tot elkaar zou brengen. Het had niet mogen zijn. Nya vergat geen ogenblik dat zij de moeder van Tiékoro was; voor haar telden alleen zíjn belangen en grillen. Zij had doorgezet dat hij die zaoeïa zou kunnen openen. Muren waren neergehaald. Een deel van de binnenplaatsen was omgebouwd voor de vreemde leerlingen die van heinde en ver uit het hele koninkrijk bleven aanstromen. Momenteel waren er wel honderd kinderen die al in de vroege ochtenduren gebeden bralden, plankjes bekrasten en hun geloof in de islam uitgalmden. Als ze dan tenminste iets zouden bijdragen in de kosten voor hun levensonderhoud. Maar nee. Tiékoro vond het een schandaal dat de ouders zouden moeten betalen om hun kinderen de kennis van de ware God bij te brengen. Dus moesten de Traorés maar zorgen dat hun akkers genoeg opbrachten om dat hele zooitje eten te geven! Aan een stelletje ketters! Was Tiékoro dan vergeten dat de moslims hun vijanden waren? Als Diémogo deze kwestie te berde bracht, wimpelde de ander steevast zijn bezwaren af. 'God die voor de planten en de hele schepping zorgt, zal ons niet in de steek laten.'

Voelde Nya dan niet aan dat de aanwezigheid van die zaoeïa een steen des aanstoots was voor de goden en de voorouders, dat ze de familie met de ergste rampen konden treffen? Misschien had Malobali de afvalligheid van zijn oudste broer en de schuldige wankelmoedigheid van de clan met zijn leven moeten bekopen? Voor de zoveelste keer nam Diémogo zich voor met meer gezag op te treden en de zaak van die zaoeïa voor de familieraad te brengen.

Onderwijl begaf Tiékoro zich naar het paleis van de mansa om hem te melden dat hij de volgende ochtend naar Hamdallay zou vertrekken.

Sinds enkele jaren waren er geen botsingen tussen de Bambara en de Peul legers meer. Nu was echter vernomen dat de beruchte lansiers uit Macina weer op hun paarden waren gesprongen en Tombouctou hadden ingenomen. Bovendien kregen de Toeareg van de Peul een vaste woonplaats toegewezen, waar ze het land moesten bebouwen terwijl de andere bewoners een zware schatting moesten betalen. Er werden stuitende verhalen verteld over kooplieden die hun goud en hun

kostbare bezittingen moesten afstaan, vrouwen die
– hoewel ze moslims waren – werden verkracht, en herders die van hun vee waren beroofd. De krachtsver-
houdingen in het gebied waren grondig gewijzigd. Hoe
moest het nu verder met de handelsrelaties tussen Ségou
en Tombouctou? Wie had Cheikou Hamadou aan het
hoofd van het militaire en civiele bestuur laten aan-
stellen? Dat waren de vragen waarop Tiékoro voor Da
Monzon een antwoord moest zien te krijgen.

De wachtposten herkenden Tiékoro en lieten hun
lansen zakken; amper had hij een voet op de eerste
binnenplaats gezet of een groepje lofdichters begon hem
te bezingen. Wanneer Tiékoro het paleis betrad dacht
hij telkens aan de vernederende wijze waarop zijn vader
uit zijn ambt als raadgever was ontzet. In zekere zin
had híj weerwraak genomen. Vanwaar dan die bitterheid
in zijn hart? Hij liep door de zeven hallen naar het
vertrek waarin Da Monzon zijn vertrouwelingen ontving.

Da Monzon was sterk verouderd. Na haast twintig
jaar regeren leek hij vermoeid door te veel wapenfeiten,
te veel ingrijpende beslissingen over de betrekkingen
met Kaärta of zijn houding ten aanzien van de islam,
de slavenhandel en de handel met het noorden – stuk
voor stuk kwesties die onder zijn voorganger lang niet
hetzelfde gewicht hadden. Kwaadsprekers fluisterden
dat hij te gronde ging aan zijn overdreven liefde voor
het vrouwelijk schoon: zijn achthonderd echtgenotes en
bijzitten zouden te veel van zijn krachten eisen. Hij zat
in een roodleren leunstoel met uit hout gesneden leeu-
wepoten, die hij bij een kusthandelaar had gekocht; zijn
voeten staken in zwartfluwelen en met gouden bloemmotieven bestikte pantoffels die hij eveneens aan de
slavenhandel had te danken.

Na de gebruikelijke buiging en een eerbiedige groet
kwam Tiékoro meteen tot de kern van de zaak.

'Meester der levenskrachten, morgen vertrek ik om
uw opdracht uit te voeren.'

386

'Dat verheugt me,' sprak Da Monzon verbaasd. 'Maar wat heeft je tot andere inzichten gebracht? Gisteren twijfelde je nog of je wel zou gaan.'

In een paar woorden lichtte Tiékoro hem in over de dood van Malobali. 'Ik zou,' besloot hij zijn relaas, 'zijn moeder, de Peul vrouw Sira, op de hoogte willen brengen.'

In de zaal heerste een doodse stilte. Zelfs de muzikanten lieten hun fluiten en bala-trommelstokken rusten. Niets is erger dan in den vreemde aan zijn einde te komen. Welke vloek woog er op de Traorés? Welke misdaden hadden ze gepleegd? De aanwezigen, die Tiékoro niet bepaald in het hart droegen, waren geneigd al het ongeluk van zijn familie aan zíjn bekering te wijten. Maar omdat hij vanwege zijn deskundigheid onmisbaar was, gaven ze aan hun haatgevoelens nooit de vrije loop, tenzij via bedekte toespelingen en insinuaties die hem diep kwetsten. Hij had geliefd willen zijn, maar werd alleen gebruikt. Bewonderd wilde hij worden, en hij werd gevreesd. Eindelijk verbrak Da Monzon de stilte.

'Morgen,' verklaarde hij, 'zal ik je familie rouwgeschenken laten overhandigen. Betuig Diémogo alvast onze innige deelneming.'

'Wat kom jij hier zoeken?' vroeg Siga bars toen hij zijn broer herkende.

Tiékoro liet zich door dit onthaal niet ontmoedigen. 'Ik wou je zeggen dat ik morgen naar Macina vertrek en dat ik enkele weken afwezig zal zijn.'

Siga haalde zijn schouders op; wat kon hem dat schelen?

Tiékoro bekeek hem spottend, bijna geamuseerd. 'Ik zou jou,' zei hij, 'erg van nut kunnen zijn.'

'Hoe dan?'

De verhouding tussen beide broers waren nooit hartelijk geweest. Maar nu was ze ronduit slecht. Siga was jaloerser en wrokkiger dan ooit. Terwijl Tiékoro niets in de weg was gelegd om in de familiehuizing zijn zaoeïa te openen, was Siga's plan om een leerlooierij te beginnen vol afschuw afgewezen. De Traorés, edelen die alleen aan landbouw hoorden te doen, zouden zich tot garankè–leerbewerkers, lieden van een mindere kaste–verlagen? Was Siga dan gek geworden? Niet alleen had hij die vreemdelinge meegebracht die op iedereen neerkeek, hij wilde de familie ook nog schande aandoen? Na een pijnlijk conflict had Siga het raadzaam geacht de familiehuizing te verlaten en zich op de familiegronden aan de oostelijke rand van de stad te vestigen. Omdat hij de ware redenen voor dat vertrek voor zich had kunnen houden, was hij een ondankbare en ontaarde zoon die door Nya altijd als de absolute tegenpool van haar oudste werd afgeschilderd. Hoe kon hij deze gedachten uit zijn geest verdrijven nu hij oog in oog stond met Tiékoro?

'Waar het in het leven op aankomt,' orakelde zijn broer, 'is dat de anderen naar je opkijken: dat moest jij maar eens begrijpen. Een mens moet ontzag afdwingen, vrees inboezemen.'

'Hou die preekjes maar voor je leerlingen in je zaoeïa!' riep Siga geërgerd. 'Maar weet je wel zeker dat je hun hetzelfde voorhoudt? Met hen heb je het toch altijd over liefde voor de medemens?'

Tiékoro maakte een sussend gebaar.

'Siga, ik wil je helpen. Echt waar. Cheikou Hamadou heeft Tombouctou ingenomen. De Marokkaanse stadsnotabelen zijn allen op de vlucht geslagen. De handel is er volkomen ontredderd. Er zijn geen karavanen meer die naar de Maghreb vertrekken, want er is geen goud en er zijn geen kauri's meer. Dit is hét moment voor een ondernemende handelaar om te zeggen: "Ik kan al die spullen leveren die een moslim nodig heeft!"'

Siga haalde zijn schouders op. 'Laten we het daar niet meer over hebben, Tiékoro. Je weet wat ze in de familie over mijn plannen denken.'

'Blijf dan maar je hart opvreten en je lapje grond

bewerken!' sprak Tiékoro vol misprijzen. 'Misschien ben je tot niets beters in staat.'

Toen hij opstond hield Siga hem tegen. 'Hoe zou jij me kunnen helpen?'

'Het volstaat dat ik mijn relaties in Hamdallay en elders over jou spreek, en de bestellingen zullen binnenstromen. En mét het fortuin komt het aanzien!'

Het cynisme van deze woorden choqueerde Siga. En toch sprak Tiékoro de waarheid. Na al die leerjaren en zijn grootse plannen, de droom om met de roemruchte koopmansfamilies in Fes te kunnen wedijveren, was hij een wroetende, zwoegende boer die het veld dat hem door de familieraad was toegewezen niet eens door slaven kon laten bewerken. Hij keek zijn broer strak in zijn ogen.

'Wat wil jij weer goedmaken?'

'Jij zou moeten weten,' zei Tiékoro laatdunkend, 'dat ik me niets te verwijten heb.'

Dat was nog waar ook. Op één punt althans ging hij volkomen vrijuit. Het was niet zíjn schuld wanneer hij – in dit 'nest van fetisjisten en barbaren', zoals zij Ségou noemde – voor Fatima het enige beschaafde wezen was. Vanuit de geloofsband die hen verenigde, waren geleidelijk aan andere gevoelens ontstaan, mede door de hang naar liefdesintriges die zij met de moedermelk had ingezogen. Siga herinnerde zich nog levendig het briefje dat hij in Fes op een ochtend van haar had ontvangen: 'Ben jij dan blind? Zie je niet dat ik van je houd?'

Zo had ze er nog een paar gestuurd, naar Tiékoro! Misschien dacht ze niet eens aan echtbreuk. Ze wilde de troebele en gevaarlijke spelletjes die ze zo miste, opnieuw tot leven wekken. Was ze een Bambara vrouw, dan had Siga niet geaarzeld om haar naar haar familie terug te sturen. Maar Fatima was een vreemdelinge die hem uit liefde zo ver van huis was gevolgd. Was het háár schuld dat dit avontuur voor haar een bittere ontgoocheling was geworden? Was dit de toekomst die híj

haar had voorgespiegeld? Sinds zijn terugkeer naar Ségou zag Siga zijn geboortestad door de ogen van Fatima.
Wat speet het hem nu dat hij zo weinig van Fes' luister
en schoonheid had genoten! 'Dit is een stad die van
de duif haar paarlen halssnoer en van de pauw zijn
staartveren heeft ontleend,' zong een oude man in Bab-
Gissa, en een huivering voer door de menigte die aan
zijn lippen hing. Is het de lotsbestemming van de mens
dat hij steeds haakt naar wat ver weg is?

Siga klapte in zijn handen om een slavin te wenken,
en bestelde muntthee.

'Goed, jij spreekt met je relaties over mij,' zei hij tegen
zijn broer, 'en ik krijg een bestelling van zeg maar Moorse sloffen – hoe moet ik die dan uitvoeren?'

Wat schaamde hij zich raad te moeten vragen aan
die ijdeltuit die hem zo vaak had gekwetst! Tiékoro nam
een gewichtige houding aan.

'Jij hebt het recht van fa Diémogo jouw erfdeel aan
vee en goud te vorderen. Met het vee heb je de huiden,
en met het goud betaal je je ambachtslui.'

'Ik weet al wat hij me zal antwoorden,' zuchtte Siga
moedeloos. 'Een Traoré als garankè! Een Traoré als
handelaar!'

'Hij zal het goedvinden, vanavond nog ga ik er met
moeder over spreken.'

Dat was geen grootspraak. Eens te meer voelde Siga
zich bitter gegriefd. Wat is de moederliefde blind en
onrechtvaardig! Omdat Tiékoro als eerste was geboren,
vond alles wat hij deed – ook al stichtte hij niets dan
kwaad – genade in Nya's ogen. En hij, Siga, zou nooit
iets anders zijn dan de zoon-van-haar-die-in-de-put-
was-gesprongen.

De slavin kwam terug met op een schenkblad glaasjes
waarin bloemmotiefjes waren gegraveerd. Een voor een
vonden de in Europa of de Maghreb vervaardigde gebruiksvoorwerpen hun weg naar Ségou. Heel wat jongens van goeden huize droegen laarzen met omgeslagen
rand, die ze bij een reizende handelaar hadden gekocht.

Tal van gezinnen bewaarden zilveren schotels in hun hutten, en de mansa liet zijn vertrouwelingen een servies van fijne Chinese porselein bewonderen dat hij nooit gebruikte. Tiékoro had gelijk. Hij moest profiteren van de ontwrichting van het handelsnet, nu die dwepers uit Macina de scepter zwaaiden in Tombouctou.

Zijn oude dromen kwamen weer tot leven. Hij zag zichzelf bevelen geven aan een menigte slaven die met ontbloot bovenlijf de huiden looiden, verfden en uitsneden. Ook zou hij een winkel openen waar hij naast leer ook zijde en brokaat zou verkopen. Inderdaad, het had hem aan doorzettingsvermogen ontbroken. Zonder enig protest had hij zich in de behoudzucht van de familie geschikt. Een yèrèwolo hoort de grond te bewerken – of door zijn slaven te laten bewerken – en de opbrengst te verkopen. Maar de wereld om die yèrèwolo heen veranderde. Zijn eigen familie ontsnapte er niet aan: Naba die naar Brazilië was meegevoerd, Malobali die tot in het Ashanti land de karavanen was gevolgd en in Abomey, op vele dagreizen van thuis, de dood had gevonden. Allebei lieten ze zonen na die slechts voor de helft tot de clan behoorden en diep in hun hart, als merktekens van hun gemengde afkomst, andere verlangens, andere hunkeringen koesterden.

Was Tiékoro per slot van rekening niet de verstandigste onder hen allen? Omdat hij de onstuitbare opmars van de islam in dit gebied voorzag, werd hij niet alleen een van de eerste bekeerlingen, maar ontpopte zich bovendien als een van de vurigste ijveraars voor het nieuwe geloof. Een goede gok! Maar toen Siga zijn broer van terzijde aankeek, werd hij getroffen door zijn smartelijke uitdrukking en kreeg hij het gevoel dat hij hem onrechtvaardig beoordeelde. De galamboterlamp trok een lichtkrans om zijn gezicht en gaf een vreemd reliëf aan zijn door het vele vasten ascetisch aandoende trekken. Van dag tot dag leek Tiékoro wat meer op die vrome mannen uit Tombouctou die zich nooit op straat vertoonden zonder hun bidsnoer en overal in gebed neerknielden om te laten zien dat God in alle omstandigheden zijn rechten opeist. Alleen zijn grote zwarte, nu eens starre, dan weer uiterst beweeglijke ogen spraken de rust van zijn gelaat tegen. Zijn blik liet zo veel raden van wat er in hem omging, dat men hem nauwelijks kon weerstaan.

# Deel IV

# Het vruchtbare bloed

# I

Tiékoro liet zijn zoon Mohammed bij zich komen.

'Cheikou Hamadou bewijst ons een grote eer,' zei hij hem. 'Hij vraagt me jou aan hem te willen toevertrouwen om je godsdienstige opvoeding te voltooien.'

Mohammed nam in Tiékoro's gezin en de hele familiehuizing een bijzondere plaats in. Het was de eerste zoon van Maryem, de echtgenote die hem door de sultan van Sokoto bij zijn terugkeer uit Mekka was geschonken. Voordien had ze drie meisjes ter wereld gebracht, zodat Tiékoro al wanhoopte of hij ooit nog een erfgenaam zou krijgen die hem waardig was. Want hoe hij op zíjn manier ook van hen hield, Ahmed Dousika en Ali Sunkalo waren en bleven de zonen van Nadié, kinderen van een slavin. En Maryem was familie van een sultan, ze was geboren en opgegroeid te midden van goud, weelde en een vorstelijke keuken. Mohammed was niet veel minder dan een koningskind.

Sinds zijn prilste jeugd blootgesteld aan de afgunst en de haat van wie al diegenen die, omdat ze hun ware gevoelens ten opzichte van Tiékoro niet konden uiten, wraak namen op hem, was Mohammed een introvert, eenkennig jongetje dat zich aan de paan van zijn moeder vastklampte. Bij de gedachte dat hij van haar zou worden gescheiden, werd hij zo wanhopig dat hij zijn vader tegen durfde te spreken.

'De Peul uit Macina zijn toch onze vijanden?'

Tiékoro wierp hem een vernietigende blik toe. 'Waag dat nog eens te herhalen, en ik vertrap je, worm!' riep hij uit. 'Het zijn onze geloofsgenoten en onze broeders in Allah, de enige ware God!'

De jongen deed er maar het zwijgen toe. Hij kende

echter de haat van de Bambara voor die 'rode apen', die 'plankjesbekladders', die 'bimi' die – al hadden ze het niet, zoals Djenné en Tombouctou, kunnen onderwerpen – Ségou toch vaak hadden vernederd.

'Wanneer moet ik vertrekken?' stotterde hij, met moeite zijn tranen bedwingend.

'Wanneer ík het je zal zeggen.'

Toen de jongen zich omdraaide zodat zijn boeboe wat strakker om zijn tengere lichaam kwam te zitten, kreeg Tiékoro een krop in de keel. Hij riep hem terug. Hij had zijn gewone kilheid willen prijsgeven en zijn zoontje tegen zich aandrukken, hem zeggen: Het is voor jouw welzijn dat ik dit voorstel aanvaard. De islam zal zegevieren. Dat doet hij nu al. De wereld behoort aan hen die kunnen schrijven, aan hen die toegang hebben tot de boeken. Ondanks al zijn goede eigenschappen zal ons volk achterlijk en onbeschaafd heten.

Maar toen hij Mohammed naar zich toe zag komen, bestierven de woorden op zijn lippen.

'Ga in Hamdallay ook eens je grootmoeder Sira opzoeken,' zei hij alleen.

Mohammed, die van de ingewikkelde familiestamboom slecht op de hoogte was, zette grote ogen op. 'Hebben wij familie in Macina?'

Tiékoro knikte bevestigend. Toen hij op zijn mat ging zitten, kwam zijn tweede vrouw Adam hem zijn ontbijt, een portie gierstebrij, brengen. Na de dood van Nadié was het voor hem een grote opluchting geweest dat prinses Sounou Saro haar verloving met hem had verbroken. Hij had nog maar één verlangen: alleen te leven, nooit meer een vrouw in zijn armen te hoeven sluiten. Zijn hele verdere leven was nauwelijks genoeg om zijn schuld te boeten. Maar de sultan van Sokoto had hem Maryem geschonken. Daarna had Cheikou Hamadou hem Adam, een meisje uit zijn eigen familie, aangeboden. En hoe die relatie was begonnen met Yankadi, de slavin die de zoons van Nadié opvoedde, wist hij zelf niet meer. Binnen de kortste keren had hij ongewild twee echtgenotes en een bijzit, en nu was hij de vader van wel vijftien kinderen. Elke nieuwe geboorte vervulde hem met schaamte in plaats van vreugde, want ze herinnerde hem aan de kloof tussen zijn ascetische aspiraties en de kracht van zijn instinct. Was het daarom dat hij zo ontstemd naar de gezwollen buik van Adam keek, en dat de gierstebrij te dun was? Zonder een woord pakte zij de kalebas en liep naar de keuken.

Tiékoro wachtte niet op haar terugkeer, maar begaf zich naar de zaoeïa. Ze telde nu reeds tweehonderd leerlingen uit de aristocratische families van Ségou, waar het opportuun werd geacht minstens één zoon met de islam kennis te laten maken.

Elke schooldag verliep volgens hetzelfde schema. Eerst de herhaling van de koranles. Vervolgens de tekstverklaring, zowel vanuit een juridisch als een theologisch gezichtspunt. Na het middageten kwam de voorlezing uit het heilige boek, die pas eindigde bij het namiddaggebed. Daarna trokken de kinderen naar de gierstvelden of de moestuinen die ze voor de familie Traoré verzorgden. Tiékoro, die nooit landarbeid had willen verrichten, ging niet mee. Hij liet de kralen van zijn bidsnoer tussen zijn vingers glijden. Voor het avondgebed ging hij naar de moskee, waar hij tot het eerste nachtgebed met de imam over geloofszaken bleef praten. Steeds vaker hadden ze het over de Tidjaniweg en het boek *Djawahira el-Maani* van sjeik Ahmed Tidjani. Ten slotte keerde Tiékoro naar de familiehuizing terug. Vóór hij naar zijn hut ging liep hij bij Nya langs die hem van alles op de hoogte hield en zijn raad vroeg: verlovingen, huwelijken, namen voor de kinderen, doopsels, huwelijksgeschenken.

Wat genoot hij van die late uurtjes in Nya's gezelschap! Nu hij Nadié had verloren was Nya de enige die hem een onvoorwaardelijke liefde toedroeg. Terwijl hij met zijn moeder praatte was het of hij ook met Nadié sprak. Van Maryem en van Adam hield hij niet; hij had de indruk dat ze hem doorzagen en minachtten. Want

397

hij was een huichelaar, niets dan een huichelaar! Belust op roem en eer, tooide hij zich met Allah's naam om de aandacht op zich te vestigen. Zijn vroomheid verborg slechts ambitie, de hang om uit te blinken.

Dit besef van zijn eigen onwaardigheid stak schril af tegen het hoge aanzien dat hij genoot bij vorsten van zo uiteenlopende landen als Macina, het sultanaat van Sokoto, Fouta Toro en Fouta Djallon. Het maakte hem zwijgzaam en onberekenbaar, nu eens geëxalteerd en dan weer neerslachtig.

Toen hij binnen de omheining van de zaoeïa verscheen, zag hij hoe zijn jongste leerlingen – nog echte kinderen, daar hielp geen bidden aan – de boel op stelten zetten, hoe ze krijgertje speelden, achter elkaar aanzaten en in het zand rolden. Zodra ze hem zagen verstijfden ze. Degenen die op de grond lagen, krabbelden overeind en klopten haastig hun boeboe af. Iedereen ging met neergeslagen ogen in de rij staan. Tiékoro had een hekel aan het effect dat zijn verschijning teweegbracht, en soms was hij zo geërgerd dat hij in het wilde weg meppen begon uit te delen op wangen, voorhoofden en oogleden die alleen maar te gedwee waren. Hij liep naar het hoekje voor de leerlingen van de tweede klas en ging op zijn mat zitten. Een voor een kwamen de kinderen rondom hem plaats nemen.

Mohammed was een van de laatsten. Zijn ogen waren rood en gezwollen. Ongetwijfeld was hij naar zijn moeder gerend om bij haar uit te huilen. Het werd tijd dat hij van Maryem die hem te veel vertroetelde, werd gescheiden. Het werd hoog tijd dat hij zich als een man ging gedragen! Natuurlijk zouden ze in de familie zeggen dat hij een van zijn eigen kinderen voortrok. Die praatjes kon hij zich levendig voorstellen. De verbittering van Ahmed en Ali die, sinds hij hen met meisjes van goede maar nogal berooide afkomst had laten trouwen, op de velden van de familie zwoegden. De ongerustheid van Adam over de toekomst van haar zoons. Zelf maakte Tiékoro zich vooral zorgen over de politieke consequenties van zijn beslissing. De spanningen tussen Peul en Bambara namen weer toe. De mansa sprak van een grootscheeps offensief tegen Macina en was reeds via de kusthandel voorraden geweren en kruit aan het opslaan, terwijl hij de koning van Kaärta aanspoorde om samen een bondgenootschap te sluiten. Dat Tiékoro uitgerekend nu zijn zoon naar Macina stuurde, zou hem niet in dank worden afgenomen. Maar kon hij dit eerbewijs aan zijn familie afwijzen? Was dit geen erkenning van zijn – al was het dan aangetrouwde – verwantschap met de sultan van Sokoto?

Maar genoeg gepiekerd! Tiékoro staarde streng naar de angstige gezichtjes om zich heen.

'Hoevelen onder jullie hebben mijn raad van gisteren opgevolgd?'

Er ging een geroezemoes door de klas, omdat niemand precies wist waarop hij doelde. Tot Alfa Mandé Diarra opstond.

'Ik, meester.' zei hij. 'Zoals u ons op het hart drukte, schreef ik op de muur tegenover mijn slaapmat de goddelijke naam van Allah, opdat hij meteen bij mijn ontwaken in het oog zou springen.'

Als zoon van een broer van de overleden mansa Da Monzon was Alfa Mandé een lid van de koninklijke familie. Daarom stond Tiékoro hem bepaalde voorrechten toe: hij hoefde niet op het veld te werken, en tweemaal per week mocht hij naar zijn vader gaan die in Kirango resideerde. De hoop dat het voorbeeld van Alfa Mandé op andere prinsen aanstekelijk zou werken, was niet uitgekomen. Geen van mansa Tiéfolo's zonen had hem nagevolgd, en de nieuwe vorst had Tiékoro nooit willen ontvangen om over de islam te praten. Waar was de tijd dat Da Monzon hem over alles raadpleegde en hem als gezant naar mohammedaanse steden stuurde? De raadgevers van mansa Tiéfolo dachten alleen aan oorlogvoeren. Begrepen ze dan niet dat, zelfs al zouden ze de Peul uit Macina tot de laatste man uitroeien, de opmars van de islam onstuitbaar was? Dat de nieuwe godsdienst ook hier wortel zou schieten – als een altijd groene boom die het droge seizoen trotseert en bloeit terwijl de hele steppe vergeelt. Ah, die stompzinnige en bekrompen geesten!

Tiékoro gaf Alfa Mandé–ontegenzeggelijk een van zijn briljantste leerlingen–een pluimpje.

'Ja,' riep hij uit, 'schrijft die goddelijke naam op jullie muur! Spreekt hem als je opstaat vol vurige godsvrucht uit, opdat hij het eerste woord zal zijn dat over jullie lippen komt en jullie oor treft! Herhaalt hem vóór het slapengaan...'

Terwijl hij sprak kruiste zijn blik die van Mohammed, en hij had het gevoel dat zijn zoontje dwars door hem heen keek en zijn farizeïsme, zijn dwaze ijdelheid ontmaskerde.

'Als je volhardt,' galmde hij nog luider, alsof hij zijn eigen onrust wilde overstemmen, 'zal op den duur het licht dat die vier letters in zich bergen, op jullie afstralen! Een vonk van de goddelijke wezenheid zal jullie ziel aansteken en verlichten!'

Mohammeds blik drukte niets uit van wat Tiékoro erin meende te lezen. De knaap was nog veel te jong en had te veel respect voor zijn vader om over hem een oordeel te durven vellen. Dat deden anderen in zijn plaats. Tiéfolo, de oudste zoon van Diémogo, was een van hen.

Tiéfolo herinnerde zich maar al te goed hoe hij Tiékoro na de dood van Dousika in Djenné was gaan halen. Wat speet hem dat nu! Toen meende hij goed te handelen, overeenkomstig de laatste wens van de overledene, om de familie te verenigen. Had hij geweten dat hij daarmee bijdroeg aan haar ondergang en de vernedering van zijn eigen vader!

Hij kon het niet langer aanzien dat Diémogo met het uitvoeren van Tiékoro's beslissingen genoegen moest nemen. Hij kon de nabijheid van die zaoeïa niet meer verdragen. Hij kon die litanieën ter ere van een God die zijn volk vreemd was, niet langer aanhoren. Dag in dag uit kwelde hem de vraag hoe hij de familie van Tiékoro's bevoogding kon verlossen.

Toen zijn eerste vrouw, de bara muso Tênègbè, hem toefluisterde wat ze zo pas had vernomen, dacht hij dat ze hem iets wijsmaakte.

'Onzin!' riep hij.

Tênègbè zweeg. Ze was een hele mooie vrouw, afkomstig uit Kaärta en van moederskant familie van de overleden mansa Fula-fo Bo, 'Bo de Peul-doder', wiens herinnering nog in ieders geest voortleefde. Haar afkeer van de islam, die zij met Tiékoro vereenzelvigde, moest haar misleiden, en Tiéfolo haalde zijn schouders op.

'Dat is onmogelijk!' zei hij nog. 'Respect voor onze familie en ons koninkrijk heeft hij niet. Maar zo iets zou hij nooit doen!'

'Goed dan,' was haar antwoord. 'Je zult me wel moeten geloven als je Mohammed te paard naar Hamdallay ziet vertrekken.' En ze trok zich terug.

Verbijsterd volgde Tiéfolo haar naar de binnenplaats. Het regenseizoen liep ten einde. De bladeren van de mahoniebomen en tamarindes waren felgroen. De moestuinen van de vrouwen stonden in bloei. Weldra moesten de barsten in de hutmuren gedicht en de door de stortregens gehavende daken hersteld worden. Het was de periode van het jaar, waarin ieder ondernemend man zijn bloed krachtig door zijn aderen voelt stromen en zijn vingers tintelen. Over enkele weken, als de grote opknapbeurt achter de rug was, zou Tiéfolo naar de savanne trekken, het wild achterna. En toch, ondanks dat gelukkige vooruitzicht, voelde hij slechts angst en ergernis. Met grote stappen liep hij naar de hut van zijn vader; ditmaal moest er worden opgetreden.

Diémogo was met de toezichter van de slaven aan het praten; hij gaf hem richtlijnen voor het werk. Dat was het enige domein waarin Tiékoro, die daar toch geen verstand van had, hem een zekere vrijheid van handelen liet.

Tiéfolo ging naast zijn vader staan, wachtte eerbiedig tot hij zich naar hem toe wendde, en beantwoordde zijn groet.

'Is het waar,' vroeg hij daarop, 'dat hij Mohammed naar onze vijanden in Macina wil sturen?'

Diémogo maakte een hulpeloos gebaar. 'Dat is wat Nya me heeft meegedeeld. Hij heeft haar het hoofd zo op hol gebracht dat ze dit als een grote eer voor onze familie beschouwt.'

'Een eer? We zullen voor verraders en spionnen worden uitgescholden!'

Spionnen? Amper had Tiéfolo dit woord uitgesproken of in zijn geest begon een plan te rijpen. Even bruusk als hij gekomen was, nam hij afscheid van zijn vader en keerde terug naar zijn hut, waar hij zijn mooiste kleren aantrok. Daarop verliet hij de familiehuizing.

Wie de welvaart van Ségou in deze jaren zag, verbaasde het niet dat de Peul van Cheikou Hamadou hier hun begerig oog op lieten vallen. Natuurlijk hadden die 'rode apen' het alleen over de verbreiding van de islam. Maar iedereen wist waar het hun in feite om te doen was: om het inpalmen van deze rijkdommen en de controle over de markten. De Bambara die door de godsdienstvervolgingen uit Djenné waren verjaagd, hadden nieuwe metseltechnieken meegebracht, zodat de huizen nu echte paleizen leken, met boven de portieken hoge driehoekige frontons en op de muren friezen. Elk marktplein toonde de verscheidenheid van het handelsverkeer in het koninkrijk: gierst, rijst, mede, katoen, reukwerk, wierook, huiden, gedroogde en gerookte vis, en de onvermijdelijke ruilprodukten van de blanke slavenhalers. Nog maar enkele jaren geleden liepen de vrouwen er storm voor. Nu gunden ze die prullen amper nog een blik. Alleen het kruit, de geweren en de brandewijn waren nog in trek, maar de verkoop ervan was door de mansa strikt gereglementeerd.

Tiéfolo stak de grote markt voor het koninklijk paleis over. Vandaag hield de vorst zijn wekelijkse ontvangdag;

niemand zou hem de deur kunnen wijzen. Arbeiders waren druk doende de paleismuren met een okerkleurig mengsel van leem en kaolien in te smeren, terwijl anderen de barsten dichtten en de friezen restaureerden. Op het tweede binnenhof hadden zich de koninklijke wevers geïnstalleerd, en de lange witte slangen van het katoengaren beten in de weefgetouwen. Iets verderop zaten slaven in een kring om een potsenmaker die met zijn beringde vingers op kalebassen roffelde. Tiéfolo fronste zijn wenkbrauwen. Was dat geen Peul? Ah, die rode apen waren overal!

Mansa Tiéfolo was de opvolger van zijn broer Da Monzon die hem zelfs na zijn dood nog bleef tarten. Want hij was minder mooi, minder gespierd, had minder succes bij de vrouwen en had nog geen grote wapenfeiten op zijn naam. Liggend op zijn runderhuid, met zijn elleboog steunend op een leren, met arabesken versierde peluw, luisterde hij verveeld naar een lofdichter die hem de grieven van twee rechtzoekenden uiteenzette. Zijn levendige blik viel op Tiéfolo zodra die de zaal binnenkwam.

'Hé,' spotte hij, 'is dat niet de broer van papa-moskee, die ons met zijn bezoek vereert?'

Zonder een woord te zeggen boog Tiéfolo zijn voorhoofd in het stof. Maar terwijl hij op zijn beurt zat te wachten, bekropen hem twijfels over zijn handelwijze. Had hij zijn vader niet eerst op de hoogte moeten brengen en diens toestemming vragen? Ach wat! Diémogo zou hem gezegd hebben: Roep de familieraad bijeen. En die zou, eens te meer, onder druk van Nya Tiékoro gelijk hebben gegeven.

Was het wel verstandig familieruzies aan de vorst voor te leggen? Maar dit was geen familiekwestie! Tiékoro's beslissing over Mohammed ging niet alleen de clan aan, maar bracht de belangen van het koninkrijk in gevaar. Zo was Tiéfolo het voor en tegen aan het afwegen toen Makan Diabaté, de eerste lofdichter, zijn naam afriep. Verrast begon Tiéfolo te stotteren. Maar al gauw lukte het hem zijn betoog de gewenste plooi te geven.

Hij wist dat hij zijn oudste broer eerbied verschuldigd was. En de wereld was geen steen die bleef liggen waar hij lag. Daarom had hij zich met Tiékoro's bekering en met haar nasleep van nieuwe gedachten en zeden verzoend. Met zijn twee schoonzusters, allebei vreemdelingen van Peul afkomst – de ene uit Sokoto, de andere uit Macina –, viel hem dat minder gemakkelijk. En nóg minder met de omvorming van een deel van de aloude familiehuizing tot een heiligschennend vergader- en gebedsoord. Maar nu wilde zijn broer een van zijn zoons naar niemand minder dan Cheikou Hamadou in Hamdallay sturen! Was Tiékoro, zo vroeg hij zich af, dan een spion ten dienste van een vreemde mogendheid? Wat hadden deze nauwe vriendschapsbanden met die geduchte vijand van het koninkrijk anders te betekenen? Omdat het welzijn van Ségou vóór alles ging, was hij zijn vrees en verdenkingen aan de Meester van de wateren en de levenskrachten komen voorleggen.

Tijdens deze uiteenzetting bewonderden alle aanwezigen Tiéfolo's statig voorkomen en zijn nobele trekken, en iedereen voelde met hem mee, want het gedrag van Tiékoro kon niemand goedkeuren. Maar de geesten waren verdeeld. Mag een broer zijn broer aanklagen? Kon deze hele zaak niet onder de vergaderboom van de familiehuizing worden bijgelegd?

Toen Tiéfolo was uitgesproken, heerste er een diepe stilte. De openstaande poort van de ontvangzaal liet een zoel windje binnen, tegelijk met de akkoorden van een orkest dat ergens op een binnenhof aan het spelen was.

'Naamgenoot,' sprak de mansa ten slotte, 'dit is een delicate aangelegenheid en ik begrijp dat het je moeite kost hierover te praten.'

Terzelfder tijd bekeek hij Tiéfolo met een vorsende blik, om zijn beweegredenen te doorgronden. Handelde hij echt uit bezorgdheid om het landsbelang? Werd er niet verteld dat Diémogo door Tiékoro van elk gezag was beroofd, en kwam de zoon niet op voor de belangen van zijn vader? Als Tiékoro inderdaad een spion bleek en zijn verdiende straf kreeg, wie zou die uitstoting dan tot voordeel strekken? Maar op Tiéfolo's gezicht stond eerlijkheid te lezen. Deze man was betrouwbaar. Het was hem er niet – of toch niet op de eerste plaats – om te doen zijn broer schade te berokkenen. In zijn gewetensangst en machteloosheid deed hij een beroep op zijn vorst. Hoewel de mansa tegen Tiékoro een diepe aversie had, wilde hij toch niet overijld optreden.

'Laat hem begaan,' besloot hij. 'Laat zijn zoon maar naar Hamdallay vertrekken. Leg je familieleden het zwijgen op als ze gaan morren. Wij laten intussen zijn gangen nagaan, we komen wel te weten wat hij in zijn schild voert.'

Mandé Diarra, prins van den bloede en een invloedrijk raadgever van de vorst, leek sceptisch.

'Ik ken Tiékoro Traoré, en heb voor hem even weinig sympathie als gij of jullie. Maar, fama, welk belang heeft hij erbij Ségou te verraden? Wat kan die Peul hem bieden dat wij niet reeds bezitten? Grond? Dat heeft hij in overvloed. En...'

Tiéfolo liet hem niet uitspreken, en wat hij zei klonk als een onbedoelde hulde aan zijn broer.

'Als Tiékoro verraad pleegt is dat zeker niet uit baatzucht. Hij doet het uit religieuze overtuiging. Hij gelooft echt dat zijn Allah de enige ware God is, en dat hij geroepen is om Zijn roem uit te dragen.'

Toen hij het paleis verliet besloot Tiéfolo eerst bij Siga aan te lopen. Ook hij was nog niet zo lang geleden de mening toegedaan dat Siga, door een beroep van een lagere kaste uit te oefenen, de naam van de Traorés schande aandeed; ook hij had hem als een dief of een moordenaar uit de clan willen stoten. Maar later – hoe wist hij zelf niet, misschien uit medelijden – had de genegenheid voor zijn broer weer de bovenhand gekregen.

Om zijn vrouw ervan te weerhouden naar Fes terug te keren, had Siga een huis laten bouwen dat voortdurend groepjes nieuwsgierigen aantrok. Het lag aan de rand van de stad, even voorbij de geneeskruiden-markt. Zoals de andere nieuwe gebouwen uit de stad was het helemaal van baksteen, maar dit huis keerde als het ware de straat de rug toe, alsof het naar binnen keek, naar een cirkelvormige patio met een waterbekken. Langs de twee verdiepingen liepen gaanderijen met booggewelven en zuilenrijen, waar de mooiste kamers op uitkwamen. De vloer van de terrassen, gaanderijen en sommige vertrekken was met fijn wit zand bestrooid dat Siga, zonder op de kosten te zien, uit een kreekje langs de Bani had laten aanvoeren. Opzien wekte vooral de leerlooierij naast het woonhuis. Een heel droog sei-zoen lang had Siga samen met zijn slaven putten en greppels gegraven die hij met een holle stenen bodem had bekleed en voorzien van afvoerpijpen. Daarnaast waren twee werkplaatsen opgetrokken voor het drogen en bewaren van de huiden die hij van slagers betrok. Omdat ze hem vers werden geleverd, moest hij ze eerst zelf inzouten voordat ze in een eerste lauwe bad werden gelegd om wat uit te zetten, waarna ze herhaaldelijk werden gewassen. Helaas was dit hele indrukwekkende bedrijf een slag in de lucht gebleken. Had Siga de glooi-ing van het terrein met de putten en de greppels ver-keerd ingeschat? Konden er niet tijdig voldoende hui-den worden geleverd? Lag het aan de onwil van de garankè om zich te onderwerpen aan een man wiens voorvaderen niet tot het ambacht behoorden? Geen Moorse sloffen, geen laarzen, geen koppelriemen, geen paardetuig waren hier vervaardigd. Tijdens een jaar van groot tekort aan zout, toen de Bambara vrouwen het eten met de as uit hun haard moesten bestrooien, was de hele voorraad huiden onherroepelijk gaan rotten, en de stank had zich door de straten van de stad verspreid tot aan de poorten van het koninklijk paleis.

Sindsdien teerde Siga op de schamele partij sloffen die hij aan een handelaar in Djenné kwijt kon, en de verkoop van het brokaat dat hem soms door zijn vroegere meester uit Fes werd toegestuurd. Daarnaast leefde hij van de opbrengst van een veld waarvan zijn familie hem, op aandringen van Tiékoro, het vruchtgebruik had afgestaan.

Telkens als Tiéfolo een voet zette in Siga's fraaie woonhuis, had hij het gevoel dat hij de tempel van een nukkige god binnentrad, die zijn smekelingen op het laatste ogenblik had geweigerd te verhoren. Nochtans was alles in gereedheid gebracht: de altaren torsten melk, vruchten en bloed; de rituele formules waren uitgesproken; de tamtams hadden geroffeld volgens voorschrift. Maar de god was niet neergedaald. Waarom?

Op de patio troonde Fatima te midden van twee slavinnen, de bijzitten van haar man die te arm was om zich nieuwe echtgenotes te kunnen veroorloven. Tiéfolo had de indruk dat ze nog dikker was geworden, en hoewel hij een buikje bij een vrouw als een teken van welstand en schoonheid beschouwde, vond hij toch dat ze het hierbij mocht laten. Ze sloeg haar nog altijd mooie, parelgrijze ogen in haar opgezwollen gezichtje naar hem op.

'Hij ligt in bed,' zei ze op haar klagelijke toon. 'Vanochtend had 'm koorts.'

Na die tien jaar was haar Bambara nog altijd even afgrijselijk, alsof ze daarmee haar weigering te kennen wilde geven om zich in het land van haar man te integreren. Ze was zich alweer aan het volproppen met de gevulde dadels die haar broer haar geregeld toestuurde, tezamen met henna en blanketsel, alsof ze deze spullen niet kon missen.

Tiéfolo klom naar de kamer van zijn broer. Siga was vroegtijdig oud geworden; men zou hem wel tien jaar ouder schatten dan Tiékoro, wiens leven van vasten en bidden een eeuwige jeugd scheen te garanderen. Zijn haar werd grijs, een onverzorgde peper-en-zoutkleurige baard krulde om zijn wangen en zijn rood dooraderde ogen verrieden de onmatige dolo-drinker die hij was.

'Ik waande je op jacht!' riep Siga verbaasd. 'Je gaat

me toch niet zeggen dat de antilopen en de wrattenzwijnen je nog niet lokken?'

Tiéfolo liet zich neer op een schemeltje. 'Ik heb andere zorgen aan mijn hoofd. Wordt het niet stilaan tijd
om de orde en het gezag in de familie te herstellen?'

Daarop vertelde hij wat Tiékoro met Mohammed van
plan was. Maar Siga trok zijn schouders op.

'Het is toch zíjn zoon? Heeft hij niet het recht met
die jongen te doen wat hij wil?'

Siga besefte goed waar Tiéfolo op aanstuurde. Maar
hij was moe. Zijn bestaan was als de prauw van een
Somono visser op de oever van de Joliba, wanneer het
waterpeil aan het einde van het regenseizoen zakt. Door
de zwakke zuigkracht van de stroom schuift ze onmerk-
baar zigzaggend van de kleiberm naar beneden, tot ze
tussen het riet of op een oesterbank vastloopt. Als hij
terugdacht aan de dromen en verwachtingen die hem
in Tombouctou en Fes dag en nacht hadden bezield,
vroeg hij zich af wat er nog overbleef van de jongeman
die hij was geweest. Verslagen was hij, vernietigd, dood.
Zoals Naba en Malobali. Ach, natuurlijk was dat niet
helemaal zijn schuld. Niemand had hem begrepen of
gesteund, zijn vrouw was niet de toeverlaat waarop hij
had gehoopt. Maar de geheime en verre oorsprong van
het kwaad droeg hij mee in zijn eigen bloed.

'Op mij,' bromde hij tussen een hoestbui door, 'hoef
je niet te rekenen om Tiékoro in het verderf te storten.
Trouwens, dat lukt je toch nooit. De goden zijn met
hem.'

'De goden?' grinnikte Tiéfolo. 'Wiens goden?'

## 2

De stad Hamdallay, waarvan de naam 'God zij lof'
betekent, was in 1819 gesticht en met de hulp van metselaars uit Djenné in drie jaar opgebouwd. Ze was onderverdeeld in achttien wijken en haar vestingwal telde
vier poorten waarboven als een dichte nevel de adem
van de gelovigen hing die Allah prezen. Ze bezat niet
minder dan zeshonderd koranscholen waar de hadith,
de tawhil, de oessoel en de tassawoef werden aangeleerd,
terwijl hulpwetenschappen als de spraakkunst en de
syntaxis in gespecialiseerde instellingen werden onderwezen. Hamdallay was een puriteinse stad. Het politietoezicht werd er door zeven maraboets uitgeoefend.
Een ieder die een uur na het eerste nachtgebed nog op
straat werd aangetroffen, werd voor een identiteitscon-
trole opgepakt. De betrokkene moest dan zijn familiestamboom opzeggen en de datum aangeven waarop hij
zich tot de islam had bekeerd. Vervolgens moest hij de
redenen voor zijn aanwezigheid in Hamdallay uiteen-
zetten. Ook aan zindelijkheid en hygiëne werd strikt
de hand gehouden. Het was verboden op straat te wateren of dieren te slachten. De melkventsters moesten
hun waar afdekken en een kalebas water bij zich hebben
om hun handen te wassen.

Mohammed liep huiverend langs de grote tamarinde
vlak bij de noordelijke stadspoort; aan de voet van deze
boom vonden de terechtstellingen plaats. Wat verder
passeerde hij de centrale gevangenis en de strafplaats.
Deze stad was voor hem een oord van verschrikking.
Zijn reisgezellen hadden hem verklapt dat de leerlingen
van Cheikou Hamadou van de openbare liefdadigheid
leefden en van deur tot deur hun voedsel gingen be-

delen, dat ze 's nachts op de blote grond sliepen en zich uit nederigheid nooit wasten. Deze verhalen hadden hem danig aan het schrikken gebracht, want hij was als de dood voor insekten, en uit alle schuilplaatsen van zijn lichaam zag hij reeds vlooien en luizen te voorschijn kruipen. Een medeleerling leidde hem naar het huis van Cheikou Hamadou en vertrouwde hem aan een van diens vrouwen, de mooie Adya, toe.

Zonder het te beseffen doorstond Mohammed dezelfde angsten als zijn vader toen die bij El-Hadj Baba Abou in Tombouctou had aangeklopt. Maar Cheikou Hamadou was El-Hadj Baba Abou niet. Mohammed werd bij een vijftigjarige, nogal rijzige man gebracht, met een levendige en welwillende blik; hij ging heel eenvoudig gekleed in een boeboe van zeven repen katoen, droeg leren sandalen en op zijn hoofd een donkerblauwe tulband waarvan de stof zevenmaal zijn ellemaat telde.

'*As salam aleykum,*' zei hij glimlachend.

'*Wa aleyka salam. Bissimillahi,*' antwoordde Mohammed met neergeslagen ogen.

'Spreek je Arabisch?' vroeg Cheikou Hamadou nog steeds even vriendelijk.

'Een beetje, meester.'

'Meester? Noem me vader, want dat is het wat ik voor jou wil zijn.'

Vroomheid was voor Mohammed altijd synoniem met laatdunkendheid geweest, en kennis met gebrek aan begrip voor andermans gebreken. Hoe sterk verschilde deze man van zijn vader! Was dit de bevelhebber van die in Bambuk, Kaärta, Mandé en Ségou zo geduchte legers? Hij droeg geen ander wapen dan zijn bidsnoer. Mohammed viel op zijn knieën.

'Vader,' riep hij, 'God geve dat ik uw genegenheid nooit moge beschamen!'

Op dat ogenblik kwam Abdoulaye, de jongste zoon van Cheikou Hamadou, het vertrek binnen.

'Draag goed zorg voor deze jongen,' drukte Cheikou Hamadou hem op het hart. 'Zijn vader houdt Allah's naam hoog onder de ongelovigen in Ségou. Zonder zijn bemoeienis zou dat koninkrijk terecht dat van de duisternis mogen heten.' Daarop gaf hij te verstaan dat het onderhoud was afgelopen.

Meer was er niet nodig om de tranen op Mohammeds wangen te laten opdrogen. Reeds zag hij de toekomst met vertrouwen tegemoet. Voor het eerst drong het tot hem door dat hij de zoon van een vooraanstaand man was, en hij verweet zichzelf dat hij voor zijn vader meer angst dan liefde had gekoesterd. Zijn vader was een heilige, en híj wist het niet!

Abdoulaye bracht hem naar de oostelijk gelegen vleugel van de behuizing waarin de leerlingen werden ondergebracht. Een veertigtal jongens van elf tot vijftien jaar logeerde daar in een soort slaapzaal. Allen waren ze graatmager, met die glanzende, tot barstens toe gespannen huid die op ondervoeding wijst. Hun boeboes waren smerig en gescheurd, en ze liepen blootsvoets. Mohammed staarde ontsteld naar de schrammen en littekens op hun benen, armen en handen; het was alsof ze een pokken- of schurftepidemie hadden overleefd. Meteen schoten de verhalen van zijn reisgezellen hem opnieuw te binnen en sloeg de schrik hem weer om het hart. In een paar woorden stelde Abdoulaye hem voor.

'Dit is jullie broer Mohammed Traoré. Hij komt uit Ségou.'

En hij trok zich terug. Toen zijn stappen niet meer te horen waren, brak de hel los. De enen bootsten allerlei dierenkreten na, anderen voerden wilde dansen uit of draaiden rond als krankzinnige piassen. Geen mens had nog kunnen geloven dat dit een plaats was waar het woord Gods werd onderwezen. Een jongen stormde onder het maken van obscene kronkelbewegingen op Mohammed af.

'Traoré uit Ségou,' schreeuwde hij. 'Jij bent een Bambara die honden en onreine dieren eet, alcohol drinkt en ontucht pleegt!'

411

Wat kon hij doen? Zeggen dat hij niet helemaal een Bambara was, maar een halve Peul, verwant aan de sultan van Sokoto? Dat zou betekenen dat hij zijn vader verloochende: dat kon hij niet. Vechten? Hij was niet sterk genoeg en riskeerde een pak slaag te krijgen.

'Een Bambara?' sprak hij zelfbewust. 'Maakt Allah dan een rassenonderscheid? Ik ben een moslim, jullie broeder in Hem.'

Uit de stilte bleek dat hij een punt had gescoord. Een jongen die ongeveer even groot was als hij, kwam naar hem toe en stelde zich voor.

'Ik heet Alfa Guidado.'

Zo fijn waren de trekken van deze knaap dat men zich kon afvragen of dit geen meisje was dat in een gekke bui haar haren had afgeknipt en jongenskleren aangetrokken. Zijn huid was even licht als die van een Moor, zijn haar gekruld, zijn schuine ogen fonkelden, en links naast zijn dikke vlezige lippen had hij een schoonheidsvlekje. Zijn vader was een van de zeven maraboets die in de stad politietoezicht hielden; de man was zo godvruchtig dat hij zich van de behoefte om verscheidene malen daags te eten had bevrijd en wekelijks nog slechts één kop gestremde melk tot zich nam.

'Ben jij de zoon van Modibo Oumar Traoré?' vroeg Alfa Guidado.

Mohammed was in de wolken. Was de faam van zijn vader dan zo groot?

'Al plaagt hij graag, Bori Hamsala is geen kwaaie kerel,' ging Alfa door. 'Altijd is hij bereid om het voedsel dat hij krijgt te delen.'

Het voedsel dat hij kreeg? Mohammed spitste zijn oren. Waren die verhalen dan toch waar? Alfa bekeek hem met een zeker medelijden.

'Weet jij dan niet dat, zolang we God zoeken, wij om eten bedelen, hoe rijk onze ouders ook mogen zijn? Ja, beste kerel, de tijd is voorbij dat je moeder je een kop dègè kwam brengen en dat je op een schone slaapmat onder een dikke deken sliep. Vergeet die zoete genoegens, de vreugden, het genot! Onze lijdensweg begint. Maar wat een lijdensweg! En wat een doel!'

Onderwijl was Hamdallay in rep en roer vanwege de komst van een heel andere bezoeker. El-Hadj Omar Saïdou Tall, een Toucouleur uit Toro, vijf jaar geleden nog een volslagen onbekende, genoot nu een uitzonderlijke faam als heilige en korankenner. Hij was verscheidene malen op bedevaart naar Mekka getrokken, had in Sokoto verbleven, enkele jaren in Cairo doorgebracht, in Palestina het graf van de profeten Abraham en Jezus bezocht, en onderweg vele wonderbaarlijke genezingen verricht. Wat kwam hij in Hamdallay doen? Allicht was het de reputatie van Cheikou Hamadou die hem had aangelokt? Had hij lovende dingen gehoord over het administratief, fiscaal en militair bestuursapparaat in Macina, en wilde hij zijn broeder in Allah hulde komen brengen? Toch waren de raadgevers van Cheikou Hamadou er niet helemaal gerust over. Volgens de voorspellingen van talrijke profeten zou El-Hadj Omar een rijk stichten dat Nioro, Medina, Ségou, Hamdallay en andere nu nog vrije en trotse steden omvatte. Over hem had de almami uit Fouta verklaard: 'Op zijn eentje zal hij meer moskeeën bouwen dan jullie geest zich ooit zou kunnen voorstellen.'

Cheikou Hamadou zelf hield het hoofd koel. Volgens hem kwam El-Hadj Omar zich bezinnen op het graf van de heilige Abd el-Karim die verleden jaar tijdens een bezoek aan Hamdallay was gestorven. Een man Gods laat zich niet zo gemakkelijk van de wijs brengen.

Kort na de aankomst van El-Hadj Omar stonden Mohammed en Alfa te bedelen voor de met gierststengels omheinde familiehuizing van Bouréma Khalilou, lid van de Hoge Raad die met het bestuur van Macina was belast, en een autoriteit op velerlei gebied. De dienstmeisjes vulden hun kalebassen met de rijkelijke overschotten van een tatiree Macina – een welkome afwisseling na de eeuwige gierst die ze van de vrome families kregen. Gulzig wilde Mohammed zich op dit onverhoopte voedsel storten.

'Halt!' riep Alfa. 'Weet je dan niet dat je alles naar de eetzaal moet brengen en eerlijk met de anderen delen?'

Sinds hij in Hamdallay verbleef was Mohammed nog slechts een hongerige, altijd lege maag. Een rommelende buik waarin het wriemelde van de wormen. Hij kon niet meer denken, bidden of slapen van de honger. Als hij zijn ogen sloot dacht hij aan de smakelijke warme gerechten die door de vrouwen thuis in Ségou werden bereid. Ach, hij wist toen niet hoe gelukkig hij was! Het water kwam hem in de mond en droop over zijn kin waar het zich met zijn tranen vermengde. Honderd keren had hij willen vluchten. Naar Ségou terugkeren! Terug naar Maryems warme omhelzing en de spelletjes met zijn jongere broertjes! Waarom moest hij zo lijden? Op een middag was hij, geveld door de zon en de honger, ineengezakt en had hij als een hond, ver van de zijnen, willen creperen. Wat zou Tiékoro zeggen als ze hem kwamen melden: 'Je zoon is niet meer'? Zou hij zich dan van zijn harteloosheid en zijn onrechtvaardigheid bewust worden?

Mohammeds ongeluk was dat hij Alfa Guidado als vriend had. Was hij met Bori Hamsala, Alkayda Sanfo of Samba Boubakari opgetrokken, die de hele dag aan niets anders dachten dan aan middeltjes en trucjes om aan eten te komen, dan was alles anders geweest. Maar Alfa was even onkreukbaar als mooi. Hij was als een muskuszalf waarvan de geur niet te verdrijven is. Een geschenk Gods. Zijn leermeesters moesten zijn dweperig mysticisme afremmen, maar Cheikou Hamadou hield van hem en riep hem vaak bij zich om met hem over geloofszaken te praten. Zijn blik alleen al deed Mohammed ineenkrimpen van schaamte dat hij zo verstrikt zat in de vleselijke lusten, dat hij een maag, een buik en darmen had, dat hij op de honden leek die de stad niet binnen mochten, maar de kudden moesten bewaken. Soms stak hij Mohammed zijn nog half volle kalebas toe, met de woorden: 'Neem maar, ik heb genoeg.' Uit zíjn mond klonk dat niet aanmatigend. Het was slechts de vaststelling van een feit.

Achter het woonhuis van Cheikou Hamadou was er een loods opgetrokken die als eetzaal diende. Daar kwamen de leerlingen na elke bedeltocht samen, waarvoor ze eerst de moskee voorbij moesten.

De moskee van Hamdallay had geen minaret noch enige architectonische versiering. De muren waren zeven el hoog en omringden een voorhof van ruime afmetingen, waar de rituele wassingen plaatsvonden; daarachter lag een overdekte gebedsruimte met twaalf zuilenrijen die de ereplaatsen afbakenden voor de koranlezers, de kopiïsten van zeldzame handschriften en de fabrikanten van lijkwaden. Deze laatsten moesten er door hun aanwezigheid aan herinneren dat de dood in het middelpunt van het leven staat.

In Ségou waren er geen dergelijke monumenten. Weliswaar zag men er steeds meer moskeeën, maar ze bleven onopvallend, alsof Allah liever als een bescheiden overwinnaar zijn intrede deed. Zo kwam het dat Mohammed zijn hart sneller voelde kloppen telkens wanneer hij langs dit trotse bouwwerk liep, vervuld als hij was van angst en eerbied.

De leerlingen stroomden de eetzaal binnen, en toen het voedsel was verdeeld staarde Mohammed bedroefd naar de schrale hap die overbleef. Eens te meer zou hij zijn buik met water moeten vullen. Hij stopte de laatste rijstkorrels in zijn mond toen Abdoulaye, die zijn geestelijke leidsman was, verscheen.

'Haast je!' zei hij. 'El-Hadj Omar wil je zien.'

Iedereen was stomverbaasd. Hoe kon die hoge gast aandacht schenken aan een wurm als de kleine Mohammed Traoré uit Ségou? Als Abdoulaye niet zo veel respect afdwong, hadden ze hem gek verklaard!

Mohammed sprong op, ging zijn handen wassen en volgde zijn leidsman. Hij durfde hem geen vragen te stellen en zijn hart bonsde als een tamtam. Ze liepen het woonhuis binnen, trokken door de zaal waarin Cheikou Hamadou's fabelachtige collectie handschriften werd bewaard en kwamen in de zaal van de Hoge Raad – ook zaal met de Zeven Poorten geheten, omdat ze drie openingen naar het noorden, drie naar het zuiden en een naar het westen had. Het was een prachtige ruimte. In de muren waren gaatjes die het licht filterden en zorgden voor een goede luchtverversing. Het gewelf werd onderstut door houten bogen die telkens slechts eenderde van het vertrek overspanden, volgens een techniek die aan het Haussa land was ontleend.

Naast Cheikou Hamadou zaten enkele andere mannen. Wie El-Hadj Omar was, liet weinig twijfel. Het was een mooie, krachtig gebouwde veertiger wiens weelderige kleren, die fel contrasteerden met de sobere kleding van zijn gastheer, Mohammed aan de levensstijl van zijn eigen vader deden denken. Hij droeg een wit geborduurd hemd, een hemelsblauwe Arabische boernoes die met zilveren passementwerk was afgezet, en een enorme zwarte tulband die de hiëratische waardigheid van zijn gelaatstrekken onderstreepte. Mohammed kon zijn blik niet afwenden van de brede sabel die in een schede van gedreven leer aan zijn koppelriem hing. Dit leek hem het zinnebeeld van deze vrome veroveraar die voor God ten oorlog trok.

'Daar is onze zoon Mohammed Traoré,' zei Cheikou Hamadou glimlachend.

Ook op El-Hadj Omars gezicht verscheen een hoffelijke, innemende glimlach, waarin toch een lichte spot doorschemerde, iets als de trots van het roofdier dat zijn prooi had weten te bemachtigen.

'Kom wat dichterbij, wees maar niet bang,' sprak hij met zijn diepe, welluidende stem.

Mohammed legde de onoverbrugbare afstand af die hem van de grote maraboet scheidde, met zijn ogen op de neergeslagen rand van diens soepele leren laarzen gericht. Toen hij zijn hoofd ophief bezweek hij haast onder de blik die hem vorsend opnam. Hij had het gevoel dat die man in zijn ziel kon schouwen, dat hij moeiteloos zijn geheimste gedachten las, de instincten waar hij zelf geen weet van had.

'Waarom ben je zo bang voor mij?' vroeg El-Hadj Omar.

'Ik ben niet bang voor u, meester,' stamelde Mohammed.

Meteen speet het hem dat hij deze zin had uitgesproken. Wat een lef! Wat een onbeschaamdheid! Hij hoorde bang te zijn – hij, een stofje op het aanschijn van de aarde – voor deze uitmuntende geest wiens schittering hem moest verblinden! Wanhopig zocht hij naar een manier om deze blunder weer ongedaan te maken, maar El-Hadj Omar liet hem daar de tijd niet voor.

'Ik wil je zeggen dat ik de grootste achting heb voor je vader Modibo Oumar Traoré die het licht van het ware geloof zo onvermoeibaar om zich heen laat schijnen. Ten teken van mijn vriendschap zal ik in Ségou, waarheen ik me nu wil begeven zodra ik Hamdallay verlaat, bij hem mijn intrek nemen. Geen woning lijkt me daarvoor zo aangewezen als de zijne.'

Al was Mohammed nog zo naïef, hij wist welke omstreden figuur zijn vader was en begreep welke gevolgen het bezoek van zo'n hoge gast in Ségou kon hebben. Tot in het paleis van de mansa zou er over niets anders meer gesproken worden! Maar welke eer ook voor de familie! Een man die een vertrouwde gast aan alle koningshoven was, een heilige, een profeet! In zijn verwarring wist hij niets te antwoorden en trok zich terug met het pijnlijke gevoel dat hij gedurende dit hele onderhoud een stuntelig en dwaas figuur had geslagen.

Het was geheel bij toeval dat Mohammed zijn familie in Macina leerde kennen. Weliswaar had zijn vader van een onbekende grootmoeder gerept, maar sinds zijn aankomst in deze kille stad waar zelfs het lied van de lofdichters verboden was, had hij het te druk gehad om te wennen aan de klanken van de Peul taal uit Macina, zo verschillend van die uit Sokoto welke zijn moeder sprak, en om zijn kennis van het Arabisch te verbeteren en te strijden tegen de verlangens van zijn eigen lichaam; die grootmoeder was hem volkomen door het hoofd geschoten.

Nu stond hij samen met Alfa te bedelen voor een familiehuizing niet ver van de Damal Fakala-poort. Sinds enkele dagen blies er een ijskoude wind door de straten van Hamdallay, dat toch al in een vochtige klimaatzone lag waar zich vanouds grote overstromingen voordeden. Tussen zijn bedelaarslitanieën door stond Mohammed zijn longen uit zijn lijf te hoesten toen er een vrouw naar buiten kwam die hem bij de arm nam.

'Nee,' riep ze verontwaardigd, 'God wil niet dat moeders hun kinderen voor Hem zien sterven!'

Hij wilde tegenstribbelen, maar ze trok hem mee naar binnen. Hij was te hongerig en te verkleumd om een kalebas heerlijk warme gierstebrij af te slaan, waarna hij er nog een met aromatische gestremde melk kreeg voorgezet. Een beetje verlegen bedankte hij de vrouw, die hem begon uit te vragen.

'Ben jij soms geen Peul?'

'Nee,' schudde hij, 'ik ben een Bambara uit Ségou.'

'Uit Ségou?' zei de vrouw zichtbaar geschrokken. 'Dan heb je misschien over Malobali Traoré, de zoon van Dousika, horen spreken?'

'Dat was mijn vader.'

De vrouw brak in tranen uit. Even later werden Mohammed en Alfa aan de voltallige familie voorgesteld.

Sira had het niet gemakkelijk gehad. Hoewel ze Ségou uit eigen wil had verlaten, had ze steeds met heimwee aan die stad teruggedacht. En van haar echtgenoot Amadou Tassirou had ze nooit gehouden, al had ze hem trouw gediend en vier kinderen geschonken. Iets wekte haar weerzin in die man die voortdurend de kralen van zijn bidsnoer door zijn vingers liet glijden en de mond vol had over God, maar zich 's nachts begerig op haar lichaam wierp en steeds jongere bijzitten nodig had, alsof zij het bloed in zijn aderen konden verjongen. Na zijn dood had zij van zijn jongere broer niet willen weten en, om een schandaal te vermijden, was ze naar Hamdallay vertrokken met haar kinderen en een paar koeien die nog steeds door de familie van haar overleden echtgenoot werden teruggeëist. Met hun melk waren haar kinderen groot geworden, terwijl zij zich vóór alle andere vrouwen naar de markt spoedde waar ze de beste koddee verkocht. Met de jaren had ze haar schoonheid, maar niets van haar moed en wilskracht verloren. Het was alsof de goden met haar pas vrede hadden gesloten nadat Tiékoro haar de dood van Malobali was komen melden.

In den vreemde was hij te kwader ure aan zijn eind gekomen. Waarnaar was Malobali in de wijde wereld zo op zoek? Naar zijn moeder. Zijn moeder wier borst dorder dan de bast van de apebroodboom was! Zij had hem gedood, even zeker als wanneer ze hem als kind met drie stenen om zijn hals in een put had gesmeten.

Dagen en nachten lang had ze liggen ijlen. Ook dat was ze te boven gekomen, want de dood laat zich niet dwingen. Ze kwam het te boven, maar was nog slechts een oude, zwijgzame, afwezige vrouw die op de tast naar brandhout of de uier van de koe zocht en in haar handen sneed als ze apebroodboombladeren fijnhakte. Haar oudste dochter M'Pènè zorgde nu voor haar, en – wat niemand ooit had verwacht – nooit was er een grootmoeder die beter een baby wist te sussen of te baden.

Met haar ogen die wit waren geworden van ouderdom staarde ze naar Mohammed.

'Olubunmi?' mompelde ze. 'Ben jij Olubunmi?'

M'Pènè en de andere familieleden begrepen dat ze met haar oude hoofd alles door elkaar haalde.

Welke vertroosting voor Mohammed dat hij hier verwanten had gevonden! Sira joeg hem wat angst aan, maar één blik op M'Pènè en hij zag zijn vader weer voor zich. Het bloed kruipt waar het niet gaan kan – het

419

is als een rivier die verre landen bevloeit en toch nooit haar bron vergeet.

Mohammed bestookte M'Pènè met verwijten. 'Waarom ben je ons in Ségou nooit komen opzoeken?'

'Dat zou moeder nooit hebben toegestaan.'

'Dan zal ik je meenemen en aan de hele familie voorstellen!'

Sira's zonen Tidjani en Karim keken geamuseerd toe. Dat deel van hun moeders leven ging hen niet aan. Zij waren Peul, Peul uit Macina. En toch vonden ze dat neefje sympathiek. Het was een echte bimi, zoals de Bambara zeiden. Maar Ayisha, het oudste dochtertje van Tidjani, had medelijden met die stakker, want op een van zijn enkels zag ze onder een slordige pleister van geneeskrachtige bladeren een etterende wonde.

# 3

'Fa, fa! Je mag niet toestaan dat hij die Toucouleur maraboet bij ons thuis ontvangt! Je weet toch dat de Peul en de Toucouleur verwante volkeren zijn en dat hij uit Hamdallay komt. Misschien heeft hij met Cheikou Hamadou een komplot tegen Ségou gesmeed! En zelfs als dat niet zo is, dan nog zal iedereen dat geloven!'

Maar Diémogo was nog slechts een krachteloze oude man. 'Ik kan er niets aan doen,' zei hij hoofdschuddend. 'Nya heeft iedereen ingepraat dat dit een hoge eer voor de familie is.'

Tiéfolo richtte zich op. Hij zat zijn tijd te verliezen naast de slaapmat van de grijsaard. Er moest gehandeld worden! Zou hij nog eens naar de mansa gaan? Hij had een slechte herinnering aan het lauwe onthaal dat hem daar enkele maanden geleden te beurt was gevallen, en aan de voorzichtige conclusie van de vorst: 'Laat die jongen maar vertrekken. En laat de rest aan ons over.'

Intussen was er niets gebeurd. En nu wilde Tiékoro de familie met die maraboet opzadelen! Al degenen die over hem hadden horen spreken, zeiden dat hij nog fanatieker was dan Cheikou Hamadou, want hij behoorde tot een andere broederschap die het als een plicht zag de ongelovigen uit te roeien en de vorsten die afgoden dienden te verjagen. Was iedereen in de familie dan blind? Zag niemand het gevaar?

Bij zijn terugkeer van de jacht had Tiékoro van Ténègbè vernomen wat zijn broer van plan was. Zo groot was zijn opwinding dat hij niet eens het wild in stukken had gesneden en de goden hun deel geschonken.

Hij wilde alle mannen van de clan opzoeken om een familieraad bijeen te laten roepen die Nya en haar zoon in het ongelijk zou stellen. En als dat niet lukte zou hij zich opnieuw tot de mansa wenden.

Tiéfolo trok eerst naar Siga. Diens leerlooierij scheen die ochtend te herleven. Slaven met niets dan een vod om hun middel liepen van de ene put naar de andere; garankè stonden te luisteren naar Siga die met zijn wijsvinger modellen in het zand tekende.

'Nou, dat is nieuw!' riep Tiéfolo verbaasd. 'Van wie kreeg je een bestelling?'

'Kon ik weigeren?' mompelde Siga bedremmeld met ontwijkende blik. 'Ik heb al maanden geen werk meer.'

Eerst begreep Tiéfolo het niet. 'De Toucouleur maraboet?' vroeg hij ten slotte ongelovig.

Siga knikte. 'Veertig paar Moorse sloffen en evenveel paar laarzen voor hem en zijn metgezellen. En nog eens evenveel voor zijn zoons en de zoons van zijn metgezellen. Hij betaalde vooruit, de helft in goud, de andere helft in kauri's. Kon ik nee zeggen?'

Tiéfolo wendde zich af. Hij greep niet gauw naar geweld, maar nu voelde hij een verschrikkelijke woede in zich opstijgen; als hij zichzelf niet in de hand hield zou hij zich, als een van die roofdieren waar hij in de wildernis jacht op maakte, op zijn broer werpen. Wat is de mens als hij zo vlug bezwijkt voor materiële goederen? Voor een handvol goud en nog wat kauri's had Siga zich verkocht. Hij liep over naar het kamp van degenen die voor die maraboet wilden neerknielen en Tiékoro's plannen toejuichten. Zijn woede maakte plaats voor afschuw en walging. De tranen kwamen in zijn ogen.

'Wees toch realistisch, Tiéfolo,' drong Siga aan. 'Het is een man voor wie alle vorsten hebben moeten buigen.'

'Geeft hem dat het recht de mansa van zijn troon te stoten?'

'Van zijn troon te stoten? Waarom zou hij? De mansa kan zich toch bekeren!'

Dit ging te ver. Tiéfolo liep weg.

Terwijl hij met grote stappen door de straten van

Ségou beende, stuitte hij op Soumaworo, de fetisjpriester-en-oppersmid wiens diensten hij telkens vóór hij op
jacht vertrok en vóór elke belangrijke beslissing placht
in te roepen. Soumaworo nam hem bij de arm.

'Ik was naar jou op zoek,' sprak hij. 'Vanochtend
dankte ik Sanéné omdat hij je ongedeerd uit de steppe
heeft laten terugkomen, en toen onthulde hij me iets...'
De fetisjpriester sprak nu met gedempte stem. 'De dood
loert op je familie.'

Bijna haalde Tiéfolo zijn schouders op. Diémogo zou
het niet lang meer maken, dat wist iedereen.

'Ik weet wat jij denkt,' fluisterde Soumaworo, 'maar
daar gaat het niet om. Dat een oude man doodgaat,
is heel gewoon. Maar Sanéné doelde op je broer Tiékoro.'

Tiéfolo huiverde. Werden de kwade gedachten die hij
koesterde dan omgezet in een dodelijk vergif voor zijn
broer?

'Soumaworo,' zei hij, 'wat vertel je me daar?'

De ander bekeek hem met zijn rooddoorlopen blik
waarin het wit nauwelijks van de pupil te onderscheiden
was.

'Over de nadere omstandigheden heeft Sanéné niets
prijsgegeven. Wil je dat ik hem uithoor en die dood
probeer af te wenden?'

Tiéfolo zweeg. Hij leek naar de muren van de hutten
te staren. Maar in werkelijkheid zag hij niets; zijn bloed
bruiste zo hevig dat het hem schemerde. Hij had het
gevoel dat niet alleen het lot van de clan in zijn handen
was, maar dat ook de overlevingskansen van Ségou van
zíjn antwoord afhingen. Die verantwoordelijkheid
schrikte hem af, verlamde hem. Als Tiékoro verdween
had de islam in de familiehuizing en zelfs in heel het
koninkrijk geen verbreider meer. Aan de onenigheid zou
een einde komen. De eerbied voor het geloof van de
voorvaderen zou worden hersteld. Hij tuurde naar de
rivier die hij voorbij de bocht van een steegje zag glinsteren.

'De wil der goden geschiede,' mompelde hij haast onhoorbaar.

En omdat hij zich schaamde Soumaworo in de ogen te kijken, keerde hij hem zijn rug toe en maakte zich snel uit de voeten. Ineens kwam er een grote vrede over hem; hij voelde zich van een zware druk verlost, hij kon weer vrij rondslenteren. Hij liep naar de veemarkt en keek bewonderend naar een partij grazende en trappelende paarden uit Macina. Hij was dol op paarden. Ze waren zo verschillend van de dieren waar hij jacht op maakte, ze hadden met de mens een vreemde relatie van schijnbare onderworpenheid, eigenzinnigheid en wederzijdse achting.

'Wat wil je ervoor?' vroeg hij aan de koopman, een jonge Sarakolee.

'Je komt te laat,' was het antwoord. 'Een gezant van de Toucouleur maraboet heeft de hele partij al opgekocht. Hij heeft niet genoeg paarden om Ségou te verlaten, en neemt zijn voorzorgen.'

Slechts met de grootste moeite wist Tiéfolo zijn woede te onderdrukken. 'Niet genoeg paarden?'

'Denk aan al die nieuwe leerlingen die met hem mee zullen willen. Nu al zijn het er meer dan achthonderd!'

'Zal ik je iets verklappen?' barstte Tiéfolo uit. 'Ségou is Macina niet. Je zult zien hoe wij jouw maraboet zullen onthalen!'

Bij het verlaten van de veemarkt botste hij bijna op een van zijn slaven. De man wierp zich voor hem op de grond.

'Meester,' riep hij, 'we zijn wel met een half dozijn naar u op zoek. De mansa ontbiedt u dringend op het paleis. Haast u, want het schijnt dat hij razend is!'

En inderdaad, de mansa brieste als een leeuw in de savanne. Zijn slaven, zijn raadgevers en zelfs zijn lofdichters hielden zich op een eerbiedige afstand terwijl hij niet de minste poging meer deed om zijn waardigheid op te houden, en Tiéfolo de huid vol schold.

'Ik zou je in de boeien moeten laten slaan! Ha, Traoré, jullie zijn allen een ras van schurken en verraders! Jouw broer maakt zich op om in jullie familiehuizing die Toucouleur maraboet te ontvangen, en jij rent niet eens hiernaar toe om het mij te melden?'

Tiéfolo die voor de mansa ter aarde lag, zag kans om een paar woordjes te zeggen.

'Meester van de wereld, gisteren pas ben ik van de jacht teruggekomen. Ik had niet eens de tijd om het wild in stukken te snijden.'

'Moge het wild dat jij achternazit je impotent of steriel maken, of je een liesbreuk bezorgen! Kom jij me hier over de jacht spreken wanneer mijn troon op het spel staat?'

Zo erg was de vervloeking die door de vorst was uitgesproken, dat de diepe stilte nog drukkender werd. Makan Diabaté waagde het op zijn meester een verwijtende blik te laten rusten. Mansa Tiéfolo kwam tot bedaren. Een slaaf snelde toe om hem zijn tabakszak aan te bieden, een andere om hem koelte toe te wuiven, een derde om het zweet weg te wissen dat van zijn voorhoofd droop. Makan Diabaté gaf Tiéfolo een wenk dat hij zich nader kon verklaren, waarop deze zich half oprichtte.

'Meester van de wereld, toen ik u een paar maanden geleden kwam opzoeken, hebt gij mij geantwoord: "Laat die jongen vertrekken. En laat de rest aan ons over." Kon ik toen voorzien dat gij niets zoudt ondernemen om u tegen de plannen van mijn broer en zijn vrienden te verzetten?'

Deze woorden waren een nauwelijks verholen kritiek aan het adres van de vorst, en de raadgevers keken bezorgd naar die dwaas die kennelijk niet meer wist wat hij zei. Maar zo groot was de waardigheid waarmee Tiéfolo ze uitsprak, dat de mansa niet eens protesteerde. Hij nam in tegendeel met een zekere waardering de man op die voor hem in zijn jagerskleren lag neergeknield, met zijn punthoed vol amuletten, zijn wijde tuniek en om zijn middel een met kauri's ingelegde koppelriem boven een kniebroek die zijn gespierde, door de doornstruiken uit de steppe geschramde kuiten bloot liet. Ja, Tiéfolo had gelijk hem dit verwijt te maken. De vorige keer had hij hem niet erg hartelijk onthaald en hem laten verstaan dat hij zijn beweegredenen wantrouwde. Nu was hij ervan overtuigd dat El-Hadj Omar en Cheikou Hamadou tegen hem samenspanden en op de steun van medeplichtigen uit Ségou konden rekenen. El-Hadj Omar zou in Hamdallay verklaringen hebben afgelegd die in de richting van een dergelijk komplot wezen.

'Mijn vader, de grote Monzon,' zei hij, 'ging ervan uit dat de weg van de list veiliger is dan die van de kracht. De Toucouleur maraboet zal in Ségou worden toegelaten en bij jouw broer logeren. Ik zal mij daar niet tegen verzetten. Ik zal hem in mijn paleis ontvangen. Maar wanneer en hoe hij hier weer uit zal komen, weten de goden. Ga naar huis, Tiéfolo. Ik wil dat je mij elke avond van alle besprekingen tussen de Toucouleur en je broer verslag komt doen.'

Tiéfolo trok zich terug. Toen hij over de binnenhoven liep verafschuwde hij zichzelf. Mag een broer zijn broer verraden? Hem afluisteren en alles overbrieven? Hij, een edelman, moest zich als een slaaf gedragen en de verachtelijkste middelen gebruiken om hogerop te komen. Hij dacht aan Soumaworo's woorden, en terwijl ze hem zoëven nog hadden gerustgesteld, vervulden ze hem nu met angst. Mocht hij maar van elke schuld aan deze dood verschoond blijven! Toen de lofdichters op hem afsnelden duwde hij hen opzij met een voor zijn doen ongewone hardhandigheid, want anders hoorde hij hen graag zijn roemruchte daden in de savanne bezingen: hoe hij als tienjarige een leeuw had neergelegd. Ze dropen af, maar achter zijn rug zongen ze spottend:

*Jager, jager,*
*Schep niet te veel op, want dan zing ik niet je lof!*
*Wie anders dan jij roeit de olifant uit,*

*Jaagt de buffel op*
*En verdelgt de giraf*
*Met zijn zonnekleurige vacht?*
*Jager, jager, als ík je niet bezing,*
*Wie ben jij dan nog?*
*Maakt het woord ons niet tot mens?*

Nabij de Somono moskee op de nes liep hij Tiékoro tegen het lijf, wat hem zo in verlegenheid bracht dat hij bijna op zijn stappen terugkeerde. Hij keek zijn broer onderzoekend aan om de slagschaduw van de dood te ontdekken, waarvan Soumaworo had gesproken, maar hij zag slechts de trotse en voldane trekken van een man wie het voor de wind gaat. Van zijn kant had Tiékoro altijd wat neergekeken op Tiéfolo, die grote lummel die met zijn lichaam vol amuletten jacht maakte op onschuldige dieren. Zijn faam van dapperheid was er voor hem haast een van dwaasheid. Maar het was de oudste zoon van zijn vaders jongere broer. Hij moest het maar met hem zien te vinden.

'Heeft de bara muso je gezegd,' vroeg hij met een hoffelijke glimlach, 'dat ik je gisteren overal heb gezocht?'

'Ik weet al wat je me te zeggen had,' sprak Tiéfolo terwijl hij naar het stof van de straat staarde.

Tiékoro hoorde de kille ondertoon. 'Tiè,' zei hij zacht maar nadrukkelijk, alsof hij zich tot een eigenwijze knaap richtte, 'ik weet wat jij denkt. Maar je kunt er niet onderuit: er is geen andere god dan God. Als een verblindende zon zal Allah boven dit koninkrijk oprijzen en onze familie zegenen omdat ze zich daarvoor heeft ingezet.'

'Als je een preek wilt houden,' snauwde Tiéfolo, 'moet je dáár zijn!' En hij wees naar de moskee.

Even bleef Tiékoro roerloos toezien hoe zijn broer van hem wegging, waarna hij met een zucht het voorhof van de moskee betrad.

In tegenstelling tot de Bambara, die de islam hardnekkig bleven afwijzen, onderhielden de Somono nauwe relaties met de grote maraboet-families uit Tombouctou, vooral met de Kounta's. Daarom wilde Tiékoro samen met hen El-Hadj Omar een feestelijk onthaal bereiden. Maar in plaats van de welwillendheid waarop hij had gerekend, trok Alfa Kane, de imam van de moskee, die samen met zijn medewerker Ali Akbar groene thee aan het drinken was, een zuur gezicht.

'Wist je,' vroeg hij, 'dat die El-Hadj Omar een aanhanger van de Tidjaniya is?'

'Qadriya, Tidjaniya, Suhrawardiya of Shadiliya,' zei Tiékoro schouderophalend, 'zijn wij niet allen moslims?'

'Dat laat ik voor jouw rekening,' was het antwoord.

Er viel een stilte. Omdat het bijna tijd was voor de zohoer, het tweede gebed van de dag, begonnen groepjes gelovigen binnen te sijpelen die hun babouches uitdeden en ze zorgvuldig tegen de muur op een rij zetten. Even later weerklonk de snijdende stem van de moëddzin. Die roep had voor Tiékoro nog niets van zijn aangrijpende kracht verloren. Hij dacht aan die eerste keer dat hij hem boven Ségou's muren had horen opstijgen, hoe hij toen huiverend had gevoeld dat God tot hem sprak, tot hem, een aardse worm; hoe hem de schellen van de ogen waren gevallen. O God, peinsde hij rillend, wat snak ik ernaar met U te worden verenigd!

Maar Alfa Kane bracht hem tot de werkelijkheid terug. 'Ik wil met de komst van die Toucouleur,' sprak hij categorisch, 'niets te maken hebben! Ik zeg het je: door zijn toedoen zal de broer tegen de broer opstaan en zal de moslim moslim-bloed vergieten! Wie beducht was voor Cheikou Hamadou, had ongelijk: het gevaar komt van die Toucouleur!'

Hij trok zijn smetteloos witte boeboe wat strakker om zijn lichaam en verdween in de moskee.

Tiékoro aarzelde. Zou hij hem achterna lopen en om nadere toelichting vragen? Maar in zijn hart treurde hij er niet om dat hij de enige was die deze grote ma-

raboet warm zou ontvangen. Ze zouden zien waartoe
een Traoré in staat was! Hij had goud, kauri's en rijdieren genoeg. Schapen en pluimvee had zijn familie
bij de vleet. Haar schuren zaten nokvol gierst en ze
wisten niet waar ze al die zoete aardappelen moesten
bewaren. De komst van El-Hadj Omar zou een hoogtepunt in zijn leven als gelovige worden.

Aanvankelijk leek alles Tiékoro's eerste echtgenote Maryem van Siga's vrouw Fatima te scheiden. Als verwante
van een sultan die een koninkrijk had gesticht, was de
eerste binnen paleismuren geboren, omringd door slavinnen die op iedere wenk toesnelden. De tweede was
de dochter van een koppelaarster uit Fes, en hoewel
dat een winstgevend beroep was stond het niet erg in
aanzien. De eerste was doortastend in haar optreden;
zij was gewend te bevelen en te worden gehoorzaamd.
De tweede was sloom en geneigd tot zelfbeklag. De
eerste was de echtgenote van een man wiens faam reeds
over de grenzen van Ségou heen reikte; de andere van
het zwarte schaap van de familie, wiens naam sommige
clanleden weigerden uit te spreken.
  En toch waren beide vrouwen zo op elkaar gesteld
dat er geen dag voorbijging zonder dat ze elkaar gingen
opzoeken. Tussen hun beider woningen was het een
gaan en komen van slavinnen met lekkernijtjes, of kinderen met een boodschap of een presentje.
  Wat hen aan elkaar bond was hun gemeenschappelijke
haat voor Ségou, hun misprijzen voor de godsdienst en
de zeden van de Bambara, en de behoefte om dat aan
elkaar voortdurend te herhalen. Van haar dwaze ver-
kikkerdheid op Tiékoro was Fatima genezen doordat
zijn vrouw, met een haat die door zijn felheid op liefde
leek, haar geen enkele bijzonderheid van zijn gedrag
bespaarde. Zij haatte Siga niet, zij voelde zich beetgenomen – als een die moet ontdekken dat wat haar als
goud werd voorgehouden, in werkelijkheid zand was.
Ze troostte zich met de gedachte aan haar tien kinderen,

het een nog mooier dan het andere, en allen even lief en hartelijk. Omdat de berooidheid van haar man haar niet toeliet er een groot aantal slaven op na te houden, zorgde zij zelf voor hen. Haar dagen bestonden uit zogen, papjes bereiden, middeltjes toedienen tegen tandpijn, koorts en buikloop, woordjes voorzeggen. Ze voedde hen op in het geloof aan Allah – wat Siga door de vingers zag – en stuurde hen zodra dat kon naar een koranschool voor Moorse kinderen aan de overzijde van de rivier.

Het bericht van de komst van El-Hadj Omar leek de twee vrouwen met Ségou te verzoenen. Ze holden naar naaisters om zich boeboes te laten vervaardigen. De broer van Fatima had haar uit Fes rollen met gouddraad verweven zijde gestuurd waar ze nog geen gebruik van had gemaakt. Maryem bezat prachtige gedreven juwelen die al jaren in kalebassen lagen opgestapeld. Eén vraag liet haar geen rust: zou Tiékoro toestaan dat Mohammed zich bij het gevolg van de Toucouleur aansloot? Zou zij haar zoon eindelijk weer bij zich hebben?

Fatima probeerde haar tot rede te brengen. 'Het is niet goed dat hij tijdens zijn dienst naar huis komt.'

'Dienst? Jij praat alsof hij soldaat is!'

'Is hij geen soldaat van God?' sprak Fatima zacht.

Maryem schaamde zich dat ze zich zo de les moest laten lezen. Maar het geloof is één zaak, en de moederliefde een andere. Ze had maar één jongen. Ze werd gekweld door de gedachte dat hij liep te bedelen in die stad waar – zo had ze vernomen – de vrouwen gesluierd liepen en de weduwen binnenshuis moesten blijven om de oude mannen niet in bekoring te leiden. Ze wees de gevulde dadels af die Fatima haar aanbood. Zij had geen trek in al die zoetigheid; in Sokoto was er geen andere snoep dan honing met gestremde melk. Fatima nam een hap van het groen-bruine spul.

'Het schijnt niet zo best te boteren,' zei ze, 'tussen Cheikou Hamadou en die Toucouleur maraboet. Eerst wilde die tot het einde van het droge seizoen in Hamdallay blijven. Maar hij heeft zijn verblijf moeten bekorten.'

Maryem zette grote ogen op. 'Van wie weet je dat?' vroeg ze.

'Van de Moren op mijn kinderen hun school. Zij mogen hem van de Kounta's uit Tombouctou bij zijn aankomst in Ségou niet gaan begroeten.'

'Waarom dan toch?'

Fatima trok haar schouders op. 'Weet ik veel! Vanwege ruzies tussen broederschappen, ruzies over macht en aanzien, kortom mannenruzies!'

Maryem nam zich voor Tiékoro daarover uit te vragen. Hoewel – nu hij het zo druk had met de voorbereidselen voor de ontvangst van de maraboet, het opknappen van de hutten waarin de hoge gast met zijn gevolg zou worden ondergebracht, de Marokkaanse vloerkleden die overal werden uitgespreid, de welriekende oliën die werden verbrand om de lucht te parfumeren, de geschenken die moesten worden klaargezet en die niet onbeduidend mochten lijken na al wat El-Hadj Omar van vorsten had gekregen, de voorraden gierst en rijst die werden geïnspecteerd, het pluimvee dat werd geteld – de kans klein was dat hij nog een ogenblikje voor haar overhad. En er was nog iets dat Maryem, en al Tiékoro's overige echtgenotes, dwarszat: bij dat al ging hij alleen te rade bij zijn moeder. Urenlang zat hij in de hut van Nya, die daarna bevelen gaf, alles controleerde, vitte, kijfde! Kon Maryem, die toch was opgegroeid in het paleis van een sultan bij wie zich gasten uit de hele wereld meldden, hem soms niet ter zijde staan? Die oude Bambara vrouw had nooit de Joliba overgestoken; hoe zou zij een moqaddem weten te ontvangen?

Met de wind kwam de stank van Siga's leerlooierij aanwaaien. Fatima keek haar vriendin in de ogen.

'Hierdoor heeft híj tenminste wat werk,' zei ze.

Haar gezicht drukte zo veel misprijzen uit dat Maryem het hoofd schudde.

431

'Al is hij een verstokte fetisjist, Siga is een man voor wie ik het grootste respect heb. Maar niemand begrijpt hem. Hij is te eerlijk, niet sluw en niet berekenend genoeg; hij weet niet hoe men mensen aan zich verplicht.'

Het was duidelijk dat ze hem met Tiékoro vergeleek.

'Je bent onbillijk,' protesteerde Fatima. 'Ik denk dat Tiékoro's liefde voor God oprecht is. Hij leeft slechts voor Hem. Heeft hij jou verteld hoe hij zich destijds, op zijn eentje, na een plotselinge ingeving heeft bekeerd? En hoe hij tegen zijn familie in heeft doorgezet?'

'Dat liedje moet ik al jaren horen,' zei Maryem geïrriteerd. Ze nam de thee aan die door een slavin werd aangereikt.

Het boterde niet tussen de Toucouleur maraboet en Cheikou Hamadou, had Fatima gezegd. Moest ze Tiékoro niet waarschuwen en hem tot voorzichtigheid manen? Hun zoon was in Hamdallay. Hij mocht niet het slachtoffer worden van conflicten waarvan men in Ségou slecht op de hoogte was. Maar zou Tiékoro naar haar luisteren? Hij was vastbeslotener dan ooit om te ijveren ter meerdere eer en glorie van God – en van de Toucouleur maraboet. En terloops ook voor de zijne!

# 4

Fetisjisten of niet, de bewoners van Ségou stonden langs
de straten opeengepakt om de stoet van El-Hadj Omar
te zien voorbijtrekken. Voor hen was hij een tovenaar
die wonderen verrichtte. Werd er niet verteld dat hij
in een uitgedroogde put het water had doen terugkeren?
Dat hij het had laten regenen boven een belegerde stad
die zich door gebrek aan drinkwater zou moeten over-
geven? Had hij geen zieken genezen en stervenden door
handoplegging en belezing opnieuw tot leven gewekt?
Men vergeleek deze mirakelen met die van Ségou's fetisjpriesters-en-oppersmeden, en zelfs de weerbarstig-
ste geesten moesten erkennen dat de maraboet hen overtrof. Onvruchtbare vrouwen die geloofden dat zijn blik
hen kon laten baren, verdrongen de gebrekkigen, klier-
gezwellijders en ongeneeslijk zieken, om toch maar op
de eerste rij te staan. Blinden kropen tussen de benen
van de omstanders en klaagden luid hun nood, terwijl
slimmeriken voor een kauri kalebassen water te koop
aanboden, want het was ondraaglijk heet. Tondyons
patrouilleerden door de hoofdstraten, maar de mansa
had hun opgedragen niet in te grijpen en de talloze
spionnen die tussen de menigte waren verspreid hun
werk te laten doen.

Tiékoro, die de mansa over de komst van de illustere
gast had ingelicht, was hem met een schare slaven en
Soninké geloofsgenoten in Sansanding gaan afhalen,
maar de Somono waren thuis gebleven. Sjeik El-Bekkay
uit Tombouctou had hun een brief geschreven waarin
te lezen stond: 'Onder het mom van een islamitisch
reveil zal die man de dood van vele onschuldigen veroorzaken.'

433

Opeens zag de Joliba zwart van de prauwen, van paarden met wapperende manen, van vlotten beladen met mannen en vrouwen, koeien, schapen, manden vol pluimvee. Een kreet steeg uit de menigte die vóór de stadsmuren stond opgesteld: 'Daar zijn ze!'

Dat was het sein voor al degenen die nog achter de stadspoorten stonden. Ze stroomden allen tegelijk naar buiten en de tondyons hadden de grootste moeite om hen terug te dringen.

De stoet van El-Hadj Omar telde wel duizend mensen: discipelen en aanhangers, dienaren, vrouwen en kinderen. Hij werd voorafgegaan door een detachement lansiers uit Macina, die Cheikou Hamadou hem als escorte had toegewezen, in hun maliënkolders, met hoge soepele laarzen en op hun hoofd enorme zwartzijden tulbanden. Maar de tondyons verboden die vijanden Ségou-Sikoro binnen te trekken, en ze moesten van hun paarden stijgen en een kampement langs de rivieroever opslaan. Het was bijna onmogelijk een glimp van El-Hadj Omar op te vangen, vanwege de massa die hem omringde en hem als een levend schild beschermde. In deze goddeloze stad, dit nest van afgodendienaars, lag het gevaar overal op de loer. Op een dak kon een pijl worden afgeschoten, tussen de menigte een kogel afgevuurd uit een geweer dat nadien ergens in het zand zou worden teruggevonden. Hoe de kijklustigen ook hun hals uitrekten en zich de ogen uit het hoofd keken naar ieder trots gelaat onder een zware tulband, naar elke met koordewerk bestikte boernoes, ze konden slechts gissen: Is het die? Of is het die daar?

De statige schoonheid van de vrouwen, onder wie sommigen prinsessen uit Syrië, Egypte of Arabië zouden zijn, sneed iedereen de adem af. Het volk bewonderde hun lang zwart haar dat als golvende zijde onder de sluiers vandaan gulpte, hun huidkleur ook die minder vaal en warmer dan die van Moorsen was. De Toucouleur vrouwen hadden de ranke elegantie van hun Peul seksegenoten, maar onderscheidden zich van hen

434

door hun opschik: halssnoeren met langwerpige parels aan een katoenen draad geregen, hangers die onder een hoofddoek op hun slapen glommen, opengewerkte en met filigraandraad verweven armbanden van koper met een goudlegering – de ene boven de andere, van schouder tot pols. Niemand kon ontkennen dat deze stoet meer allure had dan die van mansa Tiéfolo wanneer hij zijn paleis verliet. Oude mannetjes zagen hun kans schoon om te snateren dat er sinds Monzon, de zoon van Makoro, geen mooie mannen meer waren in Ségou. Allemaal schrielhannesen, zoals die bimi die men maar niet de baas werd.

Tiékoro reed naast de grote maraboet. Zo heftig bonsde zijn hart dat het hem leek of het zou barsten. Het bonsde van geluk en trots en dankbaarheid tegenover God die hem deze dag liet meemaken. Amirou Mangal, de bevelvoerder van Djenné, een tachtigjarige grijsaard die in heel het rijk in hoog aanzien stond, had El-Hadj Omar bij zijn vertrek uit Macina om een gunst gevraagd: dat hij over hem het gebed voor de doden zou uitspreken. Hij had zich in een lijkwade gewikkeld en zich in een mat laten rollen, opdat de maraboet hem deze laatste eer zou kunnen bewijzen. Ach, wat had Tiékoro hem graag nagevolgd! Na deze dag hoefde de zon niet meer op te gaan, want geen andere zou ooit evenveel geluk brengen. Slechts één ding miste hij: Nadié's aanwezigheid. Wat zou ook zij gelukkig zijn geweest! Wat een lange weg had hij afgelegd sinds die stinkende binnenplaats waarop hij haar als een beest had bereden! Of dat trieste krot in Djenné! Hij hoopte maar dat El-Hadj Omar zijn huis niet zou verlaten zonder hem een titel toe te kennen die zijn reputatie kracht zou bijzetten. El-Hadj was hij al. Alim dan, of halifa? Weliswaar was hij geen aanhanger van de Tidjani-weg. Zoals al degenen die in Tombouctou hadden gestudeerd, behoorde hij tot de Qadriya Kounta. Zou hij voor de Tidjaniya kiezen? Zou Cheikou Hamadou hem dat niet kwalijk nemen? Met een zucht gaf hij zijn paard, dat wat achterop was geraakt, de sporen.

Opeens schoten er bliksemstralen door de hemel die nochtans, zoals elke ochtend in het droog seizoen, helblauw was, en zo hevig waren de donderslagen die daarop volgden dat de muren van verscheidene familiehuizingen ineenstortten, terwijl er in de noordgevel van het paleis van de mansa een gapende bres werd geslagen. Een kreet van ontzetting ging op uit de menigte. Duizenden gezichten staarden naar het onbewogen hemelgewelf waaruit nu, kletterend en brandend heet, een bloedrode regen neerstortte. Het duurde maar enkele minuten en de mensen hadden kunnen denken dat ze het hadden gedroomd als ze op hun lichaam en hun kleren de sporen niet zagen. Om deze tekenen te verklaren was er geen fetisjpriester-en-oppersmid, geen duider van verborgen krachten nodig. Om de Toucouleur maraboet zou er in Ségou bloed stromen. Wanneer? Hoe? In paniek deinsde het volk terug voor de paarden waarvan de hoeven roffelden als de tamtams van de overwinning. De bewondering maakte plaats voor afgrijzen en het scheelde niet veel of er werd gescholden op de mansa die El-Hadj Omar in de stad had binnengelaten. Verbijsterd keek Tiékoro naar de rode vlekken op zijn boernoes. Al had hij het bijgeloof van zijn volk afgezworen, ook voor hem was dit een teken van de voorouders. Toen hij de verlaten straten zag werd hij opeens bang. Op dat ogenblik keerde El-Hadj Omar zich met een glimlach naar hem toe, en voor het eerst bemerkte Tiékoro de wreedheid van dat mooie gelaat vol scherpe hoeken en schuine lijnen. Ongetwijfeld was die man een uitverkorene die het licht van de islam uitdroeg. Tot elke prijs? Over hoeveel lijken?

Daar was de familiehuizing van de Traorés. Slaven spoedden zich naar buiten om de paarden bij de teugels te nemen en om de bagage aan te pakken, of de kinderen die door de vrouwen op hun rug of hun heup werden meegedragen. Intussen legden slavinnen de laatste hand aan de grote schotels koeskoes die met versnaperingen

436

en vruchtensap zouden worden opgediend, want de islam verbood elke alcoholische drank. Het water in de kruiken was met muntblaadjes of gemberschors geparfumeerd. In mandjes werden witte of rode kolanoten aangereikt. De ontvangst was onberispelijk, en toch voelde Tiékoro zich angstig en ongedurig als de bruid die opeens doodsbang wordt voor haar nieuwe levensgezel. Hij herinnerde zich het gesprek dat Maryem laatst met hem had willen voeren. Ze had hem willen waarschuwen. Maar ach, hij had nooit willen luisteren naar die te mooie en te hooggeboren vrouw die, als hij haar de vrije hand liet, alles en iedereen – hemzelf inbegrepen – zou domineren. Hij wilde haar zo vlug mogelijk enkele vragen stellen. Maar zou het gezelschap van de maraboet hem daar de tijd toe gunnen?

'Modibo Oumar Traoré, er zijn twee soorten ongelovigen: zij die in plaats van de ware God afgoden en heidense godheden vereren, maar ook zij die heidense praktijken met die van de islam vermengen. Ben jij zeker dat je niet tot deze laatsten behoort?'

Tiékoro voelde zich in het nauw gedreven.

'Onrechtstreeks, natuurlijk,' ging de Toucouleur maraboet door, op een vriendelijke toon die de ernst van zijn woorden tegensprak. 'Door een te grote toegeeflijkheid voor hen die onder jouw dak wonen. Je kent de uitspraak: "Vermengd met het veelgodendom wordt de islam waardeloos." Durf jij me te zweren dat je broers, hun vrouwen, zoons en dochters geen afgoden aanbidden? Of zelfs de jongelui uit je zaoeïa?'

Tiékoro boog het hoofd. Wat moest hij antwoorden? Hij besefte goed dat de islam in zijn familie, en zelfs onder zijn leerlingen, oppervlakkig was. Maar geleidelijk zou hij meer diepgang krijgen en wortel schieten in de harten.

'Al wie met ongelovigen de muwalat beoefent, wordt op zijn beurt een ongelovige!' sprak de maraboet nadrukkelijk.

Tiékoro viel op zijn knieën. 'Meester, wat moet ik doen?'

El-Hadj Omar antwoordde niet rechtstreeks op zijn vraag. 'Wist je dat Cheikou Hamadou niet is wat hij jou toeschijnt? In Macina heeft hij de bezittingen van de tidjaniya-aanhangers onrechtmatig in beslag laten nemen. Het rijk wordt door clan-twisten en allerlei intriges ondermijnd. Dat leidt tot de ontaarding van de islam.'

Er viel een stilte. In de grote hut met haar dak van bladeren lag een Marokkaans vloerkleed, en aan de muren hingen brokaten tapijten met banen van een halve meter breedte, die beurtelings rode en groene booggewelven voorstelden waarop in schuine letter opschriften waren aangebracht. Stearinekaarsen voegden hun schijnsel bij dat van de galamboterlampen op de schemeltjes die met eenkleurig geborduurde kleedjes waren bedekt. Wierook en welriekende oliën geurden boven de muntthee uit die door slaven, voor de gelegenheid in witzijden boeboe, op schenkbladen van gedreven koper werd opgediend.

'Oumar Traoré,' hernam El-Hadj Omar, 'heb jij de *Djawahira el-Maani* wel gelezen?'

Tiékoro moest bekennen van niet.

'Lees dat aandachtig. Laat die boodschap goed tot je doordringen. En kom me nadien weer opzoeken.'

'Waar, meester?'

'Dat laat ik je te gelegener tijd wel weten.'

Tiékoro was diep ontgoocheld. Deze ontmoeting waarnaar hij zo had uitgezien, was een lelijke streep door zijn rekening. De Toucouleur maraboet had geen woord van lof voor wat hij, in zijn eentje, onder een volk van heidenen had verricht. In tegendeel, hij verweet hem zijn laksheid en zijn tolerantie. Wat wilde de maraboet dan wel? Dat hij uit naam van de jihad zijn broers, zusters, vader en moeder zou uitmoorden? Ach, de zaak was duidelijk. Niet alleen zou hij hem geen enkele titel toekennen, hij behandelde hem als een schooljongen!

Tiékoro had zich kunnen verdedigen, alles opsommen wat hij had verwezenlijkt, maar hij voelde zich moe, bitter en teleurgesteld. Waarom was het leven slechts een loopbrug van ontgoocheling naar ontgoocheling? In zijn binnenste bad hij vurig: 'O God, roep me tot U! Geef dat ik in zeven kledingstukken in een lijkwade word gewikkeld, in een mat gerold en begraven, liggend op mijn rechterzijde. Waarom gunt Gij mij dit niet?'

Het was het uur van het avondgebed en iedereen kwam naar buiten en knielde in de richting van Mekka. Op de binnenplaats zag Tiékoro zijn broer Tiéfolo staan, rechtop, met gekruiste armen, omringd door zijn zoons en zijn jongere broers. Hij begreep dat dit geen toeval was, dat ze openlijk hun verzet tegen de aanwezigheid van de Toucouleur onder hun dak wilden laten blijken.

El-Hadj Omar wendde zich naar Tiékoro. 'Ik zei het al, Oumar: wie met ongelovigen de muwalat beoefent, wordt op zijn beurt een ongelovige.'

Tiékoro raakte met één knie de grond toen een slaaf hem bij de arm nam. Geërgerd, bedrukt en verdrietig als hij was, zou hij de ongelukkige hebben uitgescholden en misschien afgeranseld. Maar de ander was hem vóór.

'Vergeef me, meester,' riep hij uit, 'maar daar zijn gezanten van de mansa!'

'Van de mansa?'

Een hele delegatie wachtte op de eerste binnenplaats. Koninklijke lofdichters in tunica's van groen fluweel met een roodzijden of indigoblauwe voering. In het wit geklede leden van de raad, met hun staf in de hand. Slaven met naakte torso, met hun armen vol geschenken. Tiékoro werd getroffen door de overvloed aan talismans en amuletten die ze aan armen en benen, om hals en middel droegen, alsof ze voor alle duidelijkheid wilden tonen tot welk kamp zij behoorden. Ségou wees de islam af.

De koninklijke raadgever Mandé Diarra nam het woord. 'Dit zijn geschenken van de mansa voor je gast. Morgen wordt hij op het paleis verwacht. In jouw gezelschap, natuurlijk.'

439

Tiékoro raakte nog meer in de war. Zou de Toucouleur maraboet, met de onbuigzame gezindheid die hem eigen was, wel een heidense vorst willen ontmoeten en hem de eer betuigen die hem toekwam?'

'El-Hadj Omar,' mompelde hij, 'is in gebed. Ik kan hem nu niet lastig vallen. Morgenochtend laat ik je zijn antwoord weten.'

Mandé Diarra wierp een blik naar zijn metgezellen, als om hen tot getuige te nemen.

'Traoré,' riep hij uit, 'heb je je verstand verloren? Je vorst ontbiedt je, en jij stribbelt tegen?'

Sinds die ochtend was er te veel gebeurd. Tiékoro was zijn zenuwen niet meer meester en niet meer tot diplomatie in staat.

'Ik erken geen andere vorst dan Allah!' schreeuwde hij.

Er ontstond een angstige stilte. Had Tiékoro een rite, een taboe of een eed geschonden, dan was dat niet zo erg geweest als deze openlijke verklaring dat hij zich niet aan het gezag van de mansa onderwierp. Mandé Diarra, die Tiékoro's bekering tot de islam altijd aan een vlaag van verdwazing had toegeschreven, kreeg medelijden.

'Neem deze woorden terug, Tiékoro Traoré!' fluisterde hij. 'Ik heb voldoende achting voor je familie om te doen alsof ik ze niet heb gehoord.'

Maar Tiéfolo, zijn zoons, zijn broers en hun zoons waren om hen heen komen staan. Dit was een erekwestie. Hooghartig liet Tiékoro zijn blik over de aanwezigen dwalen en voegde zich zonder één woord bij zijn biddende geloofsgenoten.

Toen hij zijn voorhoofd tegen het fijne en zorgvuldig aangeveegde zand drukte, verlangde hij eens te meer naar de dood. Uiterlijk leek zijn leven geslaagd, maar in werkelijkheid was het er een van gemiste kansen en frustraties. Wat hebben vrouwen, zoons en dochters, volle schuren en een overvloedige veestapel te betekenen wanneer de ziel bitter is als de schors van de maho-

440

nieboom? En hoe kan het anders, zolang zij haar stoffelijk omhulsel met zich meesleept?

'Verlos me, God!' herhaalde Tiékoro. 'Neem me eindelijk bij U op, en gun me de zaligheid!'

Hij had in de islam de vluchthaven gezien waar hij eindelijk van al die weerzinwekkende praktijken uit de godsdienst van zijn voorvaderen bevrijd zou zijn. Maar ook die vrijplaats werd door de mensen–alsof ze boosaardige kinderen waren die alles vernietigen wat ze in handen krijgen–ontluisterd. Qadriya, Suhrawardiya, Shadiliya, Tidjaniya, Mewlewi... Had Allah niet gezegd: 'Laat de mensen bij hun ijdele spelletjes'?

Intussen hadden de metgezellen van de maraboet hun reeks gebeden uit de tidjanistische wird beëindigd. Omdat Tiékoro voorovergebogen bleef liggen, dacht El-Hadj Omar dat hij nog wat mediteerde over het gesprek dat ze samen hadden gevoerd, en zonder hem te storen liep hij naar zijn hut. Toen Tiékoro het hoofd oprichtte zag hij in de schaduw van de bomen een gedaante staan. Was dit de dood? Eindelijk! Maar de gedaante verroerde zich: het was Siga.

'Kom je nu pas?' vroeg Tiékoro, wiens slechte humeur ineens weer de bovenhand kreeg. 'Ben jij dan een afvallige?'

'Tiékoro,' fluisterde Siga gejaagd, 'kijk uit! Er wordt tegen jou een komplot gesmeed. Als je morgen met de maraboet naar het paleis gaat, zal de mansa jullie aanhouden. Jullie hebben nog de tijd om te vluchten. Als je Ségou nu meteen verlaat, ben je morgenvroeg veilig in Macina!'

Terwijl hij deze woorden uitsprak wist Siga dat hij zijn tijd verdeed. Tiékoro was veel te trots om het gevaar te ontvluchten. Dit kon op hem slechts een averechtse uitwerking hebben.

Tiékoro gaf zijn broer, die door dit hartelijke gebaar verrast werd, een arm. 'Loop je even met mij mee?' vroeg hij.

De nacht had Ségou vergrendeld, maar liet alle ge-

441

luiden versmelten. Achter elke muur vertelden fluisterende stemmen de wonderlijke gebeurtenissen van deze dag. Er heerste een onheilsstemming. De maraboet zou een catastrofe uitlokken, de stad in as leggen of de Joliba zo doen aanzwellen dat het water alle hutten, bewoners en dieren zou verzwelgen.

Siga voelde de verlatenheid van zijn broer en wilde hem wat opbeuren. 'Kom mee iets drinken bij Yankadi. Moslim of niet, een mens heeft soms wat troost nodig.'

Tiékoro leunde nog meer op Siga's arm.

'Als er met mij iets gebeurt,' mompelde hij, 'beloof me dan dat jij Maryem huwt – ze kan goed opschieten met Fatima -, en zorg vooral goed voor Mohammed. Ik voel dat hij op mij lijkt; hij zal nooit gelukkig zijn.'

Siga zocht vruchteloos naar een bemoedigend woord. Hij wist dat zijn broer het ergste had te vrezen. Ze kwamen bij de Joliba, een donker lint tussen de vastgemeerde prauwen van de Somono vissers. Aan de overkant zetten de kampvuren van de lansiers uit Macina de wildernis in een onwerkelijk licht.

'Is jouw Allah dit wel waard?' zuchtte Siga.

'Laster God niet!' sprak Tiékoro zonder woede.

'Dit is geen godslastering. Heb jij dan nooit enige twijfel?'

In het donker schudde Tiékoro van nee. Siga dacht dat zijn trots hem dit gebood. Maar Tiékoro loog niet. Als er iets in hem leefde, dan wel zijn geloof. Al bleef hij nog zo een ellendige zondaar, het overstelpte hem, zoals het bloed zijn aderen. Het was de motor van zijn hart, het bewoog zijn benen en zijn armen. Sinds de dag waarop hij bij het omslaan van een hoek de roep van de moëddzin had gehoord en nieuwsgierig de moskee was binnengelopen waar hij een oude man aantrof die op een plankje koranverzen kraste, wist hij dat Allah de ware God is.

'Ja, huw Maryem!' herhaalde Tiékoro kalm en onthecht, terwijl hij op een prauw ging zitten. 'Wat Adam en Yankadi betreft, mag de familie beslissen, maar dring erop aan dat zíj aan jou wordt toegewezen. Anders kan ik niet in vrede heengaan.'

Siga's ogen werden vochtig om dit blijk van achting, hoe laat het ook kwam. Hij keek zijn broer aan. Nu diens leven wellicht ten einde liep, besefte hij dat Koumaré destijds de waarheid had gesproken. Tiékoro's lot was onafscheidelijk van het zijne, zoals de dag van de nacht. Zoals de zon van de maan, want beide hemellichamen werpen hun licht op de aarde en houden er het leven in stand. Tiékoro was met eerbewijzen overladen, maar had ook veel verdriet moeten verduren. En hij, de geduldige ploeteraar in zijn alledaags bestaan, had kleine tegenslagen en kleine vreugden vergaard. Nu stonden ze hier allebei met lege handen, verslagen.

Verslagen? Was Tiékoro verslagen? Siga tuurde naar het kampvuur van de lansiers uit Macina op de andere oever van de Joliba, en het leek hem een symbool. Het vuur van de islam, door de Peul en de Toucouleur verbreid, zou op de lange duur Ségou in vlam zetten. Uit deze overtuiging putte Tiékoro zijn zelfverzekerdheid en zijn trots. Vóór alle anderen had hij juist gezien.

De twee broers liepen naar Ségou terug. Uit de kroegen strompelden de dolo-drinkers die, beneveld door de drank, de gebeurtenissen van de dag nog aandikten. De getalsterkte van het escorte van de maraboet vermenigvuldigden ze met vier, die van zijn talibees en zijn gevolg met tien, die van zijn vrouwen met honderd. Als je hun moest geloven, was er een hele vleugel van het koninklijk paleis ingestort en waren er bloedklonters uit de hemel neergevallen. Deze ongewone dag bood hun verbeelding, hun behoefte aan fabelachtige en griezelige droombeelden, stof te over.

# 5

In de stad en het hele koninkrijk werd bekend dat mansa
Tiéfolo El-Hadj Omar, enkele moslims uit zijn gevolg
en Tiékoro Traoré had laten aanhouden. Meteen verwierf de vorst, die nooit erg geliefd was geweest, een
grote populariteit. Dit deed aan de grote dagen onder
zijn voorgangers denken, toen de tondyons de ene overwinning na de andere behaalden en, beladen met buit,
terugkeerden met lange rijen krijgsgevangenen die achter hun paarden voortstrompelden. Het plein voor het
paleis zag zwart van het volk. Maar de muren lieten
niets los. Alles leek zijn gewone gang te gaan. Reeds
waren metselaars de bres aan het dichten die de vorige
dag door de bliksem was geslagen. Slaven brachten water en levensmiddelen, ambachtslui kwamen en gingen
onder de poortgewelven.

Niemand wist precies wat er was gebeurd. Volgens
sommigen had de mansa de Toucouleur maraboet en
zijn gastheer ten paleize ontboden. Toen ze weigerden
zou hij hen met geweld hebben gedwongen en hen in
de boeien hebben laten slaan. Volgens anderen waren
ze in tegendeel uit eigen beweging naar het paleis gegaan, waar de vorst hen in een kerker had laten opsluiten. Wat ze hadden misdaan? Ze hadden een komplot gesmeed om de mansa van zijn troon te stoten.
Op het gewenste ogenblik zou het detachement lansiers
uit Macina versterking krijgen van soldaten die aan de
overkant van de rivier verborgen zaten. Vervolgens zouden alle bewoners van Ségou, een voor een, de gehate
geloofsbelijdenis moeten uitspreken: 'Er is geen andere
god dan God.' Of anders, klak, hun kop eraf!

Nadat ze het bericht had ontvangen liep Nya naar

444

haar hut, terwijl de andere vrouwen zich krijsend in het stof wentelden. Met de grootste zorg kleedde zij zich in gesteven donkere indigokleurige panen, hing om haar hals snoeren van barnsteen en parels, en tooide haar grijzende haar met een diadeem. Toen ze weer op de binnenplaats verscheen, herinnerde een ieder zich dat zij de mooiste en meest majestueuze vrouw van haar generatie was geweest. Hoe de ouderdom haar ook te lijf ging, hij kon niet veel meer dan hier en daar een rimpel groeven, en haar vlees of de huid om haar hals, die vroeger even glad was als die van een impala, wat doen verslappen. Haar jongste zoons probeerden haar tegen te houden, maar zij duwde hen zacht opzij.

Op haar weg naar het paleis kwamen de mensen uit hun familiehuizingen, en zelfs zij die fel op Tiékoro gebeten waren, kregen tranen in hun ogen toen ze zijn moeder voorbij zagen komen. Als een lopend vuurtje verspreidde zich het nieuws dat Nya Coulibali, de dochter van Falè Coulibali en echtgenote van Dousika Traoré zaliger, aan de mansa rekenschap ging vragen. Terstond vormden de lofdichters die de stamboom van beide families kenden en de heldendaden van hun voorouders bezongen, een stoet waar zich een menigte vrouwen, mannen en kinderen, uit nieuwsgierigheid of medelijden, bij aansloten.

De mansa vernam al gauw dat de moeder van Tiékoro Traoré zich naar het paleis begaf. Wat moest hij doen? Weigeren haar te ontvangen? Dat was onmogelijk, zij was oud genoeg om zijn eigen moeder te zijn! Haar binnenlaten? Ze zou huilen en smeken, en hoe kon hij haar tranen weerstaan?

In het geharrewar had de lofdichter Makan Diakaté een inval: 'Meester, laat haar zeggen dat gij ziek zijt, en vraag uw vrouwen dat zij zich met haar onderhouden.'

Maar Nya kwam niet om te huilen of te smeken. Zij kwam vragen of ze haar zoon mocht zien. Die nacht had Dousika haar in een droom gewaarschuwd dat Tiékoro zich weldra bij hem zou vervoegen. Ze wilde hem

445

een laatste keer tegen zich aandrukken. Wee de moeder die haar zoons moet begraven! Híj had haar in haar dodenmat moeten rollen, maar de voorouders hadden er anders over beslist. Verdoofd liep ze door de straten te midden van flarden muziek, gezang, verzen, uitroepen van sympathie en woorden van troost. In haar hoofd zag ze opnieuw het hele leven van Tiékoro, vanaf zijn geboorte. Ah, die zoete schrei van het eerstgeboren kind! Overweldigd door de herinnering aan die barenspijn, zag ze de vroedvrouw het bloederige hoopje vlees wassen dat haar grote trots zou worden. Daarna was hij haar aangereikt en zij had met hem die eerste blik gewisseld die een verbond afsloot. Jij, had ze gedacht, zult vele vrouwen in je armen sluiten. Je zult vele mannen de hand drukken. Je zult met deze vrouwen en mannen een lange weg afleggen. Je zult je van mij verwijderen, en toch zul je je aan niemand hechten zoals aan mij, je moeder.

En hoe uit die zuigeling een vroegrijp knaapje was gegroeid, dat haar bestookte met zijn vragen. 'Ba, waarom tuimelt de maan niet uit de hemel?' 'Ba, waarom zijn die daar slaven, en wij edellieden?' 'Ba, waarom zijn de goden zo dol op kippebloed?'

Uit het lood geslagen en onthutst door al die vragen, had Nya haar onwetendheid in een waas van onverstoorbare gemoedsrust gehuld. 'Tiékoro, de voorouders hebben gezegd...'

Zo begon zij al haar antwoorden om zich achter een hoger gezag dan het hare te verschuilen. Met al zijn gevraag, twijfels en gespeur naar persoonlijke verklaringen had hij zich op een gevaarlijk pad gewaagd. En toch kon ze hem dat niet ten kwade duiden. Zij was er niet om hem te oordelen, maar om van hem te houden.

Toen zij de eerste hal van het paleis betrad, kwam de bara muso van de mansa, gevolgd door drie of vier mede-echtgenotes en een paar lofdichters, haar tegemoet. 'Moeder van zoons,' sprak de bara muso, 'jij bent moe, kom mee en rust wat uit.'

Nya volgde hen naar de vrouwenvertrekken. Behalve de soldaten, die de vrouwen moesten beschermen, en de lofdichters, die hun toezongen, werden in dit deel van het paleis geen mannen toegelaten. Er liep een muur omheen waar puntige houten palen als stekels boven uitrezen, met slechts één enkele mahoniehouten toegangspoort in een monumentale lijst. Op de eerste binnenplaats stonden hutten met strodaken. Daarnaast wierpen bomen hun schaduw op de matten, tapijten en kussens die op de grond lagen, en op bamboebedden met dikke katoenen dekens. De bara muso wees Nya een van die rustbedden aan, en amper had zij erop plaats genomen of slavinnen snelden toe, de ene met kalebassen fris water, de andere om haar voeten en enkels te masseren of om haar koelte toe te waaien. Nya liet hen hoffelijk begaan.

'Waarom,' vroeg ze na een poosje, 'ontvangt je echtgenoot mij niet?'

De bara muso sloeg haar ogen neer. 'Hij is ziek, moeder. Na de maaltijd kreeg hij last van misselijkheid en braakneigingen.'

Nya besefte dat ze loog, maar wilde haar niet voor het hoofd stoten. 'Mogen de goden hem een vlugge genezing gunnen! Kreeg hij apebroodmeelbrij?'

De bara muso verzekerde haar dat hij door zes artsen werd bijgestaan.

'Heb jij zonen, kind?' vroeg Nya haar.

Dat was een riskant gespreksthema. De bara muso zocht al naar een afleidingsmanoeuvre, maar Nya wachtte niet op haar antwoord.

'Wat een verschrikkelijke rol is er toch voor ons weggelegd! Terwijl onze dochters ons rijkdommen, vreugden en kleinkinderen schenken, bezorgen onze zoons ons niets dan angst, kommer en kwellingen. Ze zoeken de dood in oorlogen. En als ze hem daar niet vinden, lopen ze hem door de wijde wereld achterna, tot een vreemdeling ons komt melden dat ze niet meer zijn. Of anders willen ze afbreken wat onze vaderen hebben opgebouwd, en wekken zo de woede van de voorouders. Soms vraag ik me af of ze ooit aan óns denken. Wat zeg jij?'

De bara muso had moeite om haar tranen te bedwingen. 'Moeder, ik beloof je dat ik alles zal doen wat in mijn macht ligt om je zoon te redden.'

Nya onderdrukte een schampere lach. 'Wat in jouw macht ligt? Wij hebben toch geen macht, kind!'

Onderwijl waren de mansa, zijn raadgevers en lofdichters druk aan het beraadslagen. De koninklijke fetisjpriesters stelden categorisch dat er van de Toucouleur maraboet geen haar mocht worden gekrenkt. Hij moest zo vlug mogelijk worden vrijgelaten en onder gewapend geleide naar de grens van het koninkrijk gebracht, met de raad hier nooit meer een voet te zetten. Maar de mansa wilde die moslims een les leren die ze niet licht zouden vergeten; hij had die valse profeet het liefst een kopje kleiner laten maken. Hij hoefde toch niets te vrezen? Zijn spionnen hadden hem gemeld dat El-Hadj Omar met Cheikou Hamadou danig overhoop lag, al wisten ze over de grond van de zaak het fijne niet. Macina zou niet in beweging komen als hij die Toucouleur liet terechtstellen. Waarom wilden zijn fetisjpriesters hem daarvan weerhouden? Wilden ze El-Hadj Omar de kans geven om troepen te ronselen en tegen Ségou op te rukken?

Raadgever Mandé Diarra raapte al zijn moed samen. 'Meester,' sprak hij, 'gij kunt ermee volstaan de binnenlandse vijand uit te roeien, diegenen die in Ségou de islam verbreiden en uw regering ondermijnen. Die Tiékoro bij voorbeeld – straf hem genadeloos! En wat betreft de buitenlandse vijanden, tegen hen heeft Ségou zich toch altijd kunnen verdedigen? Als de Toucouleur terugkeert, wacht hem hetzelfde lot als die koehoeder uit Fittouga!

De volgende ochtend was Ségou nog in diepe slaap gedompeld toen een legertje tondyons de Toucouleur maraboet en zijn gevolg in de richting van Kankan naar de grenzen van het koninkrijk begeleidde. De lansiers uit Macina, die op last van hun bevelhebber elke gewapende botsing met de Bambara moesten vermijden, bestegen hun paarden en keerden naar hun basis terug. Enkele uren later drongen, om een voorbeeld te stellen, tondyons in de huizen van de tot de islam bekeerde Bambara, en voerden hen gevankelijk mee naar de kerkers van het paleis. De Soninké en de Somono moslims lieten ze ongemoeid, deels omdat die zich bij de verwelkoming van El-Hadj Omar afzijdig hadden gehouden, maar vooral omdat ze de mansa een aanzienlijke belasting op hun handelsbedrijvigheid opbrachten.

Het grootste opzien baarde de verwoesting van Tiékoro's zaoeïa. Soldaten haalden de muren neer en maakten de eet- en slaapzalen met de grond gelijk, terwijl ze ook de afdaken vernietigden waaronder de lessen en meditatieoefeningen plaatsvonden. Het droge hout stapelden ze op en staken het in brand. Ook Tiékoro's verzameling handschriften wierpen ze in het vuur, niet zonder er eerst bladzijden uit te hebben gescheurd die ze onder hun kleren wegmoffelden om er amuletten van te maken.

Tiékoro hoorde van de wachten, wier vriendschap hij had gewonnen, het relaas van deze gebeurtenissen. Gewoonlijk breekt in de gevangenis het beest los dat in de mens schuilt. Hij ijsbeert, schreeuwt, brult en scheldt, of probeert zichzelf het leven te benemen. Geheel anders gedroeg zich Tiékoro. Hij bracht zijn tijd door in gebed; de kralen van zijn bidsnoer gleden door zijn vingers, en zulke verzaliging stond op zijn gelaat te lezen dat de soldaten niet langer twijfelden – hij was met de geesten in verbinding getreden. Ze vroegen hem voor hen te willen bemiddelen: de een snakte naar promotie, de ander naar de terugkeer van zijn vrouw die sinds haar laatste pak rammel naar haar familie was gevlucht, nog een ander naar de geboorte van een zoon.

'Broeders,' lachte Tiékoro, 'ik kan voor jullie alleen

bidden. Ik doe niet aan toverij!'

Sinds het bezoek van Nya was hij helemaal tot rust gekomen. Hij had zijn hoofd op haar schoot gelegd. Zij had zijn kaalgeschoren schedel geaaid, zoals ze deed toen hij nog een kind was. Met haar geur had hij de gelukzalige geborgenheid van de ongeborene teruggevonden.

'Zorg ervoor,' had hij gemompeld, 'dat Maryem aan Siga wordt geschonken. De rest laat ik aan jouw goede zorgen over.'

'Denk jij,' had Nya zuchtend geantwoord, 'dat Maryem zich daarbij neer zal leggen? Ach, Tiékoro, het wordt een zware tijd voor de familie!'

Hij had dit als een verwijt opgevat en het had hem diep gegriefd.

Nu wachtte hij op de dood, zoals een man op een bruid wier trekken hij nog nooit heeft gezien, maar die alom om haar schoonheid wordt geprezen. Hij probeerde de verwijten van El-Hadj Omar te vergeten en haalde zich de woorden van Moestafa al-Rammasi voor de geest, uit diens *Hasiya*: 'God – Hij zij geprezen en verheerlijkt! – heeft gewild dat het geloof steeds wordt beloond met de eeuwige gelukzaligheid.'

Weldra zou hij God zien van aangezicht tot aangezicht.

De wachten voor zijn cel heetten Seba en Bo. De eerste had hem om de terugkeer van zijn vrouw gevraagd, de tweede om de geboorte van een zoon. Toen Seba thuiskwam zag hij op de binnenplaats zijn weggelopen vrouw zitten. Haar hele houding drukte berouw en onderdanigheid uit. En Bo kreeg het bericht dat hem, na tien meisjes, eindelijk een zoon was geboren. Mirakelen, dank zij Tiékoro's vertrouwelijke omgang met de geesten! Het duurde niet lang of heel Ségou wist dat Tiékoro een tovenaar was die de fetisjpriesters ver overtrof. Seba en Bo beschreven in geuren en kleuren hoe hij dat klaarspeelde.

'Hij werkt alleen met zijn hoofd. Niks geen drankjes

of zalfjes! Met zijn hoofd alleen!'

De twee lieten zich, in ruil voor een paar kauri's of enkele schepels gierst, overhalen om bij Tiékoro voor anderen te bemiddelen, tot dit de spionnen van de mansa ter ore kwam.

Sinds Nya's bezoek aarzelde de mansa, onder druk van zijn bara muso, om Tiékoro ter dood te veroordelen. Nu eens dacht hij eraan hem enkele jaren in die kerker te laten verkommeren en hem daarna, hopelijk wat wijzer, aan zijn familie terug te geven. Dan weer wilde hij hem vrijlaten mits hij de islam publiekelijk af zou zweren, maar zou die hovaardige dwaas die voorwaarde accepteren? Soms dacht hij hem ook te verbannen naar het verre Bagoé. Maar toen hem werd gemeld dat Tiékoro de islam bleef verbreiden – op een spectaculaire wijze die tot de volksverbeelding sprak –, volgde hij het advies van zijn raadgevers. De dag van de terechtstelling werd vastgesteld.

Eén kracht hield Nya overeind, één enkele: haar liefde voor Tiékoro. Toen ze wist dat hij zou sterven, was het of haar leven nutteloos werd. Waartoe nog naar een zon staren die híj niet meer zou zien, gaan zitten bij een vuur dat hém niet meer zou verwarmen, naar haar mond voedsel brengen dat híj niet meer zou proeven? Was Dousika er nog, dan had ze zich misschien aan haar oude echtgenoot kunnen vastklampen. Maar Dousika was er niet meer. Aan haar zijde vond ze slechts een bijna seniele Diémogo, van wie iedereen zich afvroeg wanneer de dood hem eindelijk zou komen halen.

En Nya's krachten begaven het. Als een door termieten en houtwormen uitgevreten boom. De fetisjpriesters die er in allerijl werden bijgehaald, wisten dat het met haar afliep, maar ze draafden heen en weer om de familie de illusie te geven dat ze de krachten van de geest, die dit lichaam aan het verlaten waren, konden terugroepen. Zij lag roerloos op haar slaapmat naar adem te snakken, haar hoofd enigszins naar de deur van

451

haar hut gewend, alsof ze naar de verwanten en vrienden luisterde die daar waren samengestroomd.

'Nya, dochter van Falè,' bleven ze herhalen om haar opnieuw levensmoed te geven, 'jouw voorouders hebben de wereld als een sikkel gekromd. Ze hebben hem weer rechtgetrokken als een weg. Nya, vat weer kracht!'

Op een bepaald ogenblik leek ze weer bij te komen. 'Ik wil Kosa zien,' hijgde ze.

Kosa was haar jongste zoon, uit haar tweede huwelijk met Diémogo geboren. Een van die mooie, stevige en woelige kinderen van bejaarde ouders. Schichtig, afgeschrikt door de verbrande kruiden die de reuk van de naderende dood niet helemaal konden verdrijven, schuifelde Kosa naar het ziekbed. Wat werd er van hem verlangd? Met tegenzin ging hij naast zijn moeder op de slaapmat zitten.

'Ook als je me niet meer zult zien, blijf ik overal bij jou,' hoorde hij haar murmelen. 'Nog dichter bij je dan toen jij me zag.'

Omdat iedereen huilde, brak ook Kosa in snikken uit.

Daarna vroeg Nya naar Tiéfolo.

Een bewijs dat hij bij het komplot tegen Tiékoro betrokken was, had ze niet. Maar ze wist dat hij verscheidene malen 's avonds naar het paleis was gegaan, waar de mansa zich met hem had onderhouden.

Tiéfolo kwam binnen, even aarzelend als de kleine Kosa – maar om andere redenen. Niet de voortekenen van de dood deden hem terugdeinzen, maar een gevoel van wroeging. Hij had slechts het welzijn van de familie op het oog gehad. In Tiékoro had hij een gevaarlijke, ontwrichtende kracht gezien, die hij moest uitschakelen. En nu waren zijn handen met bloed bevlekt.

'Moeder,' mompelde hij, 'je liet me roepen?'

'Hoe gaat het met je vader Diémogo?'

'Hij zal de dag niet halen.'

'Dan zullen onze geesten samen heengaan.'

'Zeg dat niet, moeder!'

Maar Nya scheen het niet te horen. Heel haar helderheid van geest was in haar ogen, waar amper nog verdriet op woog, teruggekeerd.

'Luister,' ging ze door, 'we moeten aan de familie denken. Zorg ervoor, als de raad bijeenkomt, dat Siga tot fa wordt verkozen.'

'Siga!' riep Tiéfolo uit. 'De zoon van een slavin...'

'...die een groot verlies heeft geleden,' onderbrak Nya hem. 'Weet je dan niet hoe zij is gestorven? Bovendien heeft Siga in het leven nooit veel geluk gehad. Gun hem dit geluk!'

Tiéfolo staarde naar het oude gelaat. Op welke listen zon zij? Was dit haar manier om haar geliefde zoon te wreken? Tiéfolo was niet eerzuchtig of hoogmoedig. Maar hij stond erop dat de regels werden nageleefd. Als oudste zoon van de laatste broer kwamen hem de titel en de verantwoordelijkheid van fa toe. Maar terzelfder tijd voelde hij zich tegenover Nya zo schuldig dat hij tot elke toegeving bereid was.

'Vertrek in vrede, moeder,' stemde hij in. 'Ik zal Siga als fa aan de familieraad voorstellen. Hij verdient het meer dan ik.'

Bij het uitspreken van deze laatste woorden kon hij niet verhinderen dat er in zijn stem een bepaalde bitterheid doorklonk.

Hij ging. Bij nader inzien kwam Nya's voorstel hem goed uit. Zo zou niemand kunnen zeggen dat hij Tiékoro uit persoonlijke ambitie uit de weg had geruimd. Op de binnenplaats schuurde hij zijn voorhoofd tegen de vijgeboom tot de ruwe bast zijn huid kwetste, alsof hij genot schepte in deze lichte pijn. De voorouders en de goden waren zijn getuigen: de dood van zijn broer had hij niet gewenst. Hij had alleen gehoopt dat de mansa hem naar een afgelegen oord zou verbannen, of hem zou dwingen elk contact met de moslims uit Macina en elders te verbreken. Eenmaal in het hiernamaals zou Tiékoro beseffen dat hij onschuldig was, en hij zou niet op vergelding uit zijn. Hem kon niets ten laste worden gelegd. Niets. Hij had gezien hoe de islam zijn familie verscheurde, hoe een zoon bij vijanden van het koninkrijk werd opgevoed, hoe natuurlijke banden werden verbroken, voorouderlijke waarden met voeten getreden. Hij hoorde zichzelf snikken, en het geweld van dit verdriet verraste hem. Al dagenlang had hij droge ogen; nu brak deze tranenvloed zo overstelpend los dat hij de Joliba had kunnen voeden. Zo bitter had hij sinds de verdwijning van Naba niet meer gehuild. Naba, wiens dood hij nochtans mede had veroorzaakt door hem mee te nemen op die jacht waarvan hij niet was teruggekeerd. Hij had vuile handen. Smerige, bevlekte handen.

Hij zakte door zijn knieën op de weke grond tussen de reusachtige wortels. Hoog boven zijn hoofd hoorde hij de schelle kreten van de vleermuizen die met zijn verdriet en wroeging leken te spotten. Waarom is het leven dit moeras waarin men zijns ondanks wegzinkt, waaruit men besmeurd, met klefferige handen weer te voorschijn komt? Als het aan hem had gelegen, was hij alleen een jager geweest, een karamoko die zijn krachten mat met dieren in een eerlijk gevecht waarvan de regels werden bepaald door eerbied en wederzijdse achting. Ach, hadden de mensen maar de zuiverheid van het roofdier!

Nog lang stond Tiéfolo daar te huilen. Daarna verliet hij de familiehuizing en trok naar Siga. Toen hij het huis van zijn broer naderde, vroeg hij zich af of deze laattijdige eer niet de laatste valstrik was waarin Siga werd gelokt. Want hij zou zijn huis moeten verlaten en samen met Fatima en zijn kinderen opnieuw zijn intrek in de familiehuizing nemen. Het leerlooiersvak, dat bij de familie zo veel kwaad bloed zette en een fa onwaardig was, zou hij vaarwel moeten zeggen. Daarmee was de mislukking van zijn leven bezegeld.

Tiékoro zou nu spoedig sterven, en Siga kon de plaats innemen van degeen die hem altijd in de schaduw had gesteld. Maar wat een treurige revanche met een nasmaak van as!

# 6

Mohammed ging net naar de eetzaal toen iemand hem kwam zeggen dat zijn moeder bij Cheikou Hamadou op hem wachtte. Een paar dagen geleden had hij vernomen dat zijn vader was terechtgesteld. Maar hij had geen traan gestort. In tegendeel, hij had zijn hart van vreugde voelen zwellen. Zijn vader was de marteldood gestorven, als verkondiger van het ware geloof. Nu Cheikou Hamadou zich ertoe had verbonden zijn roemrijke daden zoveel mogelijk ruchtbaarheid te geven, zou zijn graf weldra een pelgrimsoord voor alle moslims worden. En de jongen had met de zware mannenstemmen meegebeden.

'God neme hem op en geve hem en al diegenen uit zijn volk, die hem zullen navolgen, een volmaakte en duurzame gelukzaligheid tot de dag van het Oordeel!'

Bij het bericht dat zijn moeder er was, werd hij opnieuw een ongeduldig en onstuimig kind. Bijna rende hij weg, maar Alfa greep hem bij zijn mouw.

'Vergeet niet,' fluisterde hij hem toe, 'dat zij slechts de moeder van je lichaam is.'

En Mohammed stak de binnenplaatsen over met de zelfbeheersing die van hem werd verlangd.

Maryem huilde toen ze haar geliefde zoon terugzag. De jongen was groot geworden, bijna even groot als een volwassene. Maar hij was onbeschrijfelijk mager, vel over been, met armen en benen die eruitzagen als dorre kapokboomtakjes. En toch, wat was hij mooi! Zijn trekken leken vergeestelijkt, en tussen de donkere en dichtbehaarde wimpers hadden zijn lichtbruine ogen een bijna ondraaglijke glans. Zijn haar dat hij, zoals sommige discipelen van Cheikou Hamadou die de ge-

boden van de Profeet naar de letter opvatte, nooit af-
schoor, kroesde breed om zijn hoofd heen, en de bevalligheid van zijn gebaren deed aan een Peul herder
denken. Hij had op zijn moeder toe willen snellen en
zich in haar armen werpen om de tranen die over haar
wangen stroomden weg te wissen, maar hij durfde niet.
Hij wist dat zo iets een man niet betaamde.

Cheikou Hamadou, die op een mat in het midden
van de grote raadszaal zat, verhief zacht zijn stem.

'Je moeder bericht ons over de laatste ogenblikken
van je vader. Het is goed dat jij erbij bent, opdat je
weet hoe men na hem moet sterven.'

Moeizaam kon Maryem haar snikken onderdrukken.

'Weet dan dat ze hem, een edelman, de armen op
de rug hebben gebonden en hem hebben gegeseld. Tot
bloedens toe. Ik riep: "Houdt op!" Maar niemand hoorde mij. Daarna sleepten ze hem op een schavot dat vóór
het paleis was opgericht. Rustig staarde hij naar alle
kanten, met een glimlach om zijn mond. De beul, een
van die bruten zoals je alleen onder de Bambara aantreft,
met een beestachtige tronie en een bloeddorstige blik,
kwam achter hem naderbij en met één houw van zijn
sabel hakte hij zijn hoofd af. Zijn lichaam viel voorover.
Twee lange bloedstralen spoten uit zijn hals.'

Er viel een stilte.

'Later hebben ze ons – op verzoek van Nya, zijn moeder – zijn lichaam teruggegeven. Toen kwam het ergste.
De familie wilde een fetisjistische begrafenis. Ze hebben...ze hebben...'

Haar woorden werden door tranen verstikt.

'Bedenk, dochter,' sprak Cheikou Hamadou, 'dat het
niets dan zijn ontzielde lichaam was. Wat doet het er
dan toe.'

Toen rees hij overeind en improviseerde een van die
treurdichten waarvan hij het geheim bezat. Mohammed
vroeg zich af wanneer hij eindelijk zijn moeder zou
mogen omhelzen. Maar daar scheen niemand aan te
denken. Maryem lag roerloos ter aarde, en toen ze zich

oprichtte wendde ze zich opnieuw tot Cheikou Hamadou.

'Als gij me hier ziet, vader, is het niet alleen om u
over deze dood te berichten. De familieraad is bijeen-
gekomen en heeft besloten mij aan Siga, de broer van
mijn man zaliger gedachtenis, te schenken. Tegen dit
gebruik verzet ik me niet; ik weet dat het goed en heil-
zaam is. Maar Siga is een fetisjist, erger nog, een afvallige, want tijdens zijn verblijf in Fes had hij zich tot
de islam bekend. Kan men mij dwingen met een fetisjist,
met een afvallige samen te leven?'

Terwijl ze deze woorden uitsprak verlichtte het vuur
van de woede haar trotse gelaat. Haar witte sluier waai-
erde achterover om haar geringde en met zilveren snoeren getooide hals. Mohammed had zijn bewondering,
die hij door alle aanwezigen gedeeld waande, willen
uitschreeuwen. Maar hij ontmoette de blik van Cheikou
Hamadou die pijnlijk getroffen was door deze kwestie
en naar de leden van de Hoge Raad staarde alsof hij
van hen voorstellen verwachtte. Uiteindelijk nam Bouréma Khalilou het woord:

'Dat is een netelige vraag, Maryem! Je zegt het zelf:
het is goed en billijk dat een weduwe aan de jongere
broer van haar man wordt toegewezen. Maar een afvallige! Heb jij een suggestie?'

'Geef me een gewapend geleide, zodat ik naar mijn
vader terug kan keren.'

De raadsleden bekeken elkaar. Het was geen slecht
idee, een uitstekende manier ook om de sultan van Sokoto, die niet zou dulden dat zijn dochter aan een afvallige werd geschonken, aan zich te verplichten.

'Mijn dochters heb ik al meegenomen,' voegde Maryem daar nog aan toe. 'Alleen mijn zoon ontbreekt
nog.'

Dit was te veel. De terughoudendheid in woord en
gebaar, die door de islam wordt voorgeschreven, moest
wijken voor de algemene afkeuring. Sinds wanneer behoorde een zoon zijn moeder toe? Maar de vader was

overleden, en zijn familie fetisjistisch. Aan wie moest hij dan worden toevertrouwd? Voor het eerst kwamen misschien de rechten van de familie en die van de islam met elkaar in botsing. En hoe men ook te rade ging bij uitmuntende geleerden, vanaf de *Sahèh* van Al-Bu-hari tot de *Alfiyyat al-Siyar* van Al-Ughari, nergens vond men een aanwijzing voor dit geval.

Cheikou Hamadou stond op en klapte in zijn handen. 'Ga nu, Maryem. Wij zullen nadenken en jou te zijner tijd onze beslissing meedelen.'

Maryem durfde niet te protesteren en trok zich al terug, toen hij zich opeens Mohammeds aanwezigheid leek te herinneren. Vriendelijk gaf hij hem een teken, en de jongen mocht haar volgen.

Welk kind dat bijna een jaar lang van zijn moeder werd gescheiden, zou niet popelen van geluk als hij haar terugvindt? Mohammed bedolf haar fijne zachte huid, die geurde naar een Haussa parfum, onder zoenen. Hij kroop op haar schoot en verkreukelde haar sluiers en panen. Maryem lachte en vergat haast de verschrikke-lijke uren die ze had doorstaan.

'Toe nou,' riep ze, 'hou je rustig! Je bent toch geen baby meer!'

Daarna rende Mohammed naar zijn zussen. Wat was de kleine Aïda – een zuigeling nog toen hij uit Ségou was afgereisd – schattig! Ze liep en praatte al een beetje, maar als de dood voor die onbekende broer dook ze weg in de paan van een oudere zus.

Tussen twee kussen door vroeg Mohammed naar nieuws over de familie. 'En hoe maakt mama Adam het? – En mama Fatima? – En papa Siga? – En papa Tié-folo?'

Bij die naam betrok Maryems gezicht. 'Spreek die naam nooit meer uit! Hij heeft met de vijanden van je vader geheuld!'

Tiékoro's dood had bij Maryem een echte ommekeer teweeggebracht. Zij die altijd de oprechtheid van zijn geloof in twijfel had getrokken en had gevonden dat

458

er aan al zijn daden een narcistisch geurtje hing, besefte dat ze een heilige had miskend en voelde nu een diepe verering voor zijn uitzonderlijke geest.

Na het middageten gingen allen bij M'Pènè grootmoeder Sira begroeten. Het oude mens begreep er niet veel meer van. Maar Maryem en M'Pènè wierpen zich in elkaars armen. Al gauw vertelden ze elkaar hun leven. M'Pènè dacht met spijt terug aan Tenenkou waar ze was opgegroeid. Hamdallay was zo puriteins dat sjeik El-Bekkay uit Tombouctou Cheikou Hamadou de les was komen lezen. Maryem schudde haar hoofd. Alles was beter dan Ségou.

'Een bende fetisjisten! En altijd zijn ze aan het konkelen, of ze proberen uit te vinden wie hun een loer heeft gedraaid.'

Daarna hadden ze het over die raadselachtige ruzie tussen El-Hadj Omar en Cheikou Hamadou. Tussen twee moslims! Hoe was dat mogelijk? Wat was er precies gebeurd? M'Pènè kon Maryem niet veel wijzer maken. Een twist tussen broederschappen, zo werd er gezegd. Tidjaniya tegen Qadriya. Was het niets meer dan dat? Er werd gefluisterd dat El-Hadj Omar in de hele regio zakelijke en politieke oogmerken nastreefde.

M'Pènè zette in galamboter gebakken rijstkoekjes en broodjes van bonenmeel en honing voor.

Toen Maryem en de kinderen afscheid namen werd het al donker. Maryem huiverde in deze kille stad waar elke straat haar koranschool vol ondervoede kinderen had. Op elk kruispunt galmden dwepers Gods naam uit. Op een plein werd een delinquent gegeseld. Bij dit schouwspel kreeg ze bijna heimwee naar Ségou. Haastig verdween ze in de familiehuizing van Cheikou Hamadou.

De Hoge Raad had kennelijk de grootste moeite gehad om tot een besluit te komen, want hij had de hele ochtend en nog een stuk van de namiddag beraadslaagd. Eindelijk was de uitspraak gevallen. Maryem zou een gewapend geleide en geschenken meekrijgen opdat ze met de luister haar rang waardig naar Sokoto terug kon keren. Maar Mohammed moest in Hamdallay blijven. Zijn vader had hem zelf nog aan Cheikou Hamadou toevertrouwd; was dat niet zo iets als de laatste wils- beschikking van een stervende?

Bij het horen van deze uitspraak dacht Mohammed dat hij in zwijm zou vallen. Door heel zijn lichaam trokken beurtelings ijskoude en gloeiend hete golven. Over zijn ogen gleed een waas waardoorheen hij zijn moeder en zijn zussen als paradijselijke eilanden zag waarvan hij voorgoed zou zijn gescheiden. Waarom, waarom? Uit naam van welke god? Hij kreeg zin om te brullen en te vloeken. Niettemin verried zijn uiterlijk niets van dit tumult, en een ieder was het erover eens dat hij de waardige telg van zijn vader was.

Op het einde van de winter werd Mohammed ziek. Ongetwijfeld had hij te veel pijnlijke gebeurtenissen moeten verwerken: de dood van zijn vader, de scheiding van Maryem. Op een ochtend, toen de andere leerlingen hun boeboe aantrokken en naar buiten liepen om zich te wassen vóór ze naar de moskee trokken, weigerde zijn lichaam. Hij vroeg Alfa om een kalebas water, maar nauwelijks had hij die uitgedronken of hij gaf alles over. Daarna was het of een hand hem in een put duwde en weer bovenhaalde in een troebel maar verblindend licht. Toen deze toestand enkele dagen aanhield stuurde M'Pènè, die door Alfa was gewaarschuwd, haar man Karim en Tidjani, de oudste van haar broers, naar Chei- kou Hamadou met de vraag of ze de jongen bij hen thuis mochten verplegen. Cheikou Hamadou stemde daarmee in. Dit was uitzonderlijk. Wanneer een leerling ziek werd, was het de regel dat hij deze strijd tussen leven en dood geheel alleen uitvocht. Karim en Tidjani legden Mohammed in een hangmat die ze aan een lange staak op hun schouders meedroegen. Bij elke stap ging de hangmat wiegen en reutelde de zieke van de pijn.

Dagenlang bleef Mohammed buiten kennis. In

werkelijkheid beleefde hij achter zijn gesloten oogleden de terechtstelling van zijn vader waarvan het relaas hem bij het blije weerzien met zijn moeder schijnbaar onberoerd had gelaten.

'Ze sleepten hem op een schavot dat vóór het paleis was opgericht. Rustig staarde hij naar alle kanten, met een glimlach om zijn mond. De beul kwam achter hem naderbij en met één houw van zijn sabel hakte hij zijn hoofd af. Twee lange bloedstralen spoten uit zijn hals...'

Ah, dat bloed, bloed! Het moest worden gewroken. Hoe? Door de islam te laten zegevieren in dat fetisjistische land. Tegelijkertijd voelde Mohammed een diepe verbondenheid met Ségou dat zijn moeder hem nochtans had leren minachten. Ségou hoorde hem toe. Hij was een Bambara. Eigenhandig wilde hij daar op de minaretten van haar moskeeën de halve maan planten. In zijn koortsdroom woelde hij op zijn bed heen en weer.

In haar ongerustheid ging M'Pènè een medicijnman opzoeken, een van de weinigen die zich binnen de gewijde stadsmuren van Hamdallay nog schuilhielden. De man met de bokkehoorns schreef boomwortelaftreksels en bladerbaden voor, en gaf de verzekering dat de jongen er weer bovenop zou komen.

Niemand hielp M'Pènè bij het verplegen van Mohammed met meer toewijding dan Tidjani's oudste dochter Ayisha. Een lieftalliger meisje was nauwelijks denkbaar. Wanneer ze haar broers die even buiten de stad de koeien hoedden mondvoorraad bracht, keken de mensen haar monkelend na.

'Een echte Peul!' zeiden ze glimlachend.

Ze had de lichte huid van een Moorse, lang sluik haar verweven met bonte draden, en verrukkelijke voetjes in geiteleren sandalen die bij elke stap fijnbewerkte zilveren bandjes lieten rinkelen. Toen Mohammed eindelijk zijn ogen opensloeg, met een nog half benevelde geest, zag hij haar naast zich.

'Wie ben jij?' mompelde hij.

'Herken je mij dan niet? Ik ben je zus Ayisha.'

Toen besefte hij wie ze was. Krachtig schudde hij zijn hoofd. 'Je bent mijn zuster niet,' zei hij. 'Jij bent de dochter van Tidjani.'

Huilend rende Ayisha naar buiten. Mohammed had echter geen kwetsende bedoelingen gehad. Instinctief, zonder dat hij wist waarom, wees hij een te nauwe verwantschap af. Weliswaar was Tidjani de zoon van zijn grootmoeder Sira, maar zijn vader was Amadou Tassirou, en niet Dousika. Geen druppeltje bloedverwantschap dus! Voor het eerst sinds vele dagen stond Mohammed weer op en ging Ayisha op de binnenplaats achterna. Zij leunde tegen de putrand en snikte hartverscheurend. Met haar witte kleed stak ze fel af tegen de groene horden van de omheining, en een licht briesje liet haar hoofdsluier wapperen. Voor het eerst ontdekte Mohammed de vrouwelijke schoonheid. Tot nog toe was in zijn ogen zijn moeder de enige mooie vrouw. Opeens had ze een rivale.

Met grote ogen staarde hij naar de buitengewone volmaaktheid van dit vrouwelichaam. De ronding van de schouders, de welving van de rug en de kronkeling van de billen. De uitstulping van de borsten. De teer geboetseerde buik.

Hij liep op Ayisha af, sloot haar in zijn armen en overstelpte haar met kussen. Maar zij duwde hem opzij.

'Ga weg! Je hebt me te veel verdriet aangedaan!'

Even later liet ze hem begaan. Toen er aan zijn omhelzingen maar geen einde kwam, werd ze onrustig en maakte zich los. Ze bleven elkaar aanstaren. Mohammed was niet helemaal een groentje. Hij wist wat er zich 's nachts tussen een man en zijn echtgenotes afspeelt en waarom de buik van de vrouwen zo fraai kan zwellen. Toch had hij zichzelf daarbij nog nooit een rol toebedacht. Natuurlijk zou ooit de dag aanbreken waarop ook hij echtgenotes zou hebben. Maar die dag was nog ver. De andere oever van een rivier die hij niet zo gauw zou oversteken. Nu echter werd hij in zijn vervoering zo ongeduldig dat zijn nog te zwakke benen onder hem uitgleden en hij languit op de binnenplaats tussen de kakelend uiteenstuivende kippen viel. Ayisha proestte het uit.

'Slim van je!' riep ze.

Ze hielp hem op te staan en ondersteunde hem terwijl hij weer naar binnen ging. Hij strekte zich uit op zijn slaapmat. Toen ze hem met een katoenen doek dekte, greep hij haar hand en drukte deze tegen zijn mond.

'Zeg nooit meer dat je mijn zus bent. Nooit, hoor je me?'

Van toen af werd hij snel beter. Maar tegelijk veranderde zijn karakter. Hij die altijd de aardigste jongen was geweest, altijd toeschietelijk en vroom, werd gesloten en gekweld, vol nukken en onverklaarbare driftbuien. Alleen Ayisha's gezelschap kon hem vrolijk stemmen. Urenlang kon hij met zijn hoofd op haar schoot liggen luisteren naar haar verhalen, hoe vaak M'Pènè hun ook verweet dat verhalen 's avonds bij het vuur thuishoren. Toen hij weer bij Cheikou Hamadou zijn intrek nam, schonk het meisje hem een smalle zilveren armband die hij voortaan om zijn pols droeg.

Enkele dagen later ontving Cheikou Hamadou een brief van Siga, die hij aan Mohammed voorlas. Het schrift en de zinsbouw waren vlekkeloos; hier was overduidelijk een beroepsschrijver aan te pas gekomen voor wie de Arabische taal geen geheimen meer bezat.

'Hooggeleerde en zeer geachte Cheikou Hamadou,' luidde de aanhef.

'Ik zou het u kwalijk kunnen nemen dat gij de voortvluchtige weduwe van mijn broer onderdak hebt verleend, hoewel zij volgens de wetten die zowel bij uw volk als het mijne gelden, mij toekwam tot welzijn van geheel onze familie. Ik zou u het verwijt kunnen maken dat gij haar onder gewapend geleide en met talrijke geschenken begiftigd naar haar vader hebt laten gaan, die mij schriftelijk heeft bericht dat zij nooit meer naar Ségou terug zal keren.

463

Door aldus te handelen gehoorzaamt gij aan uw waarheid, want in ons ziet gij slechts vijanden van God. Hebt gij er ooit aan gedacht dat elk volk zijn goden heeft, zoals ook zijn eigen taal en voorouders?

Toch is het niet mijn bedoeling u te overtuigen van ons goed recht om de islam af te wijzen, daar hij niet de godsdienst van onze vaderen is. Ik wil u spreken over onze zoon Mohammed die gij in Hamdallay vasthoudt. Onze familie is het droeve lot te beurt gevallen dat haar zonen over de hele wereld werden verspreid. Een is zelfs als slaaf naar Brazilië gevoerd. Een ander vond de dood in het koninkrijk Dahomey. Ieder van hen heeft in den vreemde zonen achtergelaten. Als hoofd van de familie zal ik geen rust kennen vóór ik al deze dolende kinderen onder één dak heb samengebracht tot voldoening en troost van onze voorouders. Ik zeg het u: waar ze momenteel ook zijn, onze kinderen zullen allen de weg naar Ségou terugvinden. Vooraleer ik tegen u de maatregelen tref die ik noodzakelijk acht, wil ik u verzoeken ons kind uit eigen beweging aan ons terug te geven. Het behoort ons toe. Zijn diamoe is Traoré. Zijn totem is de kroonreiger.

Ik stuur u mijn eerbiedige vredesgroet.'

Cheikou Hamadou keek Mohammed in de ogen. 'Wat zeg jij daarvan?' vroeg hij omzichtig.

Mohammed herinnerde zich zijn vader Siga, een vriendelijke man die voor ieder een goed woord overhad. Zijn familie was hem dus niet vergeten. Ze wilde hem weer in haar schoot opnemen. Een intens geluksgevoel welde in hem op terwijl hij in zichzelf de zin herhaalde: 'Waar ze momenteel ook zijn, onze kinderen zullen allen de weg naar Ségou terugvinden.' Wat een prachtige en ondubbelzinnige uitspraak! Ja, hij zou naar Ségou terugkeren, naar die dorre, maar door het bloed van zijn vader vruchtbaar gemaakte grond! Hij zou er de islam laten gedijen, die altijd groene plant die geen winter of droog seizoen kent, waarvan de wortels water en al wat om te leven nodig is gaan zoeken in het diepste van de aarde!

'Vader,' sprak hij glimlachend, 'wat zult gij hem ant-woorden?'

Cheikou Hamadou antwoordde met een vraag die in veler oren stuitend zou hebben geklonken, want kinderen vraagt men niet om raad.

'Wat wil jij dat ik hem antwoord?'

'Dat ik van hem houd, hem eerbiedig en terug zal keren.'

De knaap en de oude man wisselden een blik van volledig wederzijds begrip en vertrouwen. Daarna be-duidde Cheikou Hamadou de jongen dat hij kon gaan, terwijl hij opnieuw naar de kralen van zijn bidsnoer tastte.

Mohammed kwam terug in de les- en meditatiezaal. Hij ging naast Alfa zitten die hem op fluistertoon – want tijdens het reciteren van de soera's was praten verbo-den – vroeg wat de meester hem had gezegd. Maar Mo-hammed hoorde het niet eens. In zijn oren priemde nog die zin van Siga: 'Ik zal geen rust kennen vóór ik al onze dolende kinderen onder één dak heb samenge-bracht.'

# 7

'Eucaristus da Cunha! Hoe komt een neger aan zo'n naam?'

De eerwaarde heer Williams haalde zijn schouders op. 'Het is een afstammeling van een vrijgelaten slaaf uit Brazilië. Zijn vader heeft de naam van zijn meester aangenomen.'

'Maar dat is onwettig!'

Williams sloeg zijn ogen ten hemel. 'Onwettig? Waarom? Die arme duivels verloren elke identiteit tijdens de grote overtocht. Ze moesten er wel een nieuwe krijgen.'

De eerwaarde heer Jenkins bleef de jongeman van ver aanstaren. 'Hoe oud is hij?'

Williams moest lachen. Dit soort vragen verried een volstrekte onwetendheid over alles wat met Afrika te maken had.

'Ach, weet u, de burgerlijke stand en negers! Volgens een paspoort van zijn moeder, waarvan ik een kopie heb gezien, is hij omstreeks 1810 geboren. Jenkins, die jongen is goud waard. Hij heeft het college van Fourah Bay in Sierra Leone bezocht, en naar het zeggen van dominee Kissling belichaamt hij, samen met Samuel Ajayi Crowther, in dit land van barbarij onze grootste hoop.'

Jenkins kon zijn antipathie niet bedwingen, maar hij had geen argumenten om ze te rechtvaardigen. 'Waarom werd Crowther dan voor die rivierexpeditie uitgekozen, en niet hij?'

'Weet ik veel. Ik ben niet ingewijd in de geheimen van het Genootschap voor de Beschaving van Afrika. Crowther is sterker, hij spreekt perfect Yoruba...'

'Ik denk dat hij vooral minder arrogant is,' viel Jenkins hem in de rede. 'En waarom is hij niet gehuwd? Hij is er ruimschoots oud genoeg voor.' Snel rekende hij het even uit. 'Ongeveer dertig!'

'Vraagt u het hem zelf even,' grapte Williams.

De eerwaarde heer Williams was de eerste anglicaanse zendeling die in Lagos voet aan wal had gezet. Vanwege het slechte klimaat zou hij dat hooguit één jaar volhouden, zo was er gezegd. Maar hij was hier nu al drie jaar, en zonder enige hulp had hij de eerste hut gebouwd waarin de mis werd gelezen. Het eerste jaar had hij geen tien gelovigen. Sinds kort echter was er een grote toevloed van zogeheten Braziliaanse families en Saro immigranten uit Sierra Leone, die allen graag hun kinderen naar de school wilden sturen. Daarbij kwamen nog de Europeanen die, ondanks het verbod, slaven bleven verhandelen en, naar het voorbeeld van Goudkust, de zeer winstgevende palmolie. Daarom had hij enkele weken geleden van het zendingswerk uit Londen versterking in de persoon van Jenkins gekregen. Maar helaas, die Engelsman die nooit een stap verder dan het dorp Chelsea had gezet, nam overal aanstoot aan: aan de lakse moraal van de Europeanen, aan de naaktheid van de zwarte heidenen, aan het groot aantal mulatten ten gevolge van buitenechtelijke betrekkingen tussen blanken en zwarte vrouwen. En alsof dit nog niet genoeg was, had hij ook nog een hekel aan Eucaristus. Dat terwijl Eucaristus een waardevolle aanwinst was. In Abéokuta waar hij met zijn oom van moederszijde woonde, had zijn intelligentie de anglicaanse zendelingen zo getroffen dat ze hem met een beurs van hun moederhuis naar het Fourah Bay College hadden gestuurd, waar hij een van hun eerste leerlingen werd.

Soms was hij inderdaad geen gemakkelijke klant. Maar de eerwaarde heer Williams, voor wie die jongen een open boek was, wist dat hij niet arrogant, maar schuchter en angstig was. De dood van zijn ouders was hij nog steeds niet te boven gekomen, en hij werd gedreven door een volstrekt irrationeel verlangen: de familie van zijn vader ergens in de Sahel, in Ségou, terug te vinden.

De eerwaarde heer Williams koesterde één vurige wens: Eucaristus priester te zien worden. Hij begreep niet waarom de jongen zich daartegen verzette. Allicht was ook dat een gevolg van zijn perfectionisme. Maar de mens is de zwakheid zelf, en alleen de goddelijke barmhartigheid kan hem verlossen.

Eucaristus voelde dat de twee priesters naar hem keken, en hij wist dat ze het over hem hadden. De vijandigheid van de eerwaarde heer Jenkins hinderde hem niet. In tegendeel, hij bewonderde het vermogen van die nieuweling om te doorgronden wat híj voor iedereen zocht te verbergen. Zijn hang naar vrouwen. Naar alcohol. Zijn goklust. Had hij niet op een avond in een kroeg zijn maandloon van een pond verspeeld dat hem door de zending werd uitbetaald? En bovenal zijn hoogmoed. Zijn onmetelijke hoogmoed. Zo had hij zich, in plaats van samen met de andere zogenaamde Brazilianen in de Popo Agouda-wijk – ook wel 'Portuguese Town' geheten – te gaan wonen, in de Marina, tussen de Europeanen en mulatten, gevestigd. Want hij achtte zich van een hogere en verfijndere soort. Waarom eigenlijk?

Hij sloeg zijn psalmenboek dicht en klapte in zijn handen ten teken dat de les was afgelopen. De kinderen liepen lachend uit elkaar. Zodra ze een voet buiten de zending zetten, spraken ze geen woord Engels meer en gebruikten alleen nog het Portugees en het Yoruba. Zelf sprak Eucaristus Portugees en Yoruba – de talen van zijn moeder –, Engels – de onderwijstaal in Fourah Bay College –, wat Frans, en een mengelmoes van dat alles: Pidgin, de lingua franca van het kustgebied. In dat mengelmoes van talen, dat hem aan de toren van Babel deed denken, zag hij een spiegel van zijn eigen identiteit. Want wat was hij? Een hybridisch, ondefinieerbaar wezen.

Hij deed zijn lessenaar op slot en liep in de richting van het huis. Op de veranda waaiden de twee priesters zich met brede schroefpalmbladeren wat koelte toe, want het was smoorheet. De eerwaarde heer Williams kon nogal goed tegen de hitte. Maar zijn metgezel, die altijd drijfnat van het zweet was, had roodomrande ogen en gezwollen trekken. Eens te meer vroeg Eucaristus zich af wat die twee zo ver van huis waren komen zoeken.

Hij groette hen, en de eerwaarde heer Williams stak hem een brief toe. 'Post voor jou.'

De afzender was zijn enige vriend Samuel Ajayi Crowther, die hij in Freetown had achtergelaten. Eucaristus' leven bevatte al heel wat episoden die sterk tot de verbeelding konden spreken, maar dat van Samuel Ajayi Crowther was een echte roman. Als dertienjarige was hij in zijn Yoruba geboortedorp door slavenhalers ontvoerd en naar Lagos gebracht, waar hij was terechtgekomen op een schip dat koers zette naar Brazilië. De Britse kustwacht had hem in volle zee bevrijd en aan land gezet in Freetown waar hij was gedoopt. Toen Eucaristus hem in Fourah Bay had leren kennen, kwam hij net terug uit Engeland waar zijn schranderheid zijn leraren met verstomming had geslagen. Zijn geest was even sereen als die van Eucaristus gekweld, en hij had een rotsvast geloof in zijn beschavingszending.

'Beste vriend,' luidde de brief.

'Laat ik je eerst melden dat mijn vrouw Susan en ikzelf opnieuw in goede gezondheid verkeren. We zijn van die koorts genezen dank zij een wonderbaarlijk medicijn dat uit Engeland komt. Ook onze kinderen Samuel, Abigail en Susan maken het opperbest, en als het God belieft zal er zich weldra een vierde kleine christen onder ons dak bevinden.

Ook moet ik je het grote geluk meedelen dat mij te beurt is gevallen. Ik werd uitgekozen als begeleider van de Britse expeditie die over twaalf à veertien maanden de Niger-rivier gaat exploreren, in de hoop te Lokoja, waar de Bénoué in de Niger vloeit, een modelhoeve te kunnen stichten. Het doel daarvan is de handel te bevorderen, maar ook de kerstening van onze zwarte broeders. Die twee oogmerken gaan hand in hand. De ploeg én de Bijbel, dat is de nieuwe beleidslijn voor het zendingswerk. Ach, waarde vriend, wat is onze taak toch begeesterend! Dank zij onze inspanningen zal ons geliefde vaderland de ware God leren kennen. Nee, dat zal niet het werk van vreemdelingen zijn...'

Eucaristus vouwde de brief dicht en stak hem tussen zijn kleren. Was hij jaloers omdat zijn vriend die opdracht had gekregen? Jazeker. Maar er was meer. Hij was jaloers op de kalmte en de geordendheid van zijn bestaan. Op zijn geloof ook. Zijn rustige geloof. Afrika beschaven door het te kerstenen. Wat betekende dat? Bezat elk volk dan niet zijn eigen beschaving die berust op het geloof in eigen goden? En Afrika kerstenen, betekende dat niet het continent een vreemde beschaving opleggen?

Eucaristus volgde de twee priesters het huis in en sprak met hen het dankgebed uit. Hij duwde zijn lepeltje in de jamswortelpuree.

'Wist je,' vroeg de eerwaarde heer Williams hem lachend, 'welke vraag de eerwaarde heer Jenkins mij over jou heeft gesteld? Hij vroeg me waarom je niet getrouwd bent.'

Eucaristus schrok. Had de eerwaarde heer Jenkins iets vernomen? Maar hoe hij hem ook aankeek, op zijn gezicht zag hij slechts de bekende kwaadwilligheid van de Europeanen–al dan niet priesters–die de zwarten haatten. Hij bukte zich over zijn bord.

'Dat komt,' mompelde hij, 'omdat ik nog geen geschikte christelijke levensgezellin heb kunnen vinden.'

Eugenia de Carvalho was ongetwijfeld de mooiste mulattin van Lagos. Haar vader was een rijke Portugese handelaar die van alles verkocht: slaven, palmolie, specerijen, ivoor, hout. Het gerucht ging dat hij in zijn land een mens had gedood en daarom niet meer terug kon, maar dat werd over alle Europeanen verteld die fortuin hadden gemaakt en zich zo aan Afrika hadden gehecht dat ze daar begraven wilden worden. Eugenia's moeder was een Yoruba die uit de koninklijke familie van Benin stamde, en als ze de dronkemansgrillen en het sadisme van haar levensgezel beu werd trok ze vaak naar het paleis van de oba.

Dit volkje woonde in een sobrado, het werk van 'Braziliaanse' metselaars. Het was een enorm rechthoekig bouwsel met één verdieping en daarboven nog een mansarde. De drie gevelzijden telden vijf boogvensters en twee deuren met blauwe, rode en groene brandramen die in de cirkelvormige gaanderij om het hoofdgebouw een zacht getemperd licht tussen het halfdonker lieten spelen. Daarachter lag een ruime binnenplaats met papaja-, sinaasappel- en guavebomen, waar altijd wel groepjes slaven stonden te praten; zij woonden in barakken die door een hoge haag aan het oog werden onttrokken. 's Avonds werden er aan alle gevels lantaarns opgehangen opdat de bewoners en bezoekers van het huis niet in het vuilnis zouden trappen dat er overal omheen in gore, stinkende plassen lag.

Eucaristus kwam hier vaak aan huis omdat hij Engelse les gaf aan Jaime de Carvalho junior, de erfgenaam, een jongen van een jaar of twaalf met een vale huid, die reeds slavinnetjes naaide. Want al was Jaime senior nog zo'n losbol, hij ging prat op zijn goede opvoeding en had een grenzeloze bewondering voor de Engelsen.

'Dat zijn grands seigneurs,' placht hij te zeggen. 'Vergelijk maar eens met die Latijnse bastaards: Portugezen, Spanjaarden, Fransen. Het duurt niet lang meer of heel deze kust en haar onmetelijke achterland horen hun toe. Momenteel aarzelen ze nog, ze vergenoegen zich ermee handel te drijven, de loop van de rivieren te verkennen, hun pionnen te plaatsen. Maar weldra zal hun vlag op de paleizen van de oba's, de alafins en de sultans wapperen. Engels spreken is voor een mens het opperste voorrecht!'

Op zijn weg naar de Carvalho's voor de dagelijkse les herinnerde Eucaristus zich de woorden van Malobali, toen deze Ouidah met Ségou vergeleek: 'Nog nooit heb je zo'n stad gezien! De steden hier zijn scheppingen van de blanken. Ze zijn het tastbaar resultaat van de handel in mensenvlees. Het zijn niets dan grote opslagplaatsen.'

Ah, wat haatte hij Lagos en zijn stank van perversiteit en slijk! Wat zou hij hier graag zijn biezen pakken! Maar waarheen? Dat wist hij niet, en hij kon maar geen beslissing nemen. Eigenlijk had hij, sinds hij Eugenia de Carvalho had leren kennen, minder haast om hier weg te gaan. De liefde die hij voor dat meisje koesterde, werd des te heviger naarmate hij besefte hoe hopeloos ze was. Op Afrikanen die nog nooit van dichtbij een boek hadden gezien en er halfnaakt bij liepen, maakte hij indruk – dat wist hij. Maar op een meisje dat enerzijds uit een inheemse koninklijke familie en daarnaast van een blanke stamde? Waren de blanken voor sommigen niet de nieuwe heersers? Met de machtigste zwarte vorsten onderhandelden ze op voet van gelijkheid. Meer nog: ze wezen hen terecht, probeerden hun aan het verstand te brengen hoe verkeerd hun eigen geloofsovertuigingen waren, en stukje bij beetje wisten ze hun eigen wet op te leggen. Eens te meer welde haat op in Eucaristus' hart, een erg onredelijke haat, want was hij zelf niet het produkt van de blanken en 'in dit land van barbarij onze grootste hoop', zoals de eerwaarde heer Williams zo vaak herhaalde?

Terwijl hij zo met zijn gedachten elders was, trapte Eucaristus in een plas. Woedend keek hij naar zijn schoen en het onderste stuk van zijn zwartlakense pantalon die nu helemaal onder de smurrie zaten. Hij voelde zich nog onbehaaglijker dan gewoonlijk toen hij het huis betrad. Eugenia zat op een taboeretje en liet zich kappen. Haar haar dat eerder gekroesd dan gekruld was, bedekte heel haar rug en reikte tot aan haar billen; zoals de pels van bepaalde dieren rook het zurig, en toch was deze geur niet onaangenaam. Toen ze voorover neeg opdat haar slavinnen haar konden kammen, viel haar gebloemde kamerjapon open en werden haar ronde, bijna witte borstjes zichtbaar met hun auberginekleurige tepel. Eucaristus rilde.

Zij hief haar hoofd naar hem en glimlachte. 'Ach, goedemiddag, meneer Eucaristus da Cunha!'

Zijn naam sprak ze altijd uit met een sarcastische ondertoon, als om te insinueren hoe potsierlijk het voor een Afrikaan was om zo te heten.

'Ik heb u al gezegd,' gromde hij, 'dat u me ook Babatundé mag noemen. Dat is mijn Yoruba voornaam.'

'Babatundé da Cunha?' grapte zij.

Ook de slavinnen schoten in de lach, alsof zij van deze woordenwisseling ook maar iets konden begrijpen.

Eucaristus kende de familienaam van zijn vader, die hem door Malobali was verklapt. Maar telkens als hij hem wilde uitspreken was er iets dat hem daarvan weerhield, een verlammend besef van zijn vervreemding. Babatundé Traoré-nee, dat nooit! Hij besloot het gesprek een andere wending te geven.

'Waar is Jaime junior?' vroeg hij.

'Ik geloof dat hij reeds met Bolanlé klaargekomen is. Hij staat geheel te uwer beschikking.'

Gechoqueerd en onthutst staarde Eucaristus naar het verste punt van de gaanderij, alsof daar elk ogenblik de vader van het meisje kon verschijnen.

'Mejuffrouw de Carvalho!' protesteerde hij.

Een gorgelend lachje steeg hem tegemoet. 'En u, meneer da Cunha,' vroeg zij, 'bedrijft u wel eens de liefde?'

Dit ging te ver! Eucaristus blies de aftocht en liep de salon binnen met het enorme biljart-een spel waar Jaime senior dol op was-, vanwaar hij bijna holde naar de studeerkamer. Voor één keer zat Jaime junior daar reeds op hem te wachten.

'En u, meneer da Cunha, bedrijft u wel eens de liefde?'

Die duivelse meid had de vinger op de wonde gelegd.

Eucaristus was een pupil van de zending. Daar was hem ingeprent dat de liefdesdaad buiten de gewijde banden van het huwelijk de ergste zonde is, en kuisheid de voornaamste deugd. Weliswaar had Malobali hem geheel andere dingen voorgehouden. Maar toen was hij nog een kind, en Malobali was dood. Wat moest hij dan met zijn lichaam? Met die hevige begeerte die hem zo vaak beving? Met die witte dril op zijn dijen? Met die hand, de zijne, die naar zijn geslacht tastte en dat krolse gesis en geblaas? En vooral, de laatste tijd, met die hoer die hij in een stinkend krot ging opzoeken en die al door zo veel Portugezen en Engelsen was bereden?

Jaime junior bauwde na: 'Toen zeide de Here tot Mozes: Ga henen voor het aangezicht des volks, en neem met u uit de oudsten van Israël, en neem uwen staf in uwe hand, waarmede gij de rivier sloegt, en ga henen. Zie, Ik zal aldaar voor uw aangezicht op den rotssteen in Horeb staan...'

Het zwijgen van zijn meestal zo pietepeuterige en verbeterzieke leraar, die hem anders hele zinnen liet herhalen, verbaasde de jongen, en steels gluurde hij even in zijn richting. Eucaristus was mooi met zijn hoge voorhoofd, zijn fonkelende ogen en zijn gevoelige wangen. Maar voor Jaime junior, voor wie de huidkleur als enige waardemeter gold, was hij afzichtelijk met zijn gitzwarte vel en zijn peperkorrelige kroeshaar. Achter zijn rug lachte hij zich samen met Eugenia krom als ze zijn plechtstatige en houterige manieren nadeden. Ha, wat is een zwarte lelijk als hij een blanke naäapt!

Eucaristus bekeek zijn leerling welwillend. 'Prima, Jaime!' zei hij met een voor zijn doen erg ongewone toegeeflijkheid. 'U maakt verrassende vorderingen.'

Zijn stem, zijn blik verrieden zijn verwarring. Deze kans wilde Jaime niet voorbij laten gaan.

'Wist u dat Eugenia gaat trouwen? Mijn vader vond Jeronimo Medeiros dan toch een goede partij. Hij is een quarterone, dat wist u toch? Zijn vader is een Portugees, en zijn moeder een mulattin.'

474

Eucaristus leek eerst te zijn versteend. Hij wist dat Eugenia hem nooit zou toebehoren. Maar dat hij zo moest vernemen dat ze aan een ander was toegewezen! Opeens stortte hij zich op Jaime, greep hem bij zijn schouders en schudde hem als een fruitboom.

'Dat is niet waar! U liegt, u liegt!'

De knaap kon zich losrukken en rende naar een uithoek van de studeerkamer, waar hij zich achter de zware fauteuils ging verschansen.

'Het is wél waar!' riep hij uit toen hij zich veilig voelde. 'Ze trouwt! Dacht u soms dat wij niet zagen hoe u naar haar lonkte? Maar u krijgt haar niet! Vuile neger, kannibaal, je stinkt, je vreet mensenvlees! Vieze nikker, smeer 'm! Keer terug naar je wildernis!'

En zeggen dat die lui uit de buik van een zwarte vrouw komen! Vergeten ze dat dan?

Hoe Eucaristus zich dit zinnetje ook bleef herhalen, het bracht hem niet tot rust. Verdriet, woede en vernedering vermengden zich met een radeloze behoefte om getroost en geknuffeld te worden als een kind. Ah, Romana! Waarom had ze haar kinderen in de steek gelaten om Malobali te volgen tot in de dood? Waar kon hij een boezem vinden die even zacht was? Aan zijn moeder kon Eucaristus nooit denken zonder dat een geheime wrok zijn gevoelens aantastte. Mag men sterven als men vier zoontjes achterlaat, die ongewapend in het strijdperk van het leven zullen moeten treden? Gezegend zij de vrouw die meer moeder dan echtgenote is! Was dit niet het geval met de Allerheiligste Maagd Maria?

Bij ontstentenis van een vrouweboezem nam Eucaristus zijn toevlucht tot wat daar nog het meest op leek: een glas sterke drank. Maar toen hij er een heleboel op had, kon hij zijn zinnelijke honger nog minder bedwingen, en zo begaf hij zich op wankele benen naar Ebute-Metta.

Een fraaie buurt, die Ebute-Metta-wijk! Een samenraapsel van hutten waar zeelui van de slavenschepen soelaas kwamen zoeken, meestal bij mulattinnen. Het afgelopen jaar had een pokken- en influenza-epidemie, vertienvoudigd door een ware zondvloed van een regenseizoen, er talloze slachtoffers geëist. Desondanks was er alweer geen gebrek aan hoertjes meer, alsof dat soort zich even snel voortplantte als de insekten en de ratten die dit gebied teisterden. Het was er één modderpoel waarin vrouwen onverstoorbaar acaraje en in palmolie gebakken weegbreestengels stonden te verkopen.

Eucaristus duwde de deur van de Flor do Porto open, het bordeel met de goedkoopste hoertjes van heel Lagos. Vaak lieten ze zich betalen met een rode zakdoek of een halssnoer met glazen parels. Schoonheden of frisse bloempjes moest men elders zoeken. En toch was Filisberta knap. Met haar heel lichte huid had ze beslist Europees bloed, en ze liep er altijd bij op zijn Braziliaans, met brede rokken van rode indienne, hemden van witte katoen en een geruite tulband op haar hoofd. Bij de matrozen van de slavenschepen was ze niet erg in trek, omdat ze de treurige tic had na de liefde te grienen, en wat konden zij daaraan doen? Eucaristus gaf echter aan haar de voorkeur. Stomverbaasd staarde zij hem aan; hoewel een stevige drinker zoals alle klanten van de Flor do Porto, was hij zelden beschonken.

'Wat scheelt er met jou?' vroeg ze.

'Een klootzak van een mulat heeft me voor vuile nikker uitgescholden.'

Filisberta trok haar schouders op: dat was dagelijkse kost. De mulatten stelden zich nog veel meer aan dan de blanken, want ze wilden vergeten dat ze halve zwarten waren. En wat de Saro's en de 'Brazilianen' betreft, probeerden de eersten in alles de Engelsen te kopiëren terwijl ze op de tweeden met hun slavenverleden neerkeken. Maar beide groepen hadden gelijkelijk de pest aan de autochtonen, en spanden met de mulatten en de blanken samen. Zo zat die miezerige wereld in elkaar.

476

Eucaristus volgde Filisberta over losliggende planken tussen de drek en de modder naar een grote barak die in hokjes was onderverdeeld. Hier ontvingen de hoertjes hun klanten. Door de dunne schotten heen hoorde ieder de obscene geluiden van de anderen.

Er zijn ogenblikken waarop een mens zijn leven verafschuwt. Hij ziet het, het kijkt hem recht in de ogen, met zijn pokdalige facies en zijn verrotte gebit in het paars ontstoken tandvlees. Nee, denkt hij dan, ik kan niet meer, dit moet veranderen! Zo ook Eucaristus in dat wrang riekende hok op het moment waarop Filisberta haar blouse over haar hoofd trok.

Hij zag zichzelf als onderwijzer in een zendingsschool, zonder enige status, zonder enig gewicht in de maatschappij waar hij naar opkeek. En bij gebrek aan beter ging hij met een hoertje naar bed. Hij moest hier weg. De enige uitweg was Londen waar hij theologie kon studeren en priester worden. Waren de priesters niet de herauten van de nieuwe, onstuitbare beschaving?

En zijn lichaam? Hij zou het temmen. Van dat triest vleselijk omhulsel zou hij een waardige tempel voor zijn Schepper maken. Was dat geen groots vooruitzicht? Zichzelf overwinnen! Had Jezus niet gezegd: 'Gaat in door de nauwe poort'?

Ondertussen werd Filisberta, die naakt op haar bed lag, ongeduldig. 'Waar wacht je op?'

Eucaristus trok de kleren weer aan die hij had uitgetrokken, en keek in haar ogen. 'Mij zie je niet terug,' sprak hij nadrukkelijk. 'Hier kom ik nooit meer, begrijp je me?'

# 8

Het feest was in volle gang.

De bruid danste met een overgave die haast onbetamelijk was voor een meisje van goede familie. Ze ging gekleed in een soepele witzijden japon, versierd met oranjebloesems, met een sleep van wit zijdefluweel, en liet haar gehandschoende handen rusten op de schouders van een grote, breed gebouwde jongen met een erg lichte huid, wiens glanzende haarkrullen met pommade op zijn slapen waren gladgestreken en wiens lange bakkebaarden over zijn omgeslagen boord vielen. Hij droeg een lichtgrijze rok boven een zwarte pantalon. Rondom het bruidspaar hielden de andere dansers zich op een afstand, uit eerbied voor dit beginnende geluk, en het was één weelde van kanten garnituren, broches, armbanden met medaillons, kransen met voor deze klimaatzone bijna onbekende bloemen. Kinderen slopen tussen de wijd uitstaande rokken van de dames en stortten zich op de met loofwerk versierde tafels waarop de resten van het bruiloftsmaal tussen de kandelabers met hun geslepen kristalglas nog niet waren afgeruimd. Ze doopten hun vingers in de glazen Spaanse wijn, rum en jenever, en gristen de laatste sneetjes met een amberkleurige gelatinelaag bedekt koud vlees weg.

De walsmuziek hield op en tijdens de korte stilte – die weldra werd verstoord door het hoge gegiechel van de vrouwen, het geroezemoes van de mannen en het gerinkel van de zilveren dienbladen welke door het personeel in rode livrei werden aangebracht – klapte Jaime de Carvalho senior in zijn handen om aan te kondigen dat hij het woord wenste te nemen.

Eucaristus nam het zichzelf kwalijk dat hij hier was,

tussen een menigte nieuwsgierigen die bulkten van bewondering en afgunst. En nochtans, waarmee had deze society zich verrijkt? Met de handel in hun medemensen! Sjacheraars in mensenvlees, dat waren ze! En toch zetten ze een hoge borst op! En toch pretendeerden ze een aristocratie te zijn! En wat nog erger was, iedereen vond dat normaal en boog en kroop voor hen. Op de plek waar hij zich bevond kon Eucaristus Jaime niet horen. Hij zag alleen een harlekijn met olijfkleurige huid, ingevette haren en doordringende ogen – de ogen van de man die van alle markten thuis was. Eucaristus voelde zich diep gekwetst. In zijn trots. In zijn vlees. In zijn hart ook, want hij was bezeten van Eugenia. Wat had die Jeronimo Medeiros méér dan hij? Hij was driekwart blank, dat was alles. Achter hem fluisterden de kijklustigen dat Jaime de Carvalho voor het huwelijk van zijn dochter zes koffers tafelzilver had besteld die elk zevenhonderd pond sterling kostten, met daarbij nog zilveren schotels en honderden fijne havanna's. De flemerige ah's en oh's maakten hem zo misselijk dat hij de kracht had om weg te gaan.

Het regende. In Lagos regende het altijd. Een zware, groeizame regen die op het kleinste plekje grond struiken en bomen te voorschijn toverde. Het was alsof de mens hier door een geniepig oerwoud liep dat hem als een slang dreigde te omvangen. Als het niet regende sijpelde er een benauwende nevel uit de lucht, met een nasleep van kwalijke koortsen. Langs heel deze kustlijn zongen de matrozen:

> *Kijk uit, wees op je hoede*
> *In de golf van Benin,*
> *Tegen een die ontkomt aan haar woede*
> *Blijven er veertig in!*

De Marina waar Eucaristus woonde, was een wijk van versterkte factorijen waartussen bakstenen huizen verspreid lagen. Overdag bood de lagune met haar helder

water en haar vissersboten een niet onaardig schouwspel, maar 's nachts zag je er alleen onheilspellende
gedaanten. Eucaristus beklom haastig de trappen die
naar de gaanderij rondom zijn tweekamerwoning leidden, maar opeens verstijfde hij. Binnen brandde licht.
De eerwaarde heer Williams zat met gekruiste benen
op zíjn mat in zíjn bijbel te lezen. Eucaristus wiens
geweten niet al te zuiver was, huiverde, maar de priester
bekeek hem met een vriendelijke blik.

'Nou, was het een mooie bruiloft?' vroeg hij.

'Dat moet wel. Al wat Lagos aan blanken, quarte-
ronen en mulatten heeft, was daar.'

De bittere toon waarop hij dit zei ontging de eerwaarde heer Williams niet, maar de priester deed alsof
hij het niet had opgemerkt.

'Ik ben niet gekomen,' sprak hij, 'om met jou een
praatje te maken over die mensensjacheraars. We kregen
een antwoord uit Londen. Het zendingswerk vraagt je
naar Freetown te komen, waar de eerwaarde heer
Schonn een onderhoud zal hebben met jou. Daarna zou
je naar Engeland kunnen afreizen.'

Dit antwoord klonk wat al te terughoudend en voorzichtig op een ogenblik dat het zendingswerk onver-
droten speurde naar roepingen van Afrikanen en ze zelf
hielp opwekken, overtuigd als men in Londen was dat
het Woord Gods op het zwarte continent het best door
Afrikanen kon worden verbreid. Eucaristus staarde verrast naar de eerwaarde heer Williams.

'Bij het formuleren van mijn aanvraag,' legde die hem
wat verlegen uit, 'heb ik met de reserves van de eerwaarde heer Jenkins rekening moeten houden. Hij gelooft niet in jouw roeping. Hij vindt je hoogmoedig,
koppig, zonder warmte of bezieling.'

'Verwijt hij me niet vooral dat ik zwart ben?'

De eerwaarde heer Williams wilde zich niet laten
meeslepen in een discussie over de aard van de relaties
van sommige blanken met de zwarten. De handelaars
en later de blanke kolonisten hadden zwarten hun men-

selijke waardigheid ontnomen door hen als dieren te
verkopen en op hun plantages te werk te stellen. Hierdoor hadden ze hen tot gedragswijzen aangezet die hun
volkeren ten enenmale onbekend waren. Dat was Williams' vaste overtuiging. De negers van de kust, gede-
genereerd door de handel in hun rasgenoten, drank-
zuchtig en tot alles bereid als ze daarmee de produkten
van de Europeanen konden bemachtigen, hadden niets
gemeen met de onbesmette, warmhartige zwarten uit
het binnenland, wier aangeboren wijsheid alleen de weg
naar de ware God moest worden gewezen. Die taak
kwam toe aan verlichte geesten als Eucaristus. Aan een
inheemse elite. Blanken die, zoals Jenkins, veralgemeen-
den en zeiden: 'De zwarten zijn zus of zo', dreven hem
tot wanhoop.

'Morgen,' concludeerde hij terwijl hij al naar de deur
liep, 'gaan we samen naar de haven. De brigantijn
Thistle licht weldra het anker.'

Eucaristus ging naar zijn slaapvertrek en kleedde zich
uit, waarbij hij zijn kleren met zorg op een taboeretje
naast zijn slaapmat legde. Voor zijn geest zag hij opnieuw alle gebeurtenissen van de dag. Ach, Eugenia die
hem nooit zou toebehoren! Die dolgelukkig zou zijn met
de nog blankere huid van de kinderen die zij ter wereld
bracht. Ze was misschien niet de bescheiden en deugd-
zame echtgenote die een christelijk gezin siert, maar o
het genot van haar zoenen! En de wellust van haar
lichaam!

Op dat ogenblik werd er op de deur geklopt. Eucaristus, die dacht dat het de eerwaarde heer Williams
moest zijn die hem iets was vergeten te zeggen, haastte
zich om open te doen. Het was Filisberta. Als de duivel
hem in hoogsteigen persoon was verschenen, had hem
dat niet erger aan het schrikken gebracht. Ze glipte naar
binnen. Hij moest zich bedwingen om niet op haar af
te springen en haar er met geweld weer uit te gooien.

'Wat kom jij hier doen?' riep hij.

Ze lachte. 'Het schijnt dat je naar Engeland wilt vertrekken?'

Onvoorstelbaar hoe snel een gerucht in Lagos de ronde deed! Alsof iedereen voortdurend met zijn oor tegen het sleutelgat van de buren stond mee te luisteren!

'En dan nog om priester te worden?'

In haar stem lag een bijtende spot. Ze liep naar de tweede kamer alsof ze hier thuis was, met een zelfverzekerdheid die Eucaristus in verwarring bracht. Daar begon ze haar kleren uit te trekken. Eerst haar rode Braziliaanse rok. Vervolgens haar korte Yoruba paan.

'Wat doe jij daar?' bulderde Eucaristus.

Ze bleef zich uitkleden, ging op de slaapmat liggen en kruiste haar handen in haar nek.

'Ik ga weg uit Lagos, ik ben het hier zat. Mijn vader, weet je, was een smeerlap van een blanke – Portugees, Engelsman of Hollander, dat heb ik nooit geweten. Mijn moeder misschien ook niet. De schoft die haar verkrachtte zei er niet bij wie hij was. Maar zij kwam uit Dada waar onze hele familie woont. Daarheen keer ik terug.'

Eucaristus geloofde geen woord van dit hele verhaal.

'Nou, ga dan terug!' zei hij. 'Wat heb ik daarmee te maken?'

'Alleen heb ik twee pond nodig.'

Bang voor de chantage die hij voelde aankomen, ging hij naast haar zitten.

'Waar wil jij dat ík twee pond vind? Zie je me voor een slavenhandelaar aan?'

'Dat is jouw probleem, darling,' lachte ze, 'niet het mijne!'

Tegelijkertijd liet ze haar hand waarvan hij de bedrevenheid kende, over zijn dij glijden, vlak naast zijn geslacht dat tot zijn eigen verbazing reeds stijf en zwaar als een zak stenen was.

'Denk je dat jouw Eerwaarde Heren graag zullen vernemen dat het kind in mijn buik van jou is?'

'Hoeren zoals jij,' stotterde hij, 'zijn goddank steriel.'

'Dat zeg jij,' lachte ze terwijl haar strelingen steeds preciezer werden. 'Twee pond, of morgen ga ik met mijn verhaaltje naar de zending! Twee pond is toch niet te veel om het rijk Gods te verwerven?'

Ze trok hem tegen zich aan, en hij dacht er zelfs niet aan te protesteren. Terwijl hij in haar binnendrong bekroop hem een soort razernij tegen God – een vreemd gevoel voor een man die priester wilde worden. Waarom had de mens een geslacht als het alleen in het saaie echtelijke bed gebruikt mocht worden? Waarom had het die geur van viezigheid, die smaak van zonde? Was de coïtus niet de natuurlijkste en mooiste daad, de oorsprong van het leven?

'Het beste wat ons ongelukkig continent kan overkomen, is dat de Europese naties, en met name Engeland en Frankrijk, hier het roer in handen nemen en onze onwetende en fetisjistische vorsten afzetten!'

Eucaristus kon het niet meer aanhoren. 'Zeg dat niet, Samuel! Jij gelooft dus dat de Engelsen – de Fransen ken ik niet – edelmoedige idealisten zijn. Ik zeg je dat ze alleen aan handeldrijven denken. Ze willen ons met hun alcohol en hun andere rotzooi overstelpen. Ons dwingen om, zoals zij, cacao en katoen te verbouwen en palmolie voor hun machines te produceren.'

Terwijl hij deze woorden uitsprak verweet Eucaristus zichzelf dat hij zich door woede liet meeslepen in een zinloze discussie. Samuel Crowthers levensloop verklaarde waarom hij zo'n grenzeloze bewondering had voor Engeland. Dat land was voor hem zijn vader en zijn moeder, de grote natie die hem aan de slavernij had ontrukt.

'Hebben zíj de slavenhandel niet buiten de wet gesteld?' repliceerde Samuel. 'En hebben ze niet onlangs in hun bezittingen op de Antillen de slavernij helemaal afgeschaft?'

Eucaristus lachte honend. 'Vriend, ik kom uit Lagos. Weet jij hoeveel slavenschepen elkaar daar in de haven liggen te verdringen?'

'Tja, de Britse kustwacht kan niet alle slavenhalers

uit Europa – Frankrijk, Spanje en noem maar op – tegenhouden.'

Zuchtend nam Eucaristus zijn vriend bij de hand. 'Zullen we over iets anders praten?'

Samuel ging een karaf portwijn en twee glazen halen, en zette ze op tafel.

'Bij voorbeeld over jouw roeping,' zei hij. 'Handel je niet wat overhaastig? Ikzelf heb nog geen beslissing durven te nemen, hoezeer de eerwaarde heer Schonn er ook op aandringt dat ik priester word.'

Nerveus vulde Eucaristus zijn glas en dronk het snel leeg terwijl hij naar het fraaie olieverfportret van Samuel staarde dat aan de muur hing.

'Ik vrees het ergste voor mijn ziel als ik haar niet in een onneembare vesting opsluit.'

Samuel wierp hem een goedhartige blik toe. 'Je hebt een zwak voor vrouwen, dat is het! Dat roept het beest in je wakker. Kijk eens, ik zou je willen helpen...' Hij trok een geheimzinnig gezicht. '... Ik zal je aan een meisje voorstellen dat de volmaaktheid zelve is.'

Eucaristus voelde een onzinnige behoefte in zich opkomen om hem te choqueren.

'Over welke volmaaktheid heb je het?' viel hij hem spottend in de rede. 'Die van haar borsten, haar billen, haar dijen? En weet je ook of ze heet in bed is?'

Samuel scheen daar helemaal geen aanstoot aan te nemen. Hij stond op, nam zijn hoed van een stoel en wenkte Eucaristus om hem te volgen.

De natuurlijke ligging van Freetown, dat wel eens vanwege zijn drukke handelsverkeer het Liverpool van Afrika werd genoemd, was overweldigend. Eucaristus, die twee jaar in de vochtige hitte van Lagos had moeten doorbrengen, staarde vol verrukking naar de met groene bosjes begroeide heuvelen, de aaneenrijging van baaien waarop kokospalmen sierlijke rijen in het zand tekenden, de overvloed aan bloemen en struiken: frangipanni's, magnolia's, oleanders. Doordat het gebied sinds 1808 een kolonie van de Britse Kroon was, kon de stad op indrukwekkende gebouwen bogen. Zo bij voorbeeld op Saint Georges' Cathedral.

Pratend kuierden de vrienden verder. Zoals de meeste Afrikaanse steden waarvan het de ruimtelijke indeling had bewaard, bestond Freetown uit wijken die de bevolking volgens haar etnische oorsprong groepeerden. Er was de wijk van de Aku's of vrijgelaten slaven van de Yoruba stam, die van de Peul die aan hun wijde islamitische boeboe waren te herkennen, die van de Ibo en die van de marrons. De marrons waren afstammelingen van opstandige bosnegers die uit Jamaïca waren teruggebracht nadat ze geruime tijd de best getrainde Britse legers op de knieën hadden gedwongen. Deze laatsten hadden hen slechts kunnen overwinnen met behulp van Cubaanse buldoggen die speciaal waren afgericht om negers levend te verslinden.

'Waar gaan we naar toe?' vroeg Eucaristus.

'Ssst, geen vragen stellen!' glimlachte Samuel.

De grootste charme van Freetown was – daar was iedereen het over eens – de uiterste verwestersing van haar bevolking. De in volle zee door Engelse patrouillevaartuigen bevrijde slaven, de vrijgelatenen van de Britse Antillen, de vanuit Londen gerepatrieerde 'poor Blacks' hadden vaak zelfs de herinnering aan hun moedertaal, hun godsdienst en tradities verloren en pasten zich geestdriftig bij de zeden van de blanken aan. De enige uitzondering vormden de marrons wier haat en wantrouwen tegenover de Engelsen nog even levendig waren. Tot grote verbazing van Eucaristus leidde zijn vriend hem naar hun wijk.

'Ga je nu al met marrons om?' vroeg hij.

'Dochters lijken niet altijd op hun vader. Ik herhaal je dat Emma de volmaaktheid zelve is. Als je haar in de kathedraal zou horen zingen!'

Uit de houten verandahuizen kwamen mannen en vrouwen met niet bepaald hartelijke gezichten kijken naar die twee onbekenden.

'Ach, ik vergat het bijna!' riep Samuel opeens uit.

'Herinner jij je nog dat je me altijd dat verhaal deed over die blanke die voor de poorten van Ségou stond de dag dat je vader werd geboren? Nou, ik weet wie dat was.'

'Jij weet wie dat was?' herhaalde Eucaristus verbouwereerd.

Samuel nam zijn predikantenhouding aan. 'Jawel. En dit bewijst nog eens welke ziekelijk bijgelovige verbeelding onze volkeren hebben. Het was geen kwade geest, albino of wat dan ook. Het was een Schot die Mungo Park heette.'

Eucaristus greep hem bij de arm. Dat verhaal dat Malobali hem zo dikwijls had verteld en hem even verzonnen leek als de avonturen van Souroukou en Badéni, was dus echt gebeurd.

'Hoe heb jij dat ontdekt?'

Ze stonden nu voor een groot en nogal slecht onderhouden bouwsel waarvan de geel geverfde muren met het spinaziegroen van de vensterluiken contrasteerden. De veranda was volgestouwd met landbouwwerktuigen die kennelijk niet vaak werden gebruikt, want de moestuin was overwoekerd met onkruid dat de zoete aardappelen, jamswortel en maniok dreigde te verstikken. Een gitzwarte en woest uitziende man, een echte marron, kliefde met forse machetehouwen kokosnoten; zonder Samuels groet te beantwoorden gaf hij hem een teken dat hij het huis binnen mocht. Eucaristus voelde allerlei vragen op zijn tong branden en vervloekte dit bezoek dat zo ongelegen kwam. Stond de reis van die blanke in een of ander boek vermeld? Dan was het toch geen half magisch verhaaltje?

Binnen in het huis nam een piano de ereplaats naast het venster in; twee smerige jongetjes waren erop aan het spelen, waarbij ze elk akkoord extra nadruk gaven met hun luid geschater. Bij het zien van de twee vreemden hielden ze er allebei tegelijk mee op.

'Mama!' schreeuwden ze.

Er kwam een dikkig vrouwtje aanhuppelen dat met

486

een radde tong excuus vroeg voor de rommelige toestand van het huis. Maar kon zij met al die kinderen – de
hare, die uit het eerste huwelijk van haar man, die van
de overleden broer van haar man – orde op zaken houden? Was dit de vriend wiens komst door Mister Crowther was aangekondigd? Kwam hij uit Lagos? Zij had
familie in Abéokuta wonen. Nee hoor, zij was geen Yoruba. Ze was een volbloed Jamaïcaanse. Eucaristus begon
zich net af te vragen hoe lang hij dit oorverdovende
gekwebbel nog zou kunnen verdragen, toen hij een zeldzaam harmonieus gebouwd meisje op hen af zag komen
op het fraaiste stel benen dat hij ooit had aanschouwd.
Ze droeg een nauwsluitend kanten lijfje en een brede
blauw-en-witgeruite rok. Bij het binnenkomen hield ze
haar hoofd lichtjes gebogen, en toen ze opkeek ontmoette Eucaristus twee grijze ogen die in dit zwarte gelaat
zo verrassend aandeden dat hij het bijna uitschreeuwde.
Een fijn getekende neus en die vlezige, wat paarse, zinnelijke lippen. Zo veel schoonheid en distinctie bij de
dochter van een marron! Verbluft keek Eucaristus naar
zijn vriend die hem met een triomfantelijk gezicht leek
te zeggen: Dit is de parel die ik voor jou heb gevonden!
Christelijk en deugdzaam, en tegelijk hartveroverend
mooi! Dit is de bruid die iemand als jij nodig heeft.
Met haar aan je zijde zul je niet langer naar andere
vrouwen lonken, en zij zal je de mooiste kinderen schenken die jij in eerbied voor het Woord Gods zult op-
voeden.

Intussen was de moeder alweer aan het tateren. Zij
had Eucaristus' verbazing opgemerkt en legde uit dat
die grijze ogen een familiekenmerk van de Trelawny
waren. Ze stamden van grootmoeder Nanny, die in de
Blue Mountains van Jamaïca de guerrilla tegen de Engelsen had geleid. Ah, die Nanny! Zij had van de Engelsen een verdrag afgedwongen dat het eiland in tweeën
verdeelde en de vrijheid van de marrons erkende. Helaas
waren verraders bereid gevonden om de Engelsen naar
de versterkingen van de opstandelingen te leiden, en

het einde van het liedje was verbanning. Eerst naar New Scotland, daarna naar Freetown.

Eucaristus luisterde nauwelijks. Hij staarde gefascineerd naar Emma die nu in fijne porseleinen kopjes uit Wedgewood thee serveerde. Wat een sierlijke handen en lieftallige gebaren!

Als om hen die dit zouden vergeten eraan te herinneren wiens dochter zij was, kwam vader Trelawny, die met zijn partij kokosnoten korte metten had gemaakt, met zijn vuile voeten de kamer binnen en liep recht naar een banjo die op een stoel lag. Daarna maakte hij, zonder een woord te zeggen, rechtsomkeert. Terwijl ze met de blik van een martelares naar de slijksporen van haar man staarde, legde de moeder uit dat de hele familie erg muzikaal was. Alle kinderen speelden piano. Emmeline speelde harp, Samuel fluit en Jeremias altviool. En Emma zong. Haar stem was even melodieus als die van de keskedee, de Jamaïcaanse nachtegaal.

Toen ze zich naar hem overboog om zijn kopje vol te schenken, keek Emma Eucaristus aan. Vlak in zijn gezicht, recht in zijn hart boorden die lichtende, raadselachtige oogappels die zoals de golven van de zee hun geheimen toedekten. Hij voelde dat Emma een spel speelde, zich in een beschermende bolster hulde. Waarom? Dit bekoorlijke lichaam omsloot een uitzonderlijke persoonlijkheid die zij, om redenen die alleen haar bekend waren, verkoos te ontveinzen. Ze was niet alleen mooi, harmonieus, deugdzaam, een goede zangeres die de gelovigen 's zondags in de kathedraal in vervoering wist te brengen. Bovendien was ze iets heel anders. Maar wat? Eucaristus voelde instinctief dat hij moest opstaan, wegrennen, die arme Samuel die het zo goed meende duidelijk maken dat hij aan het verkeerde adres was. Maar hij kon het niet. Hij had al geen eigen wil meer.

Het gesprek met de kennelijk vooringenomen eerwaarde heer Schonn verliep niet al te best. Bepaalde opmerkingen maakten Eucaristus razend.

'Da Cunha? Maar dan stamt u van Brazilianen af. Hoe komt het dan dat u niet katholiek bent?'

'In Abéokuta, waar de broer van mijn moeder me heen bracht, was er maar één school, van anglicaanse zendelingen. Daar ben ik naar toe gegaan.'

'U bent bijna dertig,' ging de priester op een onverholen agressieve toon verder. 'U bent niet gehuwd. Weet u dan niet dat het niet goed is dat een man alleen blijft?'

Dit was hét gevoelige punt voor Eucaristus die altijd bang was dat zijn ongeregelde levenswandel aan het licht zou komen. Hij was zijn zwarte huid dankbaar die hem belette te blozen.

'Ik...hoop,' stotterde hij, 'een christen meisje tot mijn vrouw te kunnen maken... Samuel Crowther heeft haar aan mij voorgesteld.'

Samuels naam gebruikte hij als talisman, want hij wist hoeveel achting de eerwaarde heer Schonn zijn vriend toedroeg. Het antwoord miste zijn uitwerking niet.

'Samuel houdt van u,' zei Schonn nu heel wat vriendelijker, 'en zegt over u de meest lovende dingen. Alleen ben ik wat bang dat bij u het verstand al te zeer de overhand heeft op het hart.'

Eucaristus kookte van woede. Met welk recht oordeelde hij hem? Wat wist die man over zijn hart en zijn verstand? Maar hij wist zich te bedwingen, en het gesprek was afgelopen.

Toen ze het Fourah Bay College hadden gesticht, dachten de Engelsen alleen aan de opleiding van ambachtslui die goed met de Europese technieken van metselwerk, hout- of metaalbewerking vertrouwd zouden zijn, en van lagere kaders in de koloniale ambtenarij. Maar al gauw had de weetgierigheid van hun leerlingen hen als een grondzee overspoeld, en zo waren ze priesters en leerkrachten gaan opleiden die ze naar hun zendingen langs de Goudkust en sinds kort ook in Lagos, Abéokuta, Badagry en Calabar in de golf van Benin stuurden. Fourah Bay was een ware kweekschool van talenten geworden, een fabriek van 'negers in pantalon', die samen met het Woord Gods de westerse beschaving gingen uitdragen. De leslokalen waren in een mooi gebouw ondergebracht, omringd met uitgestrekte en goed onderhouden grasperken; geheel in het zwart geklede scholieren liepen er in de vlakke zon over en weer, gebogen over hun leerboeken. Enkele jaren geleden was Eucaristus nog een van die ijverige leerlingen. En toch was hij niet blij dat hij de school terugzag; ze stemde hem zelfs onbehaaglijk. Was dit het nieuwe gelaat van Afrika? Wat was het afstotelijk! Verraad van de eigen waarden en misprijzen voor de erfenis der voorouders!

Hij liep nu door de hoofdstraat.

Vader Trelawny had op de hoek van de Wilberforcestraat een meubelmakerij, en iedereen was het erover eens dat hij echte kunstwerken maakte. Die schuwe, zwijgzame man die bij zijn twee vrouwen zonder een woord tegen hen te zeggen tien kinderen had verwekt, was verliefd op het hout dat zich op zijn beurt naar zijn gevoelens en zijn wil voegde en hem het beste van zichzelf gaf. Zijn kasten, tafels, commodes, hutkoffers, fauteuils waren waard in een museum te worden opgenomen. Vader Trelawny liet zich bijstaan door twee van zijn zoons die hij tegen zijn zin in zijn geheimen had ingewijd.

Ook Emma hielp in de werkplaats. Zij noteerde de bestellingen in een groot register, want ze had een mooie ronde hand. Ze ontving Eucaristus met die lieftallige onverstoorbaarheid die hem zozeer van zijn stuk bracht. Maar even later vroeg ze aan een van haar jongere broers om haar te vervangen, en toen ze opstond liet ze haar indienne rok zwaaien over bottines die een Londense schone niet zouden hebben misstaan. Ze gingen samen naar de achterplaats waar vader Trelawny en zijn zoons met gebogen hoofd aan het werken waren. Emma ging op een boomstam zitten.

'Het huwelijk is een ernstige zaak, Eucaristus. Het is van belang dat beide partners het over alles eens zijn.'

'Dat lijkt me niet bepaald het geval in uw familie,'

490

zei Eucaristus met een glimlachje. 'Men kan zich moeilijk twee verschillender wezens voorstellen dan uw vader en uw moeder.'

'Dat is waar,' beaamde ze. 'Als kinderen werden we verscheurd tussen twee tegenstrijdige modellen waartussen we niet konden kiezen vanwege de genegenheid die we voor zowel de een als de ander koesterden. Daarom moet ik weten wie u bent.'

'Maar... maar...' stotterde Eucaristus die dit soort vragen altijd in de grootste verwarring bracht.

'U bent bij voorbeeld zo trots op uw naam,' ging Emma door, 'terwijl het een slavennaam is!'

'En die van u dan?' reageerde Eucaristus gekrenkt.

'Trelawny? Dat is een naam van mannen en vrouwen die nooit de slavernij hebben aanvaard. Nauwelijks waren mijn voorouders in Jamaïca ontscheept of ze vluchtten naar de vrijheid, naar de bergen... Maar er is nog wat...'

'Wat dan?'

Ze staarde naar haar fraaie handen die ze op haar schoot gekruist hield, en wikte zichtbaar haar woorden.

'U bent zo verliefd op Engeland en de Engelsen. U denkt dat de blanken onze vrienden zijn en dat wij hen in alles moeten navolgen.'

'Daar vergist u zich volkomen, Emma,' protesteerde Eucaristus fel. 'U verwart mijn gevoelens met die van bij voorbeeld Samuel. Als u maar eens wist hoeveel vragen mij door het hoofd spelen... Is de blanke beschaving beter dan die van onze voorouders?'

Zij hoorde toe met de kritische aandacht van een leraar die een scholier beoordeelt.

'Waarom staat u dan zo te springen om in Engeland te gaan studeren?' onderbrak ze hem.

Wat moest hij daarop antwoorden? Hij koos voor oprechtheid.

'Het is een soort weddenschap! Ik geloof dat goed-of kwaadschiks de modellen van de blanken overal zullen doordringen. De wereld zal aan hén toebehoren die

491

zich ervan kunnen bedienen.'

Terwijl hij dit laatste woord uitsprak stelde zij een onverwacht gebaar dat de terughoudendheid doorbrak die ze tot dan toe in acht had genomen: ze streelde hem over zijn wang.

'Ik trouw met jou, Eucaristus,' fluisterde ze innig. 'Ik had het meteen al begrepen. Onder je snoeverig uiterlijk ben je zo eenzaam en gekweld.'

Hij viel aan haar voeten, en haar twee broertjes die op de achterplaats met een vlieger aan het spelen waren, lachten zich rot.

'Trouwen we vóór mijn vertrek naar Engeland?' vroeg hij. 'Als ik ooit vertrek,' voegde hij daaraan toe.

Zij knikte bevestigend, met iets van spot en tederheid, als om hem te beduiden dat ze hem ook op dit punt doorzag. Hij dacht haar met een officiële ceremonie aan zich te ketenen, alsof de enige ketenen die zij aanvaardde niet die waren van haar eigen vastbesloten wil.

## 9

Vanuit Afrika was het voor Eucaristus onmogelijk de wereld te begrijpen. Hij had een vaag voorgevoel dat zij uit landen bestond met regeringen wier politiek beleid en aspiraties tot oorlogen ontaardden en bondgenootschappen deden ontstaan. Bij zijn aankomst eind 1840 in Londen ontdekte hij de wereld in haar complexiteit. De wereld, dat was Europa. Maar ook de Verenigde Staten van Amerika, Brazilië, Mexico en, verder nog, India, Japan, China. Hij begreep al gauw dat er twee kampen waren. Enerzijds avontuurlijke en roofzuchtige naties die vloten uitrustten en soldaten bewapenden om schatten te veroveren die hun niet toebehoorden. Aan de andere kant passievere, in zichzelf gekeerde naties. Het leek wel een jungle, die wereld! Twee landen fascineerden hem. Eerst en vooral Engeland, alomtegenwoordig als een ambachtsman die geen moeite schuwt. China, India, Nieuw-Zeeland, Canada... Wat dreef die Engelsen over zee, met die verbeten wilskracht en hartstocht? Maar ook Spanje. Eucaristus begroef zich in lectuur over de heldendaden van de conquistadores. Columbus allereerst. Magalhães, Pizarro, Valdivia, Almagro. En vooral Cortés, Hernán Cortés. Cortés en Moctezuma – de conquistador en de laatste keizer van de Azteken. De Europeaan en de Indiaan. De botsing tussen twee beschavingen, waarbij de eerste de tweede onherroepelijk vernietigde. Was dit het lot dat Afrika te wachten stond?

Afrika! Momenteel was het op de wereldkaart niet in tel. *The Dark Continent* werd het genoemd. Zijn geschiedenis en waarden werden genegeerd. Zijn omtrekken waren slechts bij benadering in kaart gebracht.

Frankrijk en Engeland diepten uit de duisternis waarin Afrika was ondergedompeld stukken grondgebied. Frankrijk rondom de monding van de Senegal-rivier en in Gabon. Het onvermoeibare Engeland bakende, na de kusten te hebben verkend, de loop van de rivieren Niger, Kongo en Zambezia af, en probeerde met de vorsten in het binnenland bondgenootschappen af te sluiten.

Daarnaast leed Eucaristus erg onder de nieuwsgierigheid waarvan hij het voorwerp was zodra hij het seminarie van Islington durfde te verlaten. Op straat, in de koffiehuizen stokten alle gesprekken en voelde hij honderden grijze, blauwe, groene ogen met hun ondraaglijke schittering op zich gericht. Men betastte zijn huid om te zien of ze niet geschminkt was. Men betastte zijn haar. Hij hoefde slechts zijn mond open te doen en er werd geschreeuwd: 'Hij praat! En hij spreekt Engels!'

Was dit het gedrag van beschaafde mensen? Eucaristus dacht aan het hoffelijk onthaal dat de blanken in Dahomey, waar hij was opgegroeid, te beurt viel. Ze werden er als heren behandeld. Waarom werd hij aangegaapt als een vreemdsoortig dier? Tenslotte was de aanwezigheid van zwarten in Engeland geen nieuwigheid. Op het einde van de vorige eeuw waren er zo veel dat het parlement een wet had goedgekeurd om hen naar Sierra Leone over te brengen. Maar allicht waren dat slechts schooiers die in wijken hokten waarin de deftige burgers zich nooit waagden. Eucaristus wekte verbazing omdat hij zich buiten die getto's durfde te begeven. Sinds zijn aankomst haatte hij deze stad die zich in haar geur van paardevijgen wentelde als een lichtekooi in een smerig bed. De verkeersdrukte maakte hem doodsbang. Vrachtkarren, landauers, omnibussen, huurrijtuigen, rijpaarden, kalessen en sjezen, en af en toe karossen met de koetsier op een glimmend dekkleed en twee lakeien op de achtertrede. Op de kruispunten werd de paardemest opgeruimd door straatvegers in lompen – meestal Indiërs met een even zwarte huid als de zijne, die zich echter altijd op een afstand hielden. De smerigheid stootte hem af. Op enkele stappen van de Strand met zijn luxewinkels bevonden zich steegjes en passages vol vuilnis en uitwerpselen, die naar overbevolkte krotten leidden waarin menselijke wrakken en paarden sliepen op bossen stro en hopen vodden krioelend van ongedierte. Bij dat schouwspel stelde Eucaristus zich steeds dezelfde vraag. Waarom gingen de Engelsen aan het andere eind van de wereld hun geloof en hun levenswijze uitdragen als ze thuis nog zo veel te doen hadden? Hun ware doel moest van een geheel andere aard zijn. Handel wilden ze drijven. Handeldrijven opdat de rijken nog rijker zouden worden. Eucaristus sloeg zijn ogen neer als hij door de wijken liep waar de tippelaarsters leefden. Vrouwen en hele jonge meisjes drentelden er rond. Bij het schijnsel van de gaslantaarns werd hun vale huid nog bloedelozer en kreeg hun haar de kwijnende kleur van stalstro dat nooit een zonnestraaltje ving.

Natuurlijk waren er ook de monumenten. Saint Paul's Cathedral. Westminster Abbey. Buckingham Palace waar koningin Victoria verbleef. Maar hoe kan men zich om stenen bouwsels bekommeren als het mooiste bouwwerk – het lichaam van de mens, de verblijfplaats van de ziel – zo wordt onteerd?

Benoorden Saint Paul's was hij op zekere dag, door het lawaai en de stank aangetrokken, tot bij de ingang van een ondergronds slachthuis gelopen. In een rechthoekige ruimte waarvan de muren met bloed en vet waren bespat, slachtten mannen die nauwelijks nog iets menselijks hadden, schapen en verwijderden de ingewanden. Brakend strompelde Eucaristus uit dat gore hol weer naar buiten. Zijn verwarring was zo groot dat hij niet eens de stekelige opmerkingen van een groepje costermongers hoorde, gehaaide jonge snaken in lakense mantel en nauw om de kuiten sluitende afgebiesde pantalon, die gestolen fruit en groente – afkomstig van de markt van Covent Garden – stonden te verkopen.

Als hij in het seminarie van Islington geen college had, ging Eucaristus nogal vaak naar een boekhandel in Westminster, Charles Street 20, om de eenzaamheid en die steeds terugkerende gevoelens van twijfel en haat te bestrijden die met het priesterschap moeilijk verzoenbaar waren. De eigenaar heette William Sancho. Hij was een van de zoons van Ignatius Sancho, de beroemdste zwarte van zijn generatie, bevriend met Sterne – de auteur van *Tristram Shandy* – en favoriet model van de schilder Gainsborough. Ignatius, die als tweejarige in Engeland was aangekomen, was opgegroeid in aristocratische families, waaronder die van John, de tweede hertog van Montagu, die hem uit bewondering voor zijn intelligentie de mogelijkheid had geboden om zich volledig aan het schrijven te wijden. Hij was met een Antilliaanse getrouwd die hem zes kinderen had geschonken. In die boekenwinkel, waar hij zich amper kon bewegen, las Eucaristus bij het ene kopje thee na het andere zijn geliefde reis- en ontdekkingsverhalen. Maar ook de romans van Laurence Sterne, Charles Dickens, Jane Austen, William Thackeray.

Ja, eens moesten alle kinderen van Afrika leren lezen en schrijven opdat ze, ongeremd door de begrenzingen van tijd en ruimte, met de grote geesten uit de andere werelddelen in contact zouden kunnen treden. Stuurloos zwalpten Eucaristus' gedachten rond. Voor die Europeanen die hij één minuut voordien nog haatte, koesterde hij nu een mateloze verering, omdat ze deze prachtige, magische voorwerpen hadden uitgevonden die het denken vastleggen en ordenen: boeken!

Vanzelfsprekend bezocht Eucaristus, die zijn zinnen nooit helemaal meester was, Charles Street ook omdat hij een oogje had op de vrouw van William. Was het omdat ook zij een Jamaïcaanse was dat hij haar op Emma vond lijken, die zo vurig begeerde bruid van wier kostelijk lichaam hij amper had genoten? Ze had diezelfde onconventionele en levendige geest.

'Weet je,' fluisterde ze Eucaristus in het oor zodra haar man even uit de buurt was, 'die Ignatius Sancho was een stomkop. Lees zijn correspondentie, hij hield zich voor een Engelsman omdat een paar lords hem schouderklopjes gaven.'

Telkens wanneer hij die om de waarheid te zeggen niet erg beklante boekenwinkel binnenkwam, stelde Eucaristus William weer dezelfde vraag:

'Heb je nu eindelijk dat boek voor mij?'

Hij bedoelde de *Reis naar het binnenland van Afrika, door Mungo Park, chirurgijn, in de jaren* 1795, 1796 *en* 1797, *onder auspiciën van de African Association*, waarover Samuel hem had verteld.

Maar dat in 1799 verschenen werk leek wel onvindbaar.

Terwijl Eucaristus in de refter zijn laatste happen nam, zag hij een mulat met een heel lichte huidkleur op zich afkomen. Sinds zijn teleurstellende ervaring met Eugenia de Carvalho had hij het land aan mulatten. Maar deze man had een warme glimlach. Zijn handdruk was hartelijk. Hij was mooi met zijn rosse krullende bakkebaarden.

'Ik heb gehoord dat uw vrouw uit Jamaïca afkomstig is. Ik ook. En bovendien ben ik uit Port Antonio, het district van Nanny Town en de wieg van de Trelawny. Mijn naam is George Davis.'

Hoewel Emma hem het verhaal van de Trelawny in het lang en het breed had verteld, had Eucaristus er een van die legendes in menen te herkennen waarmee elke familie zichzelf op een voetstuk probeert te plaatsen. Met name die grootmoeder Nanny met haar grijze ogen, die gewapenderhand en met behulp van toverij zo veel Engelsen zou hebben vermoord, leek hem even onwerkelijk als de godin Sakpata of de god Shango. Ze had dus echt bestaan? Hij nodigde de zendeling uit naast hem plaats te nemen, wat George zich geen twee keer liet zeggen.

'Ik ben hier met een delegatie van allerlei kerkgenootschappen: methodisten, baptisten, wesleyanen, anglicanen. We hebben een onderhoud aangevraagd met lord Howick, de onderminister voor koloniale aangelegenheden. Want Jamaïca is er beroerd aan toe.'

Eucaristus, wiens vader nochtans als slaaf in tragische omstandigheden om het leven was gekomen, had zich de toestanden op de plantages in de Nieuwe Wereld nooit erg aangetrokken. Misschien omdat de Agoeda's de jaren van hun slavernij in Brazilië als een paradijselijke episode afschilderden.

'En waarom dan wel?' vroeg hij ongeïnteresseerd. 'De slavernij is er toch al haast tien jaar afgeschaft?'

George Davis schudde treurig het hoofd. 'Wat baat het de slavernij af te schaffen als je de negers geen bestaansmiddelen gunt? Er is een landhervorming nodig. De grond moet de blanke planters ontnomen en verdeeld worden onder degenen die hem bewerken.'

Eucaristus waagde een nieuwe vraag. 'Gelooft u dat dit alles in de toekomst ook in Afrika kan gebeuren? Ik bedoel: dat de blanken beslag leggen op de grond van onze voorouders.'

'Lieve vriend, ik ken Afrika niet. Maar ik vrees het ergste.'

Eucaristus had George willen tegenhouden om dit gesprek te kunnen voortzetten, maar de ander stond op, met de belofte dat hij de volgende dag terug zou komen.

Wat was dat waar, wat die Jamaïcaan zei! Eucaristus had het altijd al gevoeld: de blanken waren een gevaar. Op het dek van hun schepen deden ze zaken. Daarna verdwenen ze. Soms namen er twee of drie hun intrek in een armzalige hut en begonnen over hun God te spreken. Maar die koopvaarders en zendelingen waren slechts voorboden. Na hen zouden er legers komen, soldaten die uit waren op veroveren en bevelen. Wat kon hij doen om die invasie te voorkomen? Hij voelde zich als een fetisjpriester die de gave van helderziend heid bezit, maar machteloos is om de gebeurtenissen die hij maar al te duidelijk voorziet, af te wenden.

In verwarring liep hij naar buiten. De kou beet hem als een beest dat achter de stenen muren op de loer lag. Langs de zwarte gevel van een gesticht volgde hij zijn vertrouwde weg tot hij voor de Theems stond. Onlangs was er een stoombootdienst geopend, en dat was nog steeds een sensatie. Boten voeren, zonder de hulp van riemen of zeilen, af en aan onder het uitstoten van zwarte rook die de hemel boven de stad nog zwaarder maakte, en trokken een breed spoor van schuimend water. Maar dit schouwspel dat anders sterk tot zijn verbeelding sprak, liet hem nu onverschillig. Bij zijn afkeer van Londen voegde zich nu een gevoel van angst. Alsof hij zich in de krocht van Satan zelf bevond. Deze op zich bewonderenswaardige stoomkracht, deze nieuwe energiebron van het Engelse volk, was tegen hem en de zijnen gericht. Hoe konden zij zich verdedigen?

Terwijl hij met zijn ellebogen op de stenen borstwering leunde, hoorde hij een stem: 'Sir!'

Hij draaide zich om en stond oog in oog met een huisbediende in een auberginekleurige livrei waarop de koperen knopen schitterden. De man gaf hem een niet-verzegelde brief waarvan het parfum een ogenblik de straatgeur van paardemest verdreef.

'Men zou u graag van nabij leren kennen. Kunt u zich om acht uur vanavond naar Belgrave Square 2 begeven?'

Eucaristus staarde stomverbaasd naar de onbekende. Met de vormelijkheid die zijn klasse eigen was wendde de lakei het hoofd lichtjes naar een karos die aan de overkant van de brug stilstond. Eucaristus was zo geïntrigeerd dat hij – iets wat hem gewoonlijk de schrik op het lijf joeg – kriskras tussen de benen van de paarden die van alle kanten aandraafden, de rijweg overstak. Maar toen hij bijna zijn doel had bereikt, gaf de koetsier zijn paarden de zweep en de karos verdween. Wijdbeens bleef Eucaristus staan, doof voor de scheldkanonnade die op hem werd afgevuurd. 'Hé nikker, wil je terug naar de hel waar je vandaan komt?'

Hij dacht er niet aan deze vreemde uitnodiging af te slaan die – dat bewezen het parfum en het handschrift – van een dame afkomstig was! Voor de Engelse vrouwen had hij eerst een soort weerzin gevoeld: die gelatine-achtige huid, dat haar dat op zeegras leek, die wijd opengesperde ogen als van nachtelijke roofdieren. Maar geleidelijk was zijn nieuwsgierigheid uitgegroeid tot een niet aflatende begeerte. Hoe zagen de tepels eruit op hun borsten? En het bos dat hun schaamheuvel bedekte? William Sancho die er naar eigen zeggen meer van wist, beweerde dat ze tijdens het klaarkomen schreeuwden. Alleen zijn liefde en diepe verering voor Emma hadden Eucaristus ervan weerhouden op de Haymarket een tippelaarster na te lopen. Wat moest hij nu tot acht uur doen? Naar Williams boekhandel gaan? Nee, hij zou zijn ongeduld niet kunnen verbergen. Hij strekte een hand uit naar de deur van een koffiehuis.

Koffiehuizen waren in Londen zo in de mode dat de mensen niet langer het adres vroegen van degenen die ze wilden ontmoeten, maar de naam van hun geprefereerde koffiehuis. Daar lazen gentlemen met witzijden stropdas en in een donker lakens rokkostuum hun kranten, discussieerden over het wereldnieuws, bekritiseerden de internationale politiek en beleden hun geloof in Engeland, dat gezegende vaderland waarin zij het geluk hadden te mogen leven. In het begin had Eucaristus' verschijning er voor enige opschudding gezorgd. Op de hoffelijkste wijze werd hij met vragen bestookt. Was hij met die huidkleur geboren? Of was ze het kwalijk gevolg van een ziekte? En was die soms besmettelijk? Hoe kwam het dat hij zo keurig Engels sprak? Zo veel onwetendheid in een land waar de strijd voor de afschaffing van de slavernij nog maar pas was uitgewoed! Of was die polemiek beperkt gebleven tot een handvol intellectuelen en politici die het grote publiek maar half bekend waren? Ten slotte was Eucaristus een stamgast van Will's geworden. Daar ontmoette hij tenminste ontwikkelde lieden die net zo goed over de Engelse ontdekkingstochten in Afrika als over de slavenopstanden op de Antillen en de problemen van de Franse koning Louis-Philippe I konden meepraten. Ja, in Will's voelde hij zich lekker. Voor één penny genoot hij er van een stevig haardvuur, een kop heerlijke koffie, en vooral het gevoel tot de bovenlaag van de mensheid te behoren.

Maar vanmiddag waren zijn gedachten elders en hij wierp niet eens een blik op de *London Gazette*.

Klokslag acht maakte hij zijn opwachting op Belgrave Square.

Lady Jane, markiezin van Beresford, genoot de leeftijd waarop de schoonheid van een vrouw haar hoogtepunt bereikt. Nog enkele jaren en onverbiddelijk zou de dag aanbreken waarop haar lichaamsvormen – het ovaal van haar gelaat, de scherpe lijn van haar borsten – zouden gaan verslappen, waarop de lichtglans van haar parelwitte tanden in hun zachte rode weefsel zou beginnen te verdoffen, tezamen met de fonkeling van haar blauwe ogen tussen de zwarte wimpers. Maar voor het ogenblik was ze volmaakt! In haar moiré japon met pofmouwen lag ze half uitgestrekt op een divan in Louis XV-stijl, waarin overigens het hele ameublement van het vertrek was uitgevoerd, met uitzondering van een paar prachtige Chippendales in Spaans mahoniehout.

'Een glas wijn van de Canarische Eilanden?'

Eucaristus mompelde van ja. Het was warm. Een knappend houtvuur vlamde in de haard, en eens te meer vroeg hij zich af of hij wel wakker was. Het was de eerste maal dat hij een voet zette in een woning van Engelse aristocraten, en plotseling zag hij zich omringd door een wereld van luxe en schoonheid, waarvan hij tot nog toe slechts een flauw vermoeden had. Uit vrees dat zijn bewondering naïef zou overkomen durfde hij nauwelijks zijn blik te laten rusten op de schilderijen en het behang, de ingewikkelde tekening op de Japanse kamerschermen, de dure snuisterijen waarmee de meubels waren beladen.

Bevallig boog Lady Jane haar hoofd naar hem toe. 'Vertel me iets over uzelf. Wat doet u in Londen? Ik dacht dat de negers suikerriet kapten op de Antillen.'

Eucaristus slikte eens en zocht naar een gevat antwoord. 'Soms halen ze het in hun hoofd om, zoals ik, theologie te gaan studeren.'

Lady Jane proestte het uit. 'Theologie? Komt u me dat eens wat nader uitleggen?'

Eucaristus weifelde, maar ze drong aan en trommelde zachtjes met haar hand op de divan. 'Toe nou, komt u toch naast me zitten!'

Verlegen gehoorzaamde hij. Het deed hem denken aan de eerste keer dat hij de liefde had bedreven. Hij kwam terug van de school, en een slavinnetje van zijn oom had de draak met hem gestoken. 'Is het waar dat die priesters je hebben verboden om je palmstekkie te gebruiken?' Toen had hij haar besprongen en wraak genomen. Dat was lang geleden. Al had deze dame een totaal andere status, toch voelde Eucaristus met heel zijn mannelijk instinct dat zij op hetzelfde uit was. Maar was dat mogelijk?

Hij raapte al zijn moed bij elkaar. 'Mijn verhaal begint nog voor mijn geboorte. Met mijn vader: hij was een Bambara edelman.'

Lady Jane schaterde het uit. 'Een edelman? Hebben jullie ook een adel?'

Eucaristus keek haar even aan en kwam tot het besef dat niets van wat hij te vertellen had haar ooit zou kunnen interesseren. Hij nam drie flinke slokken van zijn glas Canarische wijn.

'Mevrouw,' zei hij, 'waarom heeft u mij bij zich ontboden?'

Toen ging alles heel snel in zijn werk. Met die snelheid van de droom, waarin gebeurtenissen en gebaren zich onontwarbaar opstapelen. Nadien wist Eucaristus niet eens meer of hij zich op haar had geworpen, dan wel of zij hem naar zich toe had getrokken. Of hadden hun ongeduldige lichamen elkaar halverwege ontmoet? Hoe dan ook was hij terechtgekomen in een worsteling met zijde, mousseline, kant en parelmoeren knopen, in een bedwelmende geur van anjers. Toen zijn hand het naakte en lauwe vlees voelde, had de gedachte aan Emma hem even doen terugdeinzen. Had hij haar geen trouw gezworen? Maar terwijl hij zich uit de omarming losrukte zag hij de blankheid van die hier en daar met een licht dons beschaduwde huid, en de woorden uit het Hooglied schoten hem te binnen:

> *Uwe twee borsten zijn gelijk twee welpen,*
> *Tweelingen van een ree,*
> *Die onder de leliën weiden.*

Ach, als de liefde een doem was, dan mocht hij verdoemd zijn!

William Sancho had gelijk. Ze schreeuwden, die wijven, en krabden je, en kronkelden als een slang die je bij haar staart pakt! Telkens als Eucaristus uitgeput achterover op de kussens viel, dwong lady Jane hem met brandend hete hand weer in het zadel, en het was alsof hij een merrie bereed dwars door een sterk gezwollen rivier. Ook de merrie voelde op den duur geen grond meer. Het onstuimige water overspoelde haar.

'Ik besterf het! Help, moeder, ik verdrink!'

Toen Eucaristus weer bij zijn zinnen kwam, was het donker in dat luxueuze boudoir, want op de kandelaars waren de kaarsen helemaal opgebrand. Trillend over zijn hele lichaam en dankbaar voor al dat genot, wilde hij het blanke lichaam van zijn partner met zoenen overstelpen. Maar zij duwde hem van zich af.

'Ga nu,' fluisterde ze. 'Mijn man...'

'Wanneer zie ik u terug?'

'Morgen, op hetzelfde uur.'

Eenmaal op straat werd hij door de kou ontnuchterd. Hij staarde nog eens naar de hoge gevel van het herenhuis; het had hem nauwelijks verbaasd als hij het nu had zien uiteenwaaien als een luchtkasteel dat verzwindt als je je ogen uitwrijft. Opeens werd hij overrompeld door een uitzonderlijk geluksgevoel. Niet meer aan Emma dacht hij, die hij zo smadelijk had beledigd, maar aan Eugenia de Carvalho die hem had bespot, die hem – bij monde van haar misbaksel van een broertje Jaime – vol minachting voor 'vuile nikker' had uitgescholden. Nu had hij niet alleen een blanke als minnares, zij was bovendien van adel!

Springend en huppelend van vreugde bereikte hij Leicester Square. In de bars met hun overvloedige gasverlichting dronken de stamgasten hun grog bij walsmuziek van Franse muzikanten in rode vesten. Nachtbrakers liepen de casino's binnen waar dansers wier gelach tot ver in de nachtelijke kilte weerklonk, rondtolden op de maat van polka's en quadrilles. Dit nachtleven dat Eucaristus eerst had afgeschrikt – niet om zijn zondige bijsmaak, maar omdat hij meende dat het niet voor hem was weggelegd – leek hem nu in handbereik. Ook dit genot zou hij proeven, zoals dat andere! In een roes. Wat was alles razend snel gegaan! Morgen zou hij des te feller genieten, want het liefdespel smaakt men pas ten volle de tweede keer.

De nacht ging voorbij als een droom waarin hij ieder ogenblik van zijn rendez-vous met lady Jane opnieuw beleefde. 's Ochtends werd er op zijn deur geklopt. Het was George Davis.

'God!' riep hij uit, 'wat ziet u er uit! Kleed u warm aan, dit klimaat is verraderlijk. Komt u met mij mee? Sir Fowell Buxton wil ons vandaag ontvangen. Hij zal zelf ons verzoekschrift aan lord Howick overhandigen.'

Eucaristus wimpelde het voorstel af met het smoesje dat hij de laatste hand moest leggen aan een verhandeling. Naar de duivel met die voorstanders van de afschaffing der slavernij op de Antillen!

Klokke acht meldde hij zich weer op Belgrave Square. Dezelfde imposante huisbediende die hem de avond voordien had binnengelaten, deed open en liet hem in de hal, waarna hij hem de rug toekeerde en op een Boulle-commode een verzegelde brief nam.

'Is mevrouw de markiezin er niet?' waagde Eucaristus het te vragen.

Zonder hem zelfs te antwoorden duwde de reus hem naar de deur, waar twee slungels van hetzelfde kaliber achter de hoge potplanten vandaan rezen. Buiten kon Eucaristus in het bleke gasschijnsel de boodschap ontcijferen: *Bravo! Ik geef u verscheidene punten meer dan Kangoeroe. Vaarwel.*

'Kangoeroe? Dat is een beest. Wat kan ik je daar nog meer over zeggen?'

'Kangoeroe met een grote K!'

'Met een grote K?'

William Sancho krabde in zijn haar. Die Eucaristus met al zijn nukken en zijn grillen had hij nooit goed begrepen. Maar nu die hem vanochtend uit zijn bed was komen halen om hem naar de betekenis van een woord te vragen, ging het toch wat te ver. Mevrouw Sancho verscheen in de winkel; ze had haar jongste net de borst gegeven en haar blouse zat wat in de war.

'Lieverd,' vroeg haar man, 'weet jij soms wie Kangoeroe is?'

Mevrouw Sancho sloeg haar ogen ten hemel. God, wat waren die mannen soms onwetend! 'Heb jij dan nooit gehoord van die zwarte acrobaat op de Haymarket?'

Wie zou kunnen beschrijven wat er toen in Eucaristus omging? Eerst wilde hij naar Belgrave Square terugkeren. Maar ach, de huisbedienden zouden hem als een boerenkinkel op straat gooien. Of zou hij naar Argyll Rooms trekken waar Kangoeroe optrad, om zelf te zien met wie hij werd vergeleken? Wat had dat voor zin?

Bovendien, hoe meer hij erover nadacht hoe minder hij ervan begreep. Om hem zo zinloos te kwetsen en te vernederen moest lady Jane hem haten. Waarom?

Ze had hem niet eens laten uitspreken, ze wist niet wie hij was, en hij had haar niets dan genot geschonken. Had zij het misschien op zijn ras gemunt? Haatten de blanken dan van nature de zwarten? Wat verweten ze hun? Of gunden ze zijn rasgenoten geen plaats onder de zon?

Zijn opstandige gevoelens maakten soms plaats voor een doffe wanhoop. O, dat zachte vlees van die minnares voor één avond! Dat eiland waar hij nooit meer aan wal zou gaan. Dat land van melk en honing, dat hem weer werd ontnomen zodra hij het had bereikt. Die ronde roemer vol geurige wijn. Die tarweschoof, met lelies bekroond. Die ivoren toren. Bijna snikkend liep hij het seminarie binnen, en de portier die hem als een schim voorbij zag schieten, nam zich voor dit aan zijn overste te melden. Als die neger priester wilde worden, moest hij zich wat meer in acht nemen!

Op de driehoekige mat voor zijn deur vond Eucaristus een brief en een pakje. Ze kwamen allebei van Emma. Hij verbrak het zegel van haar brief.

'Mijn arme Babatundé,

Als ik me indenk dat jij nu in die hel van Londen ronddoolt, beef ik en springen me de tranen in de ogen. Jij die zo gevoelig en zo kwetsbaar bent, zo weerloos tegenover de verleidingen...'

Wat kende zij hem goed! Wat had hij graag zijn toevlucht gezocht in haar armen! Ah, waarom was hij zo zonder reden vernederd en gekwetst?

Na een poosje kon hij verder lezen.

'Je vriend Samuel is er met de eerwaarde heer Schonn en honderd vijfenveertig Engelsen op uitgetrokken stroomopwaarts langs de Niger. Je weet wel wat ze van plan zijn: een modelhoeve te vestigen waar katoen en andere gewassen verbouwd zullen worden, teneinde onze volkeren ertoe aan te sporen zich op een rendabele landbouwexploitatie toe te leggen. Het idee schijnt niet van de zendelingen, die trouwens niet over de fondsen beschikken om een dergelijke expeditie te financieren, maar van politici afkomstig te zijn.

Heb je de heer Fowell Buxton al kunnen ontmoeten? Ik hoor zeggen dat hij bezield is door een oprechte liefde voor ons ras...'

Eucaristus grinnikte. Geen enkele Engelsman hield van de zwarten! In die val wilde hij niet lopen. De verleidelijkste glimlachjes, de zoetste woordjes verborgen dodelijke wapens. Ah, die verraderlijke feeks!

'Je zult het niet geloven, maar na veel nasporingen heb ik het boek gevonden waarvan jij droomde. Het bevond zich doodeenvoudig in de bibliotheek van Fourah Bay College.'

Het boek waarvan hij droomde? Eucaristus scheurde het pakje open. *Reis naar het binnenland van Afrika, door Mungo Park, chirurgijn, in de jaren 1795, 1796 en 1797, onder auspiciën van de African Association.* Emma's attente hand had bij hoofdstuk xv een bladwijzer gestopt.

'De hoofdstad van de Bambara, Ségou, waar ik toen aankwam, bestaat in feite uit vier onderscheiden steden. Twee daarvan liggen op de noordelijke oever van de rivier; ze heten Ségou Korro en Ségou Bou. De twee andere bevinden zich op de zuidelijke oever en dragen de namen Ségou Sou Korro en Ségou See Koro. Alle vier zijn ze met hoge aarden muren omwald. De huizen zijn van klei; ze zijn vierkant en hebben platte daken. Slechts enkele hebben twee verdiepingen. De meeste zijn gewit...'

Terwijl zijn ogen de tekst verslonden, meende Eucaristus de stem van Malobali te horen: 'Eens zul je naar Ségou gaan. Nog nooit heb je zo'n stad gezien. De steden hier zijn scheppingen van de blanken. Ze zijn het tastbaar resultaat van de handel in mensenvlees. Het zijn niets dan grote opslagplaatsen. Maar Ségou! Ségou is als een vrouw die je slechts met geweld kunt bezitten.'

Snikkend van schaamte, wroeging en verdriet wierp Eucaristus zich op zijn bed.

Waar huilde hij om?

Om zichzelf, om de nog verse wonde van zijn vernedering. Maar ook om de zuiverheid van zijn voorouders uit Ségou, die hij voorgoed verloren was. Ségou, die in zichzelf besloten wereld. Onneembaar. De toegang weigerend aan de blanke man die om haar wallen heen moest zwerven. Nooit zou hij baden in de wateren van de Joliba om er zijn levenskracht uit te putten. Nooit zou hij, Eucaristus, de trotse zelfverzekerdheid van weleer terugvinden.

Maar de stroom van zijn tranen droogde op, en hij ging rechtop zitten. Over enkele maanden zou hij tot priester worden gewijd. Het zendingswerk zou hem terug naar Lagos sturen. Afrika kerstenen en beschaven, dat was zijn taak.

Afrika kerstenen en beschaven. Met andere woorden: Afrika doen ontaarden?

# Deel v

# De fetisjen beefden

# I

Sinds enkele jaren leed Siga aan elefantiasis. Hij voelde zich door die ziekte diep vernederd. Na de teleurstellingen en mislukkingen van zijn leven leek zij hem het opperste verraad, dat zijn lichaam zelf aantastte. Zijn linkerbeen zwol vanaf de knie en bereikte op enkelhoogte de omtrek van een guaveboomstam. De huid barstte, zette uit, vertoonde plekken met een vaak etterend eczeem. Om dit gewicht voort te slepen moest hij steunen op een stok die zijn oudste zoon voor hem had uitgesneden. Als hij neerzat kon hij zonder hulp haast niet meer overeind. En als hij lag was het nog erger. Ook was hij heel wat tanden verloren, zodat hij niet eens meer op een kolanoot kon knabbelen. Zijn slavinnetje Yassa moest ze eerst raspen en in een aarden kommetje aanreiken. Siga vroeg zich af waarom zijn lichaam hem zo vroegtijdig in de steek liet. Hij was altijd matig geweest – toch niet minder dan Tiéfolo bij voorbeeld, die nog even recht was als een rondierpalm en kilometers ver achter het wild aan kon lopen.

De oude dag kwam niet alleen met gebreken, ook met begeerten. Allicht was dat een verweer tegen de angst voor het naderende levenseinde. Op een keer streelde hij in de vroege ochtend het lichaam van Yassa die tegen hem aan lag. Instinctief week zij terug, en hij was te gevoelig om die reflex niet op te merken.

'Wat wil je, meester?' vroeg ze toen ze haar ogen opende.

'Niets, niets.'

Hij streelde haar heup. Zij was nu klaarwakker en sprong lenig op haar benen. Liggend staarde Siga naar de gekruiste takken die het dak ondersteunden. De nieuwe dag zou in niets verschillen van de vorige. Nadat hij zijn mond met lauw water had gespoeld zou hij zijn gierstebrij eten. Daarna zou hij allerlei klachten moeten aanhoren. Zo zou het uur aanbreken voor zijn bad. Vervolgens zou hij onder de vijgeboom plaats nemen en alweer, met een tandenstokertje tussen zijn lippen, naar allerlei grieven moeten luisteren.

Yassa kwam terug, met een slaaf die een kalebas warm water en – tot Siga's verrassing – een verzegelde brief meebracht. Het meisje knielde bij hem neer.

'De brief is vannacht aangekomen, meester. Een Peul die uit Hamdallay komt had hem bij zich.'

Siga bekeek de brief van boven en van onderen. De beginselen van het Arabisch die hij zich destijds eigen had gemaakt, was hij al lang verleerd. Hij kon nog amper een letter lezen of schrijven.

'Ga Mustafa halen,' beval hij.

Mustafa was zijn zesde zoon, en de enige die hem echt het genoegen van het vaderschap liet smaken. Alle andere kinderen waren te zeer gehecht aan Fatima en kozen stelselmatig partij voor zijn verzuurde en erg oud geworden echtgenote. In afwachting van Mustafa's komst hielp Yassa hem overeind, en met haar hulp begaf hij zich naar de binnenplaats. De dag was aangebroken. Uit alle moskeeën van Ségou weergalmde het helse geschreeuw van de moëddzins. Er was geen houden aan, de islam bleef zich verbreiden als een sluipende ziekte waarvan men de gevolgen pas merkt als het te laat is. Alles wees erop dat Tiékoro's tragische en spectaculaire dood nieuwe bekeringen had uitgelokt, tot in de schoot van de familie toe. Het leed geen twijfel dat sommigen, vol verbazing en bewondering voor deze heldhaftige marteldood, zich de vraag hadden gesteld: Wat is toch dat geloof waarvoor een mens zijn leven wil geven? En ze waren in zijn voetsporen getreden, als om een schat te ontdekken.

De hemel vertoonde lange zwarte strepen die zich van het oosten naar het westen uitstrekten, en vermoeid vroeg Siga zich af of hij het einde van deze winter nog zou zien. En het begin en einde van hoeveel andere winters nog? Hij spoelde zijn mond, spuwde het water uit, en gaf de kalebas aan Yassa die achter hem stond te wachten.

'Nou, waar blijft Mustafa?' schreeuwde hij.

Zij holde weg en kwam weldra met de jongen terug. Mustafa verbrak behendig het wassen zegel. Zijn ogen vlogen over het blad, en weer schreeuwde Siga, niet omdat het niet snel genoeg ging, maar omdat hij nu eenmaal een oude brompot was geworden.

'Waarop wacht je?'

'Het is een brief van Mohammed, de zoon van vader Tiékoro.'

'Wat zegt hij? Moet ik je darmen eruit rukken?'

Mustafa las met geveinsde haast voor:

'Vader,

Mijn studietijd is ten einde, en mij is de titel van hafiz kar toegekend. Ik zou aan de universiteit rechten of theologie kunnen gaan studeren, maar op dit ogenblik ben ik niet zeker of ik dat wel wil. Anderzijds was Cheikou Hamadou, mijn meester, de enige band die mij aan Hamdallay hechtte. Sinds hij is heengegaan, is alles veranderd. Zijn zoon Amadou Cheikou die hem is opgevolgd, is niet uit hetzelfde hout gesneden. Hoewel hij bij zijn installatie had verklaard: "Ik ben niet van zins om wat dan ook te wijzigen", is sindsdien niets meer als voorheen. Gekonkel om de tijdelijke macht en het bezit van stoffelijke goederen verdrong het geloof en de zorg voor God. Kortom, Hamdallay is niet langer Hamdallay, en ik heb hier niets meer te verrichten. Dit alles slechts om je te melden dat op het ogenblik waarop jij deze brief zult ontvangen, ik reeds de terugweg naar Ségou zal hebben aangevat.

Jou groet eerbiedig en wenst je vrede toe

Je liefhebbende zoon.'

Mustafa zweeg en wachtte tot zijn vader hem een teken zou geven dat hij kon gaan. Maar Siga dacht er niet aan, verscheurd als hij zich voelde tussen een grote vreugde en een diepe angst. Tiékoro's zoon kwam naar de schaapskooi terug. En dat terwijl hij ook naar het koninkrijk Sokoto kon gaan, waar zijn moeder en zijn zusters verbleven. Ah, de wegen van de voorouders zijn onnaspeurbaar! Terzelfder tijd was die jongen een overtuigde moslim, opgegroeid in een stad die als heilig gold. Zou zijn terugkeer de latente religieuze twisten in de familie niet opnieuw doen losbranden? Wie geen raad weet zoekt een zondebok, en Siga vond er twee, Mustafa en Yassa die hem nog steeds stonden aan te staren.

'Waarop wacht jij nog om me mijn gierstebrij te brengen? En jíj, hoepel op!'

Daarna liet hij zich moeizaam neer op een houten krukje, waarbij hij zijn zieke been voor zich uitstrekte. De familieraad moest worden bijeengeroepen en van Mohammeds komst op de hoogte gebracht. Maar zou hij niet beter eerst met Tiéfolo praten? Wist Mohammed welke rol die had gespeeld bij de arrestatie en de dood van zijn vader? Misschien zon hij op wraak? Eens te meer was de broze vrede die Siga in de familie probeerde te handhaven, in gevaar.

In zichzelf was hij de woorden aan het wikken die hij ten overstaan van Tiéfolo zou uitspreken, toen Yassa weer verscheen. Ze was niet alleen, en het vroege bezoek maakte Siga humeurig. De vreemdeling droeg een mantel van rode en gele zijde over een blauwzijden brokaten hemd. Om zijn groenlakense Mandinka muts had hij een Levantijnse tulband van zijde met goudbrokaat. Het was hem aan te zien dat hij een voornaam personage was.

*'As salam aleykum.'*

*'Wa aleyka salam,'* bromde Siga.

Die verdomde islamitische groet werd zelfs aan niet-gelovigen opgedrongen! Maar al gauw kreeg zijn natuurlijke hoffelijkheid weer de bovenhand; hij nodigde de onbekende uit te gaan zitten, en bood hem een kolanoot aan die Yassa in allerijl ging halen.

514

'Mijn naam is sjeik Hamidou Magassa,' stelde de bezoeker zich voor. 'Ik kom uit Bakel. Ik ben geen tidjani...'

Siga beduidde met een vaag gebaar dat hij aan die twisten tussen broederschappen geen boodschap had.

'Ik kom je zeggen,' ging de ander door, 'dat het graf van je broer Oumar ons toebehoort en dat het als pelgrimsoord in ere moet worden gehouden. We weten dat het, in overeenstemming met jullie tradities, binnen jullie familiehuizing ligt. Derhalve verzoeken we jou in alle nederigheid het te mogen bezoeken. Je hebt niet het recht ons dat te weigeren. Voor ons is Modibo Oumar Traoré een martelaar van het ware geloof.'

Zo buitensporig klonk dit voorstel dat Siga het bijna uitschaterde. Meteen daarna beving hem een gevoel van ergernis. Ook na zijn dood bleef Tiékoro een splijtzwam die alle aandacht opeiste. Hij een heilige en martelaar? En toch voelde Siga zich ook enigszins gevleid. Als je bedacht dat deze vreemdeling dagen en nachten had gereisd om hém dit verzoek voor te leggen, en dat de familiehuizing van de Traorés weldra als een heiligdom bekend zou staan! Het ondermijnde prestige van de familie zou opnieuw hersteld worden. Bij deze gedachte gaf Siga zich over aan zijn geliefkoosde bezigheid: zelfkritiek. Het was zijn eigen schuld als dat prestige was ondermijnd. Weliswaar bezat de familie nog steeds uitgestrekte en vruchtbare gronden die door honderden slaven werden bewerkt. Haar schuren waren vol graan. Haar omheinde weiland was haast te klein voor al die schapen, geiten, hoenderen en glanzende rijdieren. En toch, welke bewoner van Ségou herinnerde zich niet dat haar fa destijds de garankè had willen nabootsen? Dat hij laarzen en sandalen had gesneden? Wanneer Siga aan zijn jeugddromen terugdacht kon hij ze zelf niet meer begrijpen. Hij richtte zijn blik op het gelaat van zijn gast. Het was een ernstig gelaat van een rijp, ervaren man. Deze man en zijn landgenoten waren ervan overtuigd dat Tiékoro een heilige was. Wat was dat, een heilige? Misschien een doodgewone sterveling met zijn goede eigenschappen en zijn gebreken, maar gedreven door een groots ideaal waaraan hij alles ondergeschikt maakte?

'Bij ons,' sprak hij langzaam, 'wordt alles gemeenschappelijk beslist. Ik zal je verzoek aan de andere familieleden voorleggen. Het is je toch bekend dat wij jouw geloof niet delen?'

'De tijden veranderen, Traoré,' zei sjeik Hamidou Magassa met een welwillend glimlachje. 'Weet jij dat niet? Zie jij niet wat zich om je heen afspeelt? Weldra zal Ségou met alle geweld zijn islamisering willen bewijzen.'

'Weldra zal Ségou met alle geweld zijn islamisering willen bewijzen.' Wat had dat te betekenen?

Toen hij de badhut verliet waar hij zich langdurig had schoongeschraapt in de geheime hoop het rottingsproces dat zijn lichaam aanvrat te kunnen tegengaan, bleef dat zinnetje in Siga's hoofd spelen. Geconfronteerd met twee belangrijke problemen, had hij behoefte aan wijze raad vóór hij de familie tegemoet trad. Het was waar dat de tijden veranderden. Vroeger hoefde een man alleen de touwtjes krachtig in handen te hebben om er echtgenotes, kinderen, jongere broers en slaven op na te houden. Het leven was een recht gebaand pad van de moederschoot naar de schoot der aarde. Wie met zijn vorst ten strijde trok, deed dat om meer vrouwen, slaven of goud te veroveren. Maar tegenwoordig lag overal het gevaar van nieuwe ideeën en waarden op de loer. In zijn verwarring besloot Siga de Moor Awlad Mbarak te gaan opzoeken, het hoofd van de koranschool waar Fatima de kinderen naar toe stuurde.

Zijn elefantiasis verplichtte hem met kleine pasjes te lopen, maar dat hinderde hem niet. Hij was nu als een wandelaar die keek naar landschappen waar hij anders aan voorbij zou zijn gegaan. Ségou veranderde onophoudelijk. Nieuwe huizen met terrassen en driehoekige

516

kantelen op hun torentjes rezen uit de grond. Strodaken werden zeldzaam. En overal, waar je ook keek, kinderen gekooid in de koranscholen. Toen hij dit zag bekroop Siga een onredelijke spijt. Waarom had hij indertijd in Fes zijn studie niet voortgezet? Kennis die niet te scheiden was van het islamitische geloof, had zijn weerzin gewekt.

Awlad Mbarak ging gehuld in ettelijke meter verkreukt indigoblauw katoen; zijn voeten staken in lichtgele Moorse sloffen zoals Siga er zelf ooit had willen vervaardigen. Als een echte Moor dronk hij voortdurend muntthee, en tussen twee kopjes door stopte hij met een zilveren tangetje een tabakspruim in zijn mond. Op zijn binnenplaats had hij alle tien de kinderen van Siga zien komen en gaan, en op feestdagen van Fatima's koeskoes geproefd, zodat hij bijna een lid van de familie was geworden.

'Hoe gaat het met je been?' was zijn eerste vraag.

'Laten we 't daar niet over hebben,' zuchtte Siga.

'Het schijnt dat de blanken tegen dit soort kwalen wonderbaarlijke poeders en zalfjes hebben.'

'De blanken?'

Awlad Mbarak knikte. 'Jazeker. Ze maken niet alleen wapens en sterke drank. Op een keer was ik op bezoek bij een van mijn verwanten in Saint-Louis aan de Senegal-rivier. Daar heb ik de Fransen aan het werk gezien. Ik zeg je dat die lui wonderen verrichten. Ze laten planten uit de grond schieten die je nog nooit hebt gezien. Ze hebben geneesmiddelen tegen elke ziekte: buik- of hoofdpijn, open wonden, koorts.'

Siga luisterde met open mond. In Fes had hij Spanjaarden gezien, maar Fransen nooit.

'Hoe zien die Fransen eruit?' vroeg hij.

Awlad Mbarak haalde zijn schouders op. 'Voor mij zijn alle blanken eender.'

Siga besloot maar eens ter zake te komen.

'Awlad, mijn vader heeft langer geleefd dan ik. En toch heb ik het gevoel dat ik ouder ben dan hij en niets

517

meer van de wereld begrijp. Vanochtend is een man uit Bakel me komen opzoeken. Volgens hem is mijn broer Tiékoro een heilige...'

'Waarin hij gelijk heeft,' onderbrak de ander.

'...en van zijn graf,' ging Siga door, 'wil hij een bedevaartsoord maken. Maar vooral heeft hij me dit gezegd: "Weldra zal Ségou met alle geweld zijn islamisering willen bewijzen." Wat heeft dat te betekenen?'

Awlad pookte wat in zijn komfoortje, en even later schonk hij twee kopjes thee uit. Siga liet hem begaan.

'Kijk eens,' zei Awlad nadat hij aan zijn kopje thee had gelurkt, 'hier in Ségou dachten jullie dat Cheikou Hamadou uit Macina jullie onverzoenlijkste vijand was. Tegen hem hebben jullie legers op de been gebracht. Voortdurend heb je hem bestreden. Maar nu blijkt er een geduchter vijand te zijn opgestaan, een die op politieke macht is belust: de Toucouleur maraboet die hier destijds nog onderdak heeft gekregen.'

'El-Hadj Omar?'

Awlad knikte. 'Om een lang verhaal, waarvan ik zelf niet alle details ken, kort te maken – ik weet één ding: dat die Toucouleur maraboet heel machtig is geworden en zijn begerig oog heeft laten vallen op Ségou, en dat Ségou, om zich te verdedigen, een bondgenootschap met Macina zal moeten sluiten.'

Verbijsterd staarde Siga naar Awlad Mbarak. 'Moslims zouden met niet-moslims een bondgenootschap sluiten tegen moslims?'

'Precies. Vraag me nu niet waarom, want dat wordt erg ingewikkeld.'

Als om deze zonderlinge uitleg kracht bij te zetten, brak een plensbui los. De twee mannen gingen in de hut van Awlad schuilen. Een houten ladder – twee balkjes waarop overdwars met riemen van ongelooid leer sporten waren vastgebonden – leidde in het mooie seizoen naar het terras. In de woonkamer stonden van gierststengels vervaardigde divans waarop Siga en Awlad zich uitstrekten. Siga had de pest aan dit voor oude mensen zo onbarmhartige regenseizoen, niet alleen om de hevige pijnscheuten die zijn gewrichten als een zwalpende prauw op de Joliba uiteenrukten, maar ook omdat het onophoudelijk geruis van de regen leek op dat van een getouw waarop een lijkwade werd geweven. En toch verlangde hij naar de dood. Hij verlangde ernaar vol vrees. Want wie kent zijn gezicht? Welke glimlach zou op dat gezicht verschijnen als de dood zich over zijn slaapmat boog?

Hij nam het derde kopje thee aan dat hem door Awlad werd aangeboden.

'Begrijp jij,' vroeg hij, 'waarom de islam zo velen weet te verleiden? Waarom zo velen onder de onzen hun voorhoofd nu reeds in het stof wentelen?'

'En dat vraag je aan een gelovige,' lachte Awlad. 'Wat wil je dat ik je daarop antwoord? Voor mij is de verleidingskracht van de islam die van de ware God.'

Het was inderdaad een dwaze vraag. Het geloof is niet voor discussie vatbaar. Moeizaam stond Siga op. Awlads antwoorden op zijn vragen hadden niets verhelderd. In tegendeel, ze hadden alles nog ondoorzichtiger gemaakt. Zou Macina, om het bondgenootschap tegen de Toucouleur te rechtvaardigen, van Ségou geen bewijzen van 'islamisering' eisen?

De regenbui had de straten niet helemaal laten leeglopen. Kinderen met niets dan een schaamlapje aan, of moedernaakt, speelden in de plassen onder de afvoerpijpen van bamboe. Waar Siga langs hinkte onderbraken ze hun spel. Zwijgend, bijna verschrikt, keken ze hem na.

Toen hij de familiehuizing binnenging zag Siga hoe Fatima zo vlug als haar buikje het haar toeliet van de vrouwenbinnenplaats kwam aansnellen. De ouderdom die Siga meedogenloos had afgetakeld, had Fatima evenmin gespaard. Wat bleef er nog over van het jonge meisje dat had durven te schrijven: 'Ben je blind? Zie je niet dat ik van je houd?', zonder te beseffen dat ze die liefde met een eindeloze ballingschap zou moeten bekopen? Een paar mooie ogen in een dik, opgeblazen gezichtje. Lang sluik haar dat helaas altijd onder haastig toege-knoopte hoofddoeken zat verborgen. Tien kinderen die nog in leven waren, en drie die op prille leeftijd waren gestorven, hadden haar buik doen uitzetten en haar borsten verslapt. Maar hoewel Siga het ergste had ge-vreesd, was het alsof Fatima, toen ze eenmaal tot bara muso was uitverkoren, zich met Ségou had verzoend en de Bambara als de haren had aanvaard. Bij doopsels, op bruiloften en begrafenissen wist niemand beter dan zij de aanwezigen te vergasten op een enorme schotel koeskoes met een heel, aan het spit gebraden schaap waarvan ze de buik met kruiden had gevuld. Omdat ze ook wat Arabisch kon lezen en schrijven, stond ze hoog in aanzien bij de vrouwen van de familiehuizing en de hele buurt, die haar over alles raad kwamen vra-gen.

'Wel,' snauwde ze Siga toe, 'het schijnt dat de zoon van Tiékoro terugkomt, en ik ben natuurlijk de laatste die dit moet vernemen? En waar zal hij wonen?' vroeg ze nog voor haar man zich had kunnen verantwoorden. 'Heb je daar al aan gedacht?'

Siga liep zijn hut binnen en trok een krukje naar zich toe. 'Wat stel jij voor?' vroeg hij.

Fatima die dolgraag om haar mening werd gevraagd, kwam tot bedaren en nam een gewichtige houding aan. 'Hij is in Hamdallay opgevoed, en dus een echte moslim. Tussen al deze fetisjisten zal hij moeilijk kunnen aarden.'

'Fetisjisten, fetisjisten,' bromde Siga.

Maar hij protesteerde slechts voor de vorm, want hij wist dat Fatima in delicate aangelegenheden beter dan hijzelf een uitweg kon vinden. Hoe de oude dag hen dichter bij elkaar bracht en tegelijkertijd van elkaar ver-wijderde! Geen zinnelijke begeerte meer, geen grote gevoelens. Maar ook geen behoefte meer om te over-heersen, te vernederen, te krenken. Een hechte saam-horigheid. Sinds jaren had Siga met Fatima geen geslachtelijke omgang meer gehad. Als zij de nacht in zijn hut doorbracht, praatten ze honderd uit, zoals ze in hun jeugd nooit hadden gedaan. Ze praatten over toen, in Fes. Ze praatten over Tiékoro, alsof de korte passie die Fatima voor hem had gekoesterd, een geheim was dat hen nog dichter bij elkaar bracht. Ze praatten over de islam, waarbij Fatima Siga's onverzettelijke afwijzing van Allah probeerde te overwinnen. 'De islam haalt het uiteindelijk toch,' besloot ze al die vruchteloze gedachtenwisselingen. En hij benijdde haar om dat soevereine geloof.

'Laat ons huis opknappen,' hernam Fatima na een poosje, 'want het wordt een lustoord voor ratten en muizen. En stel hem een paar slaven ter beschikking.'

Bijna vroeg Siga of die jongen zich niet uitgesloten zou voelen. Maar hij bedwong zich; bewerkt de islam niet zijn eigen uitsluiting?

Toen Fatima zich had teruggetrokken ging hij in het deurgat staan. Hij staarde naar de vijgeboom en riep Tiékoro aan: 'Help me. Wat moet ik doen? Deel me vannacht in een droom jouw wil mee.'

Sinds Tiékoro er niet meer was, vertoefde hij in gedachten altijd bij hem; hij was als een pasgeborene in wie de geest van een overledene is gevaren. Hij nam niet één beslissing zonder zich af te vragen: Wat zou híj gedaan hebben? Nooit bracht hij spijs naar zijn mond zonder voor hém eerst een deel ervan op de grond te zetten. Nooit voelde hij vreugde zonder dat hij haar met de afwezige wilde delen.

Verdiept als hij was in zijn gedachten, hoorde hij Yassa niet naderen, en pas op het ogenblik waarop zij hem zijn geraspte kolanoot aanreikte, drong haar aanwezigheid tot hem door.

Yassa was geen gewone huisslavin. Ze kwam uit het koninkrijk Bélédougou, waarmee Ségou eens te meer een geschil had uitgevochten. Halfnaakt en met een behuild gezichtje was ze in een lange rij gevangenen meegesleept, en Tiéfolo die op zoek was naar geschenken voor zijn vijfde vrouw, had de hele partij opgekocht. Maar toen Siga haar enkele dagen later in de familie-huizing tegenkwam, was het of zijn oude lichaam weer opfleurde. De verwelkte penis die hem in tijden geen diensten meer had bewezen, had hij in zijn brede pofbroek onder de soepele stof voelen verstijven. Een beetje bedremmeld was hij naar Tiéfolo gegaan om hem te vragen of hij dat meisje niet wilde afstaan.

Terwijl hij op zijn tong het bittere en opkikkerende vruchtvlees heen en weer liet gaan, kwam Yassa nog een stapje dichterbij. 'Meester, ik ben zwanger,' fluisterde ze.

Vreugde en trots overspoelden Siga. Zo oud en verlept was hij dus toch nog in staat om leven te verwekken? Maar van deze gevoelens probeerde hij niets te laten blijken. 'Goed,' zei hij losjes, 'moge het de voorouders believen dat het een jongen wordt!'

Yassa bleef in gebogen houding staan, zodat hij de sierlijke rozet van haar vlechten onder ogen had. 'Meester,' vroeg ze nog, 'wat zal er van mijn kind en mij worden als jij er niet meer zult zijn?'

Deze vraag sloeg Siga met verstomming. Sinds wanneer stelde een slavin vragen aan haar meester? Maar nog vóór hij aan zijn woede lucht kon geven, nam Yassa weer het woord.

'Van onze moeder Fatima heb je tien kinderen. Van je twee bijzitten nog eens evenveel. Maar wat zal er van mijn kind worden? Heb je daar al aan gedacht, meester?'

Alsof ze schrok van haar eigen stoutmoedigheid, nam ze meteen daarna de benen. Daar deed ze goed aan, want reeds tastte Siga naar zijn stok om haar een voorbeeldige afstraffing te geven. Voor wie hield dat onbeschofte, brutale schepsel zich? Was het omdat ze zijn bed had gedeeld dat ze nu reeds rechten wilde laten gelden?

Maar tegelijk dacht Siga aan zijn eigen moeder. Zij-die-in-de-put-was-gesprongen. En waarom? Omdat ze

522

misbruikt was! En was hij daar zijn leven lang niet door getekend? Ah, die vrouwen! Wat moest je ermee? Wat wilden ze eigenlijk? Wat zat er achter hun schoonheid en gedweeheid waarmee ze een man in de val wisten te lokken?

Alles was begonnen met Sira die op een ochtend naar Macina was vertrokken en zo Dousika's hart had gebroken. Later was er Maryem geweest, die met haar kinderen was weggegaan en de echtgenoot aan wie ze volgens de regels van de traditie toekwam, in de steek had gelaten. En nu eiste Yassa voor haar kind rechten op. Alsof ze, de een na de ander, tegen de mannen samenspanden! Waarom? Ze wisten toch ook dat geen enkele man groot is ten overstaan van de vrouw die hem gedragen heeft? Dat, in weerwil van de gevestigde spelregels, geen man nog macht uitoefent over haar die hij liefheeft en begeert?

Het werd al donker en Siga brulde dat hij licht wilde. Waren ze hem vergeten? Waanden ze hem al dood? Was hij hier niet langer de meester? In allerijl kwam een slaaf aanrennen om de galamboterlamp aan te steken, en Siga pakte hem bij zijn arm beet. Toen hij ophield met slaan zag hij op het gezicht van de knaap een meewarige gelatenheid – iets wat bijna leek op medelijden met deze seniele woedeuitbarsting. Beschaamd liet hij de jongen gaan.

Al wat hij vandaag vernomen had, schoot hem opnieuw te binnen: het bericht van Mohammeds terugkeer, het verrassende verzoek van sjeik Hamidou Magassa, de onthullingen van Awlad Mbarak en de zwangerschap van Yassa. Wat een verantwoordelijkheid! Stuk voor stuk beslissingen die híj moest nemen!

Het belangrijkste was evenwel de zoon van Tiékoro een goed onthaal te bereiden. Het was alsof hij zijn broer op de vooravond van zijn aanhouding weer hoorde zeggen: 'Zorg vooral goed voor Mohammed. Ik voel dat hij op mij lijkt; hij zal nooit gelukkig zijn.'

Wie is gelukkig op deze aarde?

Ach, hij zou zijn best doen en Mohammed beschermen tegen al degenen die zijn vader nog steeds een kwaad hart toedroegen. Dat zou niet altijd gemakkelijk zijn. Was het wel een goed idee van Fatima om die jongen buiten de familiehuizing onder te brengen?

Siga zuchtte, nam wat geraspte kola uit zijn kommetje en krabbelde moeizaam overeind om Tiéfolo te gaan opzoeken. Toen hij zijn been over de met zand bestrooide vloer naar zich toe trok, waarbij hij zwaar op zijn stok leunde, schoot er een stekende pijn in zijn zij, en er schoof een waas voor zijn ogen. Hij kon nog net vóór hij achterover viel zien hoe Tiékoro zich glimlachend over hem boog. Als een gekooid dier begon zijn geest rond te draaien. Was dit de dood?

O nee, nu nog niet! Hij had nog zo veel te regelen!

# 2

Mohammeds paard ging stapvoets, met gespitste oren, en schrok bij elk gerucht, want in het donker snoof het de geur van kudden buffels en antilopen die uit hun schuilplaatsen waren opgejaagd en in het struikgewas een nieuw onderkomen zochten.

Zelf veerde Mohammed lichtjes met de bruuske bewegingen van zijn rijdier mee, terwijl hij zijn bidsnoer tussen zijn vingers liet glijden. Dat deed hij niet omdat hij bang was en zich wilde beveiligen tegen de boze geesten die 's nachts ronddolen. Hij deed het omdat het gebed voor hem een tweede natuur geworden was.

Enkele maanden eerder zou het erg riskant zijn geweest om langs deze weg, via het wed van Thio, van Hamdallay naar Ségou te reizen. In groepjes van twee maakten Toeareg kameelruiters van de nacht gebruik om dorpen binnen te vallen, uit weerwraak voor de Peul heerschappij over Tombouctou. Om ook bij deze jacht op 'rode apen' hun voordeel te doen, galoppeerden Bambara krijgers van de linker Joliba-oever naar Tenenkou, waar ze buffels trachtten buit te maken en zoveel mogelijk Peul herders te doden. Aangevallen op twee fronten, waren de Peul meer dan ooit op hun hoede en wierpen hun spiesen naar al wat bewoog.

Maar de laatste weken was de rust in de streek teruggekeerd. Toeareg, Peul en Bambara likten hun wonden en reikten elkaar de hand tegen El-Hadj Omar die legers van bekeerlingen en krijgsgevangenen ronselde, met nog onbekende maar onheilspellende bedoelingen.

Deze ommekeer van de bondgenootschappen – het werk van politici en religieuze leiders – was buiten de volkeren om tot stand gekomen. Generaties lang hadden ze geleerd elkaar te haten en te minachten. Nu moesten ze ineens met elkaar leren leven en kregen ze een nieuwe vijand aangewezen: de Toucouleur. Mohammed had zelf kennis kunnen nemen van een brief gericht aan de opvolger van Cheikou Hamadou door sjeik El-Bekkay uit Tombouctou, voorheen een onverzoenlijke vijand van Macina.

'Laat Ségou,' stond daarin te lezen, 'niet in handen van El-Hadj Omar vallen. Als hij die stad met al haar macht en rijkdommen – paarden, mensen, goud en kauri's – weet te bemachtigen, wat moet jij dan beginnen? Geloof maar niet dat hij jou met rust zal laten, ook al zou hij je niet meteen bedreigen. Want het lijdt weinig twijfel dat jouw volk dan naar hem zou overlopen.'

Al dat gesjoemel stond Mohammed tegen. Het ging al lang niet meer in de eerste plaats om de islam. Dit was een strijd voor uitbreiding van macht en grondgebied.

Opeens struikelde zijn paard over een boomwortel. Het dier had rust nodig, het was doodop. In het eerstvolgende dorp zou hij halt houden.

Mohammed was twintig jaar. Hij was een edelman. Maar in zijn hart kende hij geen geluk. De woorden die Tidjani gisteravond had uitgesproken, zoefden nog in zijn oren als het lemmet van een kromzwaard dat het hoofd van een ter dood veroordeelde afhouwt: 'Spreek daar niet meer over. Dat is onmogelijk. Jij zult nooit met Ayisha trouwen.'

Hij had dat antwoord voorvoeld. Maar toen hij het hoorde was het of hij in de nacht van de aarde levend werd begraven.

'Maar vader,' had hij gestotterd, 'er is toch geen bloedverwantschap tussen haar en mij?'

Bevend van woede was de ander opgesprongen. 'Ik wil hier niets meer over horen!'

Mohammed moest toegeven dat hij de gebruikelijke gedragslijn overhoop had gehaald. Hij had naar Ségou moeten terugkeren, zijn familie inlichten en met geschenken beladen lofdichters naar Tidjani sturen om hem te polsen. Maar kon hem, vlak voor hij een gevaarlijke reis aanvatte, zijn ongeduld kwalijk worden genomen? Hij wilde zichzelf niet bekennen dat hij druk had willen uitoefenen op Ayisha zelf, door haar te dwingen tot een duidelijke uitspraak, waardoor ook zij haar gevoelens zou laten blijken. Dat was een totale misrekening gebleken. Na zijn onderhoud met Tidjani was hij haar gaan opzoeken onder de luifel waar ze gestremde melk met honing aan het zoeten was. 'Mijn vader heeft gesproken, Mohammed,' was haar enige conclusie. Betekende dit dat ze niet van hem hield? Dan kon hij net zo goed sterven. Zijn boernoes en andere kleren uittrekken en in het zwarte water van de Joliba afdalen. Met de stroom wegdrijven tot Somono vissers zijn lijk zouden ontdekken.

Hij ontwaarde de donkere contouren van dorpshutten en aaide zijn paard over de flank opdat het zich zou haasten.

Het was een Sarakolé dorp, herkenbaar aan de vorm van zijn hutten die, samen met hun gierstschuren, op spichtige houten palen waren gebouwd rondom een fraaie aarden moskee. Mohammed liep naar de eerste binnenplaats en klapte in zijn handen. Even later verscheen er op de veranda met haar vloer van gestampte koeiedrek een gestalte die zich met een galamboterlamp bijlichtte.

'*As salam aleykum,*' riep Mohammed. 'Ik ben een moslim als jij. Kun je me voor één nacht onderdak geven?'

'Ben je een bimi?'

Mohammed lachte en stapte naar voren, zodat hij de argwanende gezichtstrekken van de jongeman zag, en de zware lijn van zijn wenkbrauwen die er al even borstelig uitzagen als zijn kroeskop.

'Half bimi, half n'ko,' antwoordde hij. 'Een mooi mengelmoes, hè?'

De man aarzelde zichtbaar tussen de traditionele gastvrijheid en de herinnering aan zo veel belagingen en afpersingen. Hoe vaak hadden krijgslui van allerlei ras, Peul zowel als Sarakolé, de koran niet als voorwendsel aangegrepen om op de oogsten van de boeren beslag te leggen en hun vrouwen te misbruiken terwijl zij met hun wapens in bedwang werden gehouden?

'Kijk zelf, ik heb alleen een bidsnoer,' zei Mohammed, waarbij hij zijn handen op een grappige manier boven zijn hoofd hield.

'Bind je paard vast aan het kippenhok,' sprak de ander ten slotte en wenkte hem. 'Ik hoop dat het de kippen niet aan het schrikken brengt.'

Mohammed gehoorzaamde en volgde zijn gastheer. Diens vrouw was al opgestaan en ging ongevraagd op de veranda gierstkoeskoes opwarmen. Bij elke stap rinkelden de parelsnoeren die ze onder haar los om zich heen geslagen paan droeg, en deze lieftallige muziek herinnerde Mohammed aan Ayisha's spiraalvormig geplette zilveren enkelbanden. Inderdaad, als Ayisha niet van hem hield was het beter dat hij stierf. Maar hoe zou ze niet van hem houden? Hoe zou zijn liefde haar niet raken en doordringen en, na haar hart te hebben overstelpt, naar haar lippen stijgen en haar hoofd doen duizelen? En toch had hij in haar blikken nooit iets anders dan liefde van een zus voor een broer kunnen lezen.

De vrouw van zijn gastheer bood hem een kalebas water aan. Mohammed ontwaakte uit zijn gemijmer en dankte met een glimlach. Naar de inrichting van de hut te oordelen moesten het welgestelde boeren zijn. Het bed bestond uit twee aarden richels waarop dikke slaapmatten van palmbladeren lagen, en was met een Europese deken bedekt. Tussen de klerenmanden op de grond lagen vloerkleedjes en – summum van luxe – op metalen kandelaars stonden ongebruikte kaarsen. Dit allegaartje van traditionele voorwerpen en produkten die door slavenhalers via Freetown, dat Saint-Louis aan de Senegal beconcurreerde, het land binnen waren gebracht, kon Mohammeds aandacht – geabsorbeerd als hij was door zijn idee-fixe – niet lang vasthouden.

Na zijn terugkeer in Ségou zou vader Siga het meisje voor hem ten huwelijk vragen, en dan zou Tidjani zich wel laten overreden. Anders... dan... Voor die uiterste consequentie schrok Mohammed terug.

'Het schijnt dat mansa Demba van Ségou zich tot de islam wil bekeren?'

'Ja,' zei Mohammed terwijl hij naar zijn gastheer opkeek, 'of misschien wil hij alleen maar doen alsof. Daarmee zou zich Amadou Cheikou al tevreden stellen.'

Heel even was alleen het kauwgeluid van Mohammed te horen. Maar de boer luchtte zijn hart.

'Een misselijke boel – vind je niet? Om hun rijk te behouden zijn ze tot alles bereid. Ze veranderen van godsdienst. Ze wisselen geschenken, nadat ze eerst tegen elkaar oorlog hebben gevoerd. Nadat ze elkaar naar het leven hebben gestaan noemen ze elkaar broeder.'

Mohammed waste zijn handen.

'Wat wil je?' zei hij. 'Zo gaat dat in de wereld van de macht. Daarbij vergeleken is de wereld van de roofdieren harmonieus en vreedzaam.'

Vóór zonsopgang zat Mohammed alweer te paard, want hij had haast om in Ségou aan te komen. Terwijl de nacht aan de geesten toebehoort en mensen en dieren naar veiliger oorden laat uitzien, komen deze laatsten 's ochtends uit hun schuilplaats. Wilde parelhoenen en patrijzen liepen het paard voor de voeten. Op hun rotsblokken blaften hondskopapen met manen als leeuwewelpen woedend naar die roekeloze mens, terwijl zwermen bijen boven zijn hoofd zoemden. Hier en daar waren de sporen zichtbaar van hyena's die nu ergens achter een struik lagen te slapen.

Opeens stond de steppe in lichterlaaie, en in de vlammengloed waar de dageraad het nog tegen af moest leggen, zag Mohammed gazellen, everzwijnen en buffels kriskras te voorschijn springen. De wind was machteloos tegen de dikke rookwolken, al even zwart als de regenwolken die gelukkig samentrokken en de brand wel zouden blussen.

In een mand had de vrouw van zijn gastheer naast mondvoorraad ook een stel witte kippen, eieren en een zakje sperziebonen gestopt, ten teken van vrede en vriendschap. Mohammed had in de bezoekershut geslapen. Nauwelijks had hij zich op het bed uitgestrekt of er was een jonge slavin binnengekomen, want de boer en zijn vrouw wilden dat het hem aan niets ontbrak.

Het meisje was amper geslachtsrijp; haar vlechten waren met glazen pareltjes en juwelen van carneool opgesmukt, terwijl aan haar neus een metalen ringetje blonk. Ze moest inderhaast gewekt zijn en te horen hebben gekregen dat ze zich moest wassen en parfumeren om die onbekende ter wille te zijn.

'Hoe heet je?' had Mohammed haar gevraagd.

'Assa,' had ze bijna onhoorbaar geantwoord.

'Keer terug naar waar je vandaan komt, Assa,' had hij haar vriendelijk toegefluisterd. 'Ik zal je niet schenden.'

Halsoverkop, zwevend tussen vrees voor de woede van haar meesters en het onvermoede geluk haar lichaam niet te hoeven aanbieden, had ze gehoorzaamd. En vanochtend had de boer Mohammed nieuwsgierig aangekeken. Maar Mohammed was vrij van smet; zijn liefde voor Ayisha verbood hem zich met welke andere vrouw ook in te laten.

Het paard zette het op een drafje van pure levensvreugde, want de zon was boven de einder gerezen. De dikke rode vuurbal raakte boven aan de hemel in een gevecht met de regenwasems gewikkeld. Zonder halt te houden trok Mohammed door Sansanding, een belangrijke stad waar moslims en niet-moslims naast elkaar leefden. De eersten hadden, dank zij giften van kooplui wier karavanen aan de invasie van Europese produkten weerstand boden, enkele van de mooiste moskeeën uit het hele gebied laten bouwen. Blijkbaar namen ze geen aanstoot aan de fetisjenhutten die in de buurt van de marktpleinen en kruispunten te zien waren. Mohammed wist dat deze verdraagzaamheid van een islam die ongelovigen duldde, El-Hadj Omar een doorn in het oog was. Had hij het bij het rechte eind? In deze grote twist die niemand onverschillig liet, had Mohammed nog geen vastomlijnd standpunt. Zijn grootmoedigheid fluisterde hem in dat alle mensen broeders zijn, wat ook de naam zij van hun god. Maar was dat geen ketterse gedachte? Pleitte zij de moordenaars van zijn vader niet vrij?

Bij het verlaten van Sansanding stuurde Mohammed zijn paard naar de rivierberm die glom van de schelpen, en koos een droog plekje uit vlak bij een bosje grasgewassen en kramkram. In de verte voer een bootje waarvan het raffia zeil, dat zo goed en zo kwaad als dat ging met touwen was vastgemaakt, bol stond van de wind. Lange tijd bleef hij er bidden en aanvullende rekkat reciteren. Toen hij eindelijk opstond zag hij vrouwen naderen met kalebassen vol wasgoed op hun hoofd. Mohammed had geleerd beducht te zijn voor de indruk die hij op vrouwen maakte. Zolang hij als jongen in Hamdallay bedelde, hadden ze ermee volstaan zijn kalebas met stukjes kip, rijst en versnaperingen te vullen. Maar naarmate hij groter was geworden, waren er andere verlangens in hun blik gerezen. En die vervulden hem met afschuw. Het was alsof hij Maryem, zijn verre en geliefde moeder, of Ayisha, die onbereikbare prinses, op die manier een man zag aankijken. Mag een vrouw begeerte voelen? Nee, zij moet de begeerte van de man aanvaarden en door haar liefde louteren.

De vrouwen pakten hun wasgoed uit, doopten het in het water en wreven het in met senezeep. Maar terzelfder tijd lieten hun schitterende, met kohl opgemaakte ogen hun prooi niet los. Het waren geen moslimvrouwen. Hun godsdienst verplichtte hen niet tot terughoudendheid tegenover de man. In tegendeel, zij hielden ervan hem te plagen met schuine grapjes waaraan Mohammed, die in Hamdallay was opgegroeid, niet gewend was.

Wat moest hij doen? Zijn spullen inpakken en wegwezen? Hij speelde reeds met die gedachte toen de vrouwen een grappig spotliedje aanhieven.

> *Er woei wind en er viel regen.*
> *De bimi school onder een boom.*
> *Arme bimi!*
> *Hij heeft van moeder geen melk gekregen*
> *En geen vrouwtje maalt zijn graan.*
> *Arme bimi!*

Dat liet Mohammed niet over zich heen gaan. Hij liep op hen af.

'Om te beginnen ben ik geen bimi,' zei hij. 'Ik ben een n'ko zoals jullie, en ik trek naar mijn familie; vanavond nog zal iemand mij melk geven en mijn graan malen.'

Een van de vrouwen, die opvallend mooi was met haar borsten als rijpe mango's en haar met parelsnoeren omhangen gewelfde buik, diende hem van repliek.

'Ben je getrouwd?'

Mohammed hurkte neer op zijn hielen. 'Nee, het meisje dat ik liefheb wil mij niet toebehoren.'

De vrouwen schaterden. Zo iets konden ze niet begrijpen. Een man is toch sterk genoeg? Met zijn brute kracht kan hij toch aan zijn trekken komen? Kan hij het meisje dat hij begeert niet dwingen?

Maar Mohammed was een halfzachte dromer. Hij snakte niet naar roem en verovering. Hij wilde slechts bemind worden.

'Waarom spreek je als een bimi als je een n'ko bent?' vroeg een andere vrouw.

Mohammed glimlachte. 'Weet jij dan niet dat er weldra geen bimi en geen n'ko meer zullen zijn? Dat ze zich verenigen tegen de Toucouleur?' En hij stond op en liep naar zijn paard dat op de berm nogal lusteloos een paar grassprietjes aan het afgrazen was.

Nog vóór de avond kwam hij aan in Ségou.

Na acht jaar te hebben doorgebracht in het strenge en rustige Hamdallay waar er buiten de roep van de moëddzins niets te horen was, werd Mohammed door het rumoerige Ségou bijna afgeschrikt. Toen hij nog een kind was beperkte de stad zich voor hem tot de familiehuizing van de Traorés, de zaoeïa van zijn vader en het paleis van de mansa waar hij zich aan de wachtposten en hun geweren ging vergapen. Plotseling begreep hij waarom, na de Peul, de Toucouleur ervan droomden deze stad te onderwerpen. Het kwam door de rijkdom, deze welvaart uitgestald op de markten en kraampjes van de ambachtslui en tentoongespreid door de zware gevels van de huizen met hun torentjes die bijna tot aan de onderste takken van de mahoniebomen reikten. Een menigte vrouwen en mannen met dikke katoenen kleren onder hun boernoes en hun zijden boeboe liep heen en weer, of bleef naar muzikanten luisteren en naar de acrobatische kunsten van allerlei potsenmakers kijken. In het geel geklede tondyons patrouilleerden met het geweer over hun schouder naar de kroegen die reeds vol luidruchtige dolo-drinkers waren gelopen. Maar wat waren er nu veel moskeeën! Vroeger zag men ze alleen in de wijken van de Somono en de Moren. Nu glom de halve maan op een heleboel minaretten die als herdersstaffen in de hoogte staken.

Mohammed had veel bekijks. Tot welke familie behoorde hij? Voorbijgangers bleven staan om te zien welke weg zijn paard zou volgen. Kijk eens, hij reed de veemarkt voorbij waar jonge Peul hun kudden probeerden in toom te houden om ze naast de dromedarissen van de Toeareg buiten de stad te leiden. Ging hij naar de nes van de Somono? Nee, hij zakte verder af, de hoeven van zijn rijdier roffelden gedempt op de mulle grond.

Er ging Mohammed een steek door zijn hart: waar zich eens de zaoeïa van zijn vader bevond, zag hij nu

533

alleen een stuk modderige braakgrond. De vrouwen hadden er nosiku geplant om de voorouders vergiffenis te vragen voor de schuld die ze op zich hadden geladen.

De familiehuizing zelf leek hem nog indrukwekkender. Hij steeg van zijn paard, bond het vast aan een gevelring en liep naar de eerste binnenplaats terwijl hij in zijn handen klapte. Daar heerste een onvoorstelbare opwinding. Slaven renden door elkaar. Fetisjpriesters waren kruiden aan het verbranden of kauri's aan het onderzoeken. De kinderen werden aan hun lot overgelaten.

Niemand lette op Mohammed. Hij begaf zich naar de tweede binnenplaats en stuitte er op een jongeman die nauwelijks ouder leek dan hij.

'Ik ben een zoon van dit huis,' zei hij tegen hem. 'Mijn naam is Mohammed.'

De jongeman drukte hem in zijn armen. 'Ha, Mohammed! Ik ben je broer Olubunmi. We waren al bang dat je te laat zou komen. Vader Siga ligt op sterven.'

Iemand pas weerzien op een ogenblik waarop hij reeds de onherroepelijke reis naar de dood heeft aangevat, wanneer zijn geest reeds ver weg, zijn blik verdoft, zijn stem onhoorbaar is.

Binnen in de hut stikte hij haast van de rookoffers en het liefst had Mohammed al die charlatans weggejaagd, want in het stervensuur betaamt alleen het gebed. Maar door zijn hoofd draafde een steeds terugkerend refrein: Laat hij toch naar mij kijken! Laat hij weten dat ik hier ben!

Hij had het gevoel dat zijn wederopneming in de familie daarvan afhing. De stervende was zijn enige toeverlaat, hij moest hem herkennen!

Olubunmi tikte hem op de schouder. 'Vader Tiéfolo vraagt naar jou.'

Mohammed stopte zijn bidsnoer in de zak van zijn boernoes.

De jaren die Siga hadden geveld, hadden Tiéfolo met

534

zijn imposante gestalte, zijn brede torso en zijn fraai gevormde benen ontzien. Alleen zijn haar, dat hij in lange vlechten droeg, was wit geworden. Tiéfolo voelde zich verscheurd tussen zijn vaderlijke gevoelens en de herinnering aan de rol die Tiékoro in de familie had gespeeld. Zijn optreden miste dan ook elke samenhang. Toen hij zag hoe jong en kwetsbaar Mohammed nog was, drukte hij hem ontroerd tegen zich aan.

'Welke droevige thuiskomst hebben onze goden jou bereid! Een huis vol jammerklachten.'

Maar hij kon zichzelf niet weerhouden een wat agressieve klemtoon op 'onze goden' te leggen, alsof hij insinueerde dat het niet die van Mohammed waren.

'Vader,' antwoordde de jongeman, 'alleen een ongelovige beweent zijn doden. Want hij vergeet de gelukzaligheid van de ziel, die lamp van het lichaam, die zich eindelijk met God verenigd weet.'

Het woord 'ongelovige' was ongelukkig gekozen, maar Mohammed was door de omstandigheden van zijn terugkeer en de ontmoeting met deze vader, over wie Maryem hem had gezegd dat hij bij het komplot tegen Tiékoro betrokken was geweest, te erg in de war om zijn woorden te wikken. Geërgerd dacht Tiéfolo aan de apodictische uitspraken en de hooghartige toon van zijn overleden broer.

'Waarom kom jij dan tussen die "ongelovigen", zoals je ons noemt, wonen?'

Mohammed probeerde zijn flater weer goed te maken. 'Ik volg de stem van het bloed.'

Er zou niet veel nodig zijn geweest opdat Tiéfolo en Mohammed, in weerwil van het verleden, van elkaar zouden houden. Heel wat karaktertrekken – schuchterheid, overgevoeligheid, gebrek aan zelfvertrouwen, en vooral familiezin – konden hen nader tot elkaar brengen. Maar daarvan waren ze zich niet bewust. Tiéfolo dacht dat Mohammed ten gevolge van geruchten en roddelpraatjes die zijn rol bij de aanhouding van Tiékoro mateloos opbliezen, tegen hem vooringenomen was. En

Mohammed waande zich ongewenst.

Opeens begonnen de vrouwen te krijsen, waarna ze onder ritmisch handgeklap een rouwlied aanhieven:

> *Ik ga naar het drasland, moeder!*
> *Een ongeluksvogel heeft me toegeroepen!*
> *Ik ga naar het drasland, moeders!*
> *Een ongeluksvogel heeft me toegeroepen!*
> *De vrouwen huilen,*
> *De vrouwen weeklagen,*
> *Want hun grote hereboer is ontslapen!*

Tiéfolo schoot overeind, gevolgd door Mohammed. Onderweg naar Siga's hut zagen ze tegen een muur een nog heel jong meisje zitten dat bijna stikte in haar tranen. Dit was overduidelijk geen min of meer ritueel gelegenheidsgedrag; haar verdriet getuigde van een diepe, eenzame en overweldigende wanhoop.

'Dat is Yassa,' antwoordde Tiéfolo op Mohammeds stilzwijgende vraag, 'de laatste bijzit van vader Siga.'

En Mohammed droeg in zich het beeld mee van een jong, maar oneindig droevig en aangrijpend gelaat.

# 3

De verraderlijkste dood is degene die bij verrassing
komt. Hij slaat natuurlijk nooit op de tamtam, de dood.
Maar sommigen geeft hij de kans om beschikkingen te
treffen over hun vrouwen en hun boedel, en richtlijnen
te geven aan hun opvolgers. Niets daarvan was mogelijk
in het geval van Siga. Toen de uitvaart achter de rug
was stond Tiéfolo als nieuw familiehoofd voor een hoop
problemen die tot dan toe in de algemene rouwstem-
ming gemaskeerd waren gebleven en nu opeens dringend moesten worden afgewikkeld.

Sjeik Hamidou Magassa, die geduldig in een bezoekershut wachtte, een antwoord meegeven. De niet-moslims en de steeds talrijker moslims in de familiehuizing
vreedzaam laten samenleven. De weduwen die zich achter religieuze voorwendsels verscholen, verplichten om
hun door de familie aangewezen echtgenoten te aanvaarden. En vooral Mohammed opvangen. Weten te
verhinderen dat hij zich als een bijzonder soort erfgenaam zou voordoen, als de fakkeldrager van de islam,
die bekeerlingen en ongedisciplineerden achter zich zou
scharen. Hoewel, die jongen was alleraardigst. Inschik-
kelijk, respectvol en zo hoffelijk dat hij zichzelf haast
wegcijferde. Maar achter die goede eigenschappen raadde Tiéfolo een mogelijk gevaar: te veel idealisme en
edelmoedigheid. Een soort afwijzing van al wat als ty-
pisch mannelijk gold. Wanneer hij hem zag wist Tiéfolo
niet of hij hem als een kind moest troosten dan wel
hem eens flink door elkaar wilde schudden.

'Waarom ben je nooit aan een van jullie universiteiten
gaan studeren?' vroeg hij hem eens.

Mohammed hield zijn hoofd wat gebogen, en ook

ditmaal werd Tiéfolo getroffen – en bijna afgestoten – door de volmaaktheid van zijn gelaatstrekken. Ook deze al te vrouwelijke schoonheid was gevaarlijk.

'Vader,' verstoutte de jongeman zich, 'hoor wat ik op het hart heb. Ik weet wel dat een eerbiedige zoon de echtgenote neemt die de familie hem schenkt. Maar ik... ik houd van... een meisje, en als ik haar niet krijg besterf ik het.'

Stomverbaasd, bijna met afgrijzen, keek Tiéfolo hem aan. Sterven voor een vrouw? Was dat wat de islam onderwees? Geen wonder voor een godsdienst die alcohol verbood, de mannen castreerde en van hen schapen maakte die naast elkaar stonden te grazen. Daarom sliep Mohammed elke nacht alleen, terwijl er toch geen gebrek was aan slavinnetjes om hem te bevredigen.

'Is het een Peul meisje uit Macina?' vroeg hij beheerst.

Meteen stak Mohammed de loftrompet over Ayisha, maar Tiéfolo onderbrak hem met gefronste wenkbrauwen. 'Het is een kleindochter van je grootmoeder Sira, zei je? Dan is ze je zuster!'

Mohammed herhaalde de argumenten die Tidjani niet hadden kunnen overtuigen: 'Vader, mijn grootmoeder Sira is hertrouwd met een Peul uit Macina. Welke bloedverwantschap bestaat er dan tussen haar en onze familie?'

Tiéfolo dacht na, maar verdwaalde zichtbaar in het labyrint van de stambomen. 'Geen denken aan, Mohammed,' concludeerde hij met een gechoqueerd gezicht. 'Het is je zuster.'

Toen Mohammed wou aandringen, gaf hij hem met zijn gebruikelijke kordaatheid te verstaan dat het gesprek ten einde was. Met de dood in het hart trok Mohammed zich terug. Wat een stompzinnige en absurde opvatting over de vertakkingen van het bloed! Zou hij buigen en Ayisha prijsgeven? Nooit! Voor de duizendste keer herhaalde hij zichzelf zijn feilloze redenering die alleen dit nadeel had dat ze niemand overtuigde. Hij die nog nooit ongehoorzaam was geweest,

538

zou dit keer tot het uiterste gaan, en bijna was hij op zijn paard gesprongen om Ayisha te gaan schaken. Maar zou zij zich dat laten welgevallen? 'Mijn vader heeft gesproken, Mohammed.' Waren dat woorden van een verliefde vrouw?

Mohammed liep in de richting van zijn hut die vlak bij de omheining lag waarachter zich de graven van de overleden familieleden bevonden. Dat van Tiékoro lag in een lege hoek, als postume getuige van zijn uitzonderlijk levenslot. In zijn wanhoop ging Mohammed er vlakbij zitten. Had zijn vader nog geleefd, dan had híj hem wel begrepen; híj had die bespottelijke tegenstand van de twee families wel overwonnen. Maar helaas, hij was alleen. Zijn moeder was ver weg, en al wie het voor hem had kunnen opnemen lag een vadem diep onder de aarde. Opeens schaamde hij zich over deze wanhoop. En toch, hoe kon hij zijn hart het zwijgen opleggen? Als hij Ayisha niet kreeg had hij geen zin meer in het leven.

Terwijl hij daar zo zat kwam Olubunmi op hem af. Als enige telg van een zoon die in den vreemde was gestorven, was Olubunmi, die in de familie Fanko werd genoemd, door iedereen verafgood als een wonderkind. Dat had zijn karakter niet bedorven, en zelfs degenen die in hem de nazaat van Malobali wilden herkennen, waren het erover eens dat de zoon erg verschilde van zijn vader. Mohammed had een warme sympathie opgevat voor deze broer die hem bij zijn terugkeer op een haast symbolische wijze had verwelkomd. Alleen wanhoopte hij van hem ooit een moslim te kunnen maken. Olubunmi pareerde al zijn pogingen tot bekering met een glimlachend scepticisme. 'Alle goden zijn aan elkaar gewaagd. Waarom er één willen opdringen, boven alle anderen?'

Olubunmi ging naast Mohammed zitten, waarbij hij op een zekere afstand van het graf probeerde te blijven. 'Er is een boodschapper van de mansa bij vader Tiéfolo. Het zou over jou gaan.'

'Over mij?'

Olubunmi genoot van zijn eigen gewichtigdoenerij. 'Het schijnt dat de mansa een gezantschap naar Macina wil sturen, en dat hij aan jou als tolk denkt.'

'Wat?'

Het leek onvoorstelbaar: een jongen van amper twintig, die zich in niets had onderscheiden, in een koninklijk gezantschap! Olubunmi trok een goochem gezicht, terwijl hij in feite slechts herhaalde wat hij van anderen had gehoord.

'Het is duidelijk dat er voor de islam in Ségou nu een goede tijd aanbreekt. En geloof me, tiè, de dood van je vader zal nog goed van pas komen!'

Mohammed voelde zich misselijk worden. Ach, de islam verbleekte, hij had iets van een verschoten kledingstuk. Na de dood van Cheikou Hamadou hadden tijdelijke zorgen het geloof spoedig ontkracht. En had die heilige die door iedereen werd vereerd, niet tegen alle regels in zijn zoon Amadou Cheikou als zijn opvolger aangewezen? En was die het terrein niet aan het effenen, ten nadele van zijn eigen broers, voor zijn zoon Amadou Amadou? Wat zijn de ware drijfveren van het menselijk hart?

Wat Mohammed niet wist, was dat door Olubunmi's hoofd allerlei dromen van reizen en avonturen spookten. Zij die meenden dat hij niets van Malobali had, vergisten zich. Ondanks zijn rustig voorkomen bruisten in hem hetzelfde ongeduld, dezelfde dadendrang. Op de markt luisterde hij graag naar de verhalen van de steeds talrijkere reizigers die aan de kust hadden gewoond, blanken hadden ontmoet, hun talen hadden gesproken en met hun wapens waren omgegaan. Zo had de oude Samba hem Freetown beschreven, de haven en de schepen met hun vracht van houtblokken, die koers zetten naar Europa. Van hem had hij vernomen dat de blanken een ander schrift hadden dan de Arabieren, en dat zij de islam niet minder haatten dan de fetisjisten. De man had hem zelfs enkele letters leren tekenen die samen zijn naam vormden: SAMBA. Maar hoe schreef je Olubunmi? Dat wist Samba niet.

Toen ze langs Tiéfolo's hut liepen zagen ze hem in het portaal druk zitten praten met de boodschapper van de mansa en sjeik Hamidou Magassa. Ongetwijfeld hingen er belangrijke beslissingen in de lucht. Van welke aard? Mohammed durfde het niet te voorspellen. Zou hij echt naar Hamdallay terugkeren? Eigenlijk had hij gezworen dat hij er alleen nog zou komen om Ayisha's hand te vragen. Maar hij zou haar dan toch enkele dagen kunnen zien en haar ware gevoelens peilen. 'Mijn vader heeft gesproken, Mohammed!' Waren dat woorden van een verliefde vrouw?

Na het avondeten deelde Tiéfolo aan de familie de beslissingen mee die hij onder druk van de mansa had moeten nemen. Bij het graf van Tiékoro zouden moslimpelgrims worden toegelaten. Mohammed zou deel uitmaken van een gezantschap dat zich ter verzoening naar Macina zou begeven.

Schamper hoorde de bevolking van Ségou dat mansa Demba en de vorst van Macina dikke vrienden wilden worden. De mensen stroomden naar de stadspoorten om de stoet van notabelen op hun prachtige rijdieren in de richting van Hamdallay te zien vertrekken, voorafgegaan door hun lofdichters en gevolgd door slaven die onder het gewicht van de geschenken bijna bezweken. De drijverijen van de Toucouleur – zo hadden de stadsomroepers gemeld – maakten deze verzoening noodzakelijk, en dat klonk niet als een verrassing. De naam van El-Hadj Omar was synoniem geworden voor boosaardigheid. Mettertijd waren de gebeurtenissen tijdens zijn bezoek aan Ségou flink opgeblazen. Er werd gewag gemaakt van een regen van bloed en as, die uit de hemel was neergestort, van een aardbeving die het paleis van de mansa had opgeslokt, en een verschrikkelijke droogte die de Joliba-oevers tot steenachtige korsten had omgetoverd. Goed ingelichte lieden wisten dat El-Hadj Omar momenteel te Dinguirayé verbleef, in Fouta Djallon waar zij nog nooit een voet hadden gezet – niet zo ver van de Joliba, maar veel zuidelijker. Reizigers vertelden dat die stad was omgevormd tot een onneembare vesting en een nog vuriger gebedsoord dan Hamdallay ooit was geweest, met in elke straat een moskee en in het centrum een burcht met muren van tien meter dik, waarin El-Hadj Omar met zijn vrouwen, zijn kinderen en zijn vertrouwensmannen resideerde. Zijn discipelen zouden iedereen staande houden en laten nazeggen: 'Er is geen andere god dan God.' Zo niet, klikklak, de kop eraf! En degenen die deze dwepers over één kam schoren met de Peul van Cheikou Hamadou enkele jaren eerder, kregen van de reizigers te horen dat die lui uit Macina zachtaardig en verdraagzaam waren in vergelijking met de horden van El-Hadj Omar.

Toen het door de paardehoeven opgejaagde stof weer was gaan liggen, keerde Olubunmi treurig naar de familiehuizing terug. Mohammed was vertrokken, omringd door volwassenen die zich met hem, gezien zijn kennis van de islam en van het leven in Hamdallay, als een gelijke onderhielden. Welke avonturen stonden hem te wachten? Misschien kreeg hij de kans om zijn naam beroemd te maken. Hoe dan ook, hij ontsnapte aan de sleur van het leven in Ségou. Dat alleen al was benijdenswaardig.

Olubunmi had enkele jaren koranschool gevolgd en was tegelijkertijd in de traditionele geheime genootschappen ingewijd. Om zijn middel droeg hij amuletten met verzen uit de koran, waaruit hij trouwens een paar soera's kon opzeggen. Hij kleedde zich als een moslim, maar droeg zijn haar in lange vlechten. In één woord, hij belichaamde het overgangstijdperk waarin Ségou zich bevond. Bovendien kon hij het vreemde bloed dat door zijn aderen stroomde niet vergeten. Was er iemand in Ségou die net als hij van een Agouda moeder uit Benin stamde? En van een vader die tot aan de kust was afgezakt, terwijl de meeste Bambara nog niet eens de Joliba hadden overgestoken?

Voor zijn vader koesterde Olubunmi erg tegenstrijdige gevoelens. Hij bewonderde en benijdde de man die reizen had gemaakt waarvan hij alleen kon dromen. Anderzijds was die zelfde vader gestorven in den vreemde, en omdat hij nooit onder de zijnen was begraven moest hij nu op de dool zijn als een van die kwaadwillige geesten die aan hun wedergeboorte wanhopen. 's Avonds meende hij hem soms te horen klagen in het gieren van de wind, het gutsen van de regen of het geknetter van de galamboterlamp. Nooit vergat hij te zijner nagedachtenis offers te brengen, hoezeer Mohammed hem ook het woord van de Profeet herhaalde: 'Niet zal aan Allah hun vlees toevallen, noch hun bloed, maar aan Hem valt toe de vreze van ulieden.'

Olubunmi liep eens langs bij de oude Samba die op zijn bamboebed zat.

'Nou, is je broer vertrokken?' vroeg hij meesmuilend.

Verdrietig dacht Olubunmi aan Mohammed die nu op zijn mooie draver reed. Maar wat dan nog?

'Ja,' zei hij, 'de plankjesbekladder is vertrokken. Samba, vertel me over je reizen!'

Samba liet zich graag bidden. 'Daarover heb ik je al tientallen keren verteld. Wat wil je nu nog horen?'

En hij stopte de pijp waar Olubunmi zo naar opkeek, want ze was van Schots bruyèrehout.

'Jullie,' begon hij, 'kunnen je de zee niet voorstellen. Het Debo-meer verbaast jullie al. En toch zie je zijn overzijde. Het heeft eilandjes, en jullie bootjes zigzaggen tussen het riet. Maar de zee is als een eindeloze hemel die altijd in beweging is. Ze is geen goede maatjes met de wind, en als hij opsteekt wordt zij boos en kromt haar rug als een razende panter, en dat moeten de boten dan maar bekopen. Ik ben drie jaar scheepsmaat geweest, want toen ik nog klein was ben ik door Moren ontvoerd en naar Cayor overgebracht. Daar heb ik Fransen ontmoet...'

'Hoe zien die Fransen eruit?'

543

De oude Samba hield er niet van wanneer hij in de rede werd gevallen. Hij deed of hij de vraag niet had gehoord. 'Ik moest werken voor monsieur Richard. Die meneer liet allerlei planten uit zijn land aanvoeren en deed er proeven mee. Hij vond er zowaar nieuwe uit! Als je wist wat zijn hand uit de grond toverde! Katoen, indigo, uien uit Gambia, bananen, papaja's, sene, aard-noten... Volgens hem zijn onze landen echte tuinen. Op een keer had ik er schoon genoeg van alsmaar in de grond te moeten wroeten, en ik smeerde 'm. Ik liep gewoon rechtdoor. Zo ben ik in Freetown aangekomen. Daar zijn ook blanken, maar pas op! Dat zijn Engel-sen...'

'Vertel me meer over Freetown, Samba!'

Ook dit keer deed Samba of hij niets had gehoord, en vertelde verder. 'Voor de Engelsen heb ik nooit ge-werkt, want ik kende de taal van de Fransen, en zo ben ik op een van hun schepen beland. Met dat schip ben ik tot Cape Coast gevaren...'

'Daar is mijn vader ook geweest!'

'Misschien wel,' zei Samba terwijl hij een zwartachtig sap uitspoog, 'maar hij was geen scheepsmaat!'

Dat moest Olubunmi toegeven. 'Vertel me meer over Freetown,' drong hij aan.

'Wat moet ik je daarover vertellen? Jij hebt nooit de zee gezien. Je weet niet eens wat een brik, een schoener, een brigantijn of een feloek is. Jij kent alleen de prauwen van de Somono.'

Beschaamd staarde Olubunmi naar de grond.

'En ik verneem,' ging de oude door, 'dat de blanken hun schepen nu met stoom laten varen.'

'Met stoom?'

Om te voorkomen dat zijn jonge toehoorder vragen zou stellen over dit onderwerp dat hij slecht beheerste, begon Samba over iets anders. 'Bij de blanken kun je ook soldaat worden. Een dubbelloopsgeweer, een rode gebiesde broek, en daar gaan we!'

'Wat moet je doen, als soldaat?'

'Vechten, verdorie!'

'Tegen wie?'

Op die vraag had geen van beiden een antwoord. De blanken hoefden niet te vechten om zich slaven aan te schaffen, want die werden bij hen aan de kust geleverd. Waar waren ze met hun geweren dan op uit? Olubunmi waagde het niet te denken dat de oude man zich vergiste, maar dit verhaal leek hem erg onwaarschijnlijk. Of vertrokken die soldaten naar het land van de blanken, om ginds tegen hún vijanden te vechten?

Nerveus sloeg Olubunmi de weg naar de familiehuizing in. En te bedenken dat Mohammed in zijn prachtige hemelsblauwe boeboe voortgaloppeerde, terwijl híj zich verveelde en zijn voeten over de kleffe wintergrond sleepte! Voor de ingang van de familiehuizing was een grote menigte samengestroomd, en op de binnenplaatsen heerste een doodse stilte. Zelfs de kinderen hadden hun wilde spelletjes gestaakt. Rechtop tussen de volwassenen stonden ze, stokstijf.

'Wat scheelt er?' vroeg Olubunmi met gedempte stem.

'Yassa heeft vergif van fa Tiéfolo geslikt.'

Er sprak zo'n afgrijzen uit deze korte mededeling dat Olubunmi geen woord kon uitbrengen. Jagersvergif! Met de jaren en zijn groeiende verantwoordelijkheid vertrok Tiéfolo nu veel minder vaak op jacht dan vroeger. Toch bleef hij een van de grote karamoko en was hij op elke foetoetègè aanwezig. Zijn pijlenkokers bewaarde hij in een kleine hut waar hij ook zijn vergif klaarmaakte, een mengsel van strophantus en kadaverbestanddelen. Een jaar geleden waren er eens schapen uitgebroken, en toen ze in hun nieuwsgierigheid van dat goedje proefden waren ze ter plekke doodgevallen, met schuim op hun bek.

'Is ze dood?' stotterde Olubunmi.

'Ze krijgt tiliba-aftreksels.'

Olubunmi had voor Yassa nooit veel oog gehad. Ze was maar een slavin in dienst – dat wist hij – van vader

Siga. Opeens kreeg ze door deze wanhoopsdaad een eigen persoonlijkheid. Waarom had ze zo gehandeld? Hij keek naar de hut waarin Yassa misschien lag te sterven, als naar een tempel waarin ongrijpbare krachten aan het werk waren. Zichzelf doden – wat een gruwelijke daad! Wie waagde het de voorouders zo te tarten?

Een vrouw verscheen op de binnenplaats; ze joeg al die pottekijkers en kinderen weg. Een andere kwam naar buiten met een kalebas vol linnen dat een ondraaglijke stank verspreidde.

En toch, binnen in de hut had de dood Yassa niet gewild. Na haar te hebben besnuffeld en met haar te hebben gespeeld als een roofdier met zijn prooi, had hij haar laten gaan. Maar tijdens deze uitputtende worsteling was Yassa's lichaam opengebarsten en had het zijn vrucht voortijdig uitgestoten. Er was een kind geboren, een bundeltje vliezen en slijmen.

Moussokoro, de vroedvrouw wier hulp inderhaast was ingeroepen, nam het lichaampje op en liep naar het deurgat om het in het zonlicht te bekijken. Was het doodgeboren – met andere woorden: een wezentje waarvan de weggevluchte levensgeest eerst nog moest worden teruggevonden vóór het ter aarde werd besteld? Moussokoro voelde iets popelen onder haar vingers. Het kind leefde! Ze liet een vrouw een mengsel van gierstebier en water halen om het te wassen na deze vreselijke reis. Toen zag ze een broze knop als een prille heesterscheut. Haar hart trilde van blijdschap.

'Ga fa Tiéfolo melden,' zei ze tegen een van haar hulpjes, 'dat er een bilakoro meer in de familie is!'

Reeds drong Siga's weduwe Fatima, die zich tegenover Yassa als een oudere zuster hoorde te gedragen, de hut binnen, want zij had al vernomen dat moeder en kind het hadden overleefd. Fatima had het de slavin nooit kwalijk genomen dat ze voor haar door het leven niet bepaald verwende man een laatste pleziertje was geweest. Ze knielde naast Yassa die nog levenloos en met gesloten ogen lag.

'Moge Allah je zonde vergeven,' prevelde ze op een niet al te strenge toon.

Vervolgens ging ze naar de baby kijken die door Moussokoro met gierstebier werd gewassen en daarna met galamboter ingesmeerd. Hij was zo klein, nauwelijks groter dan een handvol kuikentjes, dat je zijn gezichtje nog niet goed kon zien. Maar Fatima meende Siga's hoge voorhoofd en de vorm van zijn kin te herkennen. 'Welkom, Fanko!' sprak ze ontroerd in zichzelf. Want ze wist dat hij, na de dood van zijn vader, zo zou heten.

Daar kwamen nu ook Tiéfolo en de fetisjpriester Soumaworo binnen. Een geboorte moet gevierd worden. Soumaworo hurkte neer om een rode haan te slachten, en liet het bloed op het geslacht en het voorhoofd van het kind druppelen. Tijdens dit ritueel keek hij de baby strak aan. Welke dode werd in hem opnieuw geboren? Het kind werd in de armen van Yassa gelegd. Wat was het nog kwetsbaar en zwak! Zijn oogleden leken minuscule schelpjes, zijn neusje was niet dikker dan een gierststengel, zijn ronde en wat verkreukte mond had iets van een uitspruitende tomaat. Yassa staarde verrukt naar dit wonder. Hoe was dit er ooit gekomen? Uit haar tegenstribbelende lichaam dat voor de reeuwlucht van die zieke grijsaard terugdeinsde? Uit zijn geblaas en gehijg toen hij in haar drong? Nee, dit wonder moest door een godenpaar verwekt zijn. Aan de goden had ze het te danken!

Ze knuffelde dat nieuwe wezentje en drukte het dicht tegen zich aan. Met een gulzigheid die ze van dit schamele lichaampje niet had verwacht, likte hij met zijn tongetje zijn lippen af om de laatste druppeltjes geitemelk te proeven waarmee ze waren bevochtigd. Deze reflex verraadde de levenskracht die in hem school en waarvan hij bijna voorgoed was beroofd. Ach, haar hele verdere leven zou niet genoeg zijn om de misdaad die ze had willen begaan met de tederste, liefderijkste zorgen te boeten!

547

'Welkom, Fanko,' fluisterde ze in zijn oortje, 'in de wereld van de levenden waar je nu een plaats hebt. Samen met mij.'

# 4

Alhadji Guidado, een van de zeven maraboets die in Hamdallay politietoezicht hielden, was lid van de hoge raad zonder welke in Macina geen enkele beslissing tot stand kwam, en bijgevolg een van de invloedrijkste mannen van het rijk.

De hoge raad bestond uit veertig leden, allen doctores in de rechten en de godgeleerdheid, waarvan er achtendertig zetelden in de zaal met de Zeven Poorten, die leidde naar de voor de moslims uit de hele streek tot pelgrimsoord geworden graftombe van Cheikou Hamadou. Alhadji Guidado behoorde tot degenen die zich tegen elk bondgenootschap met Ségou verzetten en eraan herinnerden dat de islam zichzelf verloochent wanneer hij een coalitie met het veelgodendom aangaat. Helaas werd voor de eerste keer zijn raad niet gevolgd, en was hij samen met zijn aanhangers in de minderheid. Hij wist echter zijn spijt en zijn woede het zwijgen op te leggen. 'God geve,' was zijn enige conclusie, 'dat wij de beslissingen die we vandaag hebben getroffen nooit zullen betreuren. Maar ik herhaal dat het met het geloof onverzoenbaar is troepen samen te trekken om ongelovigen te steunen tegen moslims, en te menen dat het geoorloofd is deze laatsten te bestrijden.'

Ieders ogen waren op Amadou Cheikou gericht, die de zetel van zijn vader had ingenomen. Maar sinds drie maanden werd Amadou Cheikou verzwakt door een ziekte waar artsen en gebeden machteloos tegen waren. Zo kwam het dat hij zich helemaal liet manipuleren door sjeik El-Bekkay uit Tombouctou, voor wie een bondgenootschap met de mansa van Ségou volstrekt noodzakelijk was. De goede relaties tussen die twee mannen waren des te verrassender omdat sjeik El-Bekkay vroeger zijn vijandigheid tegenover Macina, dat Tombouctou had onderworpen, openlijk had laten blijken. Was dit een teken des tijds? De vrienden van gisteren waren de vijanden van vandaag, en gewezen vijanden waren nu vrienden.

Amadou Cheikou sprak geen woord, maar toonde iedereen zijn wassen gezicht met een verre, afwezige blik die reeds in het onzichtbare scheen te vertoeven.

Alhadji Guidado stak zijn voeten in de sloffen die hij naast de deur had achtergelaten. 'Staat u me toe,' zei hij, 'me terug te trekken. U weet het: vandaag leid ik mijn derde zoon, Alfa, ten huwelijk.'

De vergadering mompelde rituele zegenwensen terwijl Amadou Cheikou goedhartig, zonder met de opstandige stemming van de maraboet rekening te houden, vroeg aan wie hij hem dan wel ten huwelijk schonk.

'Aan Ayisha, de dochter van Tidjani Barri wiens vader Modibo Amadou Tassirou in Tenenkou leefde.'

Amadou Cheikou knikte, als om te beduiden dat deze stamboom hem voldoening schonk. 'Zo dadelijk zal ik me met de gebeden van het jonge paar komen verenigen,' zei hij.

Dat was een beleefdheidsformule; iedereen wist dat hij niet meer buiten kwam. Daarop trok Alhadji zich terug. Bij het verlaten van de zaal met de Zeven Poorten liep hij langs de graftombe van de meester, en dat vervulde zijn hart met vreugde. Ach, als die heilige nog in leven was zou hij, die de ongelovigen uit Ségou altijd had bestreden, aan dit politieke gekonkel nooit hebben toegegeven. Maar het was nog een geluk dat de zonen niet op hun vader leken. Wie weet of de beslissingen die door Amadou Cheikou waren genomen, door zijn zoon Amadou Amadou niet ongedaan gemaakt zouden worden? Een flauwe hoop maakte zich van Alhadji meester, maar weldra probeerde hij alleen nog aan het huwelijk van zijn zoon te denken. Eigenlijk was hij met deze verbintenis niet erg ingenomen. Jazeker, Ayisha was mooi, op haar viel niets aan te merken, maar de familie waaruit ze kwam bestond uit lauwe moslims, lieden die hooguit enkele soera's reciteerden, maar nog nooit een religieuze tekst hadden gelezen. Alhadji verdacht hen er zelfs van amuletten onder hun kleren mee te dragen en te zijner tijd offers te brengen aan fetisjen. Maar blijkbaar had Alfa zich aan dat meisje verslingerd, en de jeugd van vandaag stelde de liefde boven de wensen van de ouders. Als Alhadji zich had laten overhalen was het omdat hij met Alfa te doen had. Het was een voorbeeldige zoon. Hij had zijn eerste religieuze opleiding voltooid en met zijn diepzinnige geest de bewondering van al zijn leermeesters afgedwongen. Maar hier wrong de schoen: als hij niet bijtijds terechtgewezen werd, riskeerde hij door zijn monachale neigingen af te dwalen.

Zo herhaalde hij voortdurend de soera van de Allerhoogste:

> *Maar neen, gijlieden verkiest het nabije leven;*
> *Terwijl toch het latere leven beter is en blijvender.*
> *Dit staat waarlijk in de vroegere bladen,*
> *De bladen van Abraham en Mozes.*

Dit huwelijk zou hem, als het Allah beliefde, wat minder zweverig maken. Want het is niet goed dat de man een eunuch wordt die geen vuur kan vatten voor een vrouwelichaam.

De familiehuizing van Alhadji Guidado lag tegenover de moskee. Terwijl talrijke Peul uit Macina – zoals de Bambara of de bewoners van Djenné – grote aarden huizen met dakterrassen lieten bouwen, maakte Alhadji er een erezaak van de gebruiken van zijn stam te blijven naleven. Zijn familiehuizing bestond uit cirkelvormige hutten met wanden van gevlochten stro. Midden op de binnenplaats stond een loods waarvan de steunzuilen opgebonden bomen waren. Daar hadden de gasten zich om het bruidspaar verzameld. Jongens hielden bij hun hoorns schapen uit Fermagha met hun zijige wolhaar, die zouden worden geslacht. De vrouwen lieten schalen gestremde melk vermengd met dadels en muntblaadjes rondgaan en uit de keukens steeg de weelderige geur van de tatiree Macina op.

Wat was Ayisha mooi! Ze droeg een japon uit één stuk kostbare zijde uit Tombouctou. Maar alle ogen waren op haar kapsel gericht. Een hoge rechtstandige kuif, geflankeerd door dikke, met goud- en zilverdraden doorvlochten strengen. Voor de gelegenheid hadden haar moeder en de vrouwen uit haar familie haar oren versierd met hangers van geplet goud, die een doorsnede van wel zes centimeter hadden en toch zo licht waren dat ze bij het minste briesje bewogen. Niet te tellen waren de ringen, arm- en enkelbanden die ze droeg.

Alfa ging, met de eenvoud die men van hem gewend was, gekleed in een boeboe van fijne stof. Nu hij had moeten overlopen van geluk en trots, bekeek hij Ayisha zonder enige zinsvervoering. Als hij zijn natuurlijke voorkeur had gevolgd, was hij nooit getrouwd. Maar Ayisha was zo dol op hem dat iets van haar verliefdheid ook hem had aangestoken. Het was als een vuur waaraan hij onvoorziens was blootgesteld en dat hem fascineerde door zijn felle gloed. Wat speet het hem overigens dat Mohammed er niet was. Wat zou zijn vriend met hem de gek hebben gestoken! Hij hoorde hem al zeggen: 'Wel, zwicht jij ook al voor de bekoring van de vrouw?'

Maar ook al was Mohammed er niet, toch had hij veel tot deze verbintenis bijgedragen. Was Ayisha soms niet zijn zuster? En was dit geen middel om zich nog meer aan hem te binden? Nochtans, telkens als hij dit onderwerp met zijn aanstaande bruid aansneed, had zij het met een vreemde tegenzin ontweken.

Het wachten was nu op de komst van de imam, een broer van Alhadji Guidado. Intussen kwamen de tongen los. Alle gesprekken gingen over Ségou. Verspieders hadden gemeld dat het gezantschap Sansanding reeds achter zich had gelaten en Diafarabé was binnengetrokken.

Sommigen zagen geen heil in een verzoening met Ségou. Wel was het hun wens dat Amadou Cheikou een paar vertrouwensmannen naar de hoofdstad van de Bambara zou sturen om na te gaan of hun bekering tot de islam oprecht was, of ze hun fetisjenhutten wel vernietigden en de bouw van moskeeën aanmoedigden.

Anderen waren radicale tegenstanders van dit bondgenootschap. Zij waren van oordeel dat Macina terug moest keren naar de regel van de opvolging door verwanten in de zijlinie, waarvan het na de dood van Cheikou Hamadou was afgeweken. Dan zou Ba Lobbo, de broer van de sjeik en opperbevelhebber van het leger, de troon bestijgen. Er bestond geen onverzettelijker moslim dan hij. Hij zou wel eens laten zien tot welk kamp hij behoorde!

Nog anderen durfden niet te bekennen dat ze de voorkeur gaven aan de Tidjaniya. Ze hadden *Ar-Rimah* gelezen, het hoofdwerk van El-Hadj Omar, en die steile islam die aan het Hamdallay van vroeger herinnerde en in zekere zin de deugden van alle vorige toeroeq wist te bundelen, trok hen aan. Zij herhaalden elf of twaalf keer de *Djawharatul-Kamal*:

> O God, stort uw genade en uw vrede uit
> Over de bron van uw goddelijke barmhartigheid,
>      schitterend
> Als diamant, onaantastbaar in haar waarheid,
>      doordringend
> Tot het verstand en de kern van de betekenissen...

Aan al dat gepraat kwam een einde toen de imam verscheen. Ayisha's hoofd werd met een witte sluier bedekt. De huwelijksceremonie begon.

Op dat zelfde ogenblik trok het gezantschap van Ségou Hamdallay binnen. Volgens een ceremonieel dat door deze islamitische stad was uitgebannen, liepen de lofdichters voorop. De galmende klank van de doenoemba wisselde af met die van de tamani en werd soms onderbroken om ook de fluiten en vedels te laten horen. Ruiters in gele tuniek vuurden hun geweren af en Hamdallay snoof een kruitgeur die het al lang vergeten was. Alle inwoners stroomden naar buiten en met gemengde gevoelens van bewondering voor het fraaie schouwspel en misprijzen voor die fetisjisten stonden ze voor de kakka van gierststengels toe te kijken.

Mohammed reed stapvoets en bijna aan het einde van de stoet, nog net vóór de slaven met de geschenken van mansa Demba. De laatste nachten was hij door steeds dezelfde angstdroom gekweld: Hij liep de familiehuizing van Ayisha binnen. Zij rustte op een slaapmat, met gesloten ogen, haar hoofd naar het zuiden, haar voeten naar het noorden gericht. Om haar heen stonden huilende familieleden; hij wilde zijn ogen niet geloven en haastte zich naar het stoffelijke overschot, toen een stem sprak: 'Je ziet dat zij voor jou niet was bestemd. Nu is ze voorgoed verloren.' Badend in zijn zweet schoot hij dan wakker, klappertandend alsof hij door malaria was aangetast.

Het gezantschap bereikte de moskee en het huis van Amadou Cheikou dat ertegenover lag. Nieuwsgierig snelden de talibees naar buiten om naar die Bambara te kijken, en tot hun verbazing waren ze groot en mooi en hadden ze nobele gelaatstrekken, terwijl ze hun toch altijd waren afgeschilderd als bare duivels met een stinkende adem en zwart uitgeslagen tanden van de tabak waarvan het gebruik in Hamdallay was verboden. Ook de menigte die vóór de familiehuizing van Alhadji Guidado was samengestroomd om een glimp van de bruiloft van Alfa en Ayisha te zien, zag de stoet voorbijtrekken. Sommigen herkenden Mohammed die zo veel jaren onder hen had doorgebracht. Lachend begroetten ze hem met heilwensen.

'Je komt net op tijd,' riep een vrolijke stem, 'voor de bruiloft van je vriend.'

'Alfa Guidado?'

Daarna zei Mohammed niets meer. Een verschrik-

kelijk voorgevoel, dat weldra uitgroeide tot een zekerheid, bekroop hem. Als Alfa Guidado eindelijk voor
de bekoring van een vrouw bezweken was, moest het
de vrouw zijn van wie hijzelf hield. Was Alfa niet zijn
alter ego?

Hij steeg van zijn paard en liep de familiehuizing
binnen. Zo vreemd zag hij eruit dat naarmate hij verder
liep alle geluiden uitstierven en plaats maakten voor een
geladen stilte. Ayisha werd reeds enkele nachten door
dezelfde droom bezocht als hij. De imam had net het
huwelijk ingezegend. Haar hand rustte in die van Alfa
terwijl de dichter Amadou Sandji met het hoofd achterover een van zijn mooiste composities aanhief. Net
op dat ogenblik dook Mohammed op, zwaaiend met een
Toeareg tilak.

Toen Ayisha hem zo tussen de dodelijk verschrikte
muzikanten op zich af zag komen, vreesde ze dat dit
de vervulling van haar droom was. Instinctief maakte
ze een afwerend gebaar.

Ze had moeten weten dat Mohammed geen gewel-
denaar was. Als hij op haar afkwam was het niet om
haar te bedreigen of te verwonden, het was slechts om
haar te omhelzen en snikkend aan haar voeten te vallen.

'Waarom heb je me nooit gezegd dat jij haar wilde
huwen?'

Mohammed wendde het hoofd af. Waarom hij dat
nooit had gezegd? Uit schaamte. Alfa was zo zuiver.
Hij dacht alleen aan God. De aarde, de mensen zag
hij niet. De schoonheid van een vrouw bestond voor
hem niet. Hoe met hem te praten over de verzuchtingen
van het hart en de driften van de zinnen? Hoe hem
dat verlangen te beschrijven om met Ayisha één te zijn?
'Het schepsel,' zou hij hebben uitgeroepen, 'moet alleen
verlangen naar vereniging met zijn Schepper.'

Alfa keek Mohammed strak aan. 'Wist zíj dat je van
haar hield?'

Mohammed kon niet liegen.

Woedend sprong Alfa op. 'Onrein en arglistig wijf!'

'Scheld niet op haar!' protesteerde Mohammed ondanks zijn flauwte. 'Hoe zou jij kunnen begrijpen waartoe de liefde ons brengt? Jij kunt alleen aan God denken.'

Alleen aan God? Zo tergend was deze godslastering dat Alfa zich afvroeg of Satan niet in zijn vriend was gevaren.

Na het schandaal dat hij had verwekt was Mohammed half buiten kennis naar een bezoekershut gebracht. Uit kiesheid deed men alsof zijn gedrag aan de vermoeienissen van een lange reis in de vlakke zon te wijten was. Maar niemand liet zich daardoor om de tuin leiden. Ayisha zou voor altijd de vrouw zijn wier bruiloft door een schuldige liefde was besmeurd.

Alfa liep naar de deur van de hut. Het feest ging door. Boven de fluitbegeleiding uit hoorde hij de dichter Amadou Sandji zingen:

> Met mijn buik vol voel ik mij best tevreden.
> O mijn vele vrouwen en mijn vele zonen!
> Ik heb vele hutten waarin ik kan wonen
> En vele dorpen die ik kan betreden!

Alfa kon niet langer bij zijn vriend blijven zonder de familie en genodigden voor het hoofd te stoten. Hij moest zich laten zien, het spel zo ongedwongen mogelijk meespelen. Gelukkig moesten er volgens de traditie drie dagen verstrijken vóór hij met Ayisha alleen zou zijn, want het leek hem onbetamelijk dat hun huwelijk nu meteen zou worden voltrokken. Zo had hij de tijd om tegenover haar een houding te zoeken. Niet in staat haar in de ogen te kijken, liep hij haar voorbij en ging bij zijn vader staan die met de imam van de moskee praatte waar de huwelijksceremonie had plaatsgevonden.

De twee bejaarde mannen hadden het ook over El-Hadj Omar die zijn hoofdstad Dinguirayé had verlaten en in de richting van Kaärta oprukte. Alhadji Guidado bleef bij zijn standpunt: geen bondgenootschap met Ségou, geen pact met fetisjisten! Naar zijn mening had Amadou Cheikou de Toucouleur in tegendeel versterkingen moeten sturen om hen bij het volbrengen van hun grootse opdracht bij te staan. Had de Profeet niet gezegd: 'O gij die gelooft, neemt niet de ongelovigen tot verbondenen'?

Alfa luisterde afwezig en verdrietig mee. Niet zozeer om het verraad van Ayisha. Ligt het niet in de natuur van de vrouw dat ze tweedracht zaait? Maar om het gedrag van zijn vriend. Mohammed die hij zich zo na waande, had hem iets verborgen gehouden. Mohammed met wie hij alles deelde. En hij die dacht dat hun zielen elkaars spiegel waren, dat één zelfde ademtocht hun borst bewoog! Helaas, de ander werd slechts gedreven door een ontuchtige begeerte!

Ayisha van haar kant verborg haar gelaat achter haar witte sluier. Deze dag waarvan zij zo veel vreugde had verhoopt, eindigde in schande en verdriet. Ze wist dat Alfa haar nooit zou vergeven dat ze zijn vriend in het ongeluk had gestort. Maar was dat haar schuld? Was het haar schuld dat ze mooi was? Dat ze gevoelens had doen ontstaan die zij niet deelde? Haar schuld... De vrouw is altijd schuldig. Wanneer was ze van Alfa Guidado gaan houden? Had haar hart ooit voor iemand anders geklopt? Toen hij 's ochtends met de andere jongens van deur tot deur zijn voedsel kwam bedelen, spitste zij haar oren om zijn vurige stem op te vangen. Elke avond had ze voor hem de restjes van de maaltijd bewaard om die in zijn kalebas te stoppen. Naast hem leken de andere talibees – ook Mohammed – haar vulgair, als uit een grovere klei gekneed. Liefde kan met geen ander gevoel worden verward. Aan Mohammed was ze gehecht als aan een broer. Alfa was de meester die zij zich had gekozen.

Amadou Sandji zong een traditioneel bruiloftslied.

*Hij heeft gelijk, de koning, dat hij ons slaat.*
*Hij slaat op de koninklijke trom opdat wij het horen,*
*Hij kleedt voor ons vrouwen met een lichte huid*
*En laat hen in de echtelijke kamers binnengaan,*
*Hij koopt kolanoten opdat wij ze oppeuzelen,*
*Hij koopt paarden opdat wij ze berijden...*

De vrouwen hernamen in koor:

*Hij heeft gelijk dat hij ons slaat, de koning.*

Opeens rende er een talibee de binnenplaats op; hij
snelde naar Alhadji Guidado en fluisterde hem iets in
het oor. De maraboet klapte in zijn fijne handen. Het
bericht was belangrijk. Amadou Cheikou was plotseling
onwel geworden en ontbood iedereen aan zijn ziekbed.

Dit bericht dat het feest helemaal had moeten bederven, kwam als een welkome afleiding. De maraboets
gingen hun gebeden reciteren, de imam een oplezing
uit de koran leiden. Nieuwsgierigen drentelden in de
buurt van het vorstelijke residentie rond. Iedereen voelde dat Hamdallay een tijd van intriges en onrust tegemoet ging. Wie zou Amadou Cheikou opvolgen? Wie
zou zijn muts, zijn tulband, zijn sabel en zijn bidsnoer – zinnebeelden van de vorstelijke waardigheid – in
ontvangst nemen? Zijn zoon Amadou Amadou? De
broer die na hem was geboren? Of een van zijn vaders
jongere broers? Naar verluidt zou reeds enkele maanden
geleden Amadou Amadou door zijn vader als opvolger
zijn aangewezen.

Kortom, het feest eindigde vroeger dan voorzien, en
de vrouwen bleven achter met nog halfvolle schotels
tatiree Macina, kommen verse dadels en nappen gestremde melk vermengd met gierstmeel.

Alfa spoedde zich naar de bezoekershut waar Mohammed een onderkomen had gevonden. Ze was leeg.
Hoe hij ook bij de slaven en de vrouwen navraag deed,
niemand wist waar zijn vriend was gebleven.

Mohammed bereikte het ven van Amba. In dit seizoen stond het water hoog en werd het door een kolkende golfbeweging opgezweept. Een vlucht dyi kono, die hier overwinterden, scheerde over het wateroppervlak, en de vogels dompelden er hun snavel in, op zoek naar een vis of een malse burgu-stengel. Mohammed steeg van zijn paard en gaf het met zijn vlakke hand een klap opdat het weg zou lopen. Maar het dier hinnikte en bleef staan.

Van Hamdallay tot hier had Mohammed in galop voortgejaagd. Hij had slechts één gedachte: er een eind aan te maken. Nee, leven wilde hij niet meer! Hij wilde niet dat zijn verdriet zou slijten tot hij er niets dan een vage onlust van overhield, als van een uitgebluste liefde voor de vrouw met wie men door de banden van het huwelijk en de gewoonte verbonden blijft. Hij wilde niet worden als de velen die voortleefden zonder echte verlangens of echte vreugden, omdat ze de moed niet hebben om de sleur van zich af te schudden. Hij zou sterven op zijn twintigste! Met een andere dan Ayisha weigerde hij te leven. Een voor een legde hij zijn kleren af. Eerst zijn witzijden kaftan met de geborduurde Haussa kraag. Daarna zijn tuniek. Vervolgens zijn mouwloos katoenen hemd. En ten slotte het kalotje dat zijn kruin bedekte. Alleen zijn pofbroek hield hij aan. Hij rilde. Zijn voeten zakten in de zompige grond. Hij stapte naar voren.

Vlak bij de door waterlelies aangevreten oever zag hij links van zich een Peul herder opdoemen. Onder zijn kegelvormige hoed stond hij, gehuld in zijn zwart-wollen paan, in reigerhouding, roerloos op één been – het andere hield hij opgetrokken ter hoogte van zijn knie. Deze verschijning verraste Mohammed – zoëven leken de oevers van het ven hem nog volkomen verlaten. Wat deed die herder zonder kudde hier in de avondschemer? Bijna was Mohammed op zijn stappen teruggekeerd, maar hij schaamde zich over dit angstgevoel dat een gelovige onwaardig was. Toch haalde hij zijn bidsnoer uit zijn zak en liet het door zijn vingers glijden. Wat nu? Kon hij onder de ogen van een getuige in het water springen? Halfnaakt stond hij daar te rillen toen er opeens een forse wind opstak. Het water klotste en kolkte, en een hele zwerm doorschijnende krabben rende uit de schuilplaatsen. Een grote zwart-en-witgestreepte slang dook op tussen de waterlelies en wiegde haar platte kop met de amberkleurige ogen van links naar rechts. Dit waren geen natuurlijke verschijnselen. Terugdeinzend hoorde Mohammed zijn naam. Het was de stem van Tiékoro. De stem van zijn vader die hij sinds jaren niet meer had gehoord. Een stem die van hem opnieuw het jongetje maakte dat bevend en houterig letters op een plankje kraste. Hij viel op zijn knieën.

'Vader, waar ben je?'

De Peul herder liet zijn hoed vallen; op zijn gezicht stond diepe treurnis te lezen. Tranen biggelden over zijn wangen.

'Waarom huil je, vader?' stotterde Mohammed.

Maar het antwoord kende hij toch? Zijn vader huilde omdat zijn zoon zichzelf tot het eeuwige vuur veroordeelde, nu hij op het punt stond de tempel van zijn lichaam te vernietigen. En waarom? Uit liefde voor een vrouw. Nu pas drong het tot hem door hoe verwerpelijk zijn wanhoop was. Leven moest hij! Léven, gelouterd van zinnelijke begeerten en emoties. Wat een geluk dat Ayisha zijn gevoelens niet deelde, want anders had hij zich geketend aan haar lichaam. Nu echter was hij alleen. Alleen met God.

'Vergeef me, vader,' stamelde hij.

Toen hij zich naar de roerloze gedaante haastte om die te omhelzen en zijn berouw uit te spreken, verdween de Peul herder. Dit alles ging zo snel dat Mohammed reeds dacht aan een zinsbegoocheling. Onmogelijk! Voor de tweede keer hoorde hij zijn naam. Op zijn gezicht voelde hij een priemende blik. Toen begreep hij dat Tiékoro uit liefde voor hem één ogenblik het sprookjesachtige Djanna – de Gaarde der gelukzaligen die hun hart van passies hadden weten te vrijwaren – had verlaten. Hij voelde in zich een nieuwe kracht. Leven moest hij, vechten. Voortaan zou hij een soldaat van Allah zijn. Haastig trok hij zijn kleren weer aan en nam zijn paard dat onbeweeglijk, als versteend door de verschijning was blijven staan, bij de teugels. 'Kom, liefje,' sprak hij vleiend, 'we gaan terug.'

Bij de Damal Fakala-poort aan de zuidkant van de stad brachten lansiers hem tot staan. Amadou Cheikou was overleden.

Uit alle hoeken van Hamdallay steeg geweeklaag op:

*Hij is dood, Amadou, de vader van de armen en hun*
  *toeverlaat!*
*Hij is dood, Amadou, die Allah altijd onderworpen was*
*En die zo vaak*
*Vergaf wanneer hij kon bestraffen!*
*Hij is dood, Amadou, de roem van de Peul...*

Ondanks de nacht was het volk op de kruispunten samengestroomd; gesluierde vrouwen stonden in de schaduw van een broer of hun man. De menigte was onrustig – ze herinnerde zich de voorspelling van sjeik El-Bekkay: 'De dood van Amadou Cheikou zal een storm uitlokken. Nauwelijks zal er een aantal jaren, gelijk aan de vingers van beide handen, voorbij zijn gegaan, of een ramp zal uit het westen Hamdallay overvallen, en dan zullen wij tandenknarsen.'

Sinds jaren stelden de Peul de wet in heel het gebied. Zelfs de Bambara waren hen gaan vrezen en vermeden elke openlijke confrontatie. Zouden deze vrede en veiligheid opnieuw worden bedreigd? Keerde nu de tijd terug toen hun vee werd geroofd, hun vrouwen en kinderen aan vreemdelingen werden geschonken, hun mannen afgemaakt?

Mohammed voegde zich bij de andere Bambara in het ruime huis dat hun was toegewezen. De anderen maakten zich al zorgen over zijn verdwijning, want Alfa Guidado was naar hem komen vragen terwijl zij hem op de bruiloft waanden. Mandé Diarra, de leider van het gezantschap, vreesde dat de dood van de vorst hen al te lang in deze stad, die hij nu reeds haatte, zou vasthouden. Sommigen vroegen zich af of de nieuwe meester van Macina de Bambara even welgezind zou zijn als Amadou Cheikou en of hij, in plaats van een bondgenootschap met Ségou na te streven, niet de zijde van de Toucouleur zou kiezen en hún de oorlog verklaren.

Mohammed ging in de kring zitten op het dikke wollen tapijt dat met Marokkaanse bloemmotieven was versierd. Tot nog toe had hij, gezien zijn jeugdige leeftijd, ten overstaan van deze familiehoofden die zich in de oorlog of op jacht hadden onderscheiden, wijselijk gezwegen wanneer hem niet uitdrukkelijk werd gevraagd een tekst te lezen of te vertalen. Tegen deze gewoonte in nam hij nu het woord.

'Waarom nu reeds jammeren? Alsof een klaagvrouw haar treurlied al zou aanheffen terwijl de ziel nog in het lichaam vertoeft!'

De aanwezigen keken elkaar verbaasd aan. Wat overkwam de zoon van Tiékoro Traoré?

# 5

Mandé Diarra had gelijk: de schielijke dood van Amadou Cheikou verplichtte het gezantschap uit Ségou ongeveer drie maanden in Hamdallay te blijven.

Eerst was er de officiële rouwperiode waarin geen
enkele raadszitting werd gehouden. Daarna werd het
stoffelijk overschot van Amadou Cheikou, gehuld in
zeven kledingstukken – de pantalon, de muts, de tulband met het losse uiteinde naar het gelaat, de dekens
die een kapmantel vormden – bijgezet naast dat van zijn
vader in de familiehuizing waar ze hadden gewoond.

Na deze uitvaart, die alleen door de verwanten en
de vooraanstaanden van het rijk werd bijgewoond, werden er naar alle uithoeken van Macina en naar de bevriende landen uitnodigingsbrieven gestuurd voor de
troonsbestijging van de nieuwe vorst Amadou Amadou.

Deze Amadou Amadou was nog erg jong. Overbe-
schermd en verwend door zijn moeder en zijn grootmoeder, was hij niet in staat om zelf beslissingen te
treffen. Zo werd hij een gewillig werktuig in handen
van sjeik El-Bekkay die geen enkele moeite had om hem
de politiek van zijn vader te laten voortzetten. Spoedig
raakte bekend dat hij hem een charter met tien bepa-
lingen had laten tekenen, waarvan de eerste de noodzaak
van een bondgenootschap met Ségou tegen El-Hadj
Omar herhaalde.

De Bambara werden het wachten beu. In hun ogen
was Hamdallay een afschuwelijke stad die zich binnen
haar muren verschanste als een preutse vrouw in haar
hut. De dagen verliepen er eentonig, met op gezette
tijden de eeuwige roep van de moëddzins, waarna de
mannen bij elkaar stroomden als schapen die naar het

oosten blaatten. De avonden waren er nog minder dra-
gelijk – zonder samenzijn rond het vuur, zonder verhalen, zonder gemeenschappelijke dansen. Soms klonk de
schelle stem van een dimadio op, begeleid door een
belachelijk en al even wanluidend muziekinstrument.
De uitvaart van Amadou Cheikou was gewoon choquerend. Was dat een koninklijke begrafenis? Waar bleven
de offergaven? En de offers? De zang en de muziek?
Het reciteren van de stamboom en de wapenfeiten van
de overledene? De Bambara vergeleken deze haastige
en weinig luisterrijke ceremonie met de praal waarmee
zij in Ségou afscheid namen van een mansa.

Op een ochtend werden ze door Amadou Amadou
ontboden. Een echte bimi, met een heel lichte huidkleur
en haarkrulletjes als van een Moor, uiterst sober gekleed
in een witte kaftan zonder borduursels. En toch was
hij op een subtiele wijze aanmatigend. Hij werd door
zijn voltallige hoge raad omringd. Zelfs zij die in het
binnenland van Fakala of aan de oevers van het Debo-
meer resideerden, waren gekomen, evenals de amiraben
van de verschillende rijksdistricten. Eerst werden er
gebeden opgezegd, wat de Bambara danig op de zenuwen werkte.

'O God, zegen de Profeet Mohammed die heeft geopend wat gesloten was, die wat voorafging heeft af-
gesloten, die de waarheid met de waarheid onderstut...'

Eindelijk konden ze dan gaan zitten.

Amadou Amadou nam het woord: 'Kaärta is in handen van El-Hadj Omar,' deelde hij bondig mee. 'Mansa
Mamadi Kandian stemt ermee in zich tot de islam te
bekeren. Dit schrijven, door de Toucouleur aan mij
geadresseerd, bevestigt dit.'

Kaärta, het Bambara koninkrijk Kaärta dat door Niangolo Coulibali was gesticht terwijl zijn broer zich in
Ségou had gevestigd! Weliswaar had het niet aan
conflicten tussen de twee Bambara koninkrijken ontbroken. Maar bij de bekendmaking van dit nieuws waren die vergeten. Er was slechts plaats voor verdriet

564

en wraakgevoelens. Amadou Amadou reikte Mohammed, het enige lid van het Bambara gezantschap dat kon lezen, een perkament aan waarvan de echtheid door een cirkelvormig zegel werd bewezen. Het droeg het handschrift van El-Hadj Omar. Mohammed overliep het snel met zijn ogen voor hij het aan de zijnen voorlas:

'De ongelovigen uit Kaärta zijn onderworpen. Het land is van de kaart geveegd. Dat was de wil van God. Ik wil hervormen zoveel ik kan. Mijn enige steun is Allah. Laten we één front vormen tegen Zijn vijanden, tegen onze vijanden en de vijanden van onze vaderen, de veelgodendienaren. De enige gevoelens die tussen ons betamen zijn liefde, genegenheid, eerbied en achting.'

In de zaal was het doodstil. De Bambara waren verbijsterd. Als Kaärta verslagen was, als Mamadi Kandian zich had bekeerd, dan was alles mogelijk.

'Ik wil jullie niet verhelen dat de hoge raad zich niet eenparig achter mij heeft geschaard. Ik wil jullie zelfs verklappen dat ik tegen de wil van wijzere en ervarener mannen dan ikzelf ben ingegaan. Hoe dan ook, dit is de beslissing die ik heb getroffen: een groep onder leiding van Alhadji Guidado en Hambarké Samatata zal met jullie meegaan naar Ségou om jullie fetisjenhutten te slopen en akte te nemen van de bekering van jullie mansa.'

Zelfs Mohammed stond versteld. Hij hing de godsdienst van zijn voorouders niet meer aan. Maar de fetisjenhutten slopen! Dat zou het volk van Ségou nooit laten gebeuren! In alle familiehuizingen zou er oproer losbreken. Het koninkrijk zou op zijn grondvesten wankelen.

'Als jullie dit aanvaarden,' zo ging Amadou Amadou door, 'zal ik El-Hadj schriftelijk mededelen dat Ségou mij gehoorzaamheid heeft gezworen. Aldus zal hij jullie niet kunnen aanvallen en zal de vrede gewaarborgd zijn.'

Dat Ségou gehoorzaamheid heeft gezworen? Dit klonk volkomen onaanvaardbaar. Woedend veerde

Mandé Diarra op, met de duidelijke bedoeling die Peul een kaakslag toe te brengen. De anderen moesten hem tegenhouden. In opperste verwarring trok het Bambara gezantschap zich terug.

Bij het verlaten van de zaal met de Zeven Poorten, waar de raadszitting had plaatsgevonden, stuitte Mohammed op Alfa Guidado. Terwijl hij van zijn eerste huwelijksweken gebruik had kunnen maken om zich alleen met zijn jonge vrouw bezig te houden, verliet Alfa elke avond zijn huis om zijn vriend te gaan bezoeken met wie hij tot laat in de nacht samenbleef. De twee jongelui hadden het nooit over Ayisha. In het begin moest Mohammed de verleiding weerstaan om de ander te vragen hoe het ging met zijn vrouw, of hij haar had vergeven, of hij het huwelijk daadwerkelijk had voltrokken. Maar hij had zich ingehouden. Waarom naar haar vragen nu hij zich inspande om de vrouw uit zijn gedachten te weren die hem bijna tot de ergste van alle zonden had gedreven? Alfa en Mohammed hielden dan maar eindeloze discussies over hadiths, over de toekomst van Macina en Ségou, en vooral over de bovennatuurlijke verschijning van Tiékoro, die Alfa niet eens verbaasde.

'Weet je, als een man het volle licht van de godsdienst in zich meedraagt, kan hij alles. Je vader was een heilige. Hij kon naar jou toe komen. En het zou me niet verwonderen als hij op elk beslissend ogenblik in je leven terugkwam.' Alfa gaf Mohammed een arm. 'Goree, als jij terugkeert naar Ségou, ga ik mee. Mijn vader vindt het goed dat ik van de delegatie uit Macina deel uitmaak.'

Met een bruuskheid die hemzelf verbaasde trok Mohammed zijn arm weg. 'Doe niet zo zelfverzekerd!' riep hij. 'Wij hebben nog niet beslist of we jullie voorstellen aanvaarden.'

Alfa keek hem meewarig aan. 'Jullie hebben geen keuze,' sprak hij.

Voor de eerste keer waren die twee het oneens, want

voor het eerst dacht Mohammed als een Bambara en niet als een moslim. Nooit was hij de les vergeten die zijn vader hem had voorgehouden toen hij hem naar Hamdallay stuurde: 'De gelovigen, zelfs als ze door hun ras of de afstand van elkaar worden gescheiden, zijn broeders omdat ze door de godsdienst één zelfde oorsprong hebben, het geloof.' Bovendien was Mohammed naast Alfa Guidado opgegroeid; dezelfde leermeesters hadden hun verstand en hun gevoelens gevormd. En nu zag hij zichzelf los van zijn vriend, bereid om een erfgoed op te eisen dat hij niet zo goed kende en zelfs had leren minachten. Maar Ségou was in hem. Het hoorde hem toe. Mét zijn fetisjenhutten, zijn bloedoffers, zijn sombere en geheimzinnige praktijken.

Het anders zo rustige Hamdallay was in rep en roer. De dood van Amadou Cheikou, de troonsbestijging van de nieuwe vorst, het nieuws over de val van Kaärta en de opmars van El-Hadj Omar in een gebied waar Macina zich geroepen voelde het geloof uit te dragen – al deze gebeurtenissen maakten korte metten met een zowel door de islam als door de Peul opvoeding opgelegde terughoudendheid. Op de kruispunten stonden er zelfs groepjes vrouwen om toch maar iets op te vangen van de vele geruchten die de ronde deden. In de koranscholen daagden de meesters niet op, en de kinderen werden opnieuw vrolijk en luidruchtig. Loslopende ossen graasden gierststengels van de kakka rond de huizen.

Vóór de verblijfplaats die de Bambara was toegewezen namen Alfa en Mohammed afscheid. Voor het eerst hadden ze geen zin om nog langer bij elkaar te blijven.

Alfa had nochtans gelijk. Ségou kon de voorstellen van Amadou Amadou niet afwijzen. Het moest het bondgenootschap aanvaarden. El-Hadj Omar was te machtig, de stootkracht van zijn troepen te groot.

In Guémou-Banka had hij alle mannen laten doden. In Baroumba had hij de hele bevolking over de kling gejaagd. In Sirimana had hij zeshonderd mannen laten

terechtstellen en duizenden anderen gevankelijk meegevoerd. In Nioro–de hoofdstad van Kaärta–was hij
uitzonderlijk bloeddorstig opgetreden. Eerst had hij het
leven van de mansa, die verklaarde dat hij zich tot de
islam wilde bekeren, gespaard. Daarna was hij op zijn
beslissing teruggekomen en had hij hem laten onthoof-
den ten overstaan van zijn vrouwen en kinderen die hij
vervolgens op hun beurt liet terechtstellen. Bovendien
had hij zijn volgelingen eerst met het blanke wapen en
daarna met het geweer de burgerbevolking laten afslachten. De doden waren niet te tellen.

Was El-Hadj Omar wel uit een vrouw geboren? Was
hij niet veeleer het werktuig van de blinde woede der
goden en voorouders? Maar welke misdaden hadden
die razernij opgewekt? Na rijp beraad besloot Mandé
Diarra tezamen met het gezantschap uit Macina naar
Ségou terug te keren en de voorstellen van Amadou
Amadou aan de mansa voor te leggen.

Wat is het pijnlijk een vijand te moeten ontdekken
in hem van wie je hield als van een alter ego! Dat was
wat zich in Mohammed afspeelde toen hij naast Alfa
reed. Op het eerste gezicht was er tussen hen beiden
niets veranderd. En toch was niets meer als voorheen.
Alfa was een Peul uit het Macina dat Ségou misschien
zijn wet zou opleggen.

Zonder een woord te wisselen trokken ze door gebieden die in dit winterseizoen even somber als hun
eigen stemming waren. Om de sterk gezwollen Joliba
te vermijden namen ze de weg door Tayawal, en staken
op enkele dagmarsen van Djenné de Bani over. Geen
levende ziel te bekennen. De boeren verstopten zich in
hun in allerijl versterkte dorpen. Kudden buffels kwamen naar de paarden kijken terwijl het gezang van de
Bambara lofdichters de gazellen als rosse vlekken tussen
de boterbomen op de vlucht joeg.

De mannen brachten de nacht door in een kamp dat
door Peul slaven werd opgebouwd. Door hun aloude
nomadengewoonten waren de Peul het gewend zich

overal tegen de natuur te beschermen. Ze sneden jonge twijgen van de boterbomen af, staken ze in de grond en vlochten er grote secco-matten om die ze met gierststengels vastmaakten.

Het was middag toen ze in Ségou aankwamen.

Mohammed had zich nooit de vraag gesteld of hij van Ségou hield. Toen hij er na zijn studies was teruggekeerd, was het een blij weerzien geworden. Dit was de plaats waar hij als kind door zijn moeder en zijn zussen was verwend. Het was een plaats vol herinneringen.

Plotseling zag hij de stad met andere ogen. De aarden wallen rezen boven het grijze water van de Joliba uit. Maar in plaats van de gewone drukte van vrouwen, kinderen en vissers ontwaarde hij nu een wirwar van strooien hutten, tenten van dierenhuiden, primitieve en desolate onderkomens.

Dit waren Bambara die de plundering van Nioro hadden overleefd en in het koninkrijk Ségou bescherming hadden gezocht. Doorploegde gezichten. Uitgemergelde lichamen. De mannen hadden hun vrouwen en dochters zien verkrachten. De vrouwen hadden hun mannen zien afmaken. De kinderen hadden vader en moeder verloren, en dat ze nog in leven waren hadden ze alleen te danken aan het sterk saamhorigheidsgevoel van de vrouwen; iedere moeder had twee zuigelingen aan haar borst gedrukt en twee kinderen op haar rug gehangen. Boven op een heuveltje stond een lofdichter te zingen. De volgelingen van El-Hadj Omar hadden zijn drie zonen vermoord en zijn vrouwen, die het ongeluk hadden mooi te zijn, onder elkaar verdeeld. Nu kon hij alleen nog zingen:

*De oorlog is goed, want hij verrijkt onze vorsten.*
*Vrouwen, krijgsgevangenen, vee – dat alles geeft hij hun.*
*De oorlog is heilig, want hij maakt ons tot moslims.*
*De oorlog is heilig en goed.*
*Laat hij van Dinguirayé tot Tombouctou,*

*Van Guémou tot Djenné,*
*De hemel rood kleuren!*

Bij het horen van dit lied kon Mohammed zijn tranen niet bedwingen. Hij wist wel dat El-Hadj Omar oorlog voerde uit naam van Allah, de enige ware God. Het was een jihad. Maar dit volk was het zijne. Zijn wonden waren de zijne, en tot zijn eigen verbazing voelde hij haat voor een God die zich zo, te vuur en te zwaard, openbaarde. Hij bracht zijn paard tot staan vlak voor de lofdichter – een echte vogelverschrikker met zijn leren mijter vol stukgeslagen kauri's, zijn lichaam dat amper nog door een gescheurd geitevel werd bedekt en zijn open, etterende wonden.

'Hoe heet jij?'

De man staarde hem aan met ogen die door het lijden dof waren geworden.

'Faraman Kouyaté, meester.'

'Volg me.'

De man hinkte hem achterna op zijn zere voeten die hij met apebroodboombladeren had omwikkeld. En hij bleef zingen.

*Jazeker, de oorlog is heilig en goed.*
*Laat hij de hemel rood kleuren!*

Het gezantschap uit Macina trad het paleis van de mansa binnen waar het, evenals de Bambara hoogwaardigheidsbekleders, een onderkomen zou vinden. Mohammed begaf zich naar de familiehuizing, waarbij hij zijn paard stapvoets liet lopen om Faraman niet te ver achter zich te laten. Hij was blij dat hij van Alfa was verlost. Vroeger had hij hem ongetwijfeld bij zich thuis uitgenodigd, samen met hem een hut gedeeld, hem aan de zijnen – en vooral aan Olubunmi – voorgesteld. Als hij nú zo handelde zou hij zich een verrader voelen. Was hij geen slechte moslim? Reeds had in zijn hart de liefde voor een vrouw het gehaald op de liefde voor God. Nu

570

bleek zijn gehechtheid aan zijn eigen volk sterker dan de moslim-verbondenheid. Hij dacht aan zijn vader die El-Hadj Omar had ontvangen, een zaoeïa had gesticht, niet voor een koning door de knieën was gegaan. Een gevoel van onwaardigheid beving hem. Nooit zou hij dat voorbeeld kunnen evenaren.

Olubunmi, die de terugkeer van het gezantschap had horen aankondigen, stond met Mustafa, de kleine Kosa en andere broers bij de ingang van de familiehuizing. De twee jongens vielen elkaar in de armen.

'Hé,' grapte Olubunmi, 'de bimi is terug!'

Bimi? Het was waar dat hij van zijn moeder Peul bloed had geërfd. Dat was hij glad vergeten! Arm in arm met Olubunmi ging hij de familiehuizing binnen, dolgelukkig terug te zijn bij de keurig gerijde hutten met in het midden de grote vijgeboom, en de geur van makala-nikama-rookoffers die de eenheid van de familie verstevigen.

Olubunmi was zo blij dat zijn beste maat terug was dat hij geen ogenblik kon zwijgen.

'Wist je dat Yassa van een zoon bevallen is? Hij is Fanko gedoopt. Hij is dus mijn naamgenoot en ik draag goed zorg voor hem. Iedereen steekt met mij de gek en vraagt of ik een vrouw ben geworden.'

Opeens merkte Mohammed dat Faraman hem nog steeds stilzwijgend achterna liep, tot hij zich om hem zou willen bekommeren. Hij schaamde zich over zijn eigen lichtzinnigheid, nam de lofdichter bij de hand en bracht hem naar de binnenplaats waar Tiéfolo's bara muso woonde, opdat zij hem kost en inwoning zou geven.

Mansa Demba aanvaardde de voorstellen van Amadou Amadou, zoals ze door het gezantschap uit Macina werden geformuleerd.

Onder het toezicht van de Peul drongen groepjes tondyons elke familiehuizing van Ségou binnen en liepen over de binnenplaatsen naar de hutten waar de pembelee en de boli werden bewaard. Ze haalden ze voor de dag en brachten ze naar het plein vóór het paleis waar ze in het openbaar werden verbrand onder de ogen van Alhadji Guidado en Hambarké Samatata, geflankeerd door de koninklijke maraboets. Het knetterend vuur vrat aan de haren, de schors, de wortels, de houtblokken en dierestaarten. Uit alle hoeken van de stad kwamen de tondyons met hun oogst aan heilige voorwerpen, nadat ze de vuurvaste terracotta afbeeldingen van de voorouders hadden verbrijzeld. Vervolgens trokken ze naar de wijk van de fetisjpriesters-en-oppersmeden, die aan de stadsmuur grensde, niet ver van de Mougou Sousou-poort. Het gereedschap van de grote voorouders dat verborgen zat in gaten onder grond, ter herinnering aan de oude ondergrondse gewoonten van de smeden in Gwonna, werd uit de gewijde plaatsen gesleept. Omdat ze het ijzer van de hakken, houwelen en bijlen die in de smidsen werden aangetroffen niet konden verbranden, rukten de tondyons de houten stelen af, waarna ze de heilige mannen naar het plein meesleurden, waar ze van hun halssnoeren van dierehoorns, tanden, veren en bladeren – en van hun gordels met magische attributen – werden beroofd. Daarna werden ze gedwongen neer te knielen opdat een barbier hun eerbiedwaardige kruin kaal zou scheren. Bij elke haarlok die viel slaakte de menigte op het plein zuchten van smart en woede. In zijn ijver scheurde een tondyon het van plantaardige vezels gemaakte kleed van een Komo-hogepriester, en de verbijsterde grijsaard stelde aan ieders blik zijn knokige, door de ouderdom ondermijnde lichaam bloot.

Wat was de bedoeling van de mansa? De mensen begrepen er niets van. Hoe kon hij, door Ségou's goden de rug toe te keren en de voorouders die het rijk beschermden te beledigen, zijn macht hopen te vrijwaren? Verblinding en waanzin! Na deze wandaden zou de naam van Ségou van de aardbodem worden weggevaagd. Hooguit zou hij verwijzen naar een miezerig

rivierhaventje waar de wereld geen weet van had. 'Ségou, waar ligt dat?' zouden de mensen zeggen.

De toeschouwers wisten niet wat te doen. Moesten
ze erop afspringen en de fetisjen verdedigen? Maar op-
gelet, de tondyons hadden geweren en die smeerlappen
zouden niet aarzelen om te schieten. Moesten ze dan
met gekruiste armen blijven toekijken? Was dat geen
medeplichtigheid, waardoor ze deze schanddaad en de
straf die onvermijdelijk zou volgen, ook op zich laadden?

Tijdens de fetisjenverbranding doorkruisten andere
tondyons en Peul de stad en noteerden er de ligging
van de moskeeën. Die van de Somono en de Moren – vanouds geïslamiseerde gemeenschappen – lieten
ze ongemoeid. Ze waren pas tevredengesteld als de
imam, de moëddzin en de gelovigen Bambara waren.
Met het oog daarop had de mansa – summum van bedrog! – lieden in lang gewaad en met kaalgeschoren schedel uitgezonden die in koor opdreunden: *Al hamdu
lillahi!'* Of: *'La ilaha ill' Allah!'* En andere obscene
frasen.

Verder werden de koranscholen geïnspecteerd en
moesten de leraren vragen beantwoorden over het aantal
leerlingen en het studieniveau. Soms werden hun strik-
vragen gesteld, zoals: 'Waaruit bestaat de ihsan?' Of:
'Wat is de verborgen boodschap van de shahada?'

Behoorlijk klaargestoomd wisten de pseudo-school-
meesters op alles voorbeeldig te antwoorden.

Wie had deze maskerade opgezet? Dat was de vraag
die Mohammed zich stelde. De Peul uit Macina wisten
wel dat ze niet met echte moslims te maken hadden
en dat de grote koninklijke fetisjen ongemoeid werden
gelaten in de hutten met de altaren van het paleis, waar
ook enkele albino's zaten opgesloten die, wanneer het
nodig was, op rituele wijze aan Faro geofferd konden
worden. Ze beseften wel degelijk dat deze opzienba-
rende bekeringen niets voorstelden en niet de minste
indruk maakten op de doorsnee-inwoner die maar aan
één ding dacht: zo snel mogelijk aan de fetisjpriesters

te vragen dat ze nieuwe boli en pembelee zouden maken, en aan de goden meer offers brengen dan ooit opdat hun gramschap zou bedaren. Welke schaamteloze verbintenis werd hier aangegaan! Met welke inzet en welk doel? Mohammed voelde slechts misprijzen en woede.

Tezamen met Faraman Kouyaté, die geen voet van hem week, stond hij op het plein voor het paleis toen er een man naar hem toe kwam.

'Ben jij geen Traoré? De zoon van Tiékoro Traoré en de kleinzoon van Dousika?'

Mohammed knikte.

'Haast je dan,' zei de man met een levendig gebaar. 'Het ongeluk heeft bij jullie toegeslagen.'

Halsoverkop rende Mohammed weg.

# 6

Toen hij het plein voor het paleis overstak om zich naar de familiehuizing van de Traorés te begeven, was Alhadji Guidado met een belangrijke opdracht belast. Iedereen wist dat El-Hadj Omar niets méér verfoeide dan tolerantie van de islam tegenover het fetisjisme, dat mengelmoes van islamitische en fetisjistische riten. Welnu, er bestond een uitstekend middel om te bewijzen dat Macina dergelijke praktijken evenmin duldde en met deze zaken niet lichtzinnig omsprong. Tiékoro Traoré was een heilige, een martelaar van het ware geloof. Zijn graf bevond zich in een familiehuizing van ongelovigen, op twee stappen van hutten met onder offerbloed bedolven altaren, in een giftige walm van toverkrachtige planten. Een moslim die uit Bakel kwam met het verzoek van de begraafplaats een pelgrimsoord voor de gelovigen te maken, had meer dan zes maanden op een halfslachtig antwoord moeten wachten. Daar zou verandering in komen! Met groot machtsvertoon zouden de fetisjenhutten kort en klein worden geslagen, terwijl het graf van Tiékoro Traoré de plaats zou krijgen die het altijd had moeten hebben. Indien er hutten moesten worden gesloopt opdat het als een lelie tussen brandnetelstruiken zou schitteren, dan zouden de tondyons dat karwei wel klaren.

En toch had Alhadji Guidado een hartgrondige hekel aan deze opdracht. Hij walgde van al dit gehuichel! Want Amadou Amadou beoefende de muwalat met mansa Demba om diens fortuin te kunnen inpalmen. Hem trof heel in het bijzonder de veroordeling uit het vers van de Allerhoogste: 'O gij die gelooft, neemt u niet Mijn vijanden en uw vijanden tot verbondenen...'

Ah Amadou Amadou, onwaardige zoon van zijn vader Amadou Cheikou, die vijand van de ongelovigen, die vriend en dienaar van Allah!

Alhadji Guidado stond voor de familiehuizing van de Traorés. Een zekere bewondering kon hij niet onderdrukken bij het zien van deze gevel met zijn uitspringende nerven die door de afwisseling van witte kaolien- en rode muurschilderingen nog meer opvielen. Bouwen konden ze in Ségou!

Gevolgd door zijn zoon, enkele Peul dignitarissen en een grote schare tondyons, stuitte hij op de eerste binnenplaats op een mooie oude man die hen niet lang liet raden wij hij was. 'Ik ben Tiéfolo Traoré,' sprak hij nadrukkelijk, 'de fa van deze huizing.'

Tiéfolo droeg een kort hemd dat uit twee stroken roodgeverfde katoen bestond en onder zijn armen met drie touwtjes was vastgebonden, een leren, met kauri's versierd schaamlapje en een hoge haarkuif die met dierehuiden was omwonden en met kauri's en allerhande amuletten afgezet. Wat nog het meest in het oog sprong waren de snoeren van dierestaarten om zijn borst en zijn armen, terwijl aan zijn linkerschouder een boog en een enorme koker vol pijlen hingen. Alhadji Guidado bekeek dat alles met afkeer en misprijzen. Het kon geen toeval zijn dat Tiéfolo zich zo had uitgedost; dit gepronk met amuletten was te uitdagend.

'Ik ben Allah's gezant,' zei hij droogjes. 'Laat me mijn plicht doen.'

'Wie is Allah?' vroeg de ander.

Hoezeer Alhadji aan zijn opdracht ook het land had, hij was een overtuigde en strenge moslim. De naam van God zou hij niet laten bespotten, zeker niet nu er van alle binnenplaatsen vrouwen, kinderen en mannen kwamen aanlopen om zijn confrontatie met de fa niet te missen. De rustige onbeschaamdheid van deze laatste die deed alsof hij de naam van Allah niet kende, bracht hem buiten zichzelf. Hij liep op hem af.

'Duivelstuig,' riep hij hem toe, 'buig voor de ene ware God!'

Wat zich daarna heeft afgespeeld is niet helemaal duidelijk. Volgens de Traorés zette Alfa Guidado deze woorden met een forse stomp kracht bij. Tiéfolo zou daarop de hand naar zijn pijlenkoker hebben gebracht. Toen zouden de tondyons op hem zijn gesprongen en hem hebben neergeworpen. Volgens de Peul echter spuwde Tiéfolo eerst in het gezicht van Alhadji die, om deze smaad te wreken, de tondyons het bevel gaf zijn tegenstrever vast te grijpen; toen die zich wilde losrukken zou hij gevallen zijn. Wat daar ook van zij, Tiéfolo lag op de grond, en zijn woede maakte zijn pogingen om weer recht te krabbelen nog onhandiger. Ten slotte kon hij een stuk van Alhadji's witzijden kaftan te pakken krijgen en zich op zijn knieën trekken. Tegelijk ging zijn mond open alsof hij wilde spreken. Maar zonder één geluid uit te brengen viel hij levenloos ter aarde.

Gedurende enkele ogenblikken heerste er een volstrekte stilte. Roerloos keken de leden van de familie Traoré, de Peul uit Macina, de koninklijke maraboets en de tondyons toe. Tot Tiéfolo's bara muso naar haar man snelde. Hij was op zijn zij gevallen, met zijn gezicht in het slijk. Zij draaide hem om, zodat iedereen zijn verwrongen trekken zag en het schuim op zijn lippen die zo rood zagen dat het leek of ze met ngalama waren geverfd.

'Allah heeft mijn man gedood!' schreeuwde de bara muso.

Deze kreet bracht alle mannen van de familie in beweging. Zelfs zij die zich heimelijk tot de islam hadden bekeerd of dat van plan waren – want ook zij wilden op plankjes schrijven en door de vrouwen worden bewonderd –, grepen naar al wat ze als wapen konden gebruiken: stokken, stenen, pijlen. Maar wat vermochten ze daarmee tegen de geweren van de tondyons? In een mum van tijd stonden ze met hun rug tegen de hutmuren, terwijl de ronde zwarte vuurmonden hen in bedwang hielden.

Zonder ook maar een blik te werpen op het lijk van

Tiéfolo, trokken Alhadji Guidado en de Peul gezags-
dragers naar de laatste binnenplaats waar zich – dat wisten ze intussen al – de hutten met de altaren bevonden.
Ze verscheurden de bolí, smeten de pembelee omver,
gooiden de terracotta stuk en verbrijzelden de vaten
waarin de adem van de overledenen in afwachting van
hun wedergeboorte werd bewaard. Tot slot lieten ze het
witte pluimvee los dat, met het oog op bloedoffers aan
de god Faro, achter een omheining zat opgesloten.

Alfa Guidado zat gebroken naast het ontzielde lichaam van Tiéfolo. Hij die nooit één ogenblik aan zijn
geloof had getwijfeld, die slechts voor en door Allah
leefde, die het achtenveertig uren zonder eten of drinken
kon uithouden, die de huwelijksdaad waartoe ook hij
was veroordeeld – aangezien hij Ayisha niet had verstoten – als een bezoedeling beschouwde en bad zodra hij
zijn ogen opende, hij hoorde die kreet 'Allah heeft mijn
man gedood!' eindeloos in zijn hoofd weergalmen. Ineens begreep hij dat er geen universele god bestaat, dat
ieder mens het recht heeft te aanbidden wie hij verkiest,
en dat wie een mens zijn geloof – de hoeksteen van zijn
leven – ontneemt hem ter dood veroordeelt. Waarom
was Allah beter dan Faro of Pemba? Wie had dat beslist?

Tranen stroomden over zijn wangen. Hij steunde met
zijn voorhoofd op Tiéfolo's bovenlijf alsof ook hij, zoals
de weesjes van de familiehuizing die hun ongeluk begonnen te beseffen, van zijn vader was beroofd. Olubunmi, die voor één keer niet met Mohammed naar
het plein voor het paleis was getrokken, knielde naast
hem neer. Snikkend tilden ze samen het lichaam op en
brachten het naar de hut van de dode.

Tiéfolo leek op een boom die was geveld terwijl hij
nog doortrokken werd van levenssap en pronkte met
glanzende bladeren en een trots uitgestrekte kruin. Van
lieverlee was de vrede des doods over zijn trekken neergedaald. Alleen bleef er op zijn lippen nog een witte
korst, maar weldra zouden ze door de aflegsters worden
gebet met lauw water dat naar balsemkruid geurde.

Aangezien Tiéfolo een van de grootste jagers van zijn generatie was geweest, renden slaven naar alle uithoeken van Ségou om zijn dood aan alle jagersbroederschappen mee te delen. Karamoko en hun leerlingen die het nieuws – en vooral de omstandigheden van dit overlijden – hadden vernomen, snelden reeds toe; ze vuurden hun geweren af alsof ze het nu reeds op de Peul hadden gemunt die dit kwaad hadden aangericht. Op Tiéfolo's echtgenotes na waren de vrouwen uit de familie en de hele buurt met hun geweeklaag begonnen. Het luidruchtig rouwbetoon kwam op gang.

Net toen Olubunmi en Alfa de hut van Tiéfolo verlieten stormde Mohammed buiten adem de familiehuizing binnen. Sprakeloos omhelsden de drie jongelui elkaar. Mohammed en Alfa vonden elkaar terug. Als verliefden die elkaar bijna kwijt waren geraakt drukte de een de ander innig tegen zich aan. In een spanne tijds hadden ze het godsdienstig fanatisme en de machtshonger die er vaak achter verscholen zat, leren verafschuwen. Het beeld van zijn vader die de altaren van de Traorés schond, had zich voorgoed in Alfa's geest vastgegrift. God is liefde. God is eerbied voor ieders overtuigingen. Nee, Alhadji Guidado diende God niet. Hij was slechts het werktuig van Amadou Amadou's aardse ambities, en dat besefte hij niet eens.

Ondertussen was de familieraad bijeen. Weliswaar was het te vroeg om Tiéfolo's opvolger als fa aan te wijzen, al wist iedereen dat deze rol zijn jongere broer te beurt zou vallen. Maar de dode moest gewroken worden en de mansa moest van hun grieven in kennis worden gesteld. Er moest genoegdoening worden geëist van die Peul die hun familiehuizing als veroverd land waren binnengedrongen. Maar sommigen aarzelden. Moesten ze niet wachten tot na Tiéfolo's teraardebestelling? Deden ze de dode niet te kort als ze nu reeds andere zorgen de voorrang gaven op zijn begrafenis? Anderen hielden vol dat er meteen moest worden opgetreden. Zij haalden het. In stoet verlieten de broers van de overledene, zijn oudste zoons en enkele bevriende karamoko de familiehuizing. Mohammed, Olubunmi en Alfa sloten de rij. Het had heel wat moeite gekost om hun aanwezigheid te doen aanvaarden; de meesten vonden hen te jong.

Maar toen dit hele gezelschap het plein voor het paleis bereikte waar de laatste boli nog stonden na te walmen, hoorden ze de grote koninklijke tabala. Mansa Demba was gestorven.

Bij de dood van een mansa voelt het koninkrijk zich verweesd. Overal stijgen rouwliederen, jammerklachten en tranen op. Naast de grote openbare offerceremonies slacht ieder nog een geitejong alvorens in de eerste hal van het paleis het stoffelijke overschot een laatste groet te gaan brengen. Het volk rouwt.

Demba's dood was een uitzondering op deze regel en leidde tot een ware uitbarsting van volksvreugde. Voor alle Ségoukaw was dit het teken dat de gekrenkte goden snel en hard hadden toegeslagen, dat Allah overwonnen was. Naar verluidt zou Demba die zo gezond was als een vis, een vreemde aanval hebben gekregen terwijl hij zich met de Peul uit Macina onderhield. Het bloed dat uit zijn mond gulpte, maakte aan hun gesprek een eind. Overal op zijn lichaam, maar vooral op zijn gezicht, braken hem puisten uit. Even later was hij dood en zijn lijk verspreidde onmiddellijk een onuitstaanbare stank.

Het volk juichte. Uit angst voor de tondyons durfden de mensen hun gevoelens niet openlijk te laten blijken, maar achter de muren van de familiehuizingen werd er gedanst en af en toe klonk er gelach. Er werd gezongen:

> *Pemba, gij zijt de bouwer van alles.*
> *Faro, de hele wereld*
> *Is in uw macht.*
> *Die-op-de-runderhuid-gaat-zitten*
> *Was dat vergeten!*

Het duurde niet lang of dit liedje was verboden. Maar wie kan beletten dat het van mond tot mond gaat? Dat het openbloeit waar niemand het verwacht? Een liedje is even ongrijpbaar als de lucht. De vrouwen ploften hun stampers in de vijzels, en zongen in koor:

> *Die-op-de-runderhuid-gaat-zitten*
> *Was dat vergeten!*

Het luidst jubelden, ondanks hun eigen rouw, de Traorés. Waartoe nog genoegdoening eisen als de wraak der goden zo verpletterend heeft toegeslagen? De familie had Tiéfolo's vrouwen verdeeld en een nieuwe fa aangewezen: Ben, de jongere broer van de overledene, een rustige landbouwer die het niet beneden zijn waardigheid achtte naast zijn slaven de daba te hanteren, en ten aanzien van de islam een verzoenender houding aannam dan zijn oudere broer, aangezien hij drie van zijn eigen zoons naar de koranschool van de Moren had gestuurd.

Terwijl de Peul uit Macina wegens de officiële rouwperiode in het paleis moesten verblijven totdat er een nieuwe mansa werd aangeduid, had Alfa Guidado aan het gezelschap van zijn vader en de overige hoogwaardigheidsbekleders weten te ontkomen. Nu deelde hij de hut van Mohammed en Olubunmi, en smaakte met hen het geluk jong te zijn en vrij van elke dwingende verantwoordelijkheid. Hij die niet goed wist hoe het nu verder moest met zijn huwelijk, had het gevoel dat God alles voortreffelijk had beschikt. Sinds vele weken verbleef hij ver van Ayisha in Ségou, waar hij zijn beste vriend had teruggevonden en er een nieuwe had gewonnen. Evenals Mohammed was hij in de wolken over Olubunmi's wakkere geest. Die nieuwsgierigheid die hijzelf niet bezat. Die drang om zelf na te gaan hoe de wereld eruitziet aan de overkant van de Joliba, de Bagoé, de woestijn aan de poorten van Tombouctou. Olubunmi had hen meegetroond naar de oude Samba die hun zijn verhalen over schepen en blanken had verteld.

'Weten jullie dan niet dat zelfs de blanken bang zijn voor El-Hadj Omar? De Toebab hebben aan de Senegal-rivier een fort gebouwd, en El-Hadj wil hen daaruit verjagen!'

Dat gaf dan weer aanleiding tot eindeloze gedachtenwisselingen. Waarom hadden de Toebab langs een rivier een fort gebouwd? Had El-Hadj Omar geen gelijk als hij hen daaruit wilde verdrijven? De jongelui deelden niet de bewondering van de oude Samba voor de blanken, hun geweren en hun medicijnen. Die indringers met albino-huid hadden in Afrika niets te zoeken. Dat waren de echte ongelovigen! Ze dronken alcohol, aten onrein vlees en braakten een koeterwaals waar geen mens wijs uit werd.

Er waren slechts twee punten waarover Mohammed en Alfa met Olubunmi van mening verschilden: alcohol en vrouwen. Olubunmi zag er geen kwaad in een kroeg binnen te lopen waar hij zich vol met dolo goot. En hij bracht nauwelijks een nacht door zonder dat een of ander slavinnetje van de familiehuizing zijn bed deelde. Hij dreef met zijn vrienden de spot, vooral met Mohammed die nooit een vrouw had gekend. 'Als dat zo doorgaat zal je pik nog tussen je eigen dijen rotten!'

Zo kwam het dat Mohammed en Alfa het ten slotte toch over Ayisha hadden. Ze waren alleen in hun hut bij het vallen van de nacht en genoten de vrede van dit uur in deze broze vredestijd waar nog steeds de lange slagschaduw van El-Hadj Omar op viel. Ze hadden Yassa zien voorbijkomen met haar zoontje aan haar borst; het was een wonder hoe dat kleine wurm in het hart van zijn moeder weer de levensvreugde had ontstoken. Zo was de begeerte naar een vrouwelichaam – waarbij ze dachten aan de lyrische beschrijvingen van Olubunmi – en het vage, maar niet minder opwindende verlangen naar het vaderschap in hen wakker geroepen. Mohammed was er het eerst over begonnen.

'Jij die nooit van haar hebt gehouden, hebt Ayisha bezeten. Is geslachtsgemeenschap zonder liefde dan niet zondig?'

Alfa zweeg een hele poos. Mohammed vond hem steeds mooier worden. Misschien kwam dat omdat hij zich minder verstervingen oplegde en zich nu liet verwennen door de moeders uit de familiehuizing, die altijd wel een met een heerlijke saus van apebroodboombladeren overgoten schotel to klaar hadden staan. Alfa wendde zich uiteindelijk tot zijn vriend.

'Om die reden, maar ook omdat ze jou verdriet heeft aangedaan, wou ik niet. En zij maar huilen...'

'Huilen... uit liefde... voor jou?'

Mohammed kon het niet helpen dat hij opnieuw door jaloezie werd verteerd. Waarom verslingeren vrouwen zich aan de een en niet aan de ander? Hij die voor Ayisha had willen sterven, had van haar nooit meer dan een genegen glimlach en een vriendelijke blik gekregen.

Al was dit gesprek voor Alfa een ware martelgang, hij leek nu vastbesloten tot het einde te gaan.

'Ze huilde. Ze vlijde zich tegen mij aan. Ze was half-naakt. Ik weet niet wat me toen beving...'

Mohammed schoof wat dichterbij.

'Was het fijn?' vroeg hij koortsig. 'Zelfs zo?'

Opnieuw zweeg Alfa een poos.

'Fijn?' herhaalde hij, op een vreemde toon. 'Het sprookjesachtige Djanna kan niet meer geneugten in zich sluiten dan het lichaam van een vrouw.'

'Zelfs als je haar niet liefhebt?' vroeg Mohammed verbijsterd.

'Ik geloof dat, als ik in Hamdallay was gebleven, ik... uiteindelijk toch van haar zou zijn gaan houden. Daarom wilde ik met mijn vader mee. Om me van haar te verwijderen.'

Geen van de twee zei nog een woord. Wat konden ze hierna nog zeggen? Mohammed werd zowel door jaloezie als door nieuwsgierigheid gekweld. Jaloezie wanneer hij in zijn verbeelding Ayisha en zijn vriend in elkaars armen zag liggen, elkaar zag strelen, de zuchten van hun gedeelde wellust hoorde. Nieuwsgierigheid omdat hij zich afvroeg hoe lang het nog zou duren voor hijzelf dit genot zou kennen. Zijn familie zou hem nu weldra een vrouw aanbieden. De zaak werd wat bemoeilijkt doordat hij, opgevoed in Hamdallay en als zoon van Tiékoro, alleen met een moslim-vrouw genoegen kon nemen. Of op z'n minst een meisje dat bereid was zich te bekeren. Maar ach, zou ze wel even mooi zijn als Ayisha? Of zou hij, net als Alfa, op den duur toch van haar gaan houden?

Op de aanpalende binnenplaats werd er gezongen en gelachen. Hij hoorde het gekraai van kinderstemmetjes die de bedtijd zo lang mogelijk uitstelden. Wat een warme, hartelijke sfeer! Alfa en Mohammed moesten aan hun eigen puriteinse opvoeding in Hamdallay denken. Hongerig en kleumend, en door hun meester afgetuigd. En dat alles uit naam van Allah! Ze stonden op en vergrootten de familiekring.

Onder de vijgeboom wist Faraman Kouyaté zijn toehoorders te begeesteren met een liedje dat heel Ségou van buiten kende, alsof in deze woorden geheel de schampere en fatalistische houding van het volk tegenover de machthebbers vervat lag:

*De oorlog is goed, want hij verrijkt onze vorsten.*
*Vrouwen, krijgsgevangenen, vee – dat alles geeft hij hun.*
*De oorlog is heilig, want hij maakt ons tot moslims.*
*De oorlog is heilig en goed.*
*Laat hij van Dinguirayé tot Tombouctou,*
*Van Guémou tot Djenné,*
*De hemel rood kleuren!*

Sinds hij in de familiehuizing verbleef was de lofdichter een ander mens geworden. De vrouwen hadden zijn wonden verbonden en hem gevoed. Voor de Traorés wilde hij door het vuur gaan, en Mohammed aanbad hij als een god.

# 7

Ségou vernam dezelfde dag twee rampzalige berichten. Nauwelijks had de nieuwe mansa Oïtala Ali de troon bestegen of hij vernieuwde het bondgenootschap dat zijn oudere broer met Macina had gesloten, en om het een vaste vorm te geven stuurde hij troepen om de Peul bataljons te versterken die El-Hadj Omar in Bélédougou zouden proberen tegen te houden.

Iedereen was met verstomming geslagen. Leren de vorsten dan nooit hun les? Demba was op een gruwelijke wijze aan zijn eind gekomen. En toch bleek Oïtala Ali bereid om te volharden in het kwaad. Wilde hij ook zo sterven?

Er gingen ook stemmen op die het voor de mansa opnamen. Want wat kon hij anders doen? Met gekruiste armen toezien hoe El-Hadj Omar tot voor de poorten van Ségou oprukte? Hem geheel alleen te lijf gaan? Zag men dan niet dat zo iets onmogelijk was?

Zij die het over een triomf van de voorouderlijke goden hadden, moesten maar eens nadenken. Triomf? Terwijl die gesel van Allah alles op zijn weg uitroeide? Demba was gestorven. Maar waarom? Omdat hij de fetisjen van het volk had vernietigd? Of omdat hij dubbelhartig had geweigerd de zijne te vernietigen, in de hoop er zich met een smoesje van af te kunnen maken? God bedriegt men niet. Deze zienswijze die door de moslims van de stad werd aangehangen, begon geleidelijk alle andere te overstemmen. Er heerste grote verwarring. Het aanzien van de fetisjpriesters-en-oppersmeden, dat sinds de dood van mansa Demba was gestegen, brokkelde opnieuw af. Moslim-maraboets in boernoes en lange kaftan doorkruisten de stad.

'Bekeert jullie!' riepen ze luid. 'Ségou is een vrouw die door de pokken is aangetast. De puisten hebben haar gelaat nog niet geschonden. Maar in haar is de dood aan het werk.'

Op het plein voor het paleis was er een geestdrijver naast een barbier gaan staan.

'Legt de oude mens af!' schreeuwde hij. 'Snijdt jullie vlechten af! Eert God!'

De mensen aarzelden. Al dat misbaar stond hun niet aan. Eens te meer konden de Ségoukaw dat uiterlijk vertoon van de islam niet begrijpen. Moet elke godsdienst niet met discretie gepaard gaan?

De verwarring steeg ten top toen de mansa vrijwilligers onder de wapens riep, alsof de tondyons hem niet meer genoeg waren. Zelfs slaven waren welkom! Alle jonge mannen die niet ouder waren dan tweeëntwintig droge seizoenen, mochten zich melden. Ze kregen een bijl, een lans, of boog en pijlen, een enkele maal een geweer, en aangevoerd door een chef die een kromzwaard aan zijn schouder meedroeg, gingen ze de Peul lansiers versterken die aan de overzijde van het wed van Thio stonden opgesteld.

Er was een grote toevloed van vrijwilligers. Het uitzonderlijke gevaar dat door El-Hadj Omar werd vertegenwoordigd, lokte even felle reacties uit. Weldra telden alle families van Ségou een half dozijn jonge vrijwilligers die, in afwachting van hun vertrek naar het front, op een binnenplaats van het koninklijk paleis kampeerden. De moeders wisten niet of ze moesten huilen dan wel juichen van trots. De vaders hadden spijt dat zij de leeftijdsgrens hadden overschreden. Wat moest het zalig zijn Toucouleur te vreten!

Het was natuurlijk niet de eerste keer dat Ségou ten oorlog trok. Sinds zijn stichting leefde het daarvan, van razzia's, strooptochten, mensenroof en belastingen die aan de onderworpen volkeren werden opgelegd. Maar het vertrek naar het slagveld was nooit zo dramatisch, alsof het koninkrijk in zijn bestaan zelf werd bedreigd, alsof iedere strijder terdege besefte dat het erom ging te overwinnen of te sterven.

Olubunmi kwam in de familiehuizing terug. De hele dag had hij in de stad rondgehangen. De kruitgeur, het geschal van de strijdhoorns, het geroffel van de krijgstrommen zweepten hem op. De tabala, die na de dood van de mansa met een nieuwe runderhuid was bespannen en horizontaal door twee mannen werd vastgehouden terwijl er een derde halfnaakt en met bezwete schouderbladen ritmisch op sloeg, weergalmde ononderbroken. Daarbovenuit klonken de jeugdige stemmen van de rekruten die in koor de wapenspreuk van de Diarra's scandeerden:

> *Leeuw, grote bottenbreker,*
> *Jij hebt de wereld als een sikkel gekromd*
> *Om haar als een rechte weg te banen.*
> *Een groot lijk kun jij niet laten verrijzen,*
> *Maar je kunt veel verse zielen ontvlezen!*

Olubunmi raakte in vuur; in zijn overspannen verbeelding zag hij zich reeds verwikkeld in roemrijke avonturen. Kon hij zich maar aan de voogdij van de ouderen onttrekken! Hij wilde hier weg, zoals destijds zijn vader Malobali! Voor Olubunmi was het vertrek naar het strijdtoneel slechts een voorspel; hem wenkten andere verten. Godsdiensttwisten interesseerden hem niet.

Op een mat in de schaduw van de vijgeboom lagen Mohammed en Alfa bij een kopje groene thee, die hun door een slavin was bereid, over een hadith te discussiëren. Voor het eerst misschien werkten die twee vrienden, aan wie hij nochtans erg gehecht was, Olubunmi op de zenuwen. Zouden ze dan hun hele leven over Allah praten en zich in het stof wentelen als ze niet op een mat lagen uitgestrekt? Zouden hun dagen voorbijgaan zonder dat hun geest of hun geslacht ooit een aardse voldoening najoegen? Hij hurkte naast hen.

'Ik heb me als vrijwilliger gemeld,' zei hij.

'Jij, vrijwilliger?'

587

'Ja hoor, ook ik trek de oorlog in!'

Olubunmi schepte wat op om Alfa en Mohammed uit hun futloosheid wakker te schudden; hij verwachtte niet dat ze hem zouden geloven. Maar Alfa bekeek hem, en zijn ogen schitterden.

'Weet je wat ik heb gedroomd?' mompelde hij. 'Ik zou opnieuw besneden worden. Ik protesteerde en beschermde mijn geslacht om niet een tweede keer onder het mes te moeten; ik riep uit dat ik reeds een man was. Opeens schaterde iemand wiens gezicht ik niet kon zien het uit: "Jij kunt nog niet eens je moeders familiehuizing verdedigen!" zei hij.'

'Nou, en wat betekent die droom volgens jou?'

Alfa keek nog ernstiger. 'Mijn moeder! Daarbij kun je natuurlijk denken aan haar die mij ter wereld heeft gebracht. Maar kan het niet ook de aarde zijn waarop ik ben geboren, mijn land?'

Hij zweeg en staarde naar zijn vrienden die nog steeds niet begrepen waar hij naar toe wilde.

'Mijn land, Macina dat door de Toucouleur vroeg of laat zal worden vernietigd! Ik heb gehoord dat hij aan Amadou een buitensporig grimmige brief heeft geschreven.'

Dit was wel het laatste wat Olubunmi had verwacht van Alfa die hij voor een nog groter lafbek dan Mohammed hield.

'Wil je daarmee zeggen,' stotterde hij onthutst, 'dat je bereid bent om mijn voorbeeld na te volgen?'

'Bereid om mijn moeders familiehuizing te verdedigen!' sprak Alfa met neergeslagen ogen.

Sprakeloos keek Mohammed zijn vrienden aan, alsof ze allebei gek waren geworden. Híj had niet de minste zin om zich als oorlogsvrijwilliger te melden. Waarom ook? El-Hadj Omar was een moslim, en als hij dood en verderf zaaide was het uit naam van Allah! Het was een misdaad de wapens tegen hem op te nemen! Tegelijk vroeg hij zich af wat er van hem zou worden als zijn beide vrienden weggingen en hij alleen achterbleef in de familiehuizing met de vaders, de vrouwen en de kinderen, alleen in een Ségou waar het jeugdige levenssap uit weggetrokken was.

Olubunmi raadde wat er zich in zijn hoofd afspeelde. 'Wat vrees jij te moeten achterlaten?' vroeg hij met een sarcastisch lachje. 'De vrouw die je liefhebt hoort je niet eens toe.'

De lange colonne van tienduizend man trok door het dorp Ouossébougou. Het regende. De mannen zakten tot aan hun knieën in de modder, wat de jonge rekruten helemaal demoraliseerde en de keletigi onrustig maakte.

De winter is geen goed seizoen voor de oorlog, hij eist een te hoge prijs. Hij put dieren en mensen uit, vertraagt de opmars, snijdt wegen af en laat de rivieren overstromen.

Alleen de lansiers uit Macina in hun dikke gewatteerde wapenrok waren ongevoelig voor weer en wind. De anderen droegen, omdat er toch geen uniform was voorgeschreven, kledingstukken van eigen keuze. Sommigen hadden een dikke islamitische boernoes aangetrokken. Anderen hadden een wollen deken om zich heen geslagen. Nog anderen hadden een jagerstuniek of een katoenen hemd aan. De fetisjisten droegen hun amuletten, de moslims hun koranverzen. Maar allen hadden onder hun kleren de talismans verstopt die ze van hun moeder bij hun vertrek hadden meegekregen.

Het leger telde niet alleen vrijwilligers. Naast de lansiers waren er ook detachementen sofa – de lijfwacht van de mansa – in wijde rode broek, die in het hele gebied op alle slagvelden dood en vernieling hadden gezaaid. Doch het was niet zozeer de aanwezigheid van deze sofa-landgenoten die de jonge rekruten geruststelde. Het was die van de Peul lansiers met hun witkatoenen vlag die zij in Noukouma met roem hadden beladen. Op hun strijdrossen die speciaal waren afgericht om dorpsmuren te verbrijzelen, werden ze onoverwinnelijk geacht. Benevens hun lans met haar grote platte en hartvormige ijzeren uiteinde, hadden ze een sabel, een mes en een lange sikkel- of kluistervormige stok waaraan met een ketting een ijzeren bol was bevestigd.

Vreemd genoeg konden de Peul amirabe en de Bambara kelitigi het uitstekend met elkaar vinden, alsof ze voor het ogenblik elke godsdienstige of etnische twist wilden vergeten. Ze waren het eens geworden over het aantal verkenners dat het pad moest effenen, verbreden en ophogen. Achter de verkenners kwam de 'navel', het gros van de troepen, onder de bescherming van de lansiers, terwijl schildwachten de achterhoede vormden. Op hun kleine vinnige paardjes kwamen spionnen geregeld verslag doen van de geheimen die ze aan de weet waren gekomen. Zingend en op hun instrumenten spelend liepen lofdichters af en aan om de manschappen moed in te spreken.

Ze waren nu twee dagen op weg en hadden al die tijd nog geen spoor van El-Hadj Omar gezien, alsof hij zich had ingegraven, of alleen in de verbeelding en bijgelovige angst van het volk bestond. Omdat veruit de meeste krijgers nog nooit een Toucouleur hadden gezien, beeldden ze hen zich in als korte gedrongen en nogal beestachtige types. Dat werd gelogenstraft door hen die enige geografische kennis bezaten en wisten dat ze verwant aan de Peul en dus lang van gestalte en licht van huidkleur waren.

Faraman Kouyaté liep naast de bolo van Mohammed en zijn twee vrienden. Om zijn meester moed in te blazen zong hij:

*De oorlog is goed, want hij verrijkt onze vorsten.*
*Vrouwen, krijgsgevangenen, vee – dat alles geeft hij hun...*

Want hij wist dat Mohammed, als hij daartoe de kans had gezien, naar Ségou zou zijn teruggekeerd. Mohammed had geen gemakkelijke jeugd gekend. Maar de ontberingen die hij toen had doorstaan, hadden een zin, omdat ze op zijn vervolmaking, op een benadering van het goddelijke model waren gericht. Maar waartoe moesten ze deze ontberingen doorstaan? Voor de islam? Welke? Die van de Peul uit Macina? Die van El-Hadj Omar? Nee, deze oorlog diende de hoogmoed en de belangen van de vorsten. Soms kreeg hij zin om het uit te brullen. Maar zijn stem zou onder het geroffel van de krijgstrommen worden gesmoord. Daartoe dienden krijgstrommen: om de opstandige kreten van de mensen te overstemmen!

Omdat het maar niet ophield met regenen en de nacht inviel, hielden ze halt in een kale vlakte, bezaaid met blauwe stenen die onder de regen een diepe glans kregen. De manschappen verbraken de gelederen. De sofa konden met veel moeite vuren aansteken waarop ze zachte maïskolven en stukken schapevlees roosterden. Dit was niet het gewone rantsoen van de 'navel' die doorgaans met een mengsel van gestampte gierst en water genoegen moest nemen. Zonder van hun paarden af te stijgen spraken de lansiers hun leren zakken met gestremde melk aan.

Eens te meer vroeg Mohammed zich af waarom hij zich op dit dolle pad had begeven, waarom hij Alfa niet had tegengehouden en nadien samen met hem druk op Olubunmi had uitgeoefend. Arme Olubunmi! Wat mocht hij toch verwachten van dit avontuur met moddersmaak? De droombeelden van zijn verhitte geest zouden niet aan één enkele veldtocht weerstaan.

Dank zij de handigheid van de Peul wisten ze schuilhutten te bouwen, en iedereen strekte zich met al zijn kleren aan in de modder uit. Mohammed ging meteen naar zijn slaapplek en kneep zijn ogen dicht. Sinds hij ten strijde trok had Ayisha weer helemaal bezit van hem genomen. Wat had hij zich vergist als hij dacht haar uit zijn gedachten te kunnen bannen! Dag en nacht droeg hij haar met zich mee. Misschien omdat hij de hem omringende lelijkheid wilde bestrijden met de herinnering aan haar schoonheid. Hoe dan ook, onder zijn gesloten oogleden kwam en ging zij terwijl ze haar lange

haren schikte, haar huid met Haussa reukwerk of galamboter inwreef, of gouden ringen aan haar fijne oor-
tjes hing. Hoe bracht ze tijdens de afwezigheid van haar
man haar dagen door? Wachtte ze ongeduldig op zijn
terugkeer? Misschien had hij haar vóór zijn vertrek
zwanger gemaakt van een zoon en keek zij nu naar het
zwellen van de pompoen van haar buik? Nee, dat kon
Allah niet toestaan! Ayisha zwanger van een ander dan
hij!

Op dat ogenblik kwam Alfa de schuilhut binnen en
begon zijn gebeden op te zeggen. Mohammed gaf er
zich rekenschap van dat hij dat vergeten was, en schaamde zich.

De manschappen sliepen nog maar enkele uren toen
ze reeds gewekt werden. De schildwachten vermoedden
de nabijheid van El-Hadj Omar. In het nog rokend puin
van een paar dorpen waren gruwelijk verminkte lichamen aangetroffen. De colonne kwam opnieuw in beweging. Bij dageraad stuitte ze op een verlaten dorp.
Waar waren de bewoners? Hadden ze zich in het dichte
struikgewas verstopt?

Het regende niet meer, maar de vochtige hitte was
ondraaglijk. Na gemeenschappelijk overleg lieten de keletigi en de amirabe hun manschappen halt houden.
Iedereen loosde een zucht van verlichting. Omdat het
terrein een keteldal vormde, trokken ze de schuilhutten
beneden op, niet ver van een kreekje. Olifanten en nijl-
paarden hadden de oevers platgetrapt en diepe putten
vol troebel water achtergelaten. Faraman masseerde de
pijnlijke voeten van Mohammed die zijn runderleren
sandalen stuk had gelopen. De altijd even ongeduldige
en ondernemende Olubunmi ging met een paar jonge
rekruten op zoek naar wilde vruchten. Men hoorde hen
lachen. Lachen? In tijd van oorlog? Mohammed verweet zichzelf deze kwade gedachten en ging op zijn zij
liggen. Naast hem zat Alfa – blijkbaar onverschillig voor
al deze smerige en dicht op elkaar gepakte lichamen,
ongevoelig voor de honger – zijn koran te lezen. Dacht

hij soms ook aan zijn jonge echtgenote wier lichaam hij, naar eigen zeggen, had liefgehad? Begeerde hij haar nog? Tussen de spleten van de matten door staarde Mohammed naar de hemel. Somber als het ijzer uit een smidse. Laag en drukkend als een deksel. Opnieuw sloot hij zijn ogen.

Hij viel in slaap en had een droom. De oorlog was afgelopen. Hij keerde naar huis terug en zag aan de overkant van de Joliba de wallen van Ségou. Faraman volgde hem zingend. Allebei namen ze plaats in een prauw, maar toen ze bijna aan de overzijde waren stortte de stadswal tussen de Tintibolada-poort en de Dembaka-poort in, en lange rijen bloedrode termieten kropen eruit te voorschijn en stortten zich vraatzuchtig op de bootjes van de Somono. Zo angstwekkend was deze droom dat Mohammed ervan wakker schoot. Om hem heen lagen zijn uitgeputte kameraden te slapen. Ook Alfa sliep, met zijn vermagerd gezicht en stoppelbaard op het stuk tulband dat hij als oorkussen gebruikte. Mohammed voelde zijn hart zwellen van genegenheid. Tegelijk had hij wat wroeging. Hij was geen plezierig gezelschap sinds hun vertrek uit Ségou, alsof hij de hele wereld aansprakelijk stelde voor het feit dat hij soldaat was. En wat dan nog? Het was oorlog voor iedereen! Wie weet zou hij er nog smaak in krijgen.

Plotseling weerklonken kreten, een afgrijselijk gebrul steeg op. In een oogwenk was de hele compagnie op de been en de rekruten sprongen uit de schuilhutten. De hellingen van het keteldal zagen zwart van manschappen die in dichte drommen afzakten. Op hun aardegele mutsen droegen ze brede kegelvormige hoeden die uitliepen op een bosje stro. Hun boeboe was roestkleurig, en boven hun hoofden zwaaiden ze een wapperend rood vaandel. Blauwgetulbande ruiters gaven hun paarden woest de sporen.

'De Toucouleur!' werd er geschreeuwd. 'Daar zijn de Toucouleur!'

Dat zelfde ogenblik barstten tegelijk alle hoorns en

593

tamtams los, waar weldra de stemmen van de lofdichters bovenuit klonken, alsof ze door de nabijheid van de veldslag met een uitzonderlijke kracht werden bezield. Terwijl de keletigi de doodsbenauwde rekruten in slagorde opstelden, stormden de lansiers uit Macina reeds op de vijand af.

'La ilaha ill' Allah!'

Wie had dat geschreeuwd? Ongetwijfeld zij die uit naam van God meenden te vechten. Mohammed werd door andere lichamen met een zerpe stank van zweet, kruit en paardevijgen meegesleurd. Reeds hoorde hij wapens kletteren, sabel tegen sabel, lans tegen lans, met daartussen schoksgewijs geweerschoten. Even dacht hij nog aan vluchten – deze veldslag, waarvan hij de zin niet kon vatten, de rug toekeren. Alsof ze zijn wankelmoedigheid raadden, flankeerden Alfa en Olubunmi hem.

Achter zijn rug begon Faraman Kouyaté te zingen:

*De oorlog is goed, want hij verrijkt onze vorsten.*
*Vrouwen, krijgsgevangenen, vee – dat alles geeft hij hun.*
*De oorlog is heilig, want hij maakt ons tot moslims.*
*De oorlog is heilig en goed.*
*Laat hij de hemel rood kleuren!*

Mohammed dacht aan zijn moeder Maryem die hij al zo veel jaren niet meer had teruggezien. Hij dacht aan Ayisha. Toen klemde hij zijn tanden op elkaar en dacht aan niets meer. Aan niets, tenzij het vege lijf redden.

# Register

*Personen- en plaatsnamen van Afrikaanse en Arabische oorsprong wor-*
*den getranscribeerd volgens de schrijfwijze die tegenwoordig gangbaar*
*is in de landen waarin zich het verhaal afspeelt.*

ADANSON, MICHEL Franse botanicus, verblijft tot 1754 in Gorée,
Saint-Louis en de streek langs de Senegal-rivier om er de mogelijkheden tot landbouwexploitatie te bestuderen. Het resultaat
van dit onderzoek ligt vervat in zijn boek *Voyage au Sénégal*.

AGOUDA'S vrijgelaten Afrikaanse slaven uit Brazilië, soms ook uit
Cuba, die vanaf 1835 massaal terugkeren naar Afrika en zich
in havensteden als Ouidah, Porto Novo en Lagos gaan vestigen.
Het zijn katholieken of moslims die de familienaam van hun
vroegere meesters dragen en zich vaak met de slavenhandelaars
of hun dienstpersoneel hebben vermengd; ze spreken meestal
Portugees, soms Spaans. Ze spelen een bemiddelende rol tussen
de Afrikanen en de Europeanen.

AJINAKOU, CHACHA (Francisco Felix de Souza) geboortedatum onbekend, gestorven in 1849. Braziliaan of Portugees? Van een
kleine functionaris – waarschijnlijk verbonden aan de factorij van
Ajuda – weet hij zich op te werken tot de rijkste man van het
hele gebied en een persoonlijke vriend van koning Guézo, die
zijn troon mede aan hem te danken had, ten koste van zijn broer.
Volgens sommige historici zou Chacha Ajinakou naar Ouidah zijn
gevlucht om aan een gevangenisstraf in zijn eigen land te ontkomen. Verwekte talloze kinderen bij zijn tientallen bijzitten.

*Al-Fatiha* 'De openende', de eerste soera (hoofdstuk) uit de koran.

*Alfiyyat al-Siyar* geschrift van een moslim-heilige.

AMADOU AMADOU (Amadou III) koning van Macina vanaf 1852. Zijn
regering wordt onderbroken door de opmars van El-Hadj Omar.
In 1862 komt hij in duistere omstandigheden om het leven.

AMADOU CHEIKOU (Amadou II) koning van Macina vanaf 1844 tot
1852, zoon van Cheikou Hamadou.

ALIF-LAM-LAM-HÂ de vier letters die samen de naam van Allah
vormen.

*Ar-Rimah* (letterlijk 'De Lansen') geschreven door de Toucouleur El-Hadj Omar.

ASHANTI in de elfde en twaalfde eeuw vinden in het gebied tussen de rivieren Bandama en Volta heel wat volksverhuizingen plaats. De Akan uit het noorden stichten er kleine vorstendommen, die onder de regering van Osei Tutu (1697-1712) worden verenigd. Dit is het begin van het Ashanti rijk, dat zijn hoogtepunt bereikt onder Osei Kodjoe. Aangetrokken door het goud, proberen de Engelsen vruchteloos in het gebied door te dringen; in 1824 worden ze door asantehenee Osei Bontu in Bonsaso verslagen. Dank zij hun bondgenootschap met de Fanti–een ander Akan volk dat dezelfde taal spreekt als de Ashanti, het Twi, en een strategische positie inneemt in het kustgebied–krijgen de Engelsen uiteindelijk toch de bovenhand.

ATTO ceremonie waarbij de koning van Dahomey aan het volk geschenken uitdeelt.

BABA, AHMED (Abou Abbas Ahmed al-Takruri al-Mafusi) geboren in 1566 nabij Tombouctou uit een geletterde familie. Als de Marokkaanse troepen in 1591 deze stad innemen, wordt hij de bezieler van het intellectuele verzet, en wordt daarom naar Marokko verbannen. Hij heeft een uitgebreid oeuvre nagelaten.

BAMBARA de Bambara of Banmana maken deel uit van de Mandé groep, die onder meer de Malinké, de Senoefo, de Sarakolé, de Dioela en de Chasonké omvat. Ze leven vooral in het huidige Mali waar ze numeriek het belangrijkste volk zijn. In de zeventiende en achttiende eeuw heersten ze over twee machtige staten, waarvan de eerste Ségou als hoofdstad had en de tweede in het zogenaamde Kaärta tussen Bamako en Nioro lag.

BAMBUK goudrijke streek.

BANI zijrivier van de Joliba (Niger).

BÉLÉDOUGOU klein en van Ségou onafhankelijk gebleven Bambara koninkrijkje.

BONNY stad gelegen aan de Niger-delta in het huidige Nigeria.

BOUFFLERS, ridder de gouverneur van Senegal tussen 1785 en 1787. Uit afkeer van Saint-Louis vestigt hij zich in Gorée, een 'heerlijk oord' dat hij tot zetel van het gouvernement maakt en tot thuishaven van de Franse oorlogsvloot. Met zijn vriendin gravin de Sabran onderhoudt hij een uitvoerige briefwisseling die later in Frankrijk is gepubliceerd.

BOZO de 'meesters van het water', een vissersvolk. Ze leven in symbiose met de Bambara en spreken een verwante taal.

CAYOR koninkrijk gelegen in het huidige Senegal.

CHEIKOU HAMADOU (Amadou Hammadi Boubou) stamt uit de Barri-clan en is de stichter van het islamitische rijk van Macina
(Massina) met als hoofdstad Hamdallay (Hamda Lillahi). Geboren in Malangal als zoon van een maraboet die uit Fittouga
afkomstig is, studeert hij in Djenné. Als gezaghebbend geleerde
komt hij in conflict met de Marokkanen die de stad besturen,
en moet de wijk nemen. Hij kondigt de jihad af, neemt de titel
van sjeik aan en trekt ten strijde tegen de Bambara. Al kan hij
hen niet helemaal verslaan, toch weet hij de voogdij van Ségou
over de Peul af te schudden. Hij sterft op 18maart 1843.

CROWTHER, SAMUEL AYAJI een omstreeks 1821door een Engelse
kustvaarder uit de slavernij verloste Yoruba. Naar Sierra Leone
overgebracht, wordt hij er de allereerste student aan het Fourah
Bay College. Neemt deel aan de expeditie die in 1841 de Niger
verkent. Hij wordt in 1842 te Islington tot priester gewijd en
in 1864 tot eerste Afrikaanse bisschop van Nigeria benoemd. Op
het einde van zijn leven wordt hij echter uit dit ambt ontslagen.
Hij sterft vereenzaamd en verbitterd in 1890.

DAHOMEY in de zeventiende en achttiende eeuw een van de machtigste Afrikaanse koninkrijken, met als hoofdstad Abomey. Het
onderwerpt staatjes als Alada en Ouidah (Whydah) die het de
toegang tot de zee beletten, waarna de handel met de Europeanen
een koninklijk monopolie wordt. Zijn macht bereikt een hoogtepunt onder de regering van koning Guézo (1818-1856). De
koloniale belangen van Frankrijk, dat voor zijn bezittingen aan
de Niger een opening naar de zee zoekt, worden het koninkrijk
fataal. In 1894 wordt koning Behanzin door generaal Dodds
verslagen; het land wordt een Frans protectoraat, wat het einde
van de monarchie inluidt. Het Yoruba en het Fon, de talen die
in Dahomey werden gesproken, behoren tot dezelfde groep en
zouden samen met het Goen uit Porto Novo en het Mina een
gemeenschappelijke oorsprong hebben. De grenzen van het oude
koninkrijk Dahomey vallen niet helemaal samen met die van het
huidige Benin.

DA MONZON mansa van Ségou (1808-1827), zoon van Monzon,
verdedigt het koninkrijk tegen de expansiedrang van de Peul
Cheikou Hamadou uit Macina. Tezamen met zijn vader is Da
Monzon een van de meest bezongen en geprezen vorsten uit de
Bambara traditie.

DERARI gebied gelegen tussen de Joliba en de Bani en grenzend
aan Djenné.

DIOELA  het Dioela, het Bambara en het Malinké zijn Mandé talen.

*Djawahira el-Maani* 'De Parel der Betekenissen', geschreven door sjeik Ahmed Tidjani.

*Djawharatul-Kamal* 'De Parel der Volmaaktheid', islamitisch zegeningsgebed.

EL-BEKKAY, sjeik  stamt uit de Kounta-familie. In 1847 laat hij zich de titel van sjeik El-Kounti toekennen, die eigenlijk aan zijn oudere broer toekomt. Hij is een vurig bestrijder van de Toucouleur overheersing en geeft de afstammelingen van Cheikou Hamadou de raad een bondgenootschap met Ségou te sluiten.

EL-HADJ OMAR (Omar Saïdou Tall) geboren omstreeks 1797 in Fouta Toro, als zoon van een vermaarde maraboet. Gedurende twaalf jaar is hij onderwijzer vóór hij in 1825 als pelgrim naar Mekka trekt. Daarbij bezoekt hij alle islamitische landen van West-Afrika en verblijft lange tijd in het koninkrijk Sokoto (gelegen in het huidige Nigeria). Onder invloed van de Marokkaanse geleerde Mohammed el-Gâli wordt hij een aanhanger van de Tidjaniya broederschap. Na zijn terugkeer onderwerpt hij het gebied rond de bovenloop van de Niger en de Senegal. Hij kondigt een jihad af, stuit op de Fransen die in het gebied vaste voet krijgen, overwint de Peul en doet op 9 maart 1861 zijn zegevierende intrede in Ségou. De omstandigheden van zijn dood in 1864 blijven duister. In Hamdallay door de opstandige Peul belegerd, zou hij zich met een kruitvat hebben laten opblazen. In zijn boek *Bayan ma waga'a* (in het Frans vertaald en ingeleid door Sidi Mohamed en Jean-Louis Triaud onder de titel *Voilà ce qui est arrivé*) geeft El-Hadj Omar zijn eigen versie van de machtsstrijd met Macina en de verovering van Ségou.

ESHU  In het Yoruba pantheon de god van de wanorde.

FAA  Fon god van de toekomstvoorspelling (bij de Yoruba: Ifa).

FARO  Bambara god die zijn macht ontleent aan Pemba.

FASSI  afkomstig uit of wonend in Fes.

FEMAY  gebied gelegen tussen de Joliba en de Bani en grenzend aan Djenné.

FES EL-BALI  het oude Fes.

FES ZJDID  het nieuwe Fes.

FOELFOELDEE  taal van de Peul uit Macina.

FON  volk dat het koninkrijk Dahomey had opgebouwd.

FOWELL BUXTON, sir Thomas geboren in Essex in 1786, een beroemd filantroop en strijder voor de afschaffing van de slavernij, opvolger van William Wilberforce. Hij is de auteur van *The*

*African Slave-Trade and its Remedies.*

FREETOWN zie SIERRA LEONE.

GUÉZO koning van Dahomey (1818–1856). Onder zijn bewind kent het koninkrijk zijn grootste uitbreiding. Zijn leger telt een beruchte gevechtseenheid van amazones. Zijn bloedigste veldtochten zijn gericht tegen de Mahi in het noorden en de Yoruba in het westen. Zijn 'sterke naam'–een bijnaam met bezwerende kracht–is 'Kardinaalvogel-die-de-wildernis-niet-in-brand-steekt'. De bestuurlijke organisatie van het rijk slaat Europese reizigers met verstomming; de mensenoffers tijdens de koninklijke begrafenissen en de grote godsdienstige feesten wekken hun afgrijzen.

HAUSSA islamitisch volk in het noorden van het huidige Nigeria.

*Hasiya* een van de belangrijkste boeken van de islam.

IFA Yoruba god van de toekomstvoorspelling (bij de Fon: Faa).

IFE stad in het huidige Nigeria, eertijds een machtig koninkrijk.

JOÃO VI koning van Portugal (1816–1826), vlucht in 1811, tijdens de Napoleontische bezetting van zijn land, naar Rio de Janeiro. Zijn zoon Pedro I wordt in 1822 de eerste keizer van het onafhankelijke Brazilië.

JOLIBA Bambara naam voor de Niger-rivier.

KANGOEROE zwarte acrobaat die omstreeks 1840 optrad in Argyll Rooms (Haymarket, Londen).

KETU stad in het huidige Nigeria, eertijds een machtig koninkrijk.

KOMO geheim religieus genootschap uit Ségou, geleid door fetisj-priesters, met aan het hoofd een hogepriester.

KOMOTIGI 'Meester van de Komo', hogepriester.

KOUNTA in Tomboutou gevestigde familie (van Arabische herkomst) van kooplieden en geestelijke leiders, die de Kounti broederschap heeft gesticht; zie TOEROEQ.

KPENGLA koning van Dahomey (1775–1789).

LEBOE stam op het Kaapverdische schiereiland.

MACCARTHY gouverneur van Sierra Leone, verblijft van 1822 tot 1824 in Cape Coast. Hij sneuvelt in de slag van Bonsaso tegen de Ashanti.

MALÉ waarschijnlijk een vervorming van Malinké–een volk dat tegelijk met de Haussa moslims in Brazilië aankwam. Volgens een andere etymologie betekent het woord in het Yoruba 'afvallige'. De Malé zijn islamitische slaven die in de streek van Bahia bekend stonden om hun hardnekkig verzet tegen de slavernij. Vanaf 1822 lokken zij geregeld opstanden uit; in 1835 wordt op de feestdag van Nuestra Senhora da Guia hun best georganiseerde komplot op het nippertje verijdeld. Tijdens de daarop volgende huiszoekingen legt de politie beslag op een aantal in het Arabisch gestelde documenten; minstens veertig slaven worden bij die gelegenheid gedood, honderden anderen worden gewond en evenveel slaan op de vlucht.

MANDÉ rijk dat in de veertiende eeuw het hoogtepunt van zijn macht bereikte en naast het huidige Mali ook Guinée omvatte.

MARKA andere naam voor de Sarakolé.

MASSASI COULIBALI er waren twee Coulibali-families, een in Ségou en een in Kaärta; deze laatste vormde de Massasi-tak.

MELLAH joodse wijk in Fes.

MONZON mansa van Ségou (1787-1808), behoort tot de tweede koninklijke dynastie. Hij bestijgt de troon na een lange periode van anarchie, waaraan pas een einde komt wanneer zijn vader Ngolo Diarra de eerste dynastie, die van de Coulibali's, ten val brengt. Zijn roemrijke daden worden nog steeds door de lofdichters bezongen.

MOSSI stam uit het huidige Burkina Faso (het vroegere Opper-Volta).

NAGO synoniem van Yoruba, volk uit het huidige Nigeria.

NANNY OF THE MAROONS half legendarische figuur uit de Jamaïcaanse geschiedenis. Was de zuster of de vrouw van Kodjoe, een andere roemruchte opstandeling. Zij stichtte een stad in de Blue Mountains, aan de samenvloeiing van de rivieren Nanny en Stony, waar ze rond 1734 tegen de Engelsen standhield. In More Town (provincie Portland, Jamaïca) kan men een graf bezoeken waarin zij heet te liggen.

NOUKOUMA plaats waar in 1818 een veldslag tussen Peul en Bambara is uitgevochten.

OÏTALA ALI laatste Bambara mansa (1856-1861) vóór de inname van Ségou door El-Hadj Omar.

OLIERIVIEREN de delta van de Niger (Joliba), waarvan de loop nog onbekend was.

OOSA (Oosala) godheid uit het Yoruba pantheon.

OYO stad in het huidige Nigeria, eertijds een machtig koninkrijk.

PARK, MUNGO Schot die de loop van de Niger heeft verkend. Hij werd in Ségou niet binnengelaten.

PEMBA Bambara godheid van de schepping, die zijn woord en zijn macht afstaat aan de god Faro.

PEPIN, ANNE signara, wat wil zeggen mulattin uit een Franse vader en een Afrikaanse moeder. Geboren in 1760 als dochter van de chirurg Jean Pépin, wordt ze beroemd door haar relatie met ridder de Boufflers. Samen met haar broer Nicolas is zij in haar tijd een van de rijkste ingezetenen van Gorée. De ruïnes van haar huis staan nog.

PEUL herders- en nomadenvolk dat vanaf de Atlantische Oceaan (Kaapverdisch schiereiland) over het Tsjaad-meer en Adamaoua tot het Nijl-bekken wordt aangetroffen. Hun oorsprong is onzeker; volgens sommige bronnen stammen zij af van Semieten die in de vierde eeuw vóór onze tijdrekening door de opvolgers van Alexander de Grote en later door de Romeinen zouden zijn verdreven en naar Afrika afgezakt. Meestal houden ze zich afzijdig van de landbouwvolkeren wier veestapel zij soms hoeden. In Mali vormen ze met hun *rimaïbee* (slaven of afstammelingen van slaven) een belangrijke bevolkingsgroep. Langzamerhand zijn ze een sedentair bestaan gaan leiden. Ze spreken dezelfde taal als de Toucouleur, het Poular. In de achttiende eeuw bekeren ze zich tot de islam waarvan zij vurige verbreiders zijn geworden.

QADRIYA religieuze broederschap; zie TOEROEQ.

QARAWIYYIN universiteit van Fes, gesticht in 860.

*Saîh* beroemd geschrift van een moslim-heilige.

SALOUM koninkrijk gelegen in het huidige Senegal.

SANCHO, IGNATIUS geboren in 1729 aan boord van een slavenschip. Zijn ouders waren reeds als slaven verkocht. Hij wordt de huisknecht van twee Engelse dames die hem slecht behandelen. John hertog van Montagu neemt hem in bescherming, geeft hem de middelen om te studeren en te schrijven, en laat hem een aanzienlijk fortuin na. Als idool van de Engelse aristocratie wordt hij geportretteerd door Gainsborough en correspondeert hij met beroemde schrijvers zoals Laurence Sterne. Men leze *Letters of the Late Ignatius Sancho, an African*, een uitgave van Dawson of Pall Mall. Een van zijn zoons, Billy, had een boekhandel in Charles Street 20, Westminster.

SANÉNÉ beschermgeest van de jagers uit Ségou.

SÃO JOÃO DE AJUDA fort uit de streek rondom Ouidah in het huidige Benin.

SÃO TOMÉ eiland ter hoogte van Equatoriaal Guinea, dat ten tijde van de slavenhandel als tussenhaven op weg van Angola naar Brazilië fungeerde.

SCHMALTZ commandant die na de afschaffing van de slavernij met een groep landarbeiders naar Kaapverdië wordt gestuurd om het gebied in cultuur te brengen. Het project mislukt, maar Schmaltz probeert nog enkele jaren langs de oevers van de Senegal indigo, koffie en suikerriet te verbouwen. In 1820 wordt hij naar Frankrijk teruggeroepen en vervangen door baron Roger die de proeftuin van Richard Toll sticht.

SÉLADOUGOU gebied nabij Djenné op de weg naar Ségou.

SIERRA LEONE in 1787 komt de Engelse filantroop Granville Sharp op het idee aan de westkust van Afrika grond te kopen waarop vrijgelaten Antilliaanse en later ook op zee door de Britse vloot bevrijde slaven zich kunnen komen vestigen. Dit is de oorsprong van Freetown, de hoofdstad van Sierra Leone. In 1827 wordt daar het eerste instituut voor hoger onderwijs opgericht, het Fourah Bay College, waar priesters en leraren worden opgeleid.

SINE koninkrijk gelegen in het huidige Senegal.

TIDJANIYA islamitische, streng religieuze broederschap; zie TOEROEQ.

TOEROEQ islamitische broederschappen die vanaf de zesde eeuw van de Hegira (twaalfde eeuw van onze tijdrekening) het soefisme hebben verbreid; ten zuiden van de Sahara zijn de voornaamste de Qadriya (genoemd naar zijn stichter Abdel Qadir el-Jilani), de Kounti (genoemd naar de Kounta, een familie van Arabische herkomst uit Tombouctou) en de Tidjaniya (gesticht door sjeik Ahmed Tidjani, 1737-1815).

TOUAT streek in het zuiden van Marokko, die het Middellandse Zee-gebied met de Sahel verbindt.

TOUCOULEUR volk dat pas in de tweede helft van de negentiende eeuw Mali binnenvalt. Afkomstig van de oevers van de Senegal, uit de Fouta's (Fouta Diallon, Fouta Toro enz.), spreken ze dezelfde taal als de Peul, het Poular. Hun welhaast fanatieke gehechtheid aan de islam maakt hen tot legendarische veroveraars.

TWI taal van de Ashanti.

WALO koninkrijk gelegen in het huidige Senegal.

WARGEE geboren in Kisliar (Astrakhan), waarschijnlijk een moslim. Omstreeks 1787 belandt hij in Turkse slavernij. Hij koopt zich vrij en vestigt zich in Istamboel. Rond 1817 doorkruist hij de Sahara en bezoekt Kano, Djenné, Kong en Tombouctou. Wordt gevangengenomen en opgesloten in Kumasi, hoofdstad van het Ashanti rijk, en vervolgens onder gewapend geleide naar de kust gebracht opdat de Engelsen hem zouden repatriëren.

YORUBA volk uit het zuidwestelijke oerwoudgebied van het huidige Nigeria, een van de meest dynamische en scheppende volkeren van Afrika. De bakermat van hun beschaving is Ife, de moederstad waar goden en mensen voor het eerst op aarde zouden zijn verschenen. De Yoruba hebben heel wat koninkrijken gesticht, waaronder dat van Oyo wellicht het machtigste was. Ze onderwierpen talrijke andere volkeren, onder meer de Edo uit Benin. In de negentiende eeuw werden zij zelf door de Peul vloedgolf overspoeld. In 1830 werd Oyo vernietigd en Ife geplunderd.

# Woordenlijst

(Arab. = Arabisch, Bam. = Bambara, Port. = Portugees/
Braziliaans)

*acaraje* (Port.) bonenbeignets
*adimo* (Fon) godsgericht
*ago* (Fon) kijk uit
*agoli* (Fon) tribunaal
*aguardente* (Port.) brandewijn
*ajaho* (Fon) minister van justitie
*alafin* (Yoruba) koning van Oyo (in het huidige Nigeria)
*Al hamdu lillahi* (Arab.) God zij geprezen
*alim* (Arab.) geleerde
*almami* geestelijke leider van de Peul
*amirabe* (Poular) officieren
*ara-koy* (Songhai) aanvoerder van de ezeldrijvers
*ardo* (Poular) houder van honderden stuks vee/bevelhebber uit
  de Diallo-clan
*arokin* (Yoruba) lofdichter
*asantehenee* (Twi) koning
*askia* (Songhai) koning
*asr* (Arab.) gebed tijdens de namiddag
*As salam aleykum* (Arab.) De vrede zij met jullie allen
*ba* (Bam.) moeder
*baba* (Yoruba) vader
*babalawo* (Yoruba) priester en helderziende, letterlijk 'vader van
  het geheim'
*babouches* Moorse sloffen
*badéni* (Bam.) kameel (doorgaans sprookjesfiguur)
*bala, balafo* (Bam.) xylofoon
*bara muso* (Bam.) eerste echtgenote
*bildiyyin* (Arab.) afstammelingen van Joodse bekeerlingen
*bilakoro* (Bam.) nog niet besneden knaap
*bimi* (Poular) letterlijk 'ik zeg', Bambara bijnaam voor de Peul
*bissimillahi* (Arab.) in de naam van God
*boeboe* (Arab.) tunica

*boegoeridala* (Bam.) waarzegger

*boeroe* (Bam.) hoorns (muziekinstrument)

*boernoes* (Arab.) mantel

*bokono* (Fon) priesters en helderzienden

*boli* (Bam.) heilige voorwerpen

*bolo* (Bam.) gevechtseenheid

*botada* (Port.) oogstfeest in Brazilië

*burgu* waterplant, 'panicum burgu'

*cachaça* (Port.) likeur bereid uit suikerriet

*daba* (Bam.) hak (landbouwwerktuig)

*damel* koning van Cayor

*debiha* (Arab.) ceremonie om bescherming af te smeken

*dègè* (Bam.) gierstebrij

*denoe* (Fon) douanedienst

*diamoe* (Bam.) familienaam

*diarra* (Bam.) leeuw (doorgaans sprookjesfiguur)

*dimadio* (Poular) slaaf

*dina* (Arab.) theocratisch moslim-genootschap

*djeli* (Bam.) lofdichter

*doenoemba* (Bam.) trom die alleen bij feestelijke gelegenheden
wordt bespeeld

*dolo* (Bam.) gierstebier

*dommafa* (Twi) gewichtseenheid

*dyo* (Bam.) bloedbroederschap

*dyoro* (Poular) aanvoerder van een huttenkamp

*El-Hadj* (Arab.) eretitel van iemand die als pelgrim naar Mekka is
getrokken

*fa* (Bam.) patriarch van de familie

*faagbaji* (Fon) cirkelvormig vertrek in het koninklijk paleis, waar
de bokono voortdurend ter beschikking van de koning staan

*fama* (Bam.) heer

*Fanko* (Bam.) letterlijk 'geboren na de (dood van de) vader'

*fazenda* (Port.) koffie- of suikerrietplantage

*feitor* (Port.) opzichter op een plantage

*feticeiro* (Port.) zwarte Braziliaanse tovenaar

*flee* (Bam.) fluit

*foetoetègè* (Bam.) plechtigheid op de verjaardag van het overlijden
van een jager

*fonio* (Bam.) graangewas

*foro* (Bam.) penis

*ganhador* (Port.) neger die in loondienst werkt

*garankè* (Bam.) leerbewerker

*gari* maniokmeel

*goree* (Poular) vriend, broeder

*gossi* (Poular) gierstebrij

*gow* (Bam.) stam van jagers, 'meesters van de wildernis'

*hadith* (Arab.) woord, daad of stilzwijgende goedkeuring die aan de profeet Mohammed wordt toegeschreven

*hafiz kar* (Arab.) graad toegekend aan een leerling die de hele koran van buiten heeft geleerd

*haik* (Arab.) wijde omslagdoek die door vrouwen over de andere kleren heen wordt gedragen

*hakim* (Songhai) gewapende ordehandhaver

*halifa* (Arab.) officiële vertegenwoordiger van de islam

*harratin* (Arab.) gemengde afstammelingen van zwarten en Berbers

*ihsan* (Arab.) volmaakt gedrag

*imam* (Arab.) godsdienstig leider

*isja* (Arab.) nachtgebed

*iya* (Yoruba) moeder

*jaganda* (Port.) soort vlot

*jihad* (Arab.) heilige oorlog

*jurupari* personage uit de Braziliaanse folklore; oorspronkelijk een demoon van de Tupi-Indianen

*kadi* (Arab.) rechter

*kakka* (Poular) afrasteringen

*karamoko* (Bam.) volleerd jager

*karkadee* (Bam.) zuring uit Guinée

*keletigi* (Bam.) aanvoerder

*koddee* (Poular) gestremde melk met gierstmeel

*kokè* (Bam.) titel waarmee de man door zijn echtgenote wordt aangesproken, daar zij hem niet bij zijn naam mag noemen

*kontihenee* (Twi) opperbevelhebber

*koro* (Bam.) grote broer

*Kosa* (Bam.) letterlijk 'gedane zaak', voornaam van een laat geboren kind

*kramkram* doornstruik

*ku* (Fon) de dood

*labo* (Poular) houtbewerker

*La ilaha ill' Allah* (Arab.) er is geen andere god dan God

*lazim* (Arab.) gebed van de Tidjaniya broederschap, dat tweemaal dagelijks wordt opgezegd *lêgêdê* (Fon) geheime politie

*madoegvu* woonhuis van een vooraanstaande, villa

*maghreb* (Arab.) 'het westen', gebed bij zonsondergang

*mansa* (Bam.) koning

*maraboet* (Arab.) strijder voor het geloof / vroom persoon die lesgeeft aan een zaoeïa

*mithkal* (Arab.) muntstuk met dezelfde waarde als een dinar of een dukaat

*modibo* (Poular) moslim-geletterde

*moëddzin* (Arab.) gebedsvoorganger die de gelovigen vijfmaal dagelijks vanaf de minaret tot het gebed oproept

*moetoekoe* (Bam.) maateenheid en geldstuk (mithkal)

*moqaddem* (Arab.) geestelijke die de beginnelingen basisonderricht verstrekt

*mori* (Bam.) moslim-maraboets

*mpolio* (Bam.) riviervis uit de Joliba (Niger)

*muwalat* (Arab.) saamhorigheids- en vriendschapsbanden

*mwallidun* (Arab.) mulattin

*n'gomi* (Bam.) gierstbeignets

*n'ko* (Bam.) letterlijk 'ik zeg', Peul bijnaam voor de Bambara

*nyamakala* (Bam.) mannen van een lagere kaste

*oelema* (Arab.) islamitische rechts- en godgeleerde

*oessoel* (Arab.) recitatie

*Olubunmi* (Yoruba) God zal je wens vervullen

*orisha* (Yoruba) goden

*pamonha* (Port.) maïsgebak

*pé de moleque* (Port.) Braziliaanse versnaperingen

*pembelee* (Bam.) afbeelding van de god Pemba bij het scheppen van de wereld

*rekkat* (Arab.) bijkomende gebeden, naast de vijf verplichte die dagelijks moeten worden opgezegd

*safohenee* (Twi) aanvoerder

*sawal* (Arab.) inhoudsmaat

*secco* (Bam.) gedroogde bladeren van de doempalm

*Ségoukaw* (Bam.) inwoners van Ségou

*sellee* (Songhai) vriend, broeder

*senzala* (Port.) slavenhut

*seringueiro* (Port.) arbeider die uit het melksap van tropische boomsoorten (Ficus elastica, Hevea brasiliensis enz.) rubber tapt

*sertão* (Port.) het dorre Braziliaanse binnenland

*shahada* (Arab.) de uitspraak *La ilaha ill' Allah*

*sibala* (Bam.) specerij

*sjorfa* edelen

*sobrado* (Port.) Braziliaans stadshuis, in tegenstelling tot het land-
huis of de fazenda

*sofa* (Bam.) ruiters

*souroukou* (Bam.) hyena (doorgaans sprookjesfiguur)

*suman* (Arab.) letterlijk 'het welriekende', buigzaam hout waaruit
de schrijfplankjes worden vervaardigd

*tabala* (Bam.) koninklijke trom die een overlijden, oorlog of een
andere belangrijke gebeurtenis aankondigt

*takoela* (Bam.) gierstbrood

*talibee* (Arab.) leerling aan een koranschool/strijder in een jihad

*tamani* (Bam.) kleine tamtam die onder de arm wordt genomen

*tassawoef* (Arab.) de geestelijke weg voor de ingewijden

*tatiree Macina* (Poular) gerecht bereid met rijst, vis en verse boter

*tawhil* (Arab.) de theologie

*tiè* (Bam.) man, broer

*tjekala* (Bam.) plant die door haar aanwezigheid aantoont dat er
opnieuw kan worden gezaaid

*to* (Bam.) deeg uit gierstmeel, geldt als lekkernij

*Toebab* (Bam.) de blanken

*tondyons* (Bam.) legereenheid, opgericht door de stichter van het
Bambara koninkrijk, Biton Coulibali

*tutu* in de Braziliaanse folklore een monster waarmee kinderen
angst wordt aangejaagd

*vodoen* (Fon) goden

*wabaïne* (Bam.) dodelijk gif, gebruikt door jagers

*wazifat* (Arab.) een niet-verplicht gebed

*wird* (Arab.) gebeden bestaande uit koran-citaten

*woloso* (Bam.) huisslaaf, in tegenstelling tot de krijgsgevangene

*wori* (Bam.) soort damspel

*yèrèwolo* (Bam.) edelman; het meervoud is *yèrèwolow*

*yovogan* (Fon) stadhouder van de koning van Dahomey

*zaoeïa, zawia* (Arab.) school voor koranstudie en meditatie

*zodjagi* (Fon) bijnaam voor de blanken

*zohoer* (Arab.) middaggebed

*zumbi, zombie* (Kimboendoe) in Braziliaanse en Caribische reli-
gies (voedoe) spook dat 's nachts rondwaart

# HET GESLACHT DER TRAORÉ

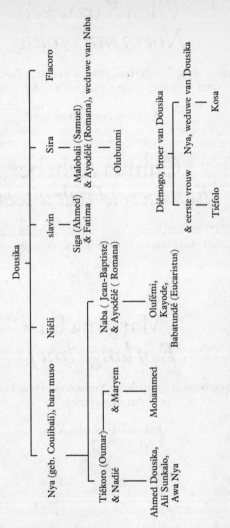

# Ellen Kuzwayo
## *Noem mij vrouw*

Een autobiografisch verslag van haar leven in Zuid-Afrika.
Een oprechte getuigenis van een moedige vrouw.

Rainbow Pocketboek 89

\* \* \*

# Chinua Achebe
## *Een wereld valt uiteen*

De confrontatie tussen Ibo cultuur en de niet te stuiten
koloniale opmars aan het eind van de vorige eeuw.

Rainbow Pocketboek 69

\* \* \*

# Mariama Bâ
## *Een lange brief*

Bekroond in 1980 met de Noma Award voor het beste
Afrikaanse boek.

Rainbow Pocketboek 26

\* \* \*

# Buchi Emecheta
## *Als een tweederangs burger*

Het bekendste boek uit de 'Afrikaanse Bibliotheek'.
Een vrouw tussen Nigeria en Londen.

Rainbow Pocketboek 15

\* \* \*

# Buchi Emecheta
## *De prijs van de bruid*

Schrijfster van *Als een tweederangs burger*.

Rainbow Pocketboek 57

\* \* \*

# Buchi Emecheta
## *De slavin*

Een fascinerende roman over de vrijheid en slavernij van
een jonge Afrikaanse vrouw.

Rainbow Pocketboek 83

\* \* \*

# Nawal El Saadawi
## *De gesluierde Eva*

Een onthullende blik op de positie van de vrouw in de wereld van de Islam.

Rainbow Pocketboek 78

\* \* \*

# Nawal El Saadawi
## *De val van de imam*

Het tweede boek van deze Egyptische schrijfster van *De gesluierde Eva*.

Rainbow Pocketboek 88

\* \* \*

# Astrid Roemer
## *Over de gekte van een vrouw*

Een Surinaamse roman.

Rainbow Pocketboek 17

\* \* \*

# Astrid Roemer
## *Een naam voor de liefde*

De schrijfster van *Over de gekte van een vrouw*, nu met
een intrigerende roman over leven en dood. 'Een
lichamelijk en enerverend boek' – August Hans den Boef.

Rainbow Pocketboek 81

\* \* \*

# Eduardo Mendoza
## *De stad der wonderen*

'Barcelona is in veel romans tot leven gebracht, maar
zelden met zoveel vaart, fantasie en allure als in
*De stad der wonderen*. Een boek dat je niet mag missen' –
*Vrij Nederland*.

Rainbow Pocketboek 79

\* \* \*

# Wolf Kielich
## *Vrouwen op*
## *ontdekkingsreis*

Avonturen van 19de eeuwse vrouwen in Indonesië, Afrika
en andere onherbergzame streken.

Rainbow Pocketboek 90

\* \* \*

# Elisabeth Badinter
## *De mythe van de moederliefde*

Schokkend relaas van vier eeuwen strijd van de vrouw,
met het kind als inzet.

Rainbow Pocketboek 64

\* \* \*

# Marion Bloem
## *Geen gewoon Indisch meisje*

Haar verbluffende debuut.

Rainbow Pocketboek 13

\* \* \*

# Gustave Flaubert
## *Reis door de Oriënt*

Egypte, Palestina, Syrië, Libanon, Rhodos, Turkije...
Fascinerende reisbeschrijvingen van Frankrijks grootste
stilist uit de negentiende eeuw.

Rainbow Pocketboek 82

\* \* \*

# Cees Nooteboom
## *Een nacht in Tunesië*

Meesterlijke reisverhalen van een topschrijver.

Rainbow Pocketboek 74

\* \* \*

# Cees Nooteboom
## *Een ochtend in Bahia*

Reisverhalen en notities over Brazilië, Spanje
Griekenland en Nederland.

Rainbow Pocketboek 70

\* \* \*

# Cees Nooteboom
## *Een middag in Bruay*

Van de Koude Oorlog in Berlijn tot de hitte van Rabat. Het
derde deel van Nootebooms vroege reisverhalen.

Rainbow Pocketboek 80

\* \* \*

# Simone Signoret
## *Nostalgie is ook niet meer wat het was*

De beste autobiografie ooit door een filmactrice geschreven.

Rainbow Pocketboek 5

* * *

# Simone Signoret
## *Adieu Volodia*

Haar eerste roman, een schitterend en hartverwarmend boek.

Rainbow Pocketboek 49

* * *

# Alice Walker
## *De kleur paars*

Bekroond met vele literaire prijzen en succesvol verfilmd door Steven Spielberg.

Rainbow Pocketboek 29

* * *

# Alice Walker
## *Meridian*

Weer een prachtige roman van de schrijfster van
*De kleur paars.*

Rainbow Pocketboek 36

\* \* \*

# Alice Walker
## *Verliefd en verloren*

Dertien indrukwekkende verhalen waarin de
zwarte vrouw centraal staat.

Rainbow Pocketboek 50

\* \* \*

# Alice Walker
## *Het derde leven van Grange Copeland*

Tragische en liefdevolle roman over drie generaties
zwarte Amerikanen.

Rainbow Pocketboek 61

\* \* \*

# Isaac Bashevis Singer
## *Het landgoed*

Nobelprijs voor literatuur 1978.

Rainbow Pocketboek 20

\* \* \*

# Isaac Bashevis Singer
## *Simpele Gimpl en andere verhalen*

Nobelprijs voor literatuur 1978.
Een van zijn belangrijkste verhalenbundels.

Rainbow Pocketboek 37

\* \* \*

# Isaac Bashevis Singer
## *Vijanden, een liefdesroman*

Nobelprijs voor literatuur 1978.
Weer een uitstekende roman van deze schrijver.

Rainbow Pocketboek 32

\* \* \*

# Isaac Bashevis Singer
## *Yentl*

Een boeiende verhalenbundel door de schrijver
zelf samengesteld.

Rainbow Pocketboek 25

\* \* \*

# Helmut Barz
## *Jung en zijn psychotherapie*

Een uitstekende inleiding in de analytische psychologie
van Carl Gustav Jung.

Rainbow Pocketboek 66

\* \* \*

# Bruce Chatwin
## *In Patagonië*

'Ongewoon en ongelooflijk goed', Paul Theroux.

Rainbow Pocketboek 67

\* \* \*

# Marie Cardinal
## *Het moet eruit!*

Een boeiend en indringend verslag van een psychoanalyse.

Rainbow Pocketboek 6

* * *

# Arianna Stassinopoulos
## *Maria Callas*

De meeslepende biografie over de grootste operaster van deze eeuw. Een vrouw verscheurd tussen haar werk en privéleven.

Rainbow Pocketboek 84

* * *

# Julia Voznesenskaja
## *Vrouwendecamerone*

Een fascinerend beeld van de Russische samenleving, gezien door de ogen van vrouwen.

Rainbow Pocketboek 77

* * *

Rainbow Pocketboeken blijven leverbaar!